Le guide
de l'alimentation
de l'enfant

de la conception
à l'adolescence

Dr Jacques Fricker,
Anne-Marie Dartois,
Marielle du Fraysseix

Le guide
de l'alimentation
de l'enfant
de la conception
à l'adolescence

Illustrations de T. Delétraz

EDITIONS
ODILE JACOB

Des mêmes auteurs :

Dr Jacques Fricker :
Obésité chez l'enfant (avec M.-F. Rolland-Cachera et F. Bellisle), Traité de nutrition pédiatrique, coordination C. Ricour, Maloine, Paris, 1994.
Obésité, Abrégé, Masson, Paris, 1995.
Le Nouveau Guide du bien maigrir, Odile Jacob, Paris, 1996.
La Cuisine du bien maigrir, Odile Jacob, Paris, 1998.
Le Grand Livre de la forme (avec Dominique Laty), Odile Jacob, Paris, 1997.

Anne-Marie Dartois :
À table ! le régime est servi (avec F. Mosser-Saison), guide alimentaire à l'usage des enfants insuffisants rénaux, INSERM, 1996.
Nouveau parcours ou la greffe rénale au jour le jour (avec G. Guest, A. Arsan, F. Mosser-Saison), INSERM, 1995.
Diététique et régime (avec P. Sérog), Petite encyclopédie médico-chirurgicale, J. Hamburger, Flammarion, Paris, 1989.

Marielle du Fraysseix :
L'Alimentation selon les âges, in Larousse des Parents, Paris, 1994.

Anne-Marie Dartois et Marielle du Fraysseix :
Les Nourrissons et les jeunes enfants (avec G. Vermeil), Alimentation et nutrition humaines, coordination H. Dupin, ESF, Paris, 1992.
Alimentation du bien portant, Traité de nutrition pédiatrique, coordination C. Ricour, Maloine, Paris, 1993.
L'Alimentation de l'enfant de la naissance à trois ans (avec G. Vermeil), Doin, Paris, 1996.

© Éditions Odile Jacob, Septembre 1998
15, rue Soufflot, 75005 paris

internet : http://www.odilejacob.fr

ISBN : 2-7381-0617-X

REMERCIEMENTS

Ce livre est le fruit de rencontres. Rencontres avec de nombreuses patientes, femmes enceintes puis mères de famille, rencontres avec des enfants, des adolescents, qui, par leurs questions et leurs diverses situations, nous ont donné matière à rédiger ces pages. Nous voudrions ici les remercier.

Nous remercions aussi ceux que nous avons rencontrés dans nos parcours respectifs, nos aînés, qui nous ont transmis leur savoir, leur expérience et leur sensibilité dans le domaine de la nutrition : en particulier le Pr Marian Apfelbaum et le Dr Paul Sachet pour l'alimentation de la femme enceinte, de l'enfant trop gros et de l'adolescent, ainsi que le Dr Guy Vermeil, le Pr Jean Rey et le Dr Amine Arsan qui nous ont inspirés et éclairés sur le domaine si riche de l'alimentation de l'enfant.

Rencontres ensuite autour de ce livre avec les contributions essentielles de Cécile Andrier, initiatrice de ce projet, puis de Catherine Meyer qui a suivi si attentivement ce travail et nous a permis de l'accomplir.

Nous n'oublions pas l'aide précieuse des diététiciennes et des puéricultrices, de Solveig Darrigo, d'Anne Deville-Cavalin et de Laurence Toussaint.

À chacun, nous souhaitons exprimer notre sincère et chaleureuse reconnaissance. Sans oublier de remercier le destin (mais en était-ce vraiment un ?) qui nous a permis de nous rencontrer tous les trois et de mettre en commun, dans cet ouvrage, nos compétences et nos expériences complémentaires.

Anne-Marie Dartois, Marielle du Fraysseix et Jacques Fricker.

Sommaire

La première année de vie

L'enfant de un à trois ans.
Mise en place des habitudes alimentaires

L'enfant et vos préoccupations

De la petite enfance à l'adolescence

L'adolescence : de nouveaux besoins

Végétarisme, aliments biologiques, et végétalisme

Sommaire

Introduction

Aujourd'hui, la qualité de la nourriture et la recherche d'un équilibre alimentaire sont devenues des préoccupations majeures dans nos sociétés occidentales. Car bien manger, c'est aussi être en bonne santé et tout simplement bien vivre.

Dans le domaine de l'enfance, ce souci de qualité nutritionnelle est encore plus fort. En effet, nourrir son enfant, c'est lui donner les éléments indispensables à son développement, mais c'est aussi lui transmettre, au fil des ans, les bases d'une alimentation saine et équilibrée qui lui seront utiles, toute sa vie durant.

Or les écueils sont nombreux dans cette aventure ; car même sans parler d'obésité ou de maladies graves, il est facile de multiplier les erreurs quotidiennes qui peuvent conduire, sans qu'on s'en rende compte, à des déséquilibres, voire à des carences plus ou moins prononcées.

Les mamans et ceux qui participent à l'éducation des enfants sont bien souvent conscients des enjeux d'une bonne alimentation, mais aussi désorientés face à ce qui leur apparaît comme un univers complexe et en perpétuel mouvement. Quelles sont en effet les règles du « bien manger » ? Comment s'y retrouver entre les différentes « modes » alimentaires qui conduisent selon les époques à encourager la consommation de viande puis à la honnir, à limiter le pain et les sucres lents, puis à en faire l'apologie ?... Que faut-il penser des traditions et des conseils de grand-mères ? Sans parler des multiples pressions des industriels qui proposent des produits de plus en plus variés pour le marché très lucratif que représentent les enfants.

L'enfant est un petit puis un grand personnage, en évolution constante, et bien le nourrir peut sembler un véritable casse-tête car ce qui vaut pour le petit bébé, au cours de sa première année, est-il encore valable dans les années qui suivent ? Comment adapter l'alimentation à la croissance spécifique de l'enfant ? Comment être sûr qu'il mange assez ou qu'il ne mange pas trop, à tel ou tel âge de la vie ?

Sans parler de tout ce qui se joue dans le rapport parents/enfant, à travers et par la nourriture. Un bébé qui, par exemple, refuse la bonne soupe préparée avec amour par sa maman n'a sans doute aucun problème par rapport aux légumes mais cherche simplement à marquer une opposition qui lui permet d'affirmer son identité. Quant à l'adolescent et à ses repas souvent déstructurés, il faut être capable d'y voir autre chose qu'un simple mode alimentaire. Ce sont aussi ces enjeux cachés qu'il faut savoir comprendre.

C'est pour toutes ces raisons que nous avons conçu ce guide, à l'intention des parents et de tous ceux qui participent à l'alimentation des enfants. Nous avons voulu répondre à toutes vos interrogations, de façon concrète et minutieuse, en développant les différents aspects de l'alimentation depuis la conception et la grossesse jusqu'à l'adolescence. L'art de bien nourrir votre enfant et votre famille repose sur des connaissances scientifiques doublées d'expérience pratique : aussi nous sommes-nous attachés aux données de la physiologie de l'enfant, à l'observation de son développement psychomoteur et comportemental, ainsi qu'à la connaissance des aliments, de leur rôle et de leur utilisation par l'organisme. Nous avons également cherché à faciliter vos choix, malgré l'aspect souvent confus ou contradictoire des publicités et des « modes », à vous faire gagner du temps par des conseils pratiques et à vous proposer des solutions compatibles avec la taille de votre famille.

Nous avons mis en commun nos compétences et nos expériences dans le domaine de la nutrition et de la petite enfance, mais aussi notre sensibilité, afin de vous permettre de bien nourrir votre enfant, sans panique ni culpabilité, pour concilier tout simplement équilibre, amour et gourmandise.

En attendant
l'enfant

En attendant
l'enfant

*En attendant
l'enfant*

En attendant
l'enfant

*En attendant
l'enfant*

En attendant l'enfant

Bien manger avant la conception

La croissance de votre bébé au fil des mois

Neuf mois pour transformer votre corps

Neuf mois pour fabriquer bébé
ce qu'il faut trouver dans votre alimentation

Grossesse et superflu
Le plaisir sans les dangers

Votre assiette au quotidien

■

Combattre les « petits » désagréments
de la grossesse

■

Listériose et toxoplasmose
Danger pour le bébé

■

Comment manger si...

À la conception, l'ovule fécondé par le spermatozoïde ne mesure guère plus qu'un dixième de millimètre ; pour le voir, il vous faudrait utiliser un microscope ! Au cours des neuf mois que dure la grossesse, cet ovule va subir une évolution fulgurante pour devenir un nouveau-né qui mesure environ 50 cm, soit cinq mille fois plus que l'ovule fécondé.

Cette évolution passe par l'incorporation de nombreuses substances nutritives dans l'organisme du futur bébé. Ces substances proviennent exclusivement de la mère *via* la circulation sanguine. Au niveau de l'utérus, organe où se développe l'embryon dans le ventre de sa mère, le placenta fait le tri parmi les éléments apportés par le sang maternel : il ne laisse passer que ceux qui seront utiles pour assurer les besoins et la croissance de votre futur bébé.

Comme l'enfant ou l'adulte, l'embryon puis le fœtus (on parle de l'embryon de la conception à deux mois ; de fœtus du troisième mois à l'accouchement) requiert de l'énergie (les calories) ainsi que de nombreux éléments complémentaires : protéines, glucides, lipides, vitamines, calcium, fer, etc. Votre bébé pourra en partie se procurer ces éléments à partir de vos propres réserves : ainsi, par exemple, le calcium des os de la mère est utilisable pour construire le squelette du fœtus. Mais c'est surtout grâce à l'équilibre de votre nourriture que le petit être qui croît dans votre utérus pourra satisfaire ses besoins et se développer. Pour y parvenir, suivez nos conseils, mais ne vous croyez pas obligée de bouleverser vos repas pour cause de maternité. Lorsque la femme enceinte mange suffisamment et de façon variée, son organisme s'adapte assez bien aux nouvelles conditions qui lui sont imposées par la présence et le développement du bébé. La grande diversité des coutumes alimentaires selon les époques et selon les latitudes n'a pas empêché les femmes de procréer puis de mener à bien leur grossesse.

Aussi, si vous êtes enceinte, soyez globalement rassurée et ne « médicalisez » pas outre mesure votre nourriture : bien manger est un acte naturel avant d'être, parfois, un conseil diététique ou une prescription médicale. La lecture des pages qui suivent et l'application de leurs principes vous permettront cependant d'optimiser votre alimentation afin d'avoir toutes les chances d'*être en forme*, pour vous, et de *naître en forme*, pour votre bébé.

Chaque famille d'aliments a son intérêt, mais ne vous croyez pas obligée de suivre des règles trop rigides : à l'intérieur de chaque famille, vous pourrez sans crainte pour votre santé et celle de votre bébé privilégier les aliments que vous préférez ou ceux dont la consommation vous paraît la plus pratique. C'est pourquoi nous avons souhaité vous proposer le maximum de choix ou de solutions afin que vous puissiez facilement concilier votre équilibre alimentaire avec vos goûts et votre mode de vie. Et sachez profiter de cette grossesse qui s'annonce pour être plus réceptive aux questions d'alimentation et de nutrition. Apprenez à bien manger tout en mangeant savoureusement. De cette façon, vous pourrez prolonger, après l'accouchement, vos nouvelles habitudes alimentaires, pour votre plus grand bien et celui de votre famille.

Bien manger
avant la conception

Les premières semaines qui suivent la conception de votre futur enfant, juste après la fécondation de l'ovule de la mère par le spermatozoïde du père, constituent les semaines les plus critiques pour son développement. Alors même que la mère ne se sait généralement pas encore enceinte, certaines étapes essentielles pour la croissance de l'embryon se mettent déjà en place.

Le bon état de l'enfant que vous mettrez au monde neuf mois plus tard dépend en partie du succès de cette première phase. Or, dès les premiers jours qui suivent la fécondation, le développement de l'embryon est sous l'influence de votre façon de manger ainsi que des réserves en éléments nutritifs que vous aurez constituées dans les semaines précédentes. Pour avoir un nouveau-né en pleine possession de ses moyens, c'est donc dès avant la conception que nous vous conseillons de bien manger. Pour y parvenir, les conseils proposés dans les pages qui suivent conduisent à une nourriture proche des recommandations faites pour les femmes enceintes (voir p. 109 à 131).

Évitez les régimes amaigrissants déséquilibrés

Les médecins connaissent bien la disparition complète et précoce des règles qui survient chez la jeune fille en cas d'anorexie mentale, maladie d'ordre à la fois psychologique et nutritionnel caractérisée par un refus de se nourrir et par la peur paradoxale de devenir obèse. Sans aller jusqu'à ces cas extrêmes, vous risquez des troubles hormonaux et des irrégularités dans la survenue des règles (voire leur disparition) si vous suivez un régime amaigrissant sévère. Il en résulte une baisse de la fertilité, source de difficultés à produire une ovulation de qualité et donc à être enceinte. Des troubles analogues s'observent chez la femme qui pratique le sport de façon intense.

Aussi, dans les six mois qui précèdent la période envisagée pour la conception et l'arrêt de tout mode contraceptif, veillez à éviter tout régime farfelu ou trop strict, tout régime qui vous affamerait ou qui exclurait une ou plusieurs familles d'aliments.

Outre le fait que ces régimes rendraient plus problématique la réalisation de votre désir de grossesse, ils déséquilibreraient vos réserves en éléments nutritifs dont l'embryon, puis le fœtus, aura besoin : vitamines, fer, calcium, protéines ou acides gras essentiels, par exemple.

En revanche, si vous êtes forte avant la conception (indice de masse corporelle supérieur à 25 kg/m^2, voir p. 41), vous pouvez suivre un régime amaigrissant raisonnable et équilibré sous contrôle médical. Un tel régime vous permettra d'aborder plus sereinement le déroulement de votre grossesse, de réduire les risques liés à l'excès de poids (voir p. 147), d'être plus sûre de vos capacités à maîtriser votre prise de poids au cours de ces neuf mois.

Si vous êtes très forte (indice de masse corporelle supérieur à 34 kg/m^2, voir p. 41), un tel régime a un avantage supplémentaire : celui de favoriser le déclenchement même de la grossesse. En effet, de même que l'excès de maigreur, l'excès de poids altère les sécrétions hormonales, d'où un risque d'infertilité temporaire. Il n'est pas rare que certaines femmes très fortes, qui désespéraient de ne pas avoir d'enfant, se retrouvent enceintes tout simplement après avoir perdu quelques kilos grâce à un régime.

Prenez quelques kilos si vous êtes maigre

La mode actuelle prône une minceur excessive, ce qui ne fait pas toujours bon ménage avec les besoins et le bien-être du corps de la femme. Si vous êtes maigre (indice de masse corporelle inférieur à 18,5 kg/m^2, voir p. 41), vous vous exposez aux problèmes suivants :

— difficultés à être enceinte ;

— manque de réserve en énergie à transmettre au bébé, qui risque alors d'être chétif à la naissance ;

— carences nutritionnelles, surtout si vous restreignez volontairement votre alimentation.

À partir du moment où vous avez « programmé » une grossesse pour les mois qui viennent, vous avez donc intérêt à écouter votre appétit et votre gourmandise pour prendre ne serait-ce que deux ou trois kilos et atteindre un indice de masse corporelle au moins égal à 18,5 kg/m^2, et si possible un peu plus élevé. Une autre solution consiste à y parvenir en suivant, avec quelques mois d'avance, les conseils destinés aux femmes enceintes (voir p. 153).

Adaptez votre alimentation en fonction de votre contraception passée

Le choix du mode contraceptif n'est pas anodin en termes d'équilibre alimentaire et donc d'équilibre pour l'embryon, puis du fœtus, que vous porterez. Encore appelés « stérilets », les dispositifs intra-utérins augmentent généralement le volume et la durée des règles, et donc les pertes de sang et de fer, puisque ce dernier est contenu dans les globules rouges. Si vous aviez un stérilet, il serait alors souhaitable de consommer une alimentation particulièrement riche en fer (voir p. 74) dans les trois mois qui précèdent la conception, et au besoin de prendre des comprimés de fer au cours de cette même période. Pour vérifier l'état de vos réserves en fer, votre médecin vous demandera peut-être une analyse de sang.

Si vous étiez sous contraception orale (la « pilule »), c'est l'inverse : les règles sont généralement moins abondantes et la carence en fer plus rare que chez une femme sans contraception. En revanche, la pilule réduit les réserves du corps en vitamines B6, B12 et surtout B9 (encore appelée « acide folique » ou « folates ») ; privilégiez les aliments qui en sont riches (voir p. 614, p. 615 et p. 82) dans le trimestre qui précède la conception.

Supprimez les toxiques

C'est tout au long de la grossesse que l'alcool consommé en excès nuit au développement de bébé (voir p. 106). Mais cette toxicité peut être plus grave dans les premières semaines qui suivent la conception, alors même que la mère ne se sait pas encore enceinte. Votre projet de grossesse doit donc vous conduire au plus tôt à ne pas dépasser le verre de vin journalier autorisé ; au-delà, l'embryon risque d'en pâtir. De même, c'est dès le début de la grossesse qu'il est primordial d'arrêter de fumer.

Dans les mois qui précèdent la grossesse, votre médecin vous conseillera peut-être un supplément vitaminique, surtout si vous étiez auparavant sous contraception orale (voir plus haut). Ce supplément devrait vous apporter environ 100 % des apports quotidiens recommandés (AQR), dose à la fois efficace pour éviter les carences et suffisamment faible pour ne pas induire de surdosage. En revanche, méfiez-vous des suppléments trop dosés : prises en excès, certaines vitamines (en particulier la vitamine A) s'avèrent toxiques pour l'embryon. Si vous preniez régulièrement un supplément, parlez-en à votre médecin avant de poursuivre votre habitude.

Les régimes pour déterminer le sexe de son enfant

Dès 1933, des expériences effectuées sur les crapauds avaient démontré qu'un changement dans l'équilibre en minéraux de la nourriture entraîne, selon les minéraux modifiés, un plus grand nombre de nouveau-nés mâles ou femelles. On a ensuite cherché à extrapoler ces résultats à certains mammifères, et à l'homme.

Sans faire de régime particulier, chaque femme possède, *a priori,* une chance sur deux d'avoir une fille, une sur deux d'avoir un garçon. Si, par son alimentation, elle souhaite augmenter les chances d'avoir un garçon, elle devrait éviter les aliments riches en calcium (voir p. 66), en particulier le lait, le fromage, et tous les produits laitiers. Elle augmentera par contre la teneur de son alimentation en sodium, en mangeant plus salé (voir p. 100), ainsi qu'en potassium (grâce aux fruits, aux légumes et à des suppléments médicamenteux en potassium).

Pour avoir plus de chances de faire naître une fille, c'est l'inverse :

— régime riche en calcium, mais aussi en magnésium (voir p. 72), avec souvent des suppléments médicamenteux en magnésium et en calcium ;

— très peu de sodium, donc alimentation peu ou non salée ;

— très peu de potassium, donc peu de fruits et légumes.

Que l'on espère une fille ou un garçon, le régime doit être suivi sans faillir pendant au moins deux mois avant la conception ; dans ce cas, les « bons » résultats, conformes aux espérances, sont d'environ 75 %, contre 50 % si on laisse faire les choses plus naturellement. Ce sont tout du moins les chiffres avancés par les promoteurs de ces régimes ; de nombreux experts sont, eux, beaucoup moins optimistes sur les chances de succès.

> Notre conseil
>
> Nous vous déconseillons ces régimes :
>
> — ils sont contraignants, peu agréables et doivent être suivis au moins deux mois avant l'arrêt de la contraception,
>
> et souvent plus, car il y a rarement fécondation dès le premier cycle sans contraception ;
>
> — ils sont déséquilibrés, d'où un risque de carence nuisible pour bébé ; or, manger équilibré avant même la conception est primordial pour le bon déroulement de la grossesse ;
>
> — même si vous suiviez un tel régime à la lettre, vous auriez un risque élevé d'échec ; de quoi être déçue après tant d'efforts, ce qui n'est pas forcément le meilleur moyen d'aborder le déroulement de la grossesse, puis d'accueillir la naissance de bébé.

« Je veux quand même suivre un régime pour orienter la détermination du sexe de mon enfant. Dois-je prendre certaines précautions ? »

D'abord, ne le faites pas seule, mais suivez les conseils d'un médecin. Ensuite, soyez vigilante pour détecter dès son début votre grossesse, arrêtez au plus tôt votre régime et mangez plus équilibré. Enfin, après la conception, évaluez avec votre médecin si vous avez besoin de certains conseils nutritionnels ou de suppléments médicamenteux pour rétablir plus vite l'équilibre.

La croissance de votre bébé au fil des mois

Comme on l'a déjà vu, à la conception, l'ovule fécondé par le spermatozoïde ne mesure guère plus qu'un dixième de millimètre et, au cours des neuf mois que dure la grossesse, il va devenir environ cinq mille fois plus gros qu'à l'origine pour atteindre une longueur d'une moyenne de 50 cm.

Cette évolution se fait grâce à l'incorporation de nombreuses substances nutritives qui proviennent exclusivement de l'organisme maternel et passent par la circulation sanguine pour rejoindre le bébé. C'est au niveau de l'utérus que le placenta fait un tri parmi les éléments nutritifs apportés par le sang maternel : son rôle consiste à ne laisser passer que ceux qui seront utiles pour assurer les besoins et la croissance de bébé.

Au plan nutritionnel, on divise la grossesse en deux périodes :
— la première allant de la conception à quatre mois et demi de grossesse ;
— la seconde de quatre mois et demi jusqu'à l'accouchement.

La première moitié de la grossesse

L'évolution du bébé

▓ Au cours du premier mois, l'ovule fécondé se multiplie à grande vitesse pour ressembler rapidement à un petit disque : on parle d'embryon. Celui-ci mesure 2 mm après trois semaines de vie, moment auquel apparaît le tube cardiaque, ébauche du cœur ; celui-ci est déjà animé de contractions perceptibles à l'échographie. Le cerveau ainsi que le système nerveux s'ébauchent progressivement. L'embryon ne mesure que 5 mm à trente jours de la conception ; cela n'empêche pas les principaux organes d'être déjà esquissés.

■ Pendant le deuxième mois, chaque organe continue son évolution propre tandis qu'apparaissent les ébauches des bras et des jambes. Le visage commence à prendre forme, la tête grossit, les yeux se rapprochent. À la fin de ce deuxième mois, l'embryon pèse 11 g et mesure 30 mm : le gros de l'œuvre est accompli, la période d'embryogenèse se termine : après le deuxième mois, on ne parlera plus d'embryon mais de fœtus.

■ Au troisième mois, les traits du visage se précisent, les membres s'allongent et les organes sexuels se différencient en fonction du programme fixé lors de la conception par le hasard des chromosomes. Le fœtus peut commencer à bouger lentement, puisque muscles et articulations commencent à être fonctionnels ; ces mouvements ne sont pas perceptibles par la mère. Ils sont cependant visibles à l'échographie où ils apparaissent saccadés et symétriques. À la fin du troisième mois, bébé mesure 10 cm et pèse environ 45 g.

■ De trois mois à quatre mois et demi, le fœtus prend forme humaine : l'abdomen se développe et la tête apparaît moins grosse par rapport au reste du corps. Le sang circule, les cheveux poussent et les cartilages se soudent pour former le squelette. Les organes, qui avaient été mis en place durant les trois premiers mois, se mettent à fonctionner progressivement, en particulier les reins et les organes de l'appareil digestif. Bébé est plus fort, il bouge dans votre ventre, mouvements qui à présent deviennent perceptibles. À quatre mois et demi, bébé pèse environ 300 à 400 g et mesure 18 à 20 cm.

Les besoins alimentaires du bébé

■

Au cours de la première moitié de la grossesse, la femme enceinte a générale-ment pris environ 4 kg, alors que le bébé ne pèse qu'à peine une livre. C'est que, au cours de cette première moitié de la grossesse, les kilos pris profitent essentiel-lement à la mère avec un stockage de lipides au niveau du tissu adipeux et de protéines au niveau des muscles. Ce stockage sera utile pour assurer les besoins importants du fœtus durant la seconde moitié de la grossesse : bébé pourra puiser dans vos réserves.

Il ne faut cependant pas en conclure que la qualité de votre nourriture n'a, pendant ces premiers mois, aucune influence sur le développement du bébé. C'est plutôt le contraire : les erreurs nutritionnelles de la première moitié de grossesse ont souvent plus de conséquences néfastes que celles de la seconde. Pour le début de son développement, pour la mise en place de son cerveau et de ses organes, bébé a besoin que vous mangiez bien et notamment que vous n'oubliiez pas :

— les acides gras essentiels, pour son cerveau et les membranes de ses cellules (voir p. 54) ;

— le fer, pour ses globules rouges et l'équilibre de ses cellules (voir p. 74) ;

— le calcium, pour le début d'ossification de ses os (voir p. 63) ;

— l'acide folique, pour permettre aux cellules de bébé de se multiplier à une vitesse rapide (surtout en début de grossesse) tout en conservant – ou en acquérant – une structure et une fonctionnalité correctes (voir p. 82) ;

— les glucides, afin que ses cellules disposent de suffisamment d'énergie pour effectuer leur travail dans de bonnes conditions (voir p. 59) ;

— les protéines, briques de ses futurs organes (voir p. 51) ;

— l'ensemble des minéraux et des vitamines indispensables au bon fonctionnement de tout organisme.

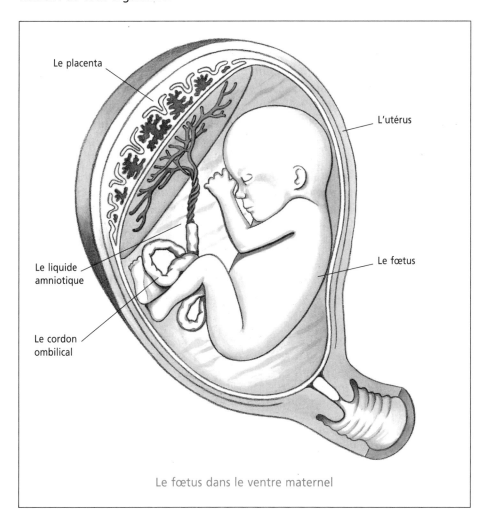

Le placenta

L'utérus

Le liquide
amniotique

Le fœtus

Le cordon
ombilical

Le fœtus dans le ventre maternel

La seconde moitié de la grossesse

L'évolution du bébé

■ À la fin du cinquième mois, le fœtus développe sa cage thoracique et commence à lui imprimer certains mouvements respiratoires rudimentaires. Ses empreintes digitales apparaissent et les cheveux deviennent plus abondants. Le fœtus fait l'apprentissage du goût et de la succion en avalant le liquide amniotique au milieu duquel il baigne, dans votre utérus.

■ Au sixième mois apparaissent les premiers hoquets, liés justement à ces ingestions du liquide amniotique. En fonction des périodes de la journée, bébé sera plus ou moins actif : sachez qu'il a déjà un rythme quotidien faisant alterner veille et sommeil ; il dort seize à vingt heures par jour. Le visage s'affine, les traits se précisent. L'enfant se tient les mains au-dessus de la poitrine, les genoux remontés sur le ventre : c'est ce qu'on nomme « la position fœtale ». Les milliards de cellules nerveuses qui composent son cerveau commencent à se relier entre elles et à fonctionner ; ses facultés sensorielles deviennent opérationnelles, et le fœtus peut entendre, écouter. Ses yeux deviennent sensibles à la clarté. Il commence à répondre à vos sollicitations et à ressentir des « émotions ». À la fin du sixième mois, bébé mesure 35 cm et pèse environ 1 kg ; grâce aux progrès de la médecine néonatologique, il pourrait être viable si, par un fâcheux concours de circonstances, il naissait à cette période.

■ Au cours des trois derniers mois, les organes, en particulier les poumons, terminent leur maturation. Le bébé grandit rapidement pour atteindre 1,8 kg à la fin du septième mois, 2,5 kg et 45 cm à la fin du huitième, et enfin environ 3 kg lors de l'accouchement.

Les besoins du bébé

Au cours de la seconde moitié de la grossesse, votre bébé se nourrit grâce aux réserves que vous aurez constituées dans votre propre corps pendant la première moitié, mais également grâce à la qualité de votre alimentation.

En fin de grossesse, le bébé grossit de 200 à 250 g par semaine : il lui faut donc suffisamment de substance nutritive, ce qui signifie que vous continuerez, sur la lancée du premier semestre, à bien manger pendant cette seconde moitié. La rapide croissance de votre bébé nécessite en particulier une grande quantité d'énergie que vous chercherez notamment dans les aliments riches en glucides tels que les fruits, les féculents ou le pain ; sauf au cas où votre médecin vous le déconseillerait du fait d'un excès de poids, vous n'aurez donc pas intérêt à restreindre votre nourriture.

Le calcium est également important, car c'est autour du sixième mois que les os de bébé constituent leurs réserves : n'oubliez pas les produits laitiers.

Le poids de votre bébé

Les kilos pris par la femme enceinte concernent, certes, le corps de la future mère, mais également celui du bébé. En moyenne, les nouveau-nés ont un poids de 3,5 kg. Cette valeur moyenne cache bien sûr de larges variations, certains bébés pesant moins de 2 kg, d'autres plus de 5. Plus utile que le poids moyen, la notion de poids « recommandé » par les gynécologues ou les pédiatres : il se situe entre 3 et 4 kg. Si son poids de naissance se situe entre ces deux limites, votre enfant aura le plus de chances d'avoir une croissance harmonieuse et une bonne santé au cours de ses premiers mois de vie.

En revanche, un poids inférieur à 2,5 kg ou un poids supérieur à 4 kg expose l'enfant à une fréquence accrue de complications durant l'accouchement et lors des premiers jours à l'air libre. Trop maigre, le nouveau-né peut souffrir de malaises hypoglycémiques (baisse du glucose dans le sang), d'une fragilité accrue aux infections ainsi que de troubles nerveux ou osseux. Trop gros, le fœtus peut, dans des cas extrêmes, manquer de place dans l'utérus pour bouger et se développer harmonieusement : il y a alors risque à la naissance de déformations temporaires du pied, du genou ou de la hanche. De plus, l'accouchement par voie naturelle sera plus difficile du fait de sa corpulence, d'où le recours fréquent à une césarienne ou à l'utilisation des forceps. Mais ne vous effrayez pas pour autant si votre futur bébé apparaît un peu trop gros à l'échographie : même dans ce cas, ces complications restent l'exception.

« En contrôlant ma prise de poids, puis-je agir sur le poids de mon enfant ? »

C'est en grande partie votre corpulence d'avant la grossesse qui influence le poids du nouveau-né. Si vous étiez forte, votre enfant aura probablement un poids plus élevé que ne l'aurait un enfant né d'une femme plus maigre, et cela même si les prises de poids respectives durant la grossesse sont identiques : la femme enceinte nourrit son enfant à partir de ses réserves. Mais votre façon de manger pendant votre grossesse ainsi que les kilos pris au cours de ces neuf mois ont également un rôle important. C'est ce que nous allons voir dans le chapitre suivant.

Neuf mois pour transformer votre corps

■

La prise de poids idéale

La prise de poids souhaitable varie d'une femme à l'autre. Votre médecin ou la sage-femme vous conseillera en s'aidant parfois de l'évolution de la corpulence du bébé à l'échographie. Pour savoir combien prendre de kilos, il faut également tenir compte de votre corpulence juste avant la grossesse. Mais comment savoir si, au plan médical, vous êtes maigre, « normale » ou forte ? L'indice de masse corporelle (IMC) constitue le meilleur critère.

Vous calculerez votre indice de masse corporelle (IMC) en divisant deux fois votre poids (en kilogrammes, pesée déshabillée) par votre taille (en mètre). Une autre façon de faire, sans avoir recours à la machine à calculer, consiste à s'aider de la figure page suivante : vous pouvez lire votre IMC à l'intersection de l'échelle « indice de masse corporelle » avec la droite qui relie les valeurs de votre poids et de votre taille. Ainsi, une personne mesurant 1,75 m et pesant 61 kg a un IMC proche de 20.

Après avoir calculé votre indice de masse corporelle, reportez-vous au tableau ci-dessous pour savoir combien de kilos il faudrait idéalement prendre au cours de ces neuf mois :

Avant le début de la grossesse, votre indice de masse corporelle [a] est	Vous avez alors intérêt à prendre
Inférieur à 20 : vous êtes mince	Entre 12,5 kg et 18 kg
Entre 20 et 26 : vous êtes de poids « normal »	Entre 11,5 kg et 16 kg
Entre 26 et 29 : vous êtes plutôt forte	Entre 7 et 11,5 kg
Supérieur à 29 : vous êtes très forte	Entre 6 et 10 kg

a. Voir page suivante.

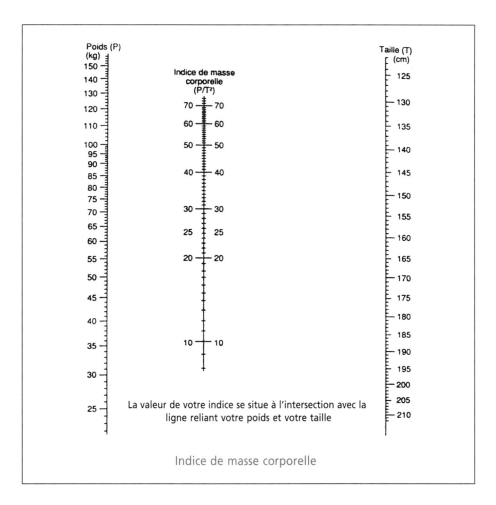

Indice de masse corporelle

Ainsi, par exemple, si vous êtes de corpulence « normale » (indice de masse corporelle entre 20 et 26), vous aurez sans doute intérêt à prendre entre 11,5 kg et 16 kg au cours des neuf mois de grossesse.

Si, avant la conception, vous étiez trop mince ou trop ronde, ou si, pendant votre grossesse, vous prenez trop peu ou, à l'inverse, trop de poids, vous pouvez vous aider pour rétablir l'équilibre de nos conseils destinés, selon votre cas, aux femmes fortes (voir p. 147) ou maigres (voir p. 153). Mais parlez-en auparavant à votre médecin.

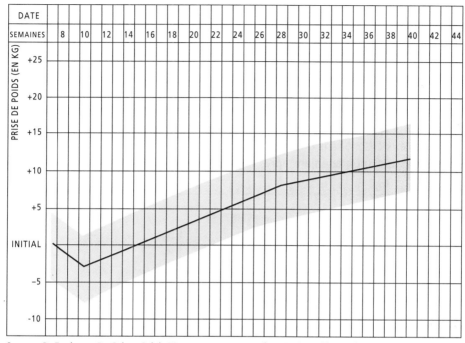

Source : Pr Frydman, Dr Cohen-Solal, *Ma grossesse, mon enfant*, Paris, Odile Jacob, 1996.

Exemple de courbe de poids dans la zone de la normalité

À quoi correspondent les kilos pris pendant la grossesse ?

Au cours des neuf mois qui séparent la conception de l'accouchement, une femme enceinte prend en moyenne entre 12 et 13 kg. Ces kilos ne sont pas seulement secondaires à la croissance de bébé ou au développement de la graisse corporelle de la mère : leurs origines sont diverses.

Après avoir été fécondé par le spermatozoïde, l'ovule se niche et se développe dans la cavité de l'utérus ; au cours de la grossesse, celui-ci augmente progressivement de taille, parallèlement à la croissance de l'embryon puis du fœtus. Dans le ventre de sa mère, le bébé baigne dans le liquide amniotique ; pour le nourrir, les éléments nutritifs d'origine maternelle passent par l'intermédiaire du placenta, qui a la forme d'un gâteau arrondi de 20 cm de diamètre et pèse environ 500 g à l'accouchement. Par ailleurs, les seins gonflent, se préparant ainsi à assurer l'allaitement. Juste avant l'accouchement, le poids de bébé (3,5 kg en moyenne), du placenta et du liquide amniotique ainsi que le développement des seins et de l'utérus constituent environ la moitié des 12,5 kg de prise de poids globale.

En sus de ces 6 ou 7 kg « obligatoires », la femme enceinte prend du poids du fait de l'expansion de la graisse corporelle, du sang et de l'eau de son propre corps. Cette prise « non obligatoire » varie selon les femmes et chez une femme donnée, selon ses maternités. Voilà pourquoi certaines femmes sont plus rondes après l'accouchement qu'avant la grossesse, d'autres plus minces. Quant à la rétention d'eau, elle s'accompagne parfois d'œdèmes avec gonflement des jambes : le plus souvent, ceux-ci sont sans gravité, ne nécessitent pas l'utilisation de médicaments et disparaissent spontanément après l'accouchement.

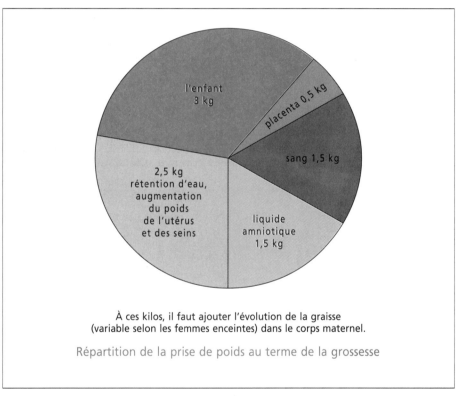

À ces kilos, il faut ajouter l'évolution de la graisse
(variable selon les femmes enceintes) dans le corps maternel.

Répartition de la prise de poids au terme de la grossesse

Source : Pr Frydman, Dr Cohen-Solal, *Ma grossesse, mon enfant*, op. cit.

Au cours de la première moitié de la grossesse, la prise de poids profite essentiellement à la mère. Le poids de l'embryon (rappelons-le, on parle d'embryon jusqu'à la fin du deuxième mois, de fœtus ensuite) augmente peu, alors que les stocks de la mère s'élèvent, tant sous forme de protéines dans les muscles que de lipides dans le tissu adipeux. Cette étape prépare la réussite des quatre derniers mois, durant lesquels la prise de poids est essentiellement liée à la croissance du fœtus ; celui-ci a besoin alors de nombreux éléments nutritifs qui lui parviennent à partir, certes, de l'alimentation de la mère, mais également des stocks maternels élaborés au cours de la première moitié de la grossesse.

Ces réserves maternelles deviennent primordiales en cas de carence alimentaire prolongée. Durant les famines de la Seconde Guerre mondiale, le poids des nouveau-nés avait moins baissé que ne l'aurait laissé supposer l'insuffisance de l'alimentation des femmes enceintes ; le fœtus s'adapte à une faible alimentation de sa mère en puisant dans les réserves corporelles de celle-ci. Un phénomène similaire mais poussé à l'extrême s'applique à l'ourson polaire. Comme pour la plupart des autres espèces animales, sa naissance a lieu au printemps. La grossesse se déroule donc l'hiver, saison durant laquelle la mère ours hiberne et ne se nourrit point. En revanche, pendant l'été et l'automne, elle mange en quantité appréciable, et sa nourriture est convertie en réserves dans son corps. Ainsi, durant l'hibernation, le futur ourson parvient à se développer normalement en étant nourri exclusivement à partir des stocks maternels.

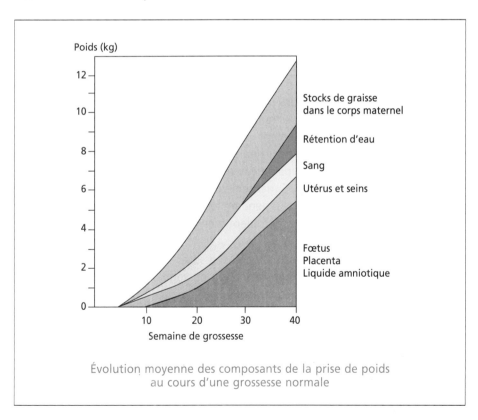

Évolution moyenne des composants de la prise de poids
au cours d'une grossesse normale

« Pendant ma grossesse, vais-je prendre chaque mois le même nombre de kilos ? »

Au cours des deux ou trois premiers mois, vous ne prendrez sans doute guère plus de 5 à 10 % du poids total pris pendant toute la durée de la grossesse, c'est-à-dire 1 à 2 kg. Vous risquez même d'en perdre 1 ou 2 si vous souffrez de nausées et de vomissements. En revanche, si vous étiez maigre avant la conception, vous aurez intérêt à prendre un peu plus de poids.

Au cours des deuxième et troisième trimestres, il serait souhaitable que votre prise de poids soit relativement régulière de 1,5 kg à 2 kg par mois.

Ces valeurs ne sont que des moyennes, à ajuster en fonction d'un éventuel excès (voir p. 147) ou d'un manque de poids (voir p. 153) au départ, ainsi qu'en fonction des conseils de votre médecin.

Faut-il manger plus ?

Au cours de la grossesse, le corps de l'enfant se forme et celui de la mère se transforme ; ces deux processus coûtent de l'énergie, comme tout développement d'un organisme vivant. Pour les neuf mois, ce coût s'élève environ à 72 000 calories, soit une moyenne de 260 calories par jour. En fait, l'énergie utilisée pour assurer l'évolution de la grossesse est très faible au début (l'embryon est alors minuscule), puis elle augmente progressivement pour atteindre 350 calories au cours des dernières semaines ; au vu de ces valeurs, on recommande souvent aux femmes enceintes de consommer un supplément quotidien de 100 calories au deuxième trimestre puis 300 au troisième. Curieusement, lorsqu'on les interroge, les femmes enceintes disent ne pas manger plus pendant leur grossesse qu'auparavant. Et pourtant, la plupart des grossesses se déroulent bien et donnent naissance à de beaux bébés.

Dans ces conditions, comment parvenir à assurer à la fois ses propres besoins, le développement du bébé, la transformation de son corps et, enfin, le stockage de réserves destinées au futur allaitement ? Faut-il devenir une superwoman pour mener à bien une grossesse ? En fait, même si vous ne mangez pas plus que d'habitude, votre organisme va vous aider pour que tout se déroule bien. Pour cela, il dispose de trois moyens.

■ Le premier passe pas vos cellules : celles-ci vont devenir moins actives, plus économes. Le corps fonctionne alors avec moins d'énergie ; ce sont autant de calories disponibles pour la croissance du fœtus.

■ D'autre part, la grossesse impose souvent une réduction de l'activité ; que vous soyez fatiguée par l'augmentation des hormones produites par votre corps en transformation, que la taille de votre ventre devienne franchement gênante ou que vous limitiez vos déplacements par crainte d'une fausse couche, le résultat sera le même : vous serez plus avare de vos mouvements, vous brûlerez moins d'énergie, et le bébé utilisera, lui, cette énergie que vous avez économisée.

■ La troisième arme dont dispose l'organisme concerne surtout les femmes qui entament leur grossesse en étant rondes : les calories stockées dans la graisse du corps, en particulier au niveau de celle située sur les hanches (cette cellulite tant honnie habituellement mais qui là trouve tout son intérêt), peuvent être utilisées pour rejoindre le bébé ; un bel exemple de « gestion des stocks ».

Ces trois armes (économie de la part des cellules, réduction de votre activité, utilisation des réserves), votre organisme les utilisera diversement selon votre poids, votre appétit et votre mode de vie. Pour illustrer comment tout cela se déroule en pratique, prenons les exemples de ce qui pourrait se passer en Afrique tradition-nelle d'une part, dans un pays industrialisé comme la France de l'autre.

En zone rurale, la femme africaine est souvent maigre, dispose de peu de nour-riture et travaille dur aux champs pour nourrir sa famille ; aussi, elle ne peut ni utiliser des réserves qu'elle n'a pas, ni manger plus, ni réduire son activité, pour assurer les besoins en énergie de son futur enfant. Il reste une seule solution : rendre les cellules de son corps plus économes. C'est ce moyen qu'utilisera son orga-nisme jusqu'à la naissance d'un enfant viable.

Autres lieux, autres mœurs : voyons comment les choses se passent dans les pays développés, en France par exemple. Généralement, pendant la grossesse, la Fran-çaise va soit manger un peu plus, soit bouger un peu moins, soit faire les deux. De ce fait, l'organisme n'a besoin, pour nourrir le fœtus, ni de réduire les dépenses des cellules, ni de puiser dans la graisse de la mère. Il en ira différemment si vous étiez forte avant la conception. Dans ce cas, l'importance de vos stocks adipeux permet au fœtus d'y puiser tout au long des neuf mois ce dont il a besoin. Vous n'aurez ni à bouger moins ni à manger plus que d'habitude. De plus, si vous suivez un régime adapté à votre état (voir p. 147), vous perdrez même un peu de graisse sans que le fœtus soit affamé pour autant. L'organisme lui-même vous aidera à mincir : chez la femme forte et enceinte, il n'est pas rare que ses propres cellules deviennent non pas plus économes (comme chez la femme africaine), mais au contraire plus dispendieuses : elles aussi, comme celles du fœtus, utilisent alors l'énergie disponible dans les cellules de graisse. Au bout des neuf mois, vos hanches seront peut-être moins rondes qu'avant la grossesse.

Pouvez-vous faire du sport ?

La pratique douce et régulière d'une activité physique peut être source de bénéfices pendant ces neuf mois ; elle améliore souvent la façon dont la future mère se sent dans son corps qui se transforme. Inversement, elle vous expose, ainsi que bébé, à certains risques si elle est mal conduite.

UNE ACTIVITÉ PHYSIQUE PENDANT LA GROSSESSE

Bénéfices potentiels pour la mère	Pour le bébé
— Meilleure forme générale — Réduction du stress — Prévention d'un gain de poids excessif — Promotion de bonnes postures — Prévention des douleurs de dos — Prévention du diabète de la grossesse — Amélioration de l'image du corps — Récupération plus rapide après l'accouchement	Si la mère arrive en bonne forme à l'accouchement : — Réduction du risque de complications périnatales — Facilitation de l'accouchement

LES RISQUES D'UNE ACTIVITÉ PHYSIQUE MAL CONDUITE

Risques pour la mère	Risques pour le bébé
— Hypoglycémie, malaise — Manque de fer — Fatigue — En cas de surentraînement : fracture osseuse, survenant même en l'absence de choc ou de chute — Déchirement ou étirement d'un ligament ou d'un muscle	— Manque de carburant énergétique et notamment de glucides — Troubles du rythme cardiaque — Hyperthermie (excès de chaleur) liée à l'activité intense — Retard de développement — Réduction du poids de naissance — Troubles de l'ossification — Réduction de l'arrivée du sang par le placenta (car le sang est détourné vers les muscles actifs) d'où un risque de manque d'oxygène

Pour mener à bien une grossesse sportive, pour bénéficier des avantages sans pâtir des inconvénients de l'activité physique, respectez les conseils qui suivent.

Précautions à prendre si vous souhaitez faire du sport pendant votre grossesse

1. Avant de commencer, prenez un avis médical concernant votre grossesse et votre état général (cœur, glycémie, réserves en fer).
2. Choisissez une activité grâce à laquelle votre corps et le fœtus seront « portés » : natation, vélo d'appartement, cyclotourisme ou gymnastique au sol plutôt que jogging ou aérobic.
3. Débutez progressivement si vous n'en pratiquiez pas auparavant.
4. Limitez la durée de chaque séance. Celle-ci ne devrait pas dépasser quinze minutes d'affilée au cours des deuxième et troisième trimestres.
5. Évitez la position couchée sur le ventre après le troisième mois.
6. Évitez les ambiances chaudes et/ou humides, car la température de votre corps augmenterait alors exagérément. Choisissez de faire du sport en extérieur ou dans une pièce aérée (salon, chambre, etc.) plutôt que dans une salle de sport surchauffée.
7. Buvez avant et après l'exercice pour éviter la déshydratation.
8. En cas de fatigue, ne vous obligez pas à effectuer le programme sportif « prévu ».
9. Adaptez votre nourriture à votre activité : vous aurez notamment besoin de consommer plus d'aliments riches en glucides (fruits, pain et féculents notamment).
10. Ne dépassez pas une fréquence cardiaque de cent quarante battements par minute.
11. Reposez-vous durant au moins quinze minutes après l'arrêt de l'effort.

Neuf mois pour fabriquer bébé
ce qu'il faut trouver dans votre alimentation

Comme tout individu, la femme enceinte doit trouver dans sa nourriture les nombreux éléments complémentaires qui lui permettront d'être en forme et en bonne santé : protéines, glucides, lipides, fibres, vitamines, minéraux, oligo-éléments, sans oublier l'eau. Encore appelés nutriments, ces éléments nutritifs sont importants pour la croissance de bébé pendant la grossesse comme ils le seront ensuite pour l'enfant de la naissance à l'adolescence puis pour l'adulte. Même si en France, comme dans les autres pays développés, l'abondance de nourriture a rendu rares les carences nutritionnelles graves, il est souhaitable de porter attention à la façon de se nourrir lorsqu'on est enceinte, cela vous permettra :

— de mieux éviter les manques et les excès,
— d'optimiser le développement de bébé,
— de mieux récupérer votre forme après l'accouchement,
— de prendre de bonnes habitudes, à partager en famille avant... et après la naissance de bébé.

Les protéines : des briques pour construire bébé

Leur rôle pour une grossesse réussie

Croissance du bébé, formation du placenta, développement de l'utérus et des seins de la maman : indispensables au bon déroulement de la grossesse, ces processus ont en commun la formation de nombreux « tissus » vivants. Ces tissus sont composés pour une part essentielle par des protéines bien précises, protéines que le corps ne peut fabriquer qu'avec l'aide de « pièces détachées » (les acides aminés) issues de la digestion des protéines contenues dans les aliments.

Les besoins en protéines au cours de la grossesse

Comme tout être vivant, la femme enceinte doit trouver dans son alimentation les protéines nécessaires à l'entretien et au bon fonctionnement de son corps. La grossesse lui en impose un besoin supplémentaire proche de un gramme par jour lors du premier trimestre, cinq lors du second, et dix lors du troisième. Ainsi, les femmes devraient trouver dans leur alimentation 70 g de protéines en fin de grossesse contre 60 avant la conception.

Où trouver les protéines ?

Faut-il utiliser votre balance ménagère ainsi que votre machine à calculer pour établir votre menu ? Non, car, en France, les besoins protéiques sont spontanément et largement couverts par le mode alimentaire habituel ; nous mangeons suffisamment de viande, de poisson, de laitages et d'œufs pour avoir un bon apport de protéines animales. N'oubliez pas non plus les légumes secs, le pain ou les aliments d'origine céréalière (riz, maïs, pâtes, blé concassé, semoule) : ces aliments apportent des protéines végétales fort utiles au bon équilibre de vos repas.

Si vous consommez, comme cela est recommandé, du pain ou des céréales le matin ainsi qu'un plat de féculents et/ou du pain au déjeuner et au dîner, vous bénéficierez déjà d'une bonne dose de protéines végétales. Pour atteindre un bon équilibre, il vous suffira alors de prendre trois ou quatre produits laitiers par jour (recommandés par ailleurs pour leur calcium) et d'inclure dans le plat principal de votre déjeuner et de votre dîner un morceau moyen de viande, de poisson ou de jambon (70 à 120 g), ou encore un à deux œufs ou de temps en temps 50 à 70 g de fromage.

Essayez de varier ces diverses sources de protéines animales, chacune ayant son intérêt propre :

— Les viandes, les volailles et le jambon sont riches en fer (voir p. 74).

— Les poissons sont riches en iode, en sélénium et surtout en graisses utiles pour le développement du cerveau de bébé (voir p. 54).

— Les œufs contiennent des protéines d'une excellente qualité, ainsi que de la vitamine A et D.

— Sous toutes ses formes (y compris râpée pour celles qui ne l'apprécient guère autrement), le fromage est très riche en calcium (voir p. 63).

Si vous suivez un régime végétarien, certaines précautions s'imposent pour éviter une carence en protéines (voir p. 156). Par ailleurs, les aliments riches en protéines constituent généralement la principale part du budget dévolue aux achats consacrés à l'alimentation. Si votre budget « alimentation » est serré, les quelques conseils du tableau ci-dessous vous aideront à atteindre un bon équilibre protéique tout en faisant des économies.

Comment assurer vos besoins en protéines et ceux de votre bébé avec un budget serré

Privilégiez les légumes secs et les aliments céréaliers – pâtes, riz, semoule, pain, maïs, etc.
Les protéines végétales sont nettement moins « chères » que les protéines animales : 50 centimes les 10 g de protéines pour les pâtes ou les légumes secs (les deux champions du « pas cher ») contre 1,50 franc à 7 francs pour la viande ou le poisson.
Ces aliments apportent en plus de l'énergie sous forme de glucides complexes (voir p. 57), très utiles pour la mère comme pour l'enfant.

Consommez des laitages au petit déjeuner et lors des collations
Ces aliments apportent en plus du calcium.
Les meilleurs rapports protéines/prix sont le lait, les yaourts nature et le fromage blanc, et, parmi les fromages, l'emmenthal et le camembert.

N'oubliez pas les œufs
Ils fournissent des protéines animales d'excellente qualité et au meilleur prix : 1 franc les 10 g.
Contrairement à ce que l'on entend parfois, vous pouvez en consommer autant que vous le souhaitez.
Afin d'éviter la monotonie, profitez des nombreuses recettes possibles.

Sélectionnez les poissons gras – voir p. 54 – les moins chers
Les graisses de poisson sont intéressantes pour vous comme pour le développement du bébé (voir p. 55).
Choisissez en fonction des variations de prix liées aux saisons.
N'oubliez pas les conserves, parfois moins chères (le thon au naturel ou les sardines en conserve sont par exemple un bon achat de poisson à bon marché).

Choisissez les viandes les moins chères
Bœuf bourguignon plutôt que bifteck, volaille ou porc plutôt que veau, foie de génisse plutôt que foie de veau, jambon cuit plutôt que jambon fumé.

Les lipides : pour un cerveau et des cellules bien huilés

Le rôle des lipides pour une grossesse réussie

➤ Les lipides, sources d'énergie

Les lipides fournissent de l'énergie au bébé et à la mère. Cette énergie, le bébé l'utilisera pour les besoins élevés liés à sa croissance ; la mère, pour sa part, en stockera une partie dans ses réserves, c'est-à-dire dans sa propre graisse (au niveau des seins et des hanches notamment). Ce stockage est loin d'être inutile puisqu'il sera mis à contribution au cours du troisième trimestre pour assurer la rapide élévation des besoins énergétiques du couple « mère-enfant » puis, s'il y a lieu, pendant l'allaitement pour élaborer le lait maternel.

« Quelle quantité de lipides faut-il consommer si on ne veut pas prendre trop de poids ? »

Si vous commencez votre grossesse en étant trop forte ou si vous prenez trop de poids, vous aurez intérêt à manger peu gras (voir p. 147) ; mais, même dans ce cas, il vous faut au moins trois cuillères à café d'huile par jour (soit 15 g) ainsi qu'un plat de poisson gras (thon, maquereau, saumon, sardine, truite, etc.) deux fois par semaine. En effet, ces aliments sont sources d'acides gras essentiels, indispensables au bon développement de bébé.

➤ Les lipides, sources d'acides gras essentiels

Dans le ventre de sa mère, le bébé est un être en phase de croissance accélérée. Le fabuleux travail de développement qui conduit en neuf mois d'un ovule fécondé par le spermatozoïde vers la réalisation du nouveau-né nécessite de nombreux éléments de construction et de maturation. Parmi eux, les acides gras essentiels tiennent une place majeure dans le bon développement de chaque organe, et plus particulièrement du cerveau.

On distingue deux familles d'acides gras essentiels dénommées respectivement omega-6 et omega-3. Les éléments de ces deux familles sont complémentaires pour l'équilibre du bébé (comme pour celui de l'adulte), mais l'un ne peut pas remplacer l'autre : nous avons besoin de trouver les deux dans notre alimentation.

■ La famille omega-6 ne vous posera pas de problème particulier puisqu'elle est présente dans la margarine ainsi que dans toutes les huiles, en particulier les huiles de maïs, de tournesol, de soja, d'olive et d'arachide.

■ En revanche, il vous faudra être attentive pour satisfaire vos besoins, et ceux de bébé, en acides gras essentiels omega-3. On les trouve essentiellement dans :

— les huiles de colza, de noix et de soja : l'huile de colza est probablement l'huile la plus équilibrée pour la croissance du fœtus ;

— les poissons, notamment les poissons gras.

« À quoi servent les acides gras essentiels omega-3 ? »

Les acides gras essentiels omega-3 interviennent dans :

— La formation du cerveau de bébé.

— La régulation de la tension artérielle, ce qui vous concerne surtout si vous souffrez d'hypertension artérielle pendant votre grossesse.

— La durée de la grossesse : les acides gras omega-3 l'allongent de quelques jours et réduisent le risque de naissance prématurée.

Notre conseil

Si vous craignez le « blues » de la jeune mère, c'est-à-dire le coup de déprime qui touche de nombreuses femmes dans les semaines qui suivent l'accouchement, vous avez sans doute une raison supplémentaire pour privilégier l'huile de colza ainsi que les poissons gras. En effet, un manque d'acides gras omega-3 déséquilibre les membranes biologiques qui entourent les cellules nerveuses du cerveau, ce qui risquerait d'altérer l'humeur et le moral. Au cours de la grossesse, les besoins du bébé sont considérés comme prioritaires par l'organisme de la mère : les acides gras omega-3 de l'alimentation sont détournés en priorité vers le bébé ; il en résulte, si vous mangez trop peu d'aliments riches en acides gras omega-3, une carence pour vos propres neurones, ce qui, semble-t-il, augmente le risque de déprime après la naissance.

➤ *Les lipides, sources de vitamines*

Les lipides assurent le transport de quatre vitamines : A, D, E et K. Ces vitamines sont dites « liposolubles » car elles sont associées aux graisses dans les aliments. Un régime dépourvu de lipides conduirait donc à une carence dangereuse en ces vitamines.

Les besoins en lipides au cours de la grossesse

Comme pour tout un chacun, les lipides devraient constituer pendant la grossesse 30 % des calories totales de l'alimentation, soit un apport de 60 à 80 g de lipides (ou graisses) par jour.

Si vous êtes très active ou si vous commencez votre grossesse en étant maigre (deux circonstances où vous aurez sans doute intérêt à manger plus), vous pouvez dépasser légèrement ces valeurs.

Inversement, si vous devez limiter votre prise de poids pendant ces neuf mois, vous aurez intérêt à en consommer moins. Mais attention, même dans ce cas, il vous faut au moins trois cuillères à café, soit 15 g d'huile par jour ainsi qu'un plat de poisson gras (thon, maquereau, saumon, sardine, truite, etc.) une ou deux fois par semaine : ainsi, vous consommerez suffisamment d'acides gras essentiels, indispensables pour la maturation du cerveau de bébé.

« J'ai une digestion très difficile, notamment lorsque j'ai une alimentation grasse. Que faire ? »

De nombreuses femmes enceintes se plaignent de digestion lourde (voir p. 137) ; celle-ci est provoquée par la progestérone, hormone de la grossesse fabriquée par votre organisme et ayant, entre autres propriétés, celle de ralentir la digestion. Si vous en souffrez, réduisez la quantité de lipides de vos repas : ceux-ci alourdissent en effet la digestion. Limitez en particulier les graisses cuites, les fritures, la charcuterie, les pâtes feuilletées et les viandes grasses.

Où trouver les lipides ?

Certains aliments sont très riches en lipides et constituent ce qu'on appelle des *matières grasses « visibles »* car le consommateur les ajoute lui-même à ses aliments, il les « voit » avant de préparer sa nourriture ou de la consommer. Ce sont notamment :

— Les huiles : toutes sont d'origine végétale et contiennent 100 % de lipides. Il n'y a pas d'huile plus légère qu'une autre, contrairement à ce que cherche parfois à laisser croire la publicité. C'est-à-dire que les huiles d'olive et de tournesol sont aussi grasses et ont le même effet sur le poids que les autres.

— Le beurre ou la margarine, ou encore les pâtes à tartiner à base de beurre et/ou d'huile végétale. Le beurre et la margarine « classiques » contiennent 82 % de lipides (le reste étant de l'eau). Leurs versions « allégées » apportent, selon les cas, 20, 40 ou 60 % de matière grasse. Ces formes allégées sont utiles si vous prenez trop de poids lors de votre grossesse ; une autre solution pour « alléger » vos repas serait de manger du « vrai » beurre, mais en plus petite quantité : à vous de choisir. Pour la santé, la vôtre ou celle de bébé ; les deux manières de procéder sont équivalentes.

— La mayonnaise, proche de la margarine en ce qui concerne sa teneur en lipides.

— La crème, qui apporte, selon les versions allégées ou non, entre 15 et 30 % de lipides.

Il existe plusieurs circonstances où l'on ajoute ces matières grasses « visibles » aux aliments, comme :

— lors de la préparation de certains plats : fritures, plats en sauce, pommes de terre sautées, escalope à la crème, etc.,

— lors de la confection de vinaigrettes (toutes les huiles contiennent 100 % de lipides),

— directement dans l'assiette, comme la noix de beurre dans les pâtes, le filet d'huile d'olive sur les pommes de terre en robe des champs ou encore la mayonnaise avec l'entrée, et le beurre sur la tartine de pain.

D'autres aliments contiennent des *lipides dits « cachés »*, car déjà intégrés aux aliments. Ce sont notamment :

— Les fromages et les laitages non écrémés.

— Les viandes grasses (mouton, agneau, certains morceaux de bœuf et de porc), les charcuteries, les œufs et les poissons gras (thon, maquereau, sardine, flétan, hareng, truite). Contrairement à une idée reçue, les poissons gras sont plus gras que les viandes maigres. Ce n'est pas une raison pour les négliger : les lipides des poissons sont très utiles pour la formation du cerveau du fœtus.

— L'avocat, les olives, les fruits oléagineux tels que les noix, les noisettes, les amandes.

— Les viennoiseries, les gâteaux, les biscuits et le chocolat.

— Les frites et les chips.

— Les plats en sauce et les fritures.

Notre conseil

Parmi les matières grasses vendues sous la dénomination « huile », une est à part : l'huile de paraffine. C'est un dérivé du pétrole, censé procurer une sensation de moelleux en bouche, mais aucune calorie. On l'utilise notamment dans les vinaigrettes lorsqu'on souhaite perdre du poids et que l'on a du mal à limiter ses portions d'huile. Pendant votre grossesse, vous l'éviterez car elle pourrait s'avérer toxique pour bébé. D'autre part, elle capte avec elle les vitamines A, D, E et K de vos repas et les évacue dans les selles : autant de vitamines dont ne pourra donc bénéficier bébé.

Matières grasses et acides gras essentiels : comment atteindre l'équilibre

— Consommez au moins trois cuillères à café d'huile par jour dans vos vinaigrettes, sur vos légumes ou vos féculents, etc.
— Choisissez une fois sur deux une huile riche en acides gras omega-3 : colza surtout, car mieux équilibrée, mais également soja ou noix.
— Prenez deux fois par semaine un plat de poisson gras (frais, surgelé ou en conserve) : maquereau, thon, truite, saumon, sardines, etc.
— Ne réduisez les autres sources de lipides que dans deux circonstances :
  • si vous devez contrôler votre prise de poids pendant ces neuf mois
  • si vous souffrez d'une digestion lourde.

Le cholestérol : un allié paradoxal pour votre grossesse

Sous l'effet de la grossesse et de ses hormones, le niveau de cholestérol augmente dans le sang de la mère. Cette augmentation n'est pas dangereuse pour les artères, elle est au contraire utile pour transporter le cholestérol et les acides gras vers le fœtus qui en a besoin pour son développement. En cas de grossesse, il n'y a donc pas lieu de procéder à une prise de sang pour doser le cholestérol. En effet, la découverte d'un cholestérol élevé conduirait au mieux à une inquiétude injustifiée, au pire à un régime inutile, voire dangereux : si vous êtes enceinte, un régime destiné à abaisser votre cholestérol risquerait de conduire à des carences préjudiciables pour bébé.

La seule exception correspond au cas de la femme qui, avant même sa grossesse, avait un excès de cholestérol important et héréditaire (on parle d'hypercholestéro-lémie familiale). Si c'est votre cas, votre médecin vous conseillera peut-être de poursuivre un régime afin que la grossesse ne majore pas le cholestérol de plus de 20 %. Mais attention, régime « contrôlé » en lipides ne signifie pas régime sans graisse : il ne faut pas trop réduire la part des lipides sous peine de carence en vita-mines et en acides gras essentiels conduisant à des troubles du développement et de la croissance chez le bébé. Et il faudra être alors encore plus exigeant sur le choix des matières grasses, en privilégiant notamment les huiles végétales et les poissons gras. Ainsi, l'apport en acides gras essentiels sera suffisant même si la quantité totale de graisses est basse.

Comment choisir vos matières grasses

Sur vos tartines : beurre (ou margarine)
Bien que très saine, la tartine à l'ail et à l'huile d'olive est à réserver
aux inconditionnels de la Provence !
Le beurre ainsi que la margarine sont deux bonnes sources de vitamine A.
La margarine est surtout utile si vous avez un excès de cholestérol héréditaire
(voir p. 58) ou si, par ailleurs, vous consommez très peu d'huiles végétales.

Pour vos fritures : huile d'arachide
C'est la plus stable à la chaleur.

Pour vos potages : crème fraîche
Pour votre ligne, attention à ne pas abuser.
En revanche, si vous avez intérêt à grossir, ayez la main large.

Pour vos fraises ou autres desserts : crème fraîche ou chantilly
Mais pourquoi pas du fromage blanc plus riche en calcium et à moindre
risque pour votre ligne.

*Pour vos salades : huile d'olive ou de colza, huile de maïs ou de tournesol, huile
de soja*
L'huile de colza est probablement la plus équilibrée, mais le goût de l'huile
d'olive n'appartient qu'à elle. En alternant cette dernière avec l'huile de
colza, vous obtiendrez un bon équilibre en acides gras essentiels.
Les huiles de maïs et de tournesol sont trop riches en acides gras omega-6 et
pauvres en acides gras omega-3 ; préférez-leur plutôt les huiles d'olive,
d'arachide et surtout de colza, riche en acides gras omega-3.
Les huiles à mélanges nutritionnels n'ont pas d'intérêt particulier pour la
femme enceinte.

Pour vos plats chauds : une noix de beurre ou de margarine
Les graisses crues sont plus saines et plus faciles à digérer que les graisses
cuites (fritures, etc.).
Et si vous voulez améliorer encore votre équilibre, vous préférerez
remplacer le beurre et la margarine par un filet d'huile d'olive ou de colza.

Les glucides : l'énergie à la source

Leur rôle pour une grossesse réussie

Le glucose constitue l'élément de base des glucides contenus dans les aliments. C'est également lui que l'embryon puis le fœtus utilise pour assurer la plus grande part de ses besoins en énergie ; ceux-ci sont considérables du fait de sa croissance et de sa maturation, deux processus qui se réalisent à travers un grand nombre de processus biologiques, chacun nécessitant de l'énergie.

Les besoins en glucides au cours de la grossesse

Ni l'organisme du bébé ni celui de sa mère ne possèdent de réserve glucidique importante. Aussi, un apport quotidien en glucides est indispensable au bon déroulement de la grossesse ; il est même souhaitable qu'il constitue un peu plus de la moitié (50 à 55 %) des calories consommées sur toute une journée.

Cet apport devrait s'élever au minimum à 200 g par jour ; il peut atteindre 350 g, en particulier chez les femmes enceintes maigres au préalable ou chez celles ayant une activité sportive intense : les premières car elles ont si peu de réserve qu'elles sont, elles et leur bébé, encore plus dépendantes de l'alimentation ; les secondes car ce surplus de glucides est nécessaire pour que la pratique d'un sport, elle-même grande consommatrice d'énergie, ne nuise pas au bébé en lui retirant le pain, ou plutôt les glucides, de la bouche.

Lorsque la consommation d'aliments riches en glucides est trop basse pendant la grossesse, le nouveau-né risque d'avoir un déficit de poids pouvant atteindre 800 g ; ce déficit est considérable puisque le poids moyen à la naissance passe alors de 3,3 kg, ce qui est idéal, à 2,5 kg, ce qui est trop faible. Pour une femme enceinte, rien ne remplace les aliments riches en glucides : si vous en manquez, il est à craindre que votre enfant ne naisse trop maigre, même si votre régime est par ailleurs riche en protéines et en lipides.

Où trouver les glucides ?

Il est préférable de privilégier les aliments riches en glucides complexes (céréales – riz, pâtes, farine, semoule, blé concassé, maïs, pain, céréales du petit déjeuner –, légumes secs, pommes de terre) plutôt que les glucides rapides comme les sodas, les pâtisseries, les bonbons, etc. En effet, les glucides complexes sont assimilés lentement, pendant la digestion ; c'est pourquoi on les regroupe souvent sous le terme de sucres lents. Cela leur confère plusieurs avantages au cours de la grossesse :

— Assurer un rassasiement prolongé : vous aurez moins vite faim à distance du repas.

— Éviter les malaises hypoglycémiques qui sont parfois la conséquence des sucres rapidement assimilables tels que les sodas ou les bonbons.

— Éviter une sécrétion excessive d'insuline par le pancréas de la mère ; un tel excès d'insuline accélérerait trop la croissance du fœtus avec un risque de mettre au monde un enfant trop gros.

> ## Notre conseil
> La consommation concomitante, *au même repas,* d'un féculent (pâtes, riz, pain, maïs, semoule, blé concassé, légumes secs, pommes de terre) et d'un légume a l'intérêt de ralentir encore l'assimilation des glucides des féculents. Plutôt que de choisir entre légumes et féculents, n'hésitez pas à consommer les deux à chaque repas.

IDÉES D'ASSOCIATIONS HEUREUSES ENTRE FÉCULENTS ET LÉGUMES [a]

Avec	Prenez
les pâtes	des tomates à la provençale
le riz	un gratin de courgettes
les pommes de terre	du chou-fleur ou une salade verte
le blé concassé (Boulgour, Pilpil)	de la ratatouille
la semoule	des poivrons et des aubergines dorés au four
les lentilles	de la pulpe de tomate (en conserve, pour aller plus vite) que vous préparez avec des oignons
les flageolets	des haricots verts (frais, surgelés ou en conserve : à vous de choisir)

a. Ce ne sont là que des exemples, à vous de choisir votre combinaison.

Les fibres : pour régulariser le transit et calmer l'appétit

Leur rôle pour une grossesse réussie

Les fibres des aliments ne sont pas digérées par l'intestin et se retrouvent dans les selles. Elles ont pourtant plusieurs intérêts pour votre grossesse :

— Elles calment l'appétit, propriété que vous apprécierez si vous devez limiter votre quantité de nourriture du fait d'un excès de poids.

— Elles régularisent le transit intestinal et luttent contre la constipation ; cette dernière est fréquemment provoquée ou accentuée par la grossesse (voir p. 133).

— Elles améliorent l'équilibre de l'insuline, hormone digestive souvent perturbée chez les femmes enceintes ; ainsi, elles luttent contre le diabète, susceptible d'être déclenché par une grossesse.

Les besoins en fibres au cours de la grossesse

On pourrait mener une grossesse sans consommer de fibres, mais maîtriser son poids et avoir un bon transit intestinal deviendrait particulièrement difficile. De plus, les fibres sont présentes dans des aliments comme les fruits et les légumes, sources par ailleurs de vitamines et de minéraux importants pour bébé. Vous avez donc un réel intérêt à manger des aliments riches en fibres à chaque repas, c'est-à-dire à prendre chaque jour au moins deux plats de légumes et deux fruits.

Où trouver les fibres ?

Les fibres ne sont contenues que dans les aliments d'origine végétale, et notamment :

— les légumes et les légumes secs,

— les fruits,

— les aliments d'origine céréalière, surtout lorsqu'ils sont peu raffinés : pain ou riz complet, pâtes complètes, etc.,

— le son, dont on peut saupoudrer les céréales du petit déjeuner, les yaourts, le fromage blanc, les salades ou même le plat principal du déjeuner ou du dîner.

Pour optimiser les effets bénéfiques des fibres, on a intérêt à en consommer à chaque repas :

— petit déjeuner associant un fruit à du pain complet ou à des céréales style flocons d'avoine et muesli,

— déjeuner et dîner comprenant au moins une crudité ou un potage en entrée, ou, comme plat principal, un légume vert, des légumes secs ou un plat de pâtes ou de riz complets,

— dessert et en-cas à base de fruit (la tarte aux pommes est, dans cette optique, préférable au gâteau au chocolat).

En diversifiant les aliments, on diversifie la nature des fibres, qui ont chacune des avantages complémentaires. Ces conseils ne signifient pas que vous deviez abandonner les aliments raffinés. Vous pouvez fort bien continuer à préférer le pain blanc ou les formes classiques du riz et des pâtes. Mais, alors, consommez au même repas un aliment riche en fibres ; par exemple, un fruit au petit déjeuner avec vos tartines beurrées ; des haricots verts ou des courgettes avec votre riz au déjeuner, une ratatouille avec vos pâtes au dîner.

Le calcium : pour la qualité des os et des dents

Son rôle pour une grossesse réussie

Le calcium est un constituant essentiel des os et des dents. À ce titre, il est parmi les sels minéraux celui qui pèse le plus lourd dans l'organisme (plus d'un kilo chez l'adulte). De plus, le calcium joue également un rôle dans le bon fonctionnement des muscles et du système nerveux, ainsi que dans la coagulation du sang et l'activité du cœur.

Au cours des neuf mois de grossesse, la formation des os et des bourgeons dentaires de l'enfant requiert la fixation d'environ 30 g de calcium. Cette fixation se déroule en deux étapes :

— Au cours des six premiers mois, la femme stocke plus de calcium dans ses propres os.

— Lors du troisième trimestre, ces réserves sont transférées du corps de la mère vers celui du fœtus, parallèlement à la croissance et à la calcification du squelette de ce dernier.

L'organisme de la femme enceinte doit parvenir à établir ce transfert tout en évitant sa propre décalcification. Celle-ci altérerait les dents et fragiliserait les os avec un risque de fracture dans les mois qui suivent l'accouchement, d'où l'importance d'avoir une nourriture riche en calcium pendant votre grossesse. Une telle attitude a, en outre, l'intérêt d'agir également sur les neurones, puisqu'elle réduit de moitié les risques de dépression après l'accouchement, et sur les artères, puisqu'elle réduit de 70 % le risque de survenue d'une hypertension artérielle grave pendant votre grossesse.

« Comment éviter de se décalcifier ? »

Votre corps de femme enceinte dispose de trois moyens pour éviter de se décalcifier :

— L'augmentation du passage du calcium des aliments vers votre sang puis vos os. Généralement, près des deux tiers du calcium que l'on mange ne font que passer dans l'intestin, sans être assimilés, puis sont évacués dans les selles. Au cours de la grossesse, ce « gâchis » est moindre : l'organisme de la femme enceinte retient mieux le calcium des aliments.

— La réduction des pertes de calcium dans les urines. Après qu'il est passé de l'intestin vers le sang, une part du calcium rejoint les reins pour être excrétée dans les urines. La grossesse minimise ce phénomène.

— La consommation plus importante d'aliments riches en calcium.

Les deux premiers moyens ne dépendent pas de votre volonté. Cela ne les empêche pas de jouer un rôle primordial, notamment si vous consommez peu de produits laitiers, que ce soit par goût ou par adhésion à un régime particulier, végétalien par exemple. Ainsi, dans certaines populations comme les Hmong (peuple originaire du Viêt-nam ayant en grande partie immigré aux États-Unis), les femmes mènent leur grossesse à terme malgré un apport en calcium entre 300 et 400 mg par jour, soit quatre fois moins que les apports recommandés pour une Européenne.

Faut-il pour autant suivre cet exemple et s'en remettre aux capacités d'adaptation du corps au cours de la grossesse ? Certes non, car des apports faibles en calcium risqueraient d'altérer la croissance du bébé ainsi que la qualité de vos os ou la beauté de vos dents.

Les besoins en calcium au cours de la grossesse

Comme nous venons de le voir, des apports trop faibles en calcium comportent des risques, notamment pour le squelette de la mère et de l'enfant. Mais inversement, des apports trop importants ne sont pas anodins puisqu'ils risquent de favoriser la survenue d'une infection urinaire ou de gêner l'assimilation d'autres minéraux importants comme le zinc, le fer ou le magnésium.

Comment trouver le « juste milieu » ? Sachez d'abord que les spécialistes recommandent de consommer chaque jour 900 mg de calcium pour un adulte et 1 200 mg (soit 300 mg de plus) au cours de la grossesse ou de l'allaitement.

Ensuite, calculez à combien s'élève votre apport en calcium grâce au questionnaire ci-dessous. Si vous êtes entre 1 200 et 2 000 mg c'est optimal : vous avez un bon apport, sans risque de surdosage.

Notre conseil

— Si votre apport est inférieur à 1 200 mg par jour, la carence risque de nuire au développement de votre enfant et d'altérer vos os et vos dents : aidez-vous du tableau page 63 pour augmenter vos rations de calcium jusqu'à vous établir entre 1 200 et 2 000 mg. Augmenter la place des produits laitiers sera indispensable pour y parvenir : vous essaierez d'en consommer au moins quatre par jour. Si cela vous paraît trop difficile eu égard à vos goûts ou à vos habitudes de vie, parlez-en à votre médecin : celui-ci vous proposera sans doute du calcium sous forme de comprimés.

— Si votre apport est supérieur à 2 000 mg par jour, parlez-en à votre médecin pour savoir si vous risquez ou non des complications liées au surdosage : il pourra vous dire si vous avez intérêt ou non à réduire vos portions de laitages.

ÉVALUEZ VOTRE APPORT QUOTIDIEN DE CALCIUM

		CALCIUM par portion (mg)	Votre nombre de portions par jour [a]	Votre apport de calcium [b]
LAIT	1 bol (250 ml)	300		
	1 verre (150 ml)	180		
YAOURT	1 pot (125 g)	150		
FROMAGE BLANC	3 cuillères à soupe (100 g)	100		
FROMAGES				
Pâte molle	1 part (30 g)	100		
Pâte persillée	1 part (30 g)	180		
Pâte dure	1 part (30 g)	300		
CALCIUM D'ORIGINE NON LAITIÈRE [c] Vous mangez sans vous limiter, ajoutez		400		
Vous suivez un régime pour maigrir, ajoutez		250		
TOTAL DE VOTRE PRISE QUOTIDIENNE DE CALCIUM [d]				

a. Par exemple : — si vous prenez trois yaourts par jour, notez 3, — si vous prenez une part de fromage à pâte molle un jour sur deux, notez 0,5 (soit un demi), — si vous prenez un bol de lait le dimanche seulement, donc une fois par semaine, notez 1/7.
b. Pour chaque aliment, son apport dans votre prise de calcium est égal au «calcium par portion », multiplié par votre nombre de « portions par jour ». Par exemple, si vous prenez trois yaourts par jour, notez 150 x 3 = 450 en face de yaourt.
c. Le calcium ne provient pas que des laitages. Une alimentation classique hors laitages apporte environ 400 mg de calcium par jour, et 250 mg seulement pour la plupart des régimes amaigrissants.
d. Pour savoir quelle est votre prise quotidienne de calcium, ajoutez toutes les valeurs situées dans la colonne « votre prise de calcium », sans oublier d'y mettre la valeur (400 ou 250 selon le cas) du calcium d'origine non laitière.

Où trouver le calcium ?

De nombreux aliments contiennent du calcium. Ainsi, pour trouver les 300 mg de calcium supplémentaire dont vous avez besoin au cours de votre grossesse, vous pourriez théoriquement choisir un petit morceau (25 g) d'emmenthal ou... 1,200 kg de chou-fleur !

En réalité, seuls les produits laitiers vous permettront d'assurer vos besoins en calcium. Si vous ne preniez aucun produit laitier, à l'occasion par exemple d'un régime végétalien ou d'une allergie au lait, il vous faudrait consommer chaque jour 2 kg d'oranges ou 1 kg de brocolis pour avoir votre ration de calcium de 1 200 mg. En plus, le calcium d'origine végétale est moins bien assimilé et moins utile pour les os du bébé que celui issu des laitages. Il ne faut donc pas espérer avoir suffisamment de calcium à partir des seuls légumes, même si vous ne consommiez que ceux qui en sont le plus riches tels les choux ou les épinards.

Le tableau ci-contre vous montre diverses portions d'aliments contenant 300 mg de calcium. Il vous précise également le nombre de calories correspondant ; cette notion vous servira si vous surveillez votre ligne : par exemple, les yaourts ordinaires nature ou les fromages à pâte pressée cuite comme l'emmenthal vous seront alors plus utiles que le brie ou le fromage blanc à 40 % de MG car ils vous apporteront plus de calcium pour moins de calories. Pensez également à l'eau : un demi-litre d'Hépar ou de Contrexéville peut remplacer un produit laitier.

L'idéal serait de consommer chaque jour quatre produits laitiers, ou au moins trois, dont une part de fromage à pâte ferme ou à pâte pressée cuite : ce sont les plus riches en calcium. Les exemples de la page suivante vous aideront dans vos menus.

« Les produits laitiers écrémés (lait écrémé, yaourt ou fromage blanc à 0 % de matières grasses) contiennent-ils du calcium ? » Contrairement à une idée reçue, les produits laitiers allégés sont aussi riches en calcium que les autres. Ils vous seront donc utiles pour satisfaire les besoins en calcium de bébé, si vous avez du mal à contrôler votre prise de poids.

Notre conseil

Continuez donc à privilégier les produits laitiers après l'accouchement et après l'allaitement. En effet, pendant la grossesse puis l'allaitement, les os s'appauvrissent en calcium, chez presque toutes les femmes ; une nourriture riche en calcium limitera ce processus, mais ne l'empêchera pas totalement. Au cours des six mois qui suivront le sevrage de votre nourrisson, votre organisme est capable de mieux assimiler le calcium de votre nourriture et de recalcifier vos os et vos dents ; profitez de ces « bonnes dispositions » pour continuer à consommer des aliments riches en calcium.

OÙ TROUVER 300 MG DE CALCIUM

Chacune de ces portions contient 300 mg de calcium.
Pendant votre grossesse, vous avez besoin chaque jour de 1 200 mg de calcium,
soit quatre de ces portions.

Aliment	Quantité	Apport calorique correspondant (Calories)
PRODUITS LAITIERS		
Lait		
entier	1 grand verre ou 1 bol	160
demi-écrémé	(250 ml)	115
écrémé		82
Fromage blanc		
0 % MG		120
20 % MG	7-8 cuillères à soupe (250 g)	200
40 % MG		290
Yaourt		
nature, ordinaire		125
nature, au lait entier		160
nature, maigre (0 % MG)	2 pots	100
aromatisé		210
aux fruits		290
Petits suisses		
nature 40 % MG	300 g	420
aux fruits	300 g	540
Fromages		
— à pâte ferme : beaufort, cantal, comté, emmenthal, parmesan	25 g	100
— hollande, édam, gouda	30 g	100
— reblochon, Pyrénées, raclette, Bonbel, Babybel, saint-nectaire	50 g	170
— munster, pont-l'évêque, tome	60 g	200
— camembert	90 g	250
— chèvre		
• pâte molle ou mi-sec	300 g	1 000
• sec	150 g	700
— brie	250 g	800
— frais		
• demi-sel	350 g	670
• aux herbes	300 g	1 150
EAUX		
Hépar, Contrexéville	500-700 ml	0
Vittel, Badoit, San Pellegrino	2 litres	0

Produits laitiers à consommer quotidiennement pour un apport satisfaisant en calcium : réponses à diverses situations

Vous aimez tous les produits laitiers
Un bol de lait au petit déjeuner
Un morceau (30 g) de cantal ou de comté au déjeuner
Un yaourt aux fruits au goûter
100 g de fromage blanc au dîner
(sachez l'agrémenter de sucre, de miel, de confiture... pour le plaisir)

Vous n'aimez que les fromages
Deux morceaux de camembert au petit déjeuner
(60 g, soit le quart d'un camembert)
Un morceau (30 g) de saint-nectaire au déjeuner
Du fromage râpé (30 g d'emmenthal ou de parmesan) sur vos pâtes au dîner.

Vous n'aimez que les produits laitiers sucrés
Un bol de chocolat au lait au petit déjeuner
100 g de fromage blanc avec de la confiture au déjeuner
Un grand verre de lait au sirop de grenadine au goûter
Un yaourt à la vanille au dîner

Vous surveillez votre poids
100 g de fromage blanc à 0 % de MG au petit déjeuner
(pourquoi ne pas l'agrémenter de quelques fraises ou de morceaux de pommes)
Un grand verre de lait écrémé avec du cacao non sucré au milieu de la matinée
Un yaourt aux fruits à 0 % de MG au déjeuner
Un morceau (30 g) de beaufort ou d'emmenthal au dîner

Vous avez besoin de grossir
30 g de comté, deux petits suisses au petit déjeuner
Un yaourt au lait entier au déjeuner
100 g de fromage blanc à 40 % de MG avec du miel ou de la confiture au goûter
Un crottin de chèvre au dîner

La vitamine D : l'amie du calcium... et des os de bébé

Son rôle pour une grossesse réussie

Le rôle de la vitamine D est couplé à celui du calcium. Elle stimule le passage du calcium contenu dans les aliments de l'intestin vers le sang, puis sa fixation au niveau des os. De plus, elle réduit la perte de calcium dans les urines. Elle participe ainsi à l'élaboration des os et des dents du fœtus ainsi qu'au respect de leur intégrité chez la mère.

Les besoins en vitamine D au cours de la grossesse

La vitamine D a ceci de particulier qu'elle est à la fois une hormone et une vitamine. Hormone, car la peau est capable de la fabriquer si elle reçoit suffisamment de rayonnements UV par le soleil. Cette synthèse par la peau varie avec la pigmentation : les peaux blanches en produisent plus que les peaux basanées ou noires. Vitamine, car cette fabrication par la peau suffit rarement et que certains aliments nous fournissent le complément.

Cependant, la grossesse augmente plus les besoins alimentaires en vitamine D que ceux en calcium, puisqu'elle les double (400 UI[1] chez l'adulte, 800 UI au cours de la grossesse ou de l'allaitement). La non-satisfaction de ces besoins est nuisible pour la mère comme pour le fœtus.

RISQUES LIÉS À LA CARENCE EN VITAMINE D

Pour la mère	Pour l'enfant
— Prise de poids insuffisante au cours de la grossesse — Pauvreté du lait maternel en calcium et en vitamine D	— Retard de croissance — Retard de formation des os — Rachitisme congénital — Anomalies de l'émail dentaire — Tétanie, convulsion

1. UI, Unité internationale.

69

Où trouver la vitamine D ?

Si vous mangez de tout sans limiter vos portions, votre alimentation « normale » suffit sans doute à couvrir vos besoins en vitamine D. Celle-ci est surtout présente dans les poissons gras (thon, maquereau, saumon, etc.), les œufs, les volailles, le beurre et les produits laitiers.

Même si vous mangez bien, un manque d'ensoleillement risque de conduire à une carence en vitamine D ; c'est probablement le cas si votre accouchement a lieu entre décembre et mai. Prendre un supplément de vitamine D vous sera alors utile, en particulier si vous avez un ou plusieurs facteurs qui exposent au risque de carence (voir tableau ci-dessous). Parlez-en à votre médecin. Celui-ci vous conseillera la dose de vitamine D correspondant à vos besoins, sous la forme soit de gouttes à prendre quotidiennement, soit d'une seule ampoule plus concentrée à prendre en milieu ou en fin de grossesse.

Facteurs pouvant faire craindre une carence en vitamine D

Régime végétarien
Par manque d'aliments d'origine animale.
C'est surtout le cas si vous excluez systématiquement non seulement la viande, mais aussi les œufs, les laitages et le poisson.

Régime amaigrissant
Si vous mangez globalement moins pour maigrir, vous réduisez aussi probablement vos portions d'aliments riches en vitamine D.

Peau foncée
La pigmentation de la peau réduit la synthèse de vitamine D liée à l'action du soleil.

Le magnésium : la voie de la relaxation

Son rôle pour une grossesse réussie

Le magnésium joue un rôle important dans la vie de chacune de nos cellules, notamment au niveau des os, des cellules nerveuses (cerveau et nerfs) et des muscles. Il est indispensable à l'utilisation de l'énergie dans les cellules, à la synthèse des gènes et des chromosomes, au renouvellement des protéines.

De plus, d'après certains médecins, le magnésium relaxe les artères et l'utérus au cours de la grossesse, ce qui pourrait protéger contre l'hypertension artérielle et les contractions inadaptées de l'utérus.

Si vous souffrez de crampes dans les mollets, mangez une nourriture plus riche en magnésium : celui-ci tend à soulager les « impatiences » dans les jambes.

Les besoins en magnésium au cours de la grossesse

Au cours de la grossesse, la croissance de bébé se réalise grâce à une multiplication du nombre et de l'activité des cellules ; cela augmente les besoins en magnésium d'environ 50 % : 480 mg contre 330 chez une femme non enceinte.

Le fait de raffiner la nourriture réduit la teneur en magnésium des aliments : le riz blanc, le pain ou la farine raffinés sont moins riches en magnésium que le riz complet, le pain complet ou la farine complète. De plus, de nombreuses femmes réduisent volontairement leur prise de nourriture, de peur de prendre du poids. Pour ces deux raisons, 15 à 20 % de la population ne consomment pas assez de magnésium. Cette carence serait responsable de la tétanie et de la spasmophilie, qui se manifestent habituellement chez les jeunes femmes nerveuses par une anxiété, une nervosité, et parfois par des crampes ou des tremblements. Si c'est votre cas, vous avez une raison supplémentaire pour privilégier les aliments riches en magnésium pendant votre grossesse.

Où trouver le magnésium ?

Si vous mangez de tout sans vous restreindre, vos besoins en magnésium sont probablement couverts sans même que vous ayez besoin d'y penser.

Il y a trois cas où vous aurez intérêt à privilégier des aliments riches en magnésium :

— si vous surveillez votre ligne, car le fait de manger globalement moins conduit généralement à consommer moins de magnésium,

— si vous consommez surtout des aliments raffinés,

— si vous avez des manifestations de tétanie ou des crampes.

Le tableau ci-dessous vous aidera alors dans vos choix. Si vous avez des problèmes de poids, vous sélectionnerez plutôt les aliments ayant peu de calories par milligramme de magnésium : ils vous apporteront beaucoup de magnésium mais peu de calories, et vous pourrez ainsi répondre à vos besoins sans mettre votre ligne en péril.

ALIMENTS ET BOISSONS RICHES EN MAGNÉSIUM

Aliment ou boisson	Richesse en magnésium (mg pour 100 g d'aliment)	Nombre de calories par mg de magnésium [a]
Coquillages		
bigorneau	300	0,4
escargot	250	0,3
coquille Saint-Jacques	40	2,5
Fruits secs et oléagineux		
amande	250	2
cacahuète	175	3,5
châtaigne	33	6
noisette	56	6,5
noix	130	4
pistache	158	4
abricot sec	60	4
banane sèche	106	3
datte	59	6
figue sèche	70	4
pruneau	40	4
Fruits		
banane	35	2,5
fruit de la passion	39	1
kiwi	27	2
Légumes (cuits)		
bette	96	0,4
brocoli	36	1
épinard	70	0,2

ALIMENTS ET BOISSONS RICHES EN MAGNÉSIUM *(suite)*

Aliment ou boisson	Richesse en magnésium (mg pour 100 g d'aliment)	Nombre de calories par mg de magnésium [a]
Aliment céréalier		
riz complet (cuit)	36	4
riz blanc (cuit)	8	10
pain complet	81	4
pain blanc	27	10
maïs (cuit)	45	3
farine de blé complet	120	2,5
farine blanche	20	18
Légumes secs (cuits)		
haricot blanc	50	2
lentille	25	4
haricot rouge	40	2
pois chiche	67	2
Céréales du petit déjeuner		
corn flakes	81	7
blé soufflé	140	2,5
céréales « All-Bran »	370	0,7
flocons d'avoine	145	2,5
germe de blé	260	1,5
muesli	85	4
Laitages		
lait enrichi spécial femme enceinte	16	3,7
lait demi-écrémé habituel	10	4,4
Autres		
andouillette	200	1
Eaux (pour 100 ml)		
Hépar	110	0
Badoit	100	0
Contrex	84	0
Vittel	36	0
Évian	24	0

a. Si vous avez des problèmes de poids, privilégiez les aliments pour lesquels cette valeur est basse : ils vous apportent beaucoup de magnésium mais peu de calories.
mg = milligrammes.

Le fer :
la santé des globules rouges

Son rôle pour une grossesse réussie

Lorsqu'on respire, l'oxygène de l'air se fixe au niveau des poumons sur l'hémoglobine du sang ; il est ensuite transporté par la circulation sanguine vers les organes et vers les muscles. Il quitte alors l'hémoglobine pour être utilisé sur place par les cellules des muscles et des organes. Dans les muscles, l'oxygène peut soit être utilisé tout de suite, soit s'associer à la myoglobine pour être stocké en vue d'une utilisation future. Ainsi, en cas d'activité sportive, le muscle sera opérationnel plus rapidement et efficacement grâce à cette réserve d'oxygène « sur place ».

Ce circuit de l'oxygène est indispensable à la vie. Le fer y joue un rôle primordial, car il intervient au niveau de la constitution et du bon fonctionnement de l'hémoglobine et de la myoglobine. Le fer joue également d'autres rôles importants dans l'organisme, au niveau du foie, du cerveau, de la lutte contre les infections, etc.

Au cours de la grossesse, le bébé constitue ses réserves en fer ; celles-ci lui seront utiles pendant les neuf mois qu'il passera dans votre corps, puis au cours des premiers mois de sa vie de nourrisson.

Par ailleurs, pour le bon déroulement de la grossesse et l'harmonisation des échanges sanguins entre bébé et vous, il est souhaitable qu'augmentent, dans le corps maternel, le volume du sang et la quantité globale de l'hémoglobine.

Pour ces deux raisons – besoins du bébé et hémoglobine de votre corps – il vous faut consommer des aliments riches en fer.

Il ne faut pas prendre à la légère les risques liés à une carence en fer. Lorsqu'elle est majeure, elle conduit à une anémie chez la mère, c'est-à-dire à un manque de globules rouges ; ses conséquences peuvent être graves pour le bébé comme pour vous (voir tableau ci-dessous).

RISQUES LIÉS À UNE CARENCE EN FER AU COURS DE LA GROSSESSE

Pour la mère	Pour l'enfant
— Anémie pendant la grossesse avec pâleur, fatigue, palpitations, essoufflement — Anémie survenant après la grossesse du fait des pertes de sang au cours de l'accouchement	— Fragilité pendant la vie fœtale — Naissance prématurée — Poids de naissance trop bas — Placenta trop grand par rapport au bébé, d'où un risque d'hypertension artérielle à l'âge adulte — Anémie, fragilité et mortalité accrue dans les premiers mois de la vie

Si votre médecin vous annonce que vous avez une carence en fer, ne vous effrayez pas pour autant : ces complications sont réelles mais, heureusement, rares. En consommant plus de fer, vous rétablirez l'équilibre. Et n'oubliez pas : même lorsqu'elle n'entraîne pas d'anémie, la carence en fer gêne le déroulement optimal de la grossesse.

Une analyse de sang pratiquée en début de grossesse, avec dosage de l'hémoglobine et de la ferritine, permettra à votre médecin d'y voir plus clair : si l'hémoglobine est inférieure à 11 g par décilitre, il y a probablement une anémie ; et si la ferritine descend en dessous de 12 µg par litre, cela signe des réserves en fer trop basses, qu'il y ait ou non une anémie associée. Ce contrôle sanguin précoce (dès les premières semaines de la grossesse) s'impose surtout si vous vous sentez essoufflée, fatiguée ou trop pâle, ou encore si l'un des critères énumérés ci-dessous vous concerne.

Vous risquez d'autant plus d'être carencée en fer, et peut-être anémiée si

Vous êtes mince
Vous suiviez un régime pour maigrir
Vous êtes végétarienne
Vous avez généralement des règles abondantes
Vous avez eu des grossesses rapprochées
Vous avez moins de vingt ans
Vous êtes dans une situation économique ou sociale précaire, ou encore d'origine émigrée (les carences en fer sont plus fréquentes parmi les femmes émigrées)

Notre conseil

Si, lors d'une analyse de sang pratiquée au cours du second ou du troisième trimestre, votre hémoglobine est basse, ne vous effrayez pas. Il est normal que l'hémoglobine diminue à cette période et qu'elle se situe entre 9,5 et 11,5 g ; cela ne signe généralement ni une anémie ni une carence en fer. N'hésitez pas à en parler à votre médecin.

Les besoins en fer au cours de la grossesse

Pendant la grossesse, les organismes de la mère et du fœtus doivent à eux deux stocker chaque jour 0,8 mg de fer le premier trimestre, 4,4 mg le second et 6,3 mg le troisième.

Pour répondre à cette exigence, il faut que votre alimentation vous apporte six fois plus de fer (soit 20 à 30 mg dès le second trimestre), car seulement 15 % du fer de la nourriture parvient, au cours de la digestion, à traverser la paroi de l'intestin pour rejoindre l'organisme de la mère, puis celui du bébé.

RICHESSE EN FER DES ALIMENTS

Aliment	Teneur en fer pour 100 g d'aliments (mg)	Pourcentage de fer assimilable et utilisable par l'organisme (%)	Apport « utile en fer » pour 100 g d'aliment (mg)
Foie et rognons	8 à 18	15	1,2 à 2,7
Viande de			
— bœuf	3 à 6	15	0,5 à 0,9
— porc	2	15	0,3
— mouton	2	15	0,3
— volaille	1,5	15	0,3
Poissons	1 à 2	15	0,2
Huîtres [a]	7	15	1,1
Œufs	2	10	0,2
Lait de vache			
— habituel	0,05	10	0,005
— enrichi spécial femme enceinte	1,5	10	0,15
Légumes secs			
— soja	6	6	0,4
— lentilles	7	3	0,2
— haricots	2 à 10	3	0,3
— pois chiches	11	3	0,3
Pommes de terre	1	5	0,05
Céréales (pâtes, riz, farine, maïs, etc.)	1 à 3	5	0,05 à 0,15
Épinards	2 à 4	2	0,04 à 0,10
Autres légumes	1 à 2	2	0,02 à 0,04
Fruits	0,5 à 1	2	0,02
Chocolat	1 à 3	1 à 5	0,01 à 0,20

a. Attention au risque de gastro-entérite si les huîtres sont consommées crues.

Où trouver du fer ?

Dans quels aliments trouver du fer ? Surtout dans les abats (foie et rognons), les viandes et les poissons ainsi que dans certains légumes (voir tableau ci-dessous).

Plus que la quantité de fer présente dans l'alimentation, c'est sa facilité à passer de l'intestin vers le sang qui importe. Et là, les différences sont grandes entre le fer d'origine animale et celui d'origine végétale. L'organisme ne parvient à assimiler qu'environ 5 % du fer des légumes ou des céréales ; le reste – soit plus de 90 % – est évacué dans les selles sans avoir été d'une quelconque utilité pour l'organisme. En revanche, le fer d'origine animale, notamment celui des viandes et des poissons, passe trois fois mieux dans votre corps : 15 % est assimilé par l'organisme.

À l'aide du tableau de la page précédente, vous pouvez donc sélectionner les aliments les plus riches en fer utile pour l'organisme.

Ce n'est pas seulement le choix des aliments mais également la façon de composer votre repas qui influence l'assimilation du fer. Suivez les conseils du tableau suivant : le fer de votre alimentation sera ainsi plus disponible pour votre bébé et pour vous.

POUR ÉVITER UNE CARENCE EN FER

VEILLEZ À	POURQUOI
Manger de la viande, des abats rouges ou du poisson au moins une fois par jour.	Ils sont riches en fer et, de plus, leurs protéines favorisent l'assimilation du fer des féculents ou des légumes consommés au même repas.
Mettre du citron sur vos plats ou finir votre repas par un kiwi, une orange ou un autre agrume.	La vitamine C favorise l'assimilation du fer de tout le repas.
ÉVITEZ DE	POURQUOI
Manger tous vos laitages au déjeuner et au dîner : réservez-en pour le petit déjeuner, le goûter et la collation de la matinée.	Le calcium gêne l'assimilation du fer ; or le déjeuner et le dîner sont les repas les plus riches en fer du fait de la viande et du poisson.
Boire du thé aux repas.	Les tanins gênent l'assimilation du fer.
Consommer seulement des aliments complets (pâtes, pain, riz complet, etc.)	Le son et l'acide phytique de ces aliments gênent l'assimilation du fer.

Si vous débutez votre grossesse sans carence en fer préalable, ces conseils alimentaires suffiront probablement à assurer vos besoins et ceux du bébé. Dans le cas contraire, ou si vous avez du mal à consommer une nourriture riche en fer au cours de votre grossesse, il est probable que vous aurez besoin d'un supplément sous la forme d'un médicament que vous prescrira votre médecin.

Avant même le début d'une grossesse, les réserves en fer de l'organisme sont trop basses chez près de 10 % des femmes ; en effet, les règles entraînent une perte périodique de fer, perte qui n'est pas compensée par la nourriture si celle-ci est pauvre en fer.

La grossesse et ses besoins accentuent cette tendance, et c'est près d'une femme enceinte sur quatre qui est carencée au moment d'accoucher. Si tel est votre cas, un supplément de fer sous forme médicamenteuse vous sera utile ; en général, 30 mg par jour suffisent, ou encore une dose plus élevée (60 à 120 mg par semaine). Cette supplémentation vous concerne surtout si les résultats de votre analyse de sang montrent un manque de fer, ou si vous cumulez plusieurs facteurs de risque de carence (voir p. 75).

Le plus souvent, le médecin prescrit ce médicament à partir du quatrième mois. Lorsqu'une anémie préexiste à la conception, c'est dès le tout début de la grossesse qu'il faut prendre le supplément de fer, car les conséquences d'une anémie précoce sont plus graves que celles d'une anémie survenant en fin de grossesse. À l'inverse, si vos analyses sont rassurantes et si vous consommez régulièrement des aliments riches en fer (voir p. 76), évitez de prendre en plus des comprimés de fer : un excès en fer s'associe à une élévation de la viscosité du sang ainsi qu'à une réduction paradoxale du poids du fœtus.

Notre conseil

Vous éviterez de prendre votre comprimé de fer en même temps qu'un autre comprimé riche en minéraux ou en polyvitamines ; certains autres minéraux, et notamment le calcium, risquent en effet de gêner son assimilation. Prenez plutôt le comprimé de fer à un repas et, si vous en avez besoin, celui de polyvitamines à un autre. Pour les mêmes raisons et dans la mesure où les produits laitiers sont riches en calcium, prenez votre comprimé de fer à un repas où vous consommez peu de laitages. En particulier, évitez le petit déjeuner si vous prenez du lait ou un autre produit lacté.
Une idée : prenez votre comprimé de fer pendant une pause avec un jus d'agrumes.

Vous ressentirez peut-être certains désagréments digestifs avec ces comprimés : constipation, diarrhée, selles noires, nausées, etc. Parlez-en à votre médecin. Les choses s'améliorent souvent en diminuant les doses ; 30 mg par jour suffisent le plus souvent alors que les comprimés apportent généralement 60 à 100 mg. Un ou deux comprimés par semaine devraient donc être suffisants et donnent généralement de bons résultats tout en étant mieux supportés. Si vous continuez à mal les supporter, vérifiez d'abord que vous n'avez pas d'anémie (auquel cas il vous faudrait les prendre malgré tout) avant d'envisager leur arrêt ; et si vous arrêtez ces comprimés, il vous faudra suivre avec encore plus d'attention les conseils du tableau page 77. Quelle que soit votre attitude, informez-en votre médecin.

La vitamine A : trouver la juste mesure

Son rôle pour le bon développement de la grossesse

Chacun de nos organes a un rôle bien défini qu'il assure grâce à la spécialisation des nombreuses cellules qui le forment, spécialisation bien sûr différente selon chaque organe.

L'ovule fécondé par le spermatozoïde est, au départ, une cellule unique ; celle-ci se multiplie pour aboutir à des milliers, puis à des millions de cellules qui constituent l'embryon. Surtout, au fur et à mesure de la maturation de l'embryon, puis du fœtus, les cellules de « l'œuf humain » acquièrent leur spécialisation en fonction de leur localisation ; c'est ainsi que se mettent progressivement en place les organes du bébé.

La vitamine A joue un rôle primordial dans cette capacité des cellules à se spécialiser pour former un organe bien différencié et efficient. C'est important chez l'adulte, ce l'est encore plus pour l'embryon, puis le fœtus : la vitamine A est indispensable pour l'élaboration des poumons, du foie, de l'estomac, de l'intestin, des reins et de la vessie.

De plus, la vitamine A intervient de façon importante dans la reproduction, ainsi que sur la qualité de certaines fonctions de l'organisme : la vision, l'état de la peau, la défense contre les infections.

Les besoins en vitamine A au cours de la grossesse

Au cours de la grossesse, les besoins en vitamine A sont équivalents à ce qu'ils étaient auparavant : 1 000 Unités internationales (UI) par jour. Cette valeur est une moyenne : les choses reviendront au même si vous en consommez plus certains jours, moins d'autres jours en fonction de la richesse en vitamine A des aliments que vous avez choisis. En effet, le corps est capable de stocker le surplus de vitamine A les jours de forte consommation, puis d'utiliser ces réserves les jours de faible consommation.

Pour la vitamine A, vous pourrez donc sans inconvénient avoir des jours « avec » et des jours « sans ». Ce qu'il faut éviter, en revanche, c'est la *répétition* des excès ou des insuffisances d'apport. En effet, l'un et l'autre génèrent des risques importants pour la santé au cours de la grossesse et des premières années de la vie.

CONSÉQUENCES D'UN APPORT EN VITAMINE A

Insuffisant	Excessif
Pendant la grossesse	*Pendant la grossesse*
Avortement spontané Malformations congénitales	Malformations congénitales Nausées et maux de tête chez la mère
Chez le nourrisson puis l'enfant	*Chez le nourrisson puis l'enfant*
Troubles des yeux Cécité (le fait d'être aveugle) Infections microbiennes	Altération du foie

Dans les pays en voie de développement, la carence en vitamine A constitue un réel problème de santé publique. Elle est la première cause de cécité chez l'enfant. Elle est également l'un des principaux facteurs à l'origine des nombreuses diarrhées et infections respiratoires, deux maladies qui arrivent en tête parmi les causes de mortalité avant l'âge de dix ans dans ces pays.

En France comme dans les autres pays industrialisés, le problème est tout autre. Du fait de notre mode alimentaire, ces grandes carences sont quasi inexistantes. Dans votre ventre, le bébé en est d'autant plus protégé que le foie de la mère est capable de stocker la vitamine A après un repas qui en est riche ; le foie pourra ensuite libérer la vitamine A dans le sang pour qu'elle aille rejoindre le bébé en fonction des besoins de celui-ci.

En revanche, les risques liés à la prise excessive de vitamine A existent bel et bien. Parmi toutes les vitamines, la A est en effet celle dont le risque d'effet nocif en cas d'excès est le plus élevé : il suffit de dépasser régulièrement huit fois les apports recommandés pour que des malformations congénitales soient possibles. Vous éviterez donc absolument les comprimés multivitaminés mégadosés, très en vogue aux États-Unis, mais heureusement rares en France, ainsi que les boissons survitaminées avec excès telles que certains « smart drinks » ou autres « boissons énergisantes ». Par contre, vous ne risquez rien si vous prenez quotidiennement un comprimé de vitamines vous apportant 100 %, mais pas plus, des apports recommandés. C'est le cas de la plupart des suppléments vitaminiques vendus en pharmacie.

Où trouver la vitamine A ?

L'alimentation habituelle couvre les besoins journaliers de la femme enceinte (1 000 UI par jour). Votre apport risque cependant d'être légèrement insuffisant si vous suivez un régime pour contrôler votre poids (voir p. 147). Dans ce cas, deux solutions : sélectionner des aliments relativement riches en vitamine A ; prendre chaque jour un comprimé de polyvitamines apportant 100 % de l'apport quotidien recommandé (mais pas plus pour éviter l'excès).

La vitamine A qui fonctionne dans votre organisme et dans celui de bébé a deux origines.

■ La vitamine A proprement dite : elle provient exclusivement d'aliments d'origine animale, en particulier le foie (d'agneau, de veau, de génisse, de volaille), les huiles de foie de poisson, le beurre et la margarine, les poissons gras (notamment le thon, le hareng, le maquereau), le pâté de foie.

■ La provitamine A (encore appelée carotène ou caroténoïde) : c'est un précurseur de la vitamine A qui se transforme en vitamine A dans votre corps en fonction des besoins de celui-ci ; il n'y a donc pas de risque de surdosage pour la provitamine A. Elle est présente dans les végétaux, en particulier dans les fruits et légumes les plus colorés, que ce soit en orangé, jaune, rouge ou vert. Les carottes, les pêches, les abricots (frais ou secs) en sont particulièrement riches.

« Pour la provitamine A, est-il préférable de consommer les fruits et les légumes cuits, en salade ou à la croque ? »
La provitamine A supporte relativement bien la chaleur, vous pourrez donc consommer des carottes cuites. Si vous les choisissez sous leur forme crue, en entrée, il est préférable de les consommer râpées, avec de l'huile dans la vinaigrette plutôt qu'à la croque ; en effet, les matières grasses augmentent l'assimilation de la provitamine A par l'organisme. Pour la même raison, n'hésitez pas à mettre un peu de crème ou de beurre sur vos carottes cuites.

Notre conseil

Quelle que soit son origine (agneau, veau, etc.), le foie est très riche en vitamine A : un morceau de taille moyenne vous apporte à lui seul vos besoins en vitamine A pour dix jours ! Aussi, dans certains pays anglo-saxons, les médecins recommandent aux femmes enceintes de ne pas du tout en consommer afin d'éviter un excès en vitamine A. Sans aller jusque-là, si vous aimez le foie, veillez à ne pas en prendre plus d'une ou deux fois par mois.

L'acide folique : pour bien démarrer sa grossesse

Son rôle pour une grossesse réussie

■

L'acide folique est une vitamine du groupe B. Vous le trouverez aussi dénommé vitamine B9. L'acide folique joue un rôle primordial lorsque les cellules ont besoin de se multiplier rapidement, par exemple pour fabriquer de nouveaux globules rouges après un saignement important ou pour réparer une éraflure de la peau.

Tous les organes du bébé sont en croissance rapide, du fait de leur développement phénoménal au cours des neuf mois de la grossesse. Ce développement ne peut s'effectuer de façon convenable que si l'apport alimentaire en acide folique est suffisant. L'importance de l'acide folique est telle, pour le bon déroulement de la grossesse, qu'on a envisagé d'utiliser un médicament « anti-acide folique » comme agent d'interruption volontaire de grossesse.

Les besoins en acide folique au cours de la grossesse

■

Les besoins en acide folique s'élèvent à 0,40 mg par jour. Cette valeur n'a pas été déterminée au hasard. On s'est en effet rendu compte que, lorsque les apports sont régulièrement plus bas, une carence survient avec des conséquences potentiellement néfastes pour le bébé comme pour la mère.

La carence en acide folique risque de générer une anémie chez la mère et surtout des malformations chez le bébé. La malformation la plus fréquente touche le « tube neural », ou moelle épinière, c'est-à-dire le cylindre situé dans la colonne vertébrale et formé par la juxtaposition des nerfs issus du cerveau pour aller commander les différents territoires du corps.

Cette anomalie a plus de risque de survenir chez une femme ayant déjà donné naissance à un enfant malformé lors d'une précédente grossesse ou chez une femme prenant des médicaments contre l'épilepsie (ces médicaments gênent l'action de l'acide folique). Mais elle peut également survenir « fortuitement », sans que rien n'ait laissé présager le risque. Or, dans un cas comme dans l'autre, la prise de suppléments riches en acide folique réduit la fréquence de ces malformations. Chaque femme enceinte devrait donc s'attacher à assurer un apport suffisant en acide folique.

RISQUES LIÉS À UNE CARENCE EN ACIDE FOLIQUE (OU VITAMINE B9)

Pour la mère	Pour l'enfant
Anémie Écourtement de la durée de la grossesse Hémorragies Fausse couche	Malformation du tube neural *(spina bifida)* Taille et poids de naissance trop faibles Naissance prématurée Fragilité dans les premiers jours suivant la naissance

Où trouver l'acide folique ?

Aliments riches en acide folique

— Légumes, notamment la salade verte, les choux de Bruxelles, les brocolis, les épinards, les asperges et les tomates
— Fruits, notamment la banane, le kiwi, le melon, les fruits rouges, la pomme, la poire et l'orange
— Fromages fermentés
— Céréales complètes, maïs, châtaignes, pois chiches, lentilles, pommes de terre
— Levure de bière, germe de blé
— Abats, notamment le foie[a]
— Œufs

a. Le foie contient aussi beaucoup de vitamine A, dont l'excès est dangereux lors d'une grossesse (voir p. 80) ; attention à ne pas abuser.

L'acide folique des aliments se dégrade à l'air libre ou à la chaleur ; il est donc recommandé de consommer souvent des légumes crus (en particulier de la salade verte, dont les feuilles les plus foncées sont les plus riches en acide folique), de ne pas éplucher les fruits à l'avance, de conserver viandes, poissons et légumes au réfrigérateur, de ne pas cuire excessivement les aliments et d'éplucher les pommes de terre non pas avant mais après cuisson. En revanche, ne craignez pas de consommer conserves ou surgelés : ces deux procédés de conservation n'altèrent pas la teneur en acide folique des aliments.

L'alimentation habituelle ne fournit pas toujours suffisamment d'acide folique pour couvrir les besoins de la femme enceinte ; de plus, l'acide folique de la nourriture est imparfaitement assimilé. Aussi, il est souvent souhaitable, pour la femme enceinte, de prendre un supplément d'acide folique soit à travers la consommation d'aliments enrichis (en particulier céréales du petit déjeuner ou lait : un litre de lait enrichi « spécial maman » apporte environ 0,25 mg d'acide folique, donc plus de 50 % des besoins), soit par l'intermédiaire des comprimés riches en acide folique.

> ## Notre conseil
>
> Manger beaucoup d'aliments riches en acide folique est surtout important dans le mois qui précède la conception puis tout au long du premier trimestre. Pensez-y donc dès l'arrêt de votre méthode contraceptive. Quant aux comprimés d'acide folique (à prendre pendant la même période), ils vous seront surtout utiles si vous avez des besoins accrus notamment si vous prenez des médicaments contre l'épilepsie ou si un membre de votre famille a eu un enfant porteur de malformations congénitales, ou dans les cas de grossesses rapprochées, de consommation d'alcool, tabac.

« Quel supplément en acide folique choisir ? »

Si vous prenez des médicaments contre les convulsions ou s'il y a eu une malformation du tube neural lors de vos grossesses antérieures ou lors d'une grossesse survenant chez un membre de votre famille, vous devez absolument prendre un supplément médicamenteux en acide folique afin de réduire le risque d'avoir un nouveau problème. Pour être pleinement efficace, la dose journalière devra même être dix fois plus élevée que les besoins classiques, c'est-à-dire non pas 0,40 mais au moins 4 mg : une telle dose réduit de 70 % les risques de malformation de la moelle épinière. C'est ce que vous apportera, par exemple, un comprimé de Speciafoldine (dosé à 5 mg), seul supplément en acide folique à être remboursé par la Sécurité sociale. Pour bien faire, vous devriez déjà prendre ce médicament durant un mois avant la conception, afin de recharger vos réserves ; dès la fécondation, l'œuf pourra ainsi se développer en disposant de suffisamment d'acide folique. Et il vous faudra le prolonger pendant au moins le premier trimestre de votre grossesse.

Si vous ne prenez pas de médicaments contre les convulsions et si vous n'avez pas connaissance de malformation fœtale dans votre famille, alors vous vous contenterez de doses moindres (0,20 à 0,40 mg par jour) que peuvent vous apporter certains comprimés de polyvitamines : chez les femmes qui consomment par ailleurs peu d'aliments riches en folates, de telles doses réduisent de 50 % le risque de malformation de la moelle.

À la différence de ce qui se passe avec la vitamine A, dépasser ses besoins en acide folique ne comporte de danger ni pour la mère ni pour l'enfant ; seul impératif, parlez-en à votre médecin car un surplus en acide folique risque de masquer une éventuelle carence en vitamine B12 et donc de retarder la correction de cette dernière.

Les autres éléments
à ne pas oublier

Le zinc : important pour chaque cellule de bébé

Le zinc intervient dans de nombreux processus biologiques au niveau de la constitution puis du fonctionnement des cellules. Il joue un rôle tout particulier dans les défenses de l'organisme contre les microbes.

Pendant la grossesse, la carence en zinc est néfaste pour le bébé et pour vous.

RISQUES LIÉS À UNE CARENCE EN ZINC

Pour la mère	Pour le bébé
— Hypertension artérielle — Saignement — Prolongation du temps d'accouchement — Avortement spontané	— Malformations neurologiques — Retard de croissance — Troubles du développement osseux — Accentuation de la toxicité de l'alcool — Décès du fœtus — Naissance prématurée ou tardive

Ces grandes carences sont rares en France. Aussi, vous n'avez probablement pas besoin de prendre des comprimés de zinc : il vous suffira de consommer régulièrement des aliments riches en zinc. En sont riches :

— les viandes (les viandes rouges en contiennent plus que les viandes blanches ou les volailles),

— les poissons,

— les légumes secs,

— les aliments d'origine céréalière : pâtes, pain, riz, etc.

Il n'existe, en revanche, que de faibles quantités de zinc dans les légumes verts ou les fruits, dans les aliments sucrés, dans les matières grasses et les huiles.

Le fluor : pour les dents

La prise de suppléments fluorés au cours de la grossesse renforce l'émail des dents temporaires du futur enfant, sans que l'on sache si cela s'accompagne d'une réduction du nombre de caries sur ces mêmes dents. En ce qui concerne les dents définitives, le fluor consommé par la mère n'intervient pas : seul le fluor pris au cours de la petite enfance réduit la survenue des caries à l'âge adulte.

Les petits comprimés (ou les gouttes) de fluor seront donc plus utiles pour votre enfant au cours de ses premières années que pendant votre grossesse.

L'iode : pour la thyroïde

Dans les cas extrêmes, la carence en iode au cours de la grossesse risque de déclencher un avortement spontané ; de plus, elle perturbe le fonctionnement de la thyroïde, petite glande située au niveau du cou. Il peut en résulter pour bébé la formation d'un goitre (un gonflement) de la thyroïde et surtout la survenue d'altérations du cerveau avec déficit intellectuel.

Les aliments les plus riches en iode sont les produits de la mer, poissons, crustacés et coquillages. Les viandes, les œufs, le lait et les céréales en contiennent également. Quant aux légumes, ils ont une teneur en iode qui dépend de leur terre de culture : riche près des océans, pauvre à distance ou dans les régions montagneuses.

En France, à l'heure actuelle, les apports en iode sont habituellement suffisants. Sauf avis médical, vous éviterez donc de prendre des comprimés iodés, car un excès d'iode cause également des troubles thyroïdiens.

Les autres oligo-éléments

Le développement du fœtus nécessite la présence d'autres oligo-éléments comme le sélénium, le cuivre, le chrome, le manganèse, le cobalt, le molybdène ou le silicium. Leur apport chez la femme enceinte ne paraît pas poser de problèmes particuliers dans nos pays.

Les vitamines du groupe B : une famille utile

Mis à part l'acide folique (voir p. 82), les besoins en vitamines du groupe B ne sont que légèrement augmentés par la grossesse : vous en assurerez facilement la couverture en consommant une nourriture équilibrée apportant céréales complètes, légumes, viande, poisson, produits laitiers et œufs.

En revanche, si vous évitez systématiquement l'une de ces classes d'aliments, vos apports risquent d'être insuffisants. Il ne semble pas que ces carences, plutôt modestes, génèrent des maladies graves pour bébé. Sachez cependant que :

— La carence en vitamine B12 favorise l'anémie ; elle est fréquente chez les végétariens qui ne s'accordent ni viande, ni poisson, ni volaille.

— La carence en vitamine B1 (thiamine), en vitamine B2 (riboflavine) ou en vitamine B6 élève le risque de petits poids à la naissance pour votre bébé. De plus, la carence en vitamine B6 augmente les risques d'hypertension au cours de la grossesse et fragilise le nouveau-né.

— La carence en vitamines du groupe B est responsable de crampes, fréquentes chez les femmes enceintes.

Pour éviter ces troubles, mangez régulièrement des aliments riches en vitamines du groupe B (voir p. 614 et 615).

La vitamine C : éviter l'excès

Au cours de la grossesse, vos besoins en vitamine C augmentent de 10 %, passant de 80 mg à 90 mg par jour. En consommant régulièrement légumes verts et fruits, il vous sera facile de couvrir ces besoins. Vous n'avez donc pas besoin de prendre des comprimés de vitamine C à haute dose : non seulement ils seraient inutiles, mais en plus ils risqueraient d'avoir deux inconvénients :

— réduire l'assimilation de minéraux tels que le magnésium, le cuivre ou le zinc ;

— entraîner un manque paradoxal en vitamine C pour votre enfant à sa naissance. En effet, habitué à de trop fortes concentrations en vitamine C pendant la grossesse, le nouveau-né ressent un certain inconfort lorsque, après l'accouchement, il revient à des apports plus normaux à travers le lait maternel ou celui des biberons.

La vitamine E : pour le cerveau de bébé

La vitamine E intervient à plusieurs niveaux au cours de la grossesse : elle protège les lipides du cerveau du bébé ; elle semble également protéger le nouveau-né vis-à-vis du risque d'hémorragie cérébrale.

En consommant des aliments riches en vitamine E (voir p. 615) et notamment des huiles végétales, vos besoins sont couverts.

La vitamine K : pour éviter les hémorragies

La vitamine K passe difficilement à travers le placenta, organe qui assure les échanges entre la mère et le fœtus. Le nouveau-né risque donc d'être carencé, ce d'autant plus que son intestin n'a pas acquis la maturité pour la fabriquer, à la différence de ce qui se passe chez l'adulte.

Or la vitamine K joue un rôle primordial dans la coagulation, phénomène qui concourt à interrompre la perte de sang lors d'un saignement. On comprend mieux ainsi pourquoi les nouveau-nés sont sujets à des hémorragies, parfois graves, notamment lorsqu'elles touchent le cerveau.

Pour éviter ces problèmes, ce n'est pas tant la consommation d'aliments riches en vitamine K (voir p. 615) au cours de la grossesse qui sera utile que l'injection de vitamine K au nouveau-né dès la naissance ; cette attitude est presque systématique dans les maternités françaises.

« De façon générale, faut-il prendre des comprimés de vitamines pendant la grossesse ? »

On ne dispose pas à ce jour de preuve scientifique certaine de leur efficacité pour améliorer le déroulement de la grossesse, mais ils vous seront probablement utiles si, par goût ou par peur de grossir, vous mangez peu et/ou de façon assez monotone. Si vous en prenez, évitez ceux qui vous apportent une seule vitamine – mis à part pour l'acide folique, voir page 82 – et préférez ceux qui contiennent l'ensemble des vitamines. Pour ce qui est des doses de vitamines, choisissez des comprimés ou des gélules qui vous fournissent chaque jour une dose de vitamines proche de 100 %, des « Apports quotidiens recommandés », ou AQR, sigle parfois remplacé sur les emballages par AJR pour « Apports journaliers recommandés ». En tout état de cause, parlez-en à votre médecin.

L'eau et les boissons : pour hydrater bébé et nettoyer votre corps

Leur rôle pour une grossesse réussie

Au cas où le plaisir d'étancher votre soif ne suffirait pas, deux facteurs vous persuaderont de bien boire chaque jour :

— 70 % du corps d'un adulte est constitué par de l'eau. Chez le nouveau-né, et *a fortiori* chez l'embryon puis le fœtus, les cellules sont encore plus hydratées : l'eau est indispensable à la croissance et au bon fonctionnement des organes du bébé.

— Pendant la grossesse, les reins de votre corps doivent évacuer vos propres déchets, mais également ceux du bébé. Pour cela, ils filtrent le sang et en évacuent dans l'urine ces fameux déchets ; si ceux-ci s'accumulaient dans votre organisme, cela serait nuisible pour bébé comme pour vous. Pour bien effectuer ce travail, le rein a besoin d'eau afin de fabriquer suffisamment d'urine ; cette eau, ce sont principalement les boissons qui la lui apporteront.

Les besoins en eau au cours de la grossesse

Pour que bébé soit bien hydraté, pour que vos reins fonctionnent bien, il faudrait que vous buviez au moins un litre de boisson par jour et si possible plutôt un litre et demi à deux litres. Si le fait de boire vous procure des nausées, buvez souvent et par petites quantités : vous arriverez ainsi aux quantités recommandées.

Si vous souffrez d'œdèmes, ne buvez pas moins pour autant : vous risqueriez de vous déshydrater alors même que le volume des œdèmes est peu lié au volume de vos boissons. Utilisez plutôt les moyens plus efficaces et moins dangereux pour réduire ces œdèmes (voir p. 135).

Où trouver l'eau ?

Comme l'aurait dit M. de La Palice, la manière la plus simple d'apporter de l'eau à votre corps ainsi qu'à celui de bébé, est de boire… de l'eau.

➤ *L'eau du robinet*

L'eau du robinet est potable en France, vous pouvez donc la boire sans arrière-pensée. Dans deux circonstances, vous serez cependant amenée à lui préférer une eau en bouteille :

— Il peut persister un goût d'eau de Javel, utilisée à très faible dose comme désinfectant. Même si ce goût est discret, il risque de vous gêner du fait de l'hyper-sensibilité aux saveurs souvent provoquée par la grossesse.

— Dans certaines zones agricoles, l'utilisation d'engrais azotés destinés à augmenter les rendements peut polluer la nappe phréatique. À certaines périodes, les taux de nitrates risquent alors de devenir trop élevés pour les enfants et les femmes enceintes ; la nouvelle est généralement annoncée par voie de presse, et l'on peut également se renseigner à la mairie.

> ### Notre conseil
> Si votre eau du robinet sent le chlore, gardez-la une heure (ou plus) dans une carafe non bouchée : le chlore s'évaporera, et l'eau perdra ainsi son odeur.

➤ *L'eau en bouteilles*

Deux familles d'eau en bouteilles sont intéressantes pendant votre grossesse.

■ Les eaux de source : potables à l'état naturel, elles sont mises en bouteilles, telles qu'elles sortent du sol, sans subir de traitement. Elles ont une origine « certifiée », précisée sur l'étiquette.

■ Les eaux minérales : elles ont les mêmes caractéristiques que les précédentes, mais en plus, on leur prête des propriétés thérapeutiques précises. Lorsqu'elles sont naturellement effervescentes à la source, elles sont consommables sous la forme d'eau gazeuse.

« Vaut-il mieux choisir une eau de source ou une eau minérale précise ? »

La plupart des femmes enceintes peuvent choisir indifféremment telle ou telle eau, en fonction de leurs préférences. Cependant, vous choisirez votre eau selon des critères diététiques dans deux circonstances :

— Si vous devez limiter votre consommation de sel, par exemple à l'occasion d'œdèmes, vous éviterez les eaux très salées (Saint-Yorre, Vichy Célestins) et limiterez à un demi-litre par jour les eaux légèrement salées (Badoit, San Pellegrino). Vous boirez donc surtout les eaux d'une autre marque.

— Si vous consommez peu d'aliments riches en calcium (voir p. 66), vous privilégierez les eaux riches en calcium telles que Hépar, Contrex, Salvetat, Vittel (par ordre décroissant de richesse en calcium). Mais même si vous buvez des litres d'eau, rappelez-vous qu'il vous sera difficile d'atteindre l'équilibre en calcium sans la consommation régulière de produits laitiers.

➤ *Les autres boissons*

Toutes les boissons contiennent essentiellement de l'eau ; vous pourrez donc « comptabiliser » leur consommation dans le total de votre journée si vous souhaitez vérifier que vous prenez bien votre litre et demi d'eau. Mais en plus, ces boissons vous apportent d'autres éléments : certains sont intéressants, tandis que d'autres peuvent s'avérer néfastes pour bébé ou pour vous, en cas de consommation fréquente.

Boissons et équilibre nutritionnel

■ Le *lait* – pur, chocolaté, au miel, au sirop de grenadine, etc. – a l'avantage de vous procurer des protéines et surtout du calcium.

■ Les *potages de légumes* sont riches en vitamines, minéraux et oligo-éléments. C'est une bonne manière de consommer des légumes et, si vous devez surveiller votre poids, ils calmeront bien votre appétit.

Boissons et excitants

■ Le *thé* et le *café* sont détaillés plus loin (voir p. 102). Rappelez-vous notamment que le thé a l'inconvénient de freiner l'assimilation du fer tandis que le café a celui d'accélérer votre rythme cardiaque.

■ L'*alcool* est à éviter car il est vite toxique pour bébé ; à l'occasion, vous pouvez cependant en consommer mais seulement en toute petite quantité (voir p. 166).

Boissons et sucre

■ Qu'ils soient aromatisés au cola, à la menthe ou aux fruits, les *sodas sucrés* constituent une boisson parfaite pour... prendre du poids. Ils sont riches en sucres rapides qui perturbent l'équilibre de la glycémie (glucose dans le sang). Ce phénomène est encore accentué par la grossesse ; il en résulte des variations trop rapides du niveau de sucre dans votre sang, ce qui risque de vous fatiguer et d'être mal supporté par bébé.

■ Les *jus de fruits* vous apporteront une partie des vitamines et autres éléments favorables contenus dans les fruits. Cependant, n'oubliez pas qu'ils sont riches en sucre appelé fructose ; même si celui-ci est mieux supporté par l'organisme que le saccharose des sodas, les jus de fruits sont riches en calories, ce qui incite à les déconseiller ou à les limiter à un verre par jour chez celles qui prennent trop de poids pendant leur grossesse. Mangez des fruits plutôt que d'en boire le jus : vous aurez ainsi tous les éléments positifs des fruits, en particulier les fibres ; celles-ci sont utiles pour réguler le transit intestinal et calmer l'appétit mais elles sont quasi absentes du jus.

■ Les *boissons édulcorées,* appelées encore boissons « light », n'apportent aucune calorie : elles remplaceront donc avec bonheur les sodas sucrés pour celles qui doivent limiter leur prise de poids. D'après de nombreuses études scientifiques, leur consommation ne semble pas être nuisible pour bébé, tout du moins en ce qui concerne les sodas édulcorés à l'aspartame. Ce n'est pas une raison pour en boire trop souvent. Elles ne remplacent ni l'eau ni le lait ; réservez-les plutôt aux moments de fête (cocktails, apéritifs, etc.) ou limitez-vous à un verre de soda « light » par jour.

Grossesse et superflu
le plaisir sans les dangers

■

Même s'ils ne sont indispensables ni au bon déroulement de la grossesse ni au développement du bébé, certains aliments comme le café, le chocolat, le sucre ou le vin sont fort appréciés des futures mamans, comme ils le sont de tout un chacun. Bien que savoureux, ces aliments ont souvent mauvaise réputation. La femme enceinte doit-elle s'en passer ? Voyons plutôt comment elle peut en faire un usage raisonnable.

Sucre et aliments sucrés

Le rôle du goût du sucre,
pour vous et pour bébé

■

Le goût sucré joue un rôle primordial dans notre environnement et dans notre imaginaire alimentaire : celui du plaisir.

Dès sa vie dans l'utérus maternel, le fœtus apprécie les saveurs sucrées. Lorsqu'on injecte de l'eau sucrée dans le liquide amniotique où il baigne, il exprime sa satisfaction en accélérant ses mouvements de déglutition : il « boit » cette eau sucrée avec avidité. Cette attirance pour le sucré se prolonge après la naissance : le nouveau-né exprime un sourire de contentement lorsqu'on place sur ses lèvres une goutte d'eau sucrée.

Cette attirance pour le sucré a un intérêt pour le métabolisme du très jeune enfant. En pleine croissance et possédant peu de réserves, le nourrisson a un besoin urgent d'énergie. Or le goût sucré annonce la venue dans l'estomac puis dans le sang d'un glucide rapidement utilisable par l'organisme : le fructose pour les fruits ; le galactose pour le lait et les produits laitiers ; le saccharose pour le sucre de table, les desserts, les biscuits et la plupart des autres aliments sucrés. À la satisfaction du goût correspond donc une satisfaction d'un besoin métabolique pour l'organisme.

Les besoins en sucre
au cours de la grossesse

Le corps d'une femme enceinte n'a pas besoin d'aliments sucrés : son bébé peut tirer son énergie et ses glucides à partir des nombreux autres aliments riches en glucides : légumes secs, pain, pommes de terre, pâtes, riz, maïs, semoule, céréales du petit déjeuner, fruits... Ces aliments doivent tenir une plus grande part dans votre assiette que celle des aliments sucrés, et ce pour deux raisons :

— Les aliments sucrés – biscuits, gâteaux, glaces, barres chocolatées, etc. – sont généralement gras, riches en graisses : une surconsommation favorise donc une prise excessive de poids. En revanche, ce problème n'existe pas lorsque vous ajoutez du sucre dans un laitage ou sur des fruits.

— Les aliments sucrés sont constitués en grande partie de glucides rapides. Or ceux-ci sont moins bien supportés par l'organisme de la femme enceinte que ne le sont les glucides lents des féculents et des fruits.

Le sucre et les aliments sucrés ne sont donc pas à proprement parler « indispensables » pour l'équilibre alimentaire d'une femme enceinte. Mais ils font partie du plaisir de la table et permettent souvent de mieux apprécier un repas. De plus, l'ajout de sucre est utile pour agrémenter yaourts, fromage blanc ou encore salades de fruits, aliments tous intéressants pour bébé comme pour l'organisme de la future mère. Enfin, le sucre est source d'énergie, ce qui est particulièrement intéressant chez la femme enceinte maigre et qui prend moins de poids que ce qui serait souhaitable pour le bon déroulement de la grossesse.

Comment bien manger sucré

Ne pas abuser d'aliments ou de boissons sucrés ne signifie pas s'en passer systématiquement. Sauf diabète ou excès de poids, vous n'avez pas besoin de remplacer le sucre par les édulcorants tels l'aspartame ou la saccharine.

Pendant votre grossesse, l'objectif sera donc non pas de manger sans sucre, mais de profiter de façon raisonnable des plaisirs sucrés.

Tout est une question de mesure :

— Prenez un peu de sucre dans votre café du petit déjeuner ou dans votre thé du goûter (ou encore du chocolat en poudre dans votre bol de lait), mais évitez de boire quotidiennement un verre de soda.

— Sucrez votre yaourt, mais appréciez-le également avec des fraises, des framboises ou encore un autre fruit coupé en morceaux.

Sucre et grossesse

Si vous n'avez ni problème de poids ni diabète,
vous pouvez fort bien consommer chaque jour :
— une ou deux boissons sucrées,
— de la confiture ou du miel sur vos tartines au petit déjeuner,
— quelques biscuits secs à l'heure du goûter,
— un ou deux yaourts aux fruits, au chocolat ou à la vanille,
— du fromage blanc ou un yaourt sucré par vos soins,
— deux ou trois carrés de chocolat,
— une pâtisserie (deux ou trois fois par semaine).
(Ce ne sont là que des exemples ; à vous de varier en fonction de vos goûts.)

— Savourez une tarte aux pommes ou un gâteau au chocolat en dessert le week-end ou lors de vos sorties, mais appréciez les fruits ou le fromage blanc à la fin des autres repas.

— Croquez deux biscuits secs à l'heure du goûter ou un morceau d'un bon chocolat à la fin du déjeuner, mais ne videz pas votre paquet en quelques minutes.

Du fait de votre grossesse, votre corps supporte mal les glucides à assimilation rapide. Or les aliments sucrés contiennent justement ces sucres rapides. Mais vous disposez de moyens pour ralentir leur assimilation :

— Associez aliments sucrés et fruits (par exemple une pomme et deux biscuits à l'heure du goûter plutôt que quatre biscuits) : les fibres du fruit ralentissent l'assimilation du sucre des aliments sucrés.

— Consommez les glaces, les sorbets ou les pâtisseries à l'heure du dessert (à la fin du repas) plutôt qu'au milieu de l'après-midi : le sucre de ces aliments sera ralenti par la digestion des aliments salés qui les ont précédés.

Les édulcorants

Sauf en cas de diabète ou d'excès de poids, vous n'avez pas besoin pendant votre grossesse de remplacer le sucre par des édulcorants (encore appelés « faux sucres »). Ceux-ci peuvent cependant vous rendre service, si votre médecin vous propose un régime où la quantité de sucre est fortement restreinte et que vous souhaitez continuer à apprécier la saveur sucrée. Sachez bien les utiliser.

■ L'aspartame est souvent utilisé dans les sodas ou les laitages « light » ; il est également disponible sous la forme de comprimés ou d'édulcorant en poudre. Il n'est pas contre-indiqué chez la femme enceinte et ne semble pas poser de problème pour le développement de bébé. Ce n'est pas une raison pour vous en gaver : limitez si possible votre consommation quotidienne à une boisson et un dessert édulcorés.

■ La saccharine n'est pas arrêtée par le placenta, ce qui explique que la législation oblige à mentionner sur l'étiquetage : « à consommer avec modération pour les femmes enceintes ». Lorsque cela sera possible, vous la remplacerez donc par l'aspartame.

■ Les cyclamates ont été accusés d'être cancérigènes, bien que cette notion soit encore discutée. De plus, ils risquent de provoquer des malformations de l'enfant. Vous éviterez donc formellement des aliments édulcorés avec ce type de produits, en sachant qu'ils sont extrêmement rares en France.

■ L'acésulfame K a l'avantage d'être stable à température élevée et donc de supporter la cuisson. Il ne semble pas présenter d'inconvénient particulier pour la grossesse, et vous pouvez donc en consommer dans les limites énoncées plus haut pour l'aspartame.

Ces quatre édulcorants sont également appelés édulcorants « intenses », car leur pouvoir sucrant est si fort qu'il ne faut en mettre qu'une infime quantité pour donner justement la saveur sucrée. Aussi, leur consommation n'apporte pratiquement aucune calorie, ce qui explique qu'ils puissent être conseillés dans les régimes destinés à contrôler le poids.

D'autres édulcorants contiennent, eux, des calories et peuvent donc faire grossir s'ils sont consommés en grande quantité : ce sont notamment les polyols ou « édulcorants de charge » que vous verrez également sur l'étiquetage dénommés sous le terme sorbitol, mannitol ou xylitol, isomalt, maltitol ou encore lactitol. Ces édulcorants sont surtout utilisés dans les produits de confiserie, les bonbons, les chewing-gums, les biscuits ou les glaces. Ils ne posent pas de problème pour bébé et ont l'avantage de ne pas favoriser le développement des caries dentaires chez le consommateur. Cependant, lorsqu'on en consomme plus de 30 g par jour, ils peuvent entraîner diarrhées et ballonnement abdominal. Par ailleurs, même si les aliments où ils remplacent le sucre classique vous apportent deux fois moins de calories que leurs équivalents traditionnels, n'oubliez pas que leur consommation importante (par exemple plus de trois ou quatre bonbons par jour) favorise la prise de poids.

Le chocolat

En paraphrasant le Tartuffe de Molière, on pourrait écrire que, pour être enceinte, la future mère n'en est pas moins femme. Or toutes les femmes (ou presque) « craquent » pour le chocolat.

Outre sa saveur tant appréciée, le chocolat se caractérise par sa richesse en graisses et sa forte concentration calorique (un petit morceau apporte déjà un nombre élevé de calories). Or ces deux caractéristiques, richesse en graisses et concentration calorique élevée, favorisent la prise de poids en cas de consommation excessive et notamment de grignotages répétés. C'est là le principal écueil qui vous guette si la grossesse accentue votre désir pour ce plaisir gourmand.

UNE TABLETTE MOYENNE DE CHOCOLAT (100 G) VOUS APPORTE

	Chocolat noir	Chocolat au lait
Calories	520-560	520-560
Protéines (g)	4	7
Glucides (g)	58	56
Lipides (g)	30-35	30-35
Calcium (mg)	70	220
Magnésium (mg)	120	70

Pour choisir entre chocolat au lait et chocolat noir, laissez parler vos goûts : la seule différence nutritionnelle sensible entre les deux concerne le calcium, dont le chocolat au lait est trois fois plus riche. Ce n'est cependant pas avec lui que vous pourrez espérer couvrir tous vos besoins : il vous faudrait au moins quatre tablettes par jour ! Le chocolat noir est, pour sa part, plus riche en magnésium ; et, contrairement au bruit qui court, il ne fait pas moins grossir que le chocolat au lait.

Si votre ligne vous pose quelques soucis, vous allez devoir « gérer » votre consommation de chocolat pour profiter du plaisir sans gagner des kilos.

Chocolat :
Comment limiter consommation et prise de poids sans (trop) gâcher le plaisir

Établir des rites
Dégustez un morceau à la fin du déjeuner ou après le dîner, mais ne terminez pas une tablette en un après-midi.

Prolonger le plaisir
Plutôt que d'engloutir une tablette sans réel plaisir en bouche, laissez fondre un carré sous la langue.

Associer pain et chocolat
Plutôt que trois barres de chocolat, prenez-en une, mais entourée de deux tranches de pain.

Comprendre les effets du chocolat
Choisissez alors des aliments « plaisir » de substitution, moins gras et/ou moins denses en calories (voir tableau suivant).

Si le chocolat vous donne des migraines, sachez que c'est par son contenu en tyramine et en phényléthylamine ; dans ce cas, il faudra l'éviter. Au contraire, vous ressentez peut-être, comme beaucoup, un mieux-être psychologique après en avoir mangé ; découvrons ensemble le pourquoi d'un tel pouvoir.

Propriétés du chocolat et mieux-être

Pourquoi le chocolat vous apaise et quels aliments peuvent remplacer le chocolat ?

Le chocolat est riche en magnésium
Votre attirance vous permet peut-être de combler une carence.
Essayez alors d'autres aliments riches en magnésium (voir p. 71).

Le chocolat est riche en sucre
Le sucre déclenche la sécrétion d'insuline par le pancréas ; celle-ci aurait des propriétés apaisantes.
Tournez-vous vers des aliments sucrés mais moins gras : fruits secs, biscuits secs, tartine de miel ou de confiture, pain d'épice, etc.

Le chocolat est riche en phényléthylamine
Cette molécule se transforme dans le cerveau en sérotonine, qui stimule le moral.
Les glucides (voir p. 59) agissent aussi sur la sérotonine ; en mangeant plus de féculents (sucres lents), vous aurez sans doute moins de « fringales chocolatées ».

Le chocolat est source de plaisir
Les aliments savoureux déclenchent au niveau du cerveau la fabrication d'opiacés, petites molécules qui relaxent et soulagent le « blues ».
Le chocolat n'est pas votre seul aliment « plaisir » ; essayez des fraises, un yaourt, un sorbet, des biscuits secs ou encore une boisson comme un café, un thé, un soda « light » ou, mieux, un verre de lait... chocolaté.

Le sel

Comme l'annonce sa dénomination chimique – chlorure de sodium –, le sel de cuisine est composé de deux éléments, le chlore, à 60 %, et le sodium, à 40 %. À l'état naturel, presque tous les aliments sont pauvres en sodium. Or le sodium joue un rôle primordial dans l'organisme, en particulier au niveau de la circulation sanguine. L'homme et les animaux ont donc besoin de sel, ce qui explique notre attirance pour la saveur salée. En outre, le sel a la propriété de neutraliser la prolifération des microbes dans la nourriture, et la salaison a longtemps constitué un moyen répandu de conservation des aliments.

Les apports conseillés en sodium sont de 3 à 5 g par jour, mais nous en consommons habituellement de 8 à 15 g du fait de la richesse en sel de l'alimentation d'aujourd'hui. Des apports élevés en sel ont l'inconvénient d'élever la tension artérielle chez les individus dits « sensibles » au sel : cette sensibilité concerne un tiers des personnes souffrant d'hypertension artérielle ; pour elles, un régime pauvre en sel est utile dans l'objectif de normaliser la tension.

Au cours de la grossesse, il existe une rétention normale de sel et d'eau. Cette rétention tend à augmenter le volume du sang, augmentation profitable au bon déroulement de la grossesse. Elle ne nécessite ni besoin supplémentaire en sel ni régime sans sel strict. Pendant votre grossesse, vous éviterez donc les extrêmes, le trop et le trop peu, et vous salerez, mais de façon modérée, votre nourriture.

INCONVÉNIENTS POSSIBLES LIÉS À

Un manque de sel	Un excès de sel
— Perte d'appétit — Carence nutritionnelle provoquée par la perte d'appétit — Désordres au niveau de la circulation sanguine et de la répartition de l'eau dans l'organisme	— Hypertension artérielle — Œdèmes — Prise excessive de poids — Perte de calcium dans les urines

Comment réduire le contenu en sel de votre nourriture

Cuisiner sans sel
Le remplacer par des herbes ou des aromates.

Éviter les plats cuisinés et les sauces du commerce
Ils sont habituellement très salés.

Limiter le sel à table
Choisir une salière à petits trous.
Toujours goûter avant de saler.

Choisir des aliments pauvres en sel
Dans chaque famille d'aliments, éviter ceux riches en sel,
préférer ceux qui en sont pauvres (voir tableau suivant).

Notre conseil

Votre médecin peut être amené à vous conseiller un régime pauvre en sel à l'occasion d'une poussée de tension, de l'apparition d'œdèmes ou de prise excessive de poids. Au début, la nourriture peu salée vous paraîtra insipide ; au bout de quelques semaines, vos papilles du goût (au niveau de la langue) vont néanmoins devenir plus sensibles au sel, c'est-à-dire qu'une faible quantité de sel sera suffisante pour les stimuler : un plat peu salé vous paraîtra alors savoureux.

TENEUR EN SODIUM (mg pour 100 g)

Aliments riches en sel		Aliments voisins mais pauvres en sel	
VIANDES ET ASSIMILÉS			
Andouillette (une pièce)	1 000	Viandes (agneau, bœuf,	70 à 100
Saucisse (deux pièces)	1 000	cheval, porc, veau)	
Jambon (deux tranches)		Volaille, abats, gibier	80
— fumé	1 600	Œuf (deux œufs)	130
— de Paris	900		
Pâté (une fine tranche)	660		
Saucisson (six tranches)	1 000		
Rillettes	130		
POISSONS			
Conserves		Tous les poissons frais	
thon	450	surgelés non cuisinés ni panés	50 à 120
sardines	530		
anchois	3 200		
hareng	900		
crabe	400		
Morue salée	400		
Saumon fumé	1 200		
Hareng fumé	550		
Croquette de poisson surgelé	400	Coquille Saint-Jacques	156
Fruits de mer	300 à 1 000	Huîtres	250
ALIMENTS D'ORIGINE CÉRÉALIÈRE			
Pain [a]	400 à 500	Pain sans sel	1
Biscottes	270	Biscottes sans sel	2 à 10
		Pâtes, riz, semoule, farine, blé	
		concassé	1 à 5
Viennoiserie :	500 à 700	Éclair [b]	70
pain au chocolat, croissant,			
etc.			
Petit-beurre,		Madeleines, boudoirs, sablés [b]	80 à 150
biscuits chocolatés	250 à 400		
Biscuits salés d'apéritif	1 100	Tomates cerises, radis, dés de	
		légumes, etc. [c]	2 à 6
Corn flakes, muesli,		Flocons d'avoine ou flocons	
« All-Bran »	500 à 1 000	« 5 céréales » ou autres	
		flocons de céréales	3

TENEUR EN SODIUM (mg pour 100 g) *(suite)*

Aliments riches en sel		Aliments voisins mais pauvres en sel	
LÉGUMES SECS ET FÉCULENTS			
Conserves		Légumes secs frais ou surgelés non cuisinés	
petits pois	255	petits pois	3
haricots blancs	310	haricots blancs	7
lentilles	350	lentilles	12
Chips	550	Pommes de terre	4
LÉGUMES			
Conserves	100 à 300	Frais ou surgelés non cuisinés sauf épinards, céleri [d]	3 à 20 / 80
PRODUITS LAITIERS			
La plupart des fromages à pâte molle [e] : camembert, fromages fondus, fromages frais demi-sel ou aux herbes	800 à 1 200	Chèvre à pâte molle [b, e]	300
Gouda, Bonbel	600 à 800	Emmenthal, comté [b]	200 à 320
Roquefort	1 100	Bleu [b]	115
		Lait, fromage blanc, yaourt, petit-suisse	40 à 80
MATIÈRES GRASSES			
Beurre demi-sel	870	Beurre classique	22
Margarine	118	Crème	35
Mayonnaise	400 à 700	Huiles	0
FRUITS			
		Fruits frais, surgelés ou en conserves	2 à 14
Olives en saumure	2 500	Fruits secs (bananes, figues, abricots secs)	30 à 60
Cacahuètes salées	500	Amandes, noix nature	2 à 6
BOISSONS			
Jus de tomate	270	Jus de fruit (orange, pomme, etc.)	2 à 6
Badoit	17	Contrex, Évian, Hépar, Perrier, Volvic	0,5 à 1
Vichy Célestins	126		
Saint-Yorre	174		

a. Au déjeuner et au dîner, le pain peut être remplacé par du pain sans sel ou par des pâtes, du riz, etc., cuisinés sans sel.

b. Ces aliments ne sont pas exactement pauvres en sel, mais ils peuvent remplacer avec bonheur, mais sans abus, l'aliment voisin plus riche en sel.

c. Ces aliments ne sont pas des produits céréaliers, mais ils peuvent se substituer aux biscuits salés à l'heure de l'apéritif.

d. Les épinards et le céleri sont un peu plus riches en sel : 80 mg pour 100 g, ce qui ne doit pas vous empêcher d'en consommer pendant votre grossesse.

e. Pour éviter une infection par la listériose et la brucellose (voir p. 143), vous choisirez un fromage au lait pasteurisé, et non un fromage fermier ou à base de lait cru et vous n'en consommerez pas la croûte.

Le café et le thé

Que ce soit dans la matinée et après le déjeuner (pour le café), au milieu de l'après-midi (pour le thé), ou encore au petit déjeuner, le thé et le café font sans doute partie de votre vie quotidienne. Si vous aviez l'habitude d'en profiter, faut-il vous en priver du fait de la grossesse ?

CAFÉINE (en mg)

Contenue dans une tasse de	
Café décaféiné	3
Café arabica	60
Café robusta	120
Thé	40

Ces boissons ont en commun de contenir de la caféine ; la théine du thé est l'équivalent de la caféine du café. Le café robusta est le plus riche : il apporte deux fois plus de caféine que le café arabica et trois fois plus que le thé. En revanche, si vous buvez du café décaféiné, votre dose de caféine sera négligeable.

Propriétés de la caféine et de la théine

À doses normales
— Accélération du rythme cardiaque
— Élévation des sécrétions de l'estomac
— Accélération du transit intestinal
— Effet diurétique (accélère la perte d'eau)
— Stimulation des capacités d'apprentissage

À fortes doses
— Fatigue
— Déprime
— Insomnie
— Perte de l'appétit
— Tremblements

Au cours de la grossesse, les effets de la caféine varient selon les femmes, avec des conséquences parfois positives, parfois négatives.

« Dans quel cas le café peut-il être conseillé ? »

Si vous êtes sujette à la constipation ou à la rétention d'eau, vous bénéficierez des effets de la caféine sur le transit et la diurèse. De même, si vous souffrez de nausées et avez du mal à digérer, votre digestion pourra s'améliorer car la caféine stimule les sécrétions de l'estomac.

« On m'a dit que le café au lait provoquait des malaises, est-ce vrai ? »

À l'inverse, le café rend parfois la digestion lourde lorsqu'il est consommé en même temps ou juste après un laitage gras (fromage, lait entier, fromage blanc à 40 % MG, etc.). Même si elle est source d'inconfort, cette propriété n'est pas nocive ; si, personnellement, vous supportez bien votre café au lait du matin ou le café qui fait suite au plateau de fromage de votre déjeuner, vous pouvez continuer à en profiter sans arrière-pensée.

L'accélération du cœur est pour sa part plus gênante, ce d'autant que les femmes enceintes y sont particulièrement sensibles ; si vous ressentez des palpitations après chaque tasse de café, mieux vaut vous abstenir ou vous convertir au décaféiné.

« Est-il vrai que mon bébé aura une bonne mémoire si je bois du café ? »

Le café stimule peut-être vos propres capacités de mémorisation, mais ne comptez pas sur lui pour rendre votre futur enfant plus intelligent ! Cette stimulation intellectuelle n'est que temporaire. De plus, si vous êtes une forte consommatrice (quatre tasses et plus), une fatigue ou une déprime risquent fort de succéder à l'effet « coup de fouet » immédiat ; n'abusez pas. Vous éviterez ainsi également de perturber votre sommeil, de perdre l'appétit ou d'être sujette à des tremblements.

« À partir de quand est-on un grand consommateur de café ? »

Les conséquences fâcheuses de la caféine se voient surtout chez les grands consommateurs : plus de 600 mg de caféine par jour, soit quinze tasses de thé ou dix tasses de café arabica, ou encore « seulement » cinq tasses de café robusta. L'insomnie survient même chez certaines personnes après une seule tasse de café dans l'après-midi. À vous de vous connaître, à vous d'être à l'écoute de votre corps pour savoir « jusqu'où ne pas aller trop loin ». En vous rappelant que la grossesse rend souvent « hypersensible » à la caféine, ce qui vous conduira probablement à boire moins de tasses qu'auparavant.

« Le café ne me réussit pas, que boire pendant la pause ? »

Si vous souhaitez quand même vous octroyer un moment de pause ou de détente autour d'une boisson chaude dépourvue de caféine et de théine, vous choisirez :

— de remplacer le thé ou le café par un bol de lait ou de chocolat chaud,

— ou encore par une tisane,

— ou de choisir du café décaféiné,

— ou encore de laisser le thé infuser longtemps – plus de trois minutes – avant de le boire.

« Pourquoi le thé est-il moins excitant lorsqu'il a longtemps infusé ? »

Cette manière de faire a de quoi surprendre, car le thé paraît alors plus foncé, plus fort. Effectivement, il l'est car les tanins, contenus dans les feuilles de thé, auront eu le temps de se diffuser dans l'eau chaude : pour ce faire, il leur faut plusieurs minutes alors que la théine (équivalent de la caféine) passe en trente secondes seulement. Or, les tanins ont la particularité de constituer un antidote à la caféine car ils l'empêchent d'être assimilée.

Si votre thé a peu infusé, il sera donc pauvre en tanins, mais (déjà) riche en théine : celle-ci aura donc tout loisir d'être assimilée par votre corps. En revanche, s'il a longuement infusé, votre thé sera riche en théine, mais il le sera également en tanins, ce qui neutralisera la théine.

> ## Notre conseil
>
> Si vous n'appréciez pas l'amertume d'un thé fort, vous disposez d'une autre solution pour éviter d'être incommodée par la théine : après avoir mis le thé dans votre théière vide, versez une petite quantité d'eau bouillante, laissez infuser trente seconde, puis jetez cette eau (sans jeter les brins ou le sachet de thé) : la théine (avec un peu d'arôme, certes) sera ainsi évacuée, et vous pourrez reverser de l'eau frémissante sur les brins ou le sachet de thé pour obtenir ainsi un thé naturellement déthéiné.

Thé et café
Quels avantages en tirer

Boire plus
L'eau des boissons facilite l'élimination des déchets et renouvelle l'eau du corps.

Boire du lait
Avec un grand bol de lait parfumé au café ou au thé, vous couvrirez plus facilement vos besoins en calcium.

Vous détendre
Profitez de la pause-café ou de l'heure du thé pour vous relaxer, « activité » toujours utile au cours d'une grossesse.

Prendre une collation
Si vous supportez mal un repas complet à midi ou le soir, prenez donc une tartine et du fromage ou quelques biscuits, à l'occasion du café de 10 heures ou à l'heure du thé.

Remplacer les grignotages
Si vous grignotez trop pour votre poids, la prise d'une boisson chaude remplacera avec bonheur sucreries et charcuterie.

Comment en bénéficier

Ne pas abuser de caféine
Choisissez l'arabica plutôt que le robusta.
Si vous buvez plus de trois tasses de café, prenez du décaféiné.
Avant de boire votre thé, déthéinez-le ou laissez-le infuser au moins trois minutes.

Ne pas oublier le lait
Ni le thé ni le café ne remplacent le lait (ou les laitages) indispensables pour le calcium (voir p. 63).

Si vous choisissez le thé
Il est riche en fluor (voir p. 85), mais ses tanins réduisent l'assimilation du fer s'il est consommé au déjeuner ou au dîner : appréciez-le plutôt entre les repas ou à l'heure du petit déjeuner.

Si vous surveillez votre poids
Préférez prendre thé ou café, avec un nuage de lait plutôt qu'avec de la crème, nature ou avec un édulcorant plutôt qu'avec du sucre.

L'alcool

L'alcool constitue un réel danger au cours de la grossesse : il n'est d'aucune utilité pour le fœtus, et sa consommation excessive induit de graves malformations congénitales. Ces dernières laisseront chez l'enfant des séquelles le plus souvent définitives.

COMPLICATIONS LIÉES À L'ALCOOL CONSOMMÉ EN EXCÈS PENDANT LA GROSSESSE

Pour la mère	Pour l'enfant
— Utilisation des réserves en vitamine B — Altération du foie, du cerveau, du système nerveux — Réduction de l'appétit et carences nutritionnelles	— Déformation du visage — Malformations cardiaques — Altération du système nerveux — Troubles intellectuels et psychomoteurs — Petite taille — Faible poids de naissance

« Quelle consommation est acceptable ? »

Une consommation modérée, de l'ordre d'un petit verre de vin ou d'une canette de bière par jour, n'entraîne pas de malformation. Mais, d'après certains chercheurs, elle favorise prématurité et petit poids à la naissance ; aussi, dans certains pays, on recommande aux femmes enceintes d'éviter complètement l'alcool.

D'autres études scientifiques ne retrouvent pas cet inconvénient. En France, on ne prohibe pas complètement toute boisson alcoolisée. Il n'en reste pas moins qu'une femme enceinte doit être extrêmement prudente avec l'alcool, même s'il s'agit d'un excellent vin.

Votre grossesse et l'alcool
Que faire en pratique ?

Si vous n'aimez pas les boissons alcoolisées, n'en prenez pas !
L'alcool n'est d'aucune utilité pour le bon déroulement de la grossesse.

Si vous aimez l'alcool, connaissez-en les dangers
Ils sont nombreux, pour vous et surtout pour votre enfant.

Si vous craquez à l'occasion d'un événement exceptionnel, ne vous culpabilisez pas
Deux coupes de champagne et un verre de vin ne bouleverseront pas le développement du fœtus, si de tels événements restent rares.

Si vous avez du mal à vous passer d'alcool, parlez-en à votre médecin
Un soutien psychologique et/ou une consultation spécialisée en alcoologie s'imposent peut-être.

Si vous appréciez le bon vin, ne dépassez pas un petit verre au déjeuner et au dîner
Vous pourrez le remplacer par un verre de bière.
Parlez-en auparavant à votre médecin.

Si vous souhaitez boire de la bière, choisissez-la sans alcool
Vous aurez alors le plaisir sans les risques.
Le goût de la bière sans alcool s'est bien amélioré.

Évitez de boire à jeun
L'alcool passe alors plus vite dans le sang, d'où une toxicité plus élevée pour bébé.
Consommez votre verre de vin pendant et non entre les repas.
À l'occasion d'un apéritif, accompagnez votre boisson de petits biscuits ou, mieux (si vous surveillez votre ligne), de tomates cerises, de radis ou de dés de légumes.

Votre assiette au quotidien

■

Vous tenez à ce que votre façon de vous nourrir tout au long de ces neuf mois permette à bébé de satisfaire au mieux les besoins liés à sa croissance et à son développement. Vous souhaitez également conserver plaisir, simplicité et convivialité autour de la table. L'ambition de ces quelques pages est de vous guider dans cette double démarche.

Les règles d'or, pour bien choisir

À partir des données médicales et scientifiques concernant la croissance du fœtus et les besoins de la femme enceinte, nous avons extrait huit règles à ne pas oublier, huit conseils pour bien manger au quotidien.

Conservez en mémoire ces huit règles. Ne les oubliez pas, mais sachez en adapter les principes à votre réalité quotidienne, à vos envies et à vos contraintes, à votre rythme de vie. Ainsi, il vous sera facile d'optimiser votre nourriture tout au long des neuf mois de votre grossesse.

➤ Manger pour bien assurer les besoins du fœtus ne signifie pas manger deux fois plus

10 % de calories en plus (par rapport à vos besoins avant la grossesse) suffisent le plus souvent (voir p. 46).

Si vous êtes forte, vous pourrez même réduire votre alimentation ; mais attention à bien choisir vos aliments pour manger moins mais équilibré (voir p. 147).

En revanche, si vous commencez votre grossesse en étant maigre, mangez plus (voir p. 153).

➤ *Chaque jour, prendre du pain et au moins un plat de féculents*

Ces aliments vous apportent des glucides lents, meilleure source de carburant pour les cellules du fœtus.

Commencez la journée avec des tartines de pain (ou encore des céréales ou des biscuits secs) au petit déjeuner.

Prenez chaque jour au moins un plat de féculents, au déjeuner ou au dîner, et n'hésitez pas à en prendre un à chacun de ces deux repas si vous avez faim et n'avez pas de problème de poids.

➤ *Dans votre assiette, ne pas augmenter la part de la famille « viande-poisson-œuf »*

Les besoins en protéines sont bien couverts par une alimentation française classique.

Une part moyenne (70 à 120 g de viande – 80 à 120 g de poisson – ou deux œufs) au déjeuner et au dîner suffit (voir p. 51).

Si votre budget alimentation est serré ou si vous suivez un régime végétarien, vous risquez des carences ; pour les éviter, suivez nos conseils (voir p. 53 et p. 156).

➤ *Varier les sources de matières grasses*

Chaque jour, de l'huile végétale dans la vinaigrette de vos crudités ou de votre salade, ou encore avec votre plat principal (voir p. 54).

Au moins une ou deux fois par semaine, un plat de poisson gras (voir p. 54) ; le cerveau du fœtus bénéficiera de ces graisses pour son développement (voir p. 55).

Du beurre sur vos tartines, de la crème sur vos fraises, quelques plats en sauce : pour votre plaisir, profitez-en mais sans abuser pour éviter une prise excessive de poids (voir p. 59).

➤ *Quatre produits laitiers par jour*

Lait, fromages, yaourt, fromage blanc, etc. : sources de protéines et surtout de calcium (voir p. 63), indispensable à la croissance osseuse du fœtus.

Les laitages peuvent être consommés pendant ou entre les repas.

Si vous ne supportez pas les produits laitiers, il vous faudra choisir d'autres aliments riches en calcium et prendre un comprimé de calcium (voir p. 66).

➤ Manger varié et ne pas oublier fruits et légumes

Privilégiez les sources de folates (voir p. 82), de fer (voir p. 74), de vitamine D (voir p. 69) et de calcium (voir p. 63) : ce sont eux qui manquent le plus souvent à la femme enceinte.

Riches en vitamines, en sels minéraux et en oligo-éléments, les fruits et les légumes sont également riches en fibres qui facilitent le transit et calment l'appétit (voir p. 62).

Les légumes ne doivent pas remplacer mais compléter les féculents (voir p. 59).

➤ User sans abuser des « bonnes choses »

Deux ou trois tasses de café ne gêneront pas le bon déroulement de votre grossesse ; si vous les supportez mal, tournez-vous vers d'autres boissons : thé, tisane et lait (voir p. 102).

Le chocolat : sachez vous faire plaisir sans être dépassée (voir p. 96).

Attention à l'alcool : seule une faible consommation, de l'ordre d'un petit verre de vin par jour, est autorisée ; si vous en prenez plus, vous faites courir des risques importants à votre enfant (voir p. 106).

➤ Savoir lutter contre les petits (et les grands) maux de la grossesse

Constipation, diarrhée, nausées, œdèmes, crampes : des moyens simples peuvent vous aider à résoudre votre problème.

Attention à deux infections, la listériose et la toxoplasmose, que vous pourrez prévenir par votre façon de vous nourrir (voir p. 143).

Parlez à votre médecin, confiez-lui vos problèmes, vos craintes, vos questions : il fera la part des choses et vous conseillera au mieux.

Ni trop ni trop peu

À partir des huit règles qui précèdent, nombre d'entre vous sauront adapter les quantités d'aliments et le rythme des repas à leur appétit aussi bien qu'à leurs besoins. Pour celles qui souhaitent des directives plus précises, voyons comment passer des notions qualitatives contenues dans « les règles d'or » à l'aspect plus quantitatif des portions.

Éviter le trop peu

Première nécessité pour bébé : disposer en quantité suffisante des nutriments essentiels à sa croissance. Premier impératif pour vous : éviter le trop peu. Chaque jour, vous devez en choisir quelques-uns dans chaque grande famille d'aliments ; ces familles se complètent les unes les autres, chacune vous est indispensable. Le tableau ci-dessous vous propose le « minimum requis » quotidien dans chaque famille, pour votre équilibre et celui de bébé. Ne mangez pas moins. Et pour savoir comment répartir cette quantité d'aliments au long de la journée, piochez des idées pages 118 à 120 et 126 à 127.

Minimum à consommer en une journée dans chaque famille d'aliments

Viande, volaille, poisson : 150 g
Vous pouvez en remplacer une partie par des œufs ou des produits laitiers en sachant que 50 g de viande = 1 œuf = produit laitier

Produits laitiers : 4
1 produit laitier = 30 g de fromage = 1 petit bol de lait = 1 yaourt = 100 g de fromage blanc

Féculents : 200 g (pesés cuits)
Pommes de terre, pâtes, riz, semoule, maïs, blé concassé (pilpil ou boulgour), légumes secs (lentilles, haricots blancs ou rouges, pois chiches, petits pois, flageolets)

Légumes : en fonction de votre appétit
(et si possible au moins 300 g par jour, que ce soit sous la forme de crudités, de potage, d'accompagnement du plat principal ou de salade verte)
Aubergine, asperge, bette, betterave, brocoli, carotte, céleri, champignon, chou de Bruxelles, chou rouge, chou vert, chou-fleur, concombre, courgette, cresson, endive, épinard, fenouil, haricot vert, navet, oignon, poivron, potiron, radis, salade, tomate…

Fruits : 3 parts (voir p. 152)

Pain : 80 g
Si, au petit déjeuner, vous préférez prendre des céréales, sachez que 40 g de pain = 30 g de céréales

Matières grasses : 20-30 g
Parmi celles-ci, prenez au moins 15 g d'huile végétale, soit 3 cuillères à café et le reste à votre choix : beurre, crème fraîche, margarine ou huile

Vous pouvez certains jours manger un peu moins que les quantités d'aliments proposées dans le tableau ci-dessus, si tant est que vous compensiez les jours précédents ou les jours suivants avec des portions plus larges. Mais vous ne devez pas régulièrement manger moins, sous peine de ralentir et d'altérer la croissance de votre bébé. Cela est vrai même si vous suivez un régime pour limiter votre prise de poids (voir p. 147).

Sachez également qu'une famille d'aliments ne peut pas être remplacée par une autre. De plus grandes portions de viande ou de matières grasses ne peuvent pas compenser une réduction des féculents, et réciproquement. Si, quelle qu'en soit la raison, vous ne pouvez vraiment pas consommer une ou plusieurs de ces familles d'aliments en quantité suffisante, parlez-en à votre médecin : il vous aidera à retrouver l'équilibre par ses conseils diététiques ou par la prescription d'un supplément médicamenteux.

Trouver *votre* juste milieu

Sauf si vous devez ralentir votre prise de poids jusqu'à l'accouchement (voir p. 147), vous allez étoffer le « minimum vital » décrit au paragraphe précédent. En ce qui concerne les aliments indispensables réunis dans le tableau de la page précédente, vous pouvez en augmenter les portions, mais avec une amplitude différente en fonction de la famille d'aliments concernée.

■ Les aliments riches en protéines animales : vous n'augmenterez que modérément les portions. Ainsi, ne dépassez pas un total quotidien de 300 g pour la viande, les volailles et le poisson réunis – vous pouvez également en remplacer 100 g par deux œufs. En effet, un excès de protéines n'est pas souhaitable pour la croissance de bébé.

■ Les produits laitiers : vous pouvez sans problème aller jusqu'à en prendre six, sans oublier le lait enrichi spécial femme enceinte. Si vous dépassez quatre par jour, vous aurez probablement intérêt à réduire vos autres sources de protéines animales (viande, volaille, poisson, œuf), afin d'éviter un excès de protéines.

■ Les féculents : augmentez-en les portions en fonction de votre sensation de faim. Vous pouvez en prendre au déjeuner et au dîner. Ils ne risquent pas de vous conduire à un excès de poids si vous modérez les quantités de matières grasses ajoutées – voir plus bas – et si vous n'oubliez pas à chaque repas de prendre également une bonne part de légumes sous la forme d'un potage, d'une crudité ou d'un légume d'accompagnement.

■ Les légumes : multipliez les légumes et augmentez-en les parts comme vous le souhaitez, pour autant… que vous n'en profitiez pas pour négliger les autres familles d'aliments.

■ Les fruits : le plus souvent, vous ne risquez aucun problème jusqu'à cinq fruits par jour. Au-delà, attention au risque de prise de poids et de dérangement intestinal.

■ Le pain : le matin, variez vos portions en fonction de votre appétit, de même que pour les céréales du petit déjeuner. Au déjeuner et au dîner, prenez-en deux petits morceaux, voire plus en cas d'absence de féculents.

■ Les matières grasses : avec 40 à 60 g par jour, vous en disposerez suffisamment pour rendre gourmands vos petits plats, et suffisamment peu pour éviter une prise de poids excessive.

Où trouver 10 g de matières grasses ?

Pour vous y retrouver entre les nombreux produits proposés dans le commerce, sachez que 10 g de matières grasses vous sont apportés par :

	Beurre ou *Margarine*	10 g soit	2 cuil. à café rases ou 2 noisettes
ou	*Beurre* allégé à 41 % MG	20 g soit	4 cuil. à café rases
ou	*Huile*	10 g soit	2 cuil. à café (ou 1 cuil. à soupe)
ou	*Crème fraîche* à 30 % MG	30 g soit	2 cuil. à soupe non bombées
ou	*Crème fraîche* à 15 % MG	60 g soit	4 cuil. à soupe non bombées
ou	*Vinaigrette* allégée du commerce	25 g soit	2 cuil. à soupe et demie
ou	*Mayonnaise* allégée du commerce	20 g soit	1 bonne cuil. à soupe

Au-delà de ces aliments indispensables, votre appétit et vos envies vous conduiront aussi vers d'autres horizons. Voyons comment les gérer pour le plus grand bénéfice de votre grossesse, de votre ligne et de votre gourmandise.

Contrôler vos envies de femme enceinte

■

L'expression populaire « une envie de femme enceinte » désigne les pulsions alimentaires auxquelles sont soumises de nombreuses femmes au moment de leur grossesse. Les attirances sont fort diverses d'une femme à l'autre, et souvent multiples pour une même femme ; elles ne font parfois que confirmer ou amplifier un goût préexistant à la grossesse, mais elles peuvent également survenir de façon inopinée au cours de tout ou partie de ces neuf mois. Elles concernent aussi bien des aliments salés (chips, saucisson, fromage ou plus rarement plats en sauce et fritures) que des aliments sucrés (chocolat, bonbons, biscuits, gâteaux, sodas, etc.).

Le plus souvent, les aliments concernés sont concentrés en calories car plutôt gras et/ou sucrés. Même si ces aliments n'ont pas toujours une bonne réputation « diététique », ces envies égaieront votre quotidien culinaire, vous mettront en appétit et ne vous poseront pas de problème particulier si vous savez les modérer : avec une ou deux rondelles de saucisson avant le dîner, un carré de chocolat avec le café à midi ou un plat de frites par semaine, vos envies n'auront rien de dramatique. Si vous y cédez goulûment, par exemple la tablette entière de chocolat un après-midi de spleen ou le paquet de chips en attendant le dîner, vous n'avez pas non plus de soucis à vous faire si ces pulsions ne vous prennent que deux ou trois fois par mois.

En revanche, si ces grandes fringales vous prennent plusieurs fois par semaine, voire plusieurs fois par jour, vous vous exposez à deux déséquilibres :
— une prise de poids excessive,
— un manque d'appétit aux repas, d'où un manque en éléments nutritifs indispensables tels que les vitamines ou les minéraux.

Si vous êtes trop souvent sujette à ce genre d'excès, les conseils qui suivent vous aideront à faire face.

■ Mangez suffisamment aux repas afin d'éviter qu'une réelle sensation de faim ne vienne accentuer vos envies. Ces pulsions sont fréquentes parmi les femmes qui s'affament, ou presque, aux repas en évitant, par exemple, systématiquement les féculents et le pain.

■ Utilisez les « trucs » que nous vous proposons pour le sucre (voir p. 93) ou le chocolat (voir p. 96)

■ Faites de la relaxation ou du yoga. C'est peut-être parce que vous êtes tendue ou anxieuse que vos pulsions vous dominent. Et n'oubliez pas tout simplement de vous détendre en gardant quelques moments privilégiés pour vous occuper de vous, en prenant plaisir à une jolie promenade, à un bon disque ou à un livre passionnant.

■ Parlez-en à votre médecin. Des conseils personnellement adaptés à votre cas vous sont peut-être indispensables.

Votre petit déjeuner

Dans votre ventre, bébé est en pleine croissance ; de ce fait, il a un besoin élevé et continu en énergie. Mais son organisme est encore immature et ne stocke qu'une faible quantité de réserves en énergie. Cette énergie dont il a besoin et qui lui manque, bébé se la procure à partir de votre organisme ; pour que ce passage d'éléments nutritifs de votre corps à celui de bébé se déroule bien, vous devez éviter de rester longtemps à jeun.

Pour cette raison, vous éviterez de prolonger la durée du jeûne nocturne et de sauter le petit déjeuner. Si vous ne mangiez rien entre l'heure du dîner et celle du déjeuner suivant de la mi-journée, la croissance et le fonctionnement de l'organisme de bébé seraient perturbés : de plus, vous-même seriez en petite forme. Ne négligez donc pas le petit déjeuner.

■ Le petit déjeuner doit avant tout vous fournir des glucides, indispensables pour les organes et le cerveau de bébé. Peu importe que vous choisissiez du pain ou des céréales, l'essentiel est de consommer l'un ou l'autre, car ils constituent une bonne source de glucides.

Si vous avez des problèmes de poids, choisissez plutôt les flocons d'avoine ou le muesli peu sucré que des céréales croustillantes comme les pétales de maïs ou le riz soufflé ; de même, prenez du pain complet, du pain au son ou de seigle plutôt que du pain blanc : ils sont assimilés plus lentement, et, de ce fait, leurs glucides calment mieux l'appétit et stimulent moins la croissance de la graisse du corps. Le conseil est inverse si vous prenez trop peu de poids.

■ Les cellules de bébé, et les vôtres par la même occasion, ont également besoin de protéines afin de reconstituer celles qui ont été détruites au cours de la nuit, et afin d'assurer le développement du corps de votre enfant. Un laitage, un œuf ou une tranche de jambon seront donc les bienvenus.

Parmi ces trois aliments riches en protéines, favorisez le produit laitier afin de commencer la journée avec du calcium en plus des protéines.

■ Si vous souhaitez que ce petit déjeuner soit parfait, vous y ajouterez un fruit ; celui-ci fournira à votre corps des fibres qui régulent le transit et calment l'appétit, ainsi que des vitamines et des minéraux bénéfiques pour la croissance de bébé. Pour disposer de plus de fibres et de plus de vitamines, choisissez plus souvent un fruit entier qu'un jus de fruit ; en outre, vous digérerez ainsi plus facilement, car les jus de fruits sont souvent lourds lorsqu'ils sont consommés au même repas qu'un laitage.

« Est-il préférable de prendre chaque jour un petit déjeuner différent ? »

Au petit déjeuner, nous nous satisfaisons facilement d'une certaine monotonie alimentaire d'un jour à l'autre, nous la recherchons même ; alors qu'elles aspirent à la diversité au déjeuner ou au dîner, nos papilles gustatives apprécient, en revanche, le fait de commencer la journée sur des odeurs et des goûts qu'elles retrouvent chaque matin. Pour cette raison, mais également pour des questions pratiques, vous aurez sans doute tendance à reproduire le même petit déjeuner d'un jour à l'autre lorsque vous aurez trouvé celui qui vous convient.

Cette monotonie matinale n'est pas gênante pour l'équilibre nutritionnel, vous vous rattraperez en diversité aux autres repas de la journée. L'important, en fait, est plus d'avoir à chaque petit déjeuner un représentant des « trois familles » (pain ou céréales ; produits laitiers, œuf ou jambon ; fruits) que de changer de menu d'un matin à l'autre.

« Depuis que je suis enceinte, je supporte mal le café : pourquoi ? »

Il est possible que la grossesse ne vous permette pas de bien supporter le café pour deux raisons :

1. La grossesse élève généralement la sensibilité de l'organisme et du cœur à la caféine : votre cœur risque alors d'accélérer son rythme de façon désagréable après une ou deux tasses.

La solution : prendre du café décaféiné ou… passer au thé ou au chocolat chaud.

2. Le café ralentit la digestion des graisses du lait, phénomène accentué par la grossesse qui tend habituellement à rendre la digestion plus longue et plus lourde.

La solution : prendre dans votre café du lait écrémé (sans graisse et dont la digestion n'est pas ralentie par le café) ou, là aussi, passer au chocolat chaud ou au thé.

« Puis-je continuer à boire un grand verre d'eau quand je m'éveille ? »

Boire un grand verre d'eau au lever est une bonne habitude pour être en forme. Vous pouvez la conserver pendant la grossesse, sauf si vous avez des nausées : boire à jeun risquerait alors de les accentuer.

« Je n'ai vraiment pas faim quand je me lève, et j'ai tendance à vomir si je me force. Comment faire ? »

Contrairement à une idée reçue, vous n'êtes pas obligée de prendre ce premier repas au saut du lit ; pour votre confort, sachez l'adapter à vos envies et au temps dont vous disposez. Si vous souffrez de nausées au petit matin ou si vous devez d'abord habiller les aînés puis leur préparer leur petit déjeuner avant le départ à l'école, ne vous en faites pas : l'important est de manger dans les deux ou trois heures qui suivent votre lever. Vous pourrez donc, si vous le souhaitez :

— prendre ce premier repas vers 9 ou 10 heures,

— le diviser en deux : par exemple du café au lait et des tartines au lever, un fruit au milieu de la matinée.

Sachez enfin qu'il est possible de réduire le petit déjeuner dans deux circonstances :

— si vous vous levez tard, le week-end par exemple, et si le déjeuner de mi-journée est prévu dans les deux heures qui suivent votre lever,

— si vous avez eu la veille un dîner particulièrement copieux et tardif (par exemple un dîner au restaurant après une soirée au théâtre).

Dans ces deux cas, prenez, par exemple, un thé avec un yaourt et une compote ou un fruit frais ou encore du chocolat chaud avec une ou deux tartines.

Propositions pour un petit déjeuner consistant

Les exemples de petit déjeuner qui suivent ne sont que des propositions, afin de donner des idées à celles qui aimeraient « bien faire » mais ne savent pas très bien comment s'y prendre. À vous ensuite de les modifier ou d'en faire varier les portions pour déguster des petits déjeuners à votre image.

- **Petit déjeuner chocolat :**
  - un bol (250 ml) de lait demi-écrémé, entier, ou enrichi spécial femme enceinte ;
  - cacao sucré : 1 cuillère à soupe (20 g) ;
  - pain de seigle : 3 tranches moyennes (60 g) ;
  - beurre : 2 noisettes (10 g) ;
  - confiture de myrtilles : 2 belles cuillères à café ;
  - trois abricots.

Vous pouvez remplacer le pain de seigle par 4 biscottes complètes.

- **Petit déjeuner week-end :**
  — café au lait (100 ml de lait demi-écrémé, entier, ou lait enrichi spécial femme enceinte) ;
  — un croissant (50 g) ;
  — confiture d'abricot : 2 cuillères à café ;
  — deux kiwis ;
  — 1 yaourt au lait entier, au bifidus ou au goût bulgare.

Pour sucrer votre yaourt, utilisez un peu de sucre ou de confiture, ou mélangez-y le fruit coupé en dés. Vous pouvez également prendre des yaourts aux fruits.

- **Petit déjeuner campagnard :**
  — un bol de chicorée ;
  — pain complet : 4 tranches moyennes (90 g) ;
  — camembert : un huitième (30 g) ;
  — viande froide : 1 tranche moyenne (30 g) ou 1 œuf ;
  — une poire.

Pour confectionner des petits déjeuners consistants, vous pouvez également vous servir des aliments prévus dans les petits déjeuners légers (voir plus bas) et en augmenter les quantités.

Propositions pour un petit déjeuner léger

Pour celles d'entre vous qui manquent d'appétit le matin ou qui doivent limiter leurs portions parce qu'elles ont pris trop de poids, nous avons confectionné ces petits déjeuners légers.

- **Petit déjeuner continental :**
  — un café noir ;
  — pain complet : 2 tranches moyennes (40 g) ;
  — beurre allégé : 2 noisettes (10 g) ;
  — confiture aux fruits rouges : 2 cuillères à café ;
  — un yaourt nature ;
  — un demi-pamplemousse.

- **Petit déjeuner Darjeeling :**
  — thé Darjeeling non sucré (nombre de tasses à volonté) ;
  — deux Wasa légers aux fibres ;
  — fromage blanc à 20 % de MG : 3-4 cuillères à soupe ;
  — beurre allégé : une noisette (5 g) ;
  — compote sans sucre ajouté : 3-4 cuillères à soupe.

- **Petit déjeuner carnivore :**
  - café au lait (avec 150 ml de lait écrémé ou lait enrichi spécial femme enceinte) ;
  - pain complet : 3 tranches moyennes (60 g) ;
  - viande froide : un petit morceau (50 g).

Vous pouvez remplacer la viande froide par un œuf ou par une tranche de jambon dégraissé.

- **Petit déjeuner à la suédoise :**
  - thé de Ceylan non sucré (nombre de tasses à volonté) ;
  - 2 petits pains suédois ;
  - 1 belle tranche de fromage à pâte pressée cuite (emmenthal, comté, beaufort, cantal...) ;
  - 1 orange.

- **Petit déjeuner à l'américaine :**
  - 1 café noir ;
  - corn flakes : 40 g ;
  - lait demi-écrémé ou spécial femme enceinte : 150 ml ;
  - 1 petite banane.

Notre suggestion : versez le lait sur les corn flakes puis associez-y le fruit coupé en dés.

- **Muesli :**

4 cuillères à soupe. À acheter tout prêt dans le commerce ou à confectionner avec les proportions suivantes :
  - flocons d'avoine ou flocons « 5 céréales » : 20 g ;
  - son : 1 cuillère à café ;
  - raisins secs : 1 cuillère à soupe ;
  - 1 pruneau émincé.

Mélanger le tout, puis incorporez-y un demi-yaourt nature ou une cuillère à soupe de fromage blanc à 20 % de MG.

Ajoutez ensuite du lait (chaud ou froid) de manière que l'ensemble ait la consistance que vous aimez (il n'existe pas de consistance idéale, c'est une affaire de goût).

Mélangez-y ensuite une pomme coupée ou quelques fruits rouges.

Pour varier les saveurs, vous pouvez ajouter une cuillère à soupe de jus de citron ou d'orange, ou encore une cuillère à café de sucre ou de miel.

Le fait de manger un muesli ne vous empêche pas de prendre un café ou un thé.

Votre déjeuner et votre dîner

Faut-il privilégier le déjeuner ou le dîner ?

Le déjeuner et le dîner constituent dans notre pays les deux principaux repas de la journée. Faut-il choisir de manger plus à l'un qu'à l'autre ? On conseille souvent de privilégier le déjeuner par rapport au dîner, sous prétexte qu'après le repas du soir le corps est relativement inactif. Il est vrai que l'on brûle plus de calories par heure pendant l'après-midi qu'au cours de la nuit, parce que l'activité physique est alors généralement plus intense. Mais il ne faut pas oublier que la période de jeûne entre le dîner et le lendemain matin (huit à douze heures) est deux fois plus longue que celle qui sépare le déjeuner et le dîner, d'où des dépenses globalement plus élevées, et donc un besoin plus important en énergie pour l'organisme.

En fait, il n'y a pas lieu de vous compliquer la vie ; selon votre mode de vie, vos goûts et les circonstances, vous choisirez de manger plus au dîner ou plus au déjeuner sans que cela n'influence vraiment votre santé, celle de bébé ou encore votre poids.

« Pourquoi dois-je éviter de négliger le dîner ? »

Pendant la nuit, votre propre corps est au repos ; c'est loin d'être le cas pour celui de bébé. Outre sa croissance (phénomène continu qui ne cesse de jour comme de nuit), son organisme assure également une succession de mouvements des jambes et des bras : la nuit est le moment privilégié où bébé choisit de « faire sa gymnastique ». C'est d'ailleurs généralement lorsqu'elle s'allonge que la future mère perçoit les coups dans le ventre que lui donne le fœtus. Pour ses deux « occupations », croissance et exercice, bébé attend de recevoir de l'énergie de votre dîner. Aussi, ce dernier repas de la journée sera riche en glucides lents, afin que bébé puisse disposer régulièrement de l'énergie jusqu'au petit matin ; n'hésitez pas à prendre un plat de féculents et/ou du pain (sans oublier les légumes pour les fibres) au dîner. En outre, si vous souffrez de nausées au petit déjeuner, cette habitude de bien manger aussi la veille au soir devrait les calmer.

Comment composer son déjeuner et son dîner

Disposer de repères (voir p. 109 à 114) pour connaître quelle quantité d'aliments manger chaque jour ne suffit pas : il faut savoir également bien les répartir.

Comme on vient de le voir, vous n'êtes pas obligée de manger autant au déjeuner qu'au dîner. Selon vos habitudes, et pour chacune d'entre vous selon les jours, vous pouvez fort bien privilégier l'un ou l'autre. Il suffit de se garder des deux extrêmes :

— sauter un repas : l'organisme en croissance de l'embryon puis du fœtus supporterait mal l'absence prolongée en énergie qui en résulterait ;

— manger certains repas très gras et très copieux : déjà ralentie par la grossesse et les changements hormonaux qui l'accompagnent, votre digestion serait alors trop longue et trop lourde. Et le soir, cela nuirait à votre sommeil. Le dîner doit être riche en glucides mais non en lipides.

Le déjeuner comme le dîner doivent chacun vous apporter le minimum suivant :

— 150 à 200 g de féculents, ou encore 60 à 90 g de pain. Source de glucides lents et de protéines végétales, ils procurent régulièrement une énergie utile pour l'embryon puis le fœtus ;

— 70 à 100 g de viande, volaille ou poisson. Riches en protéines animales, ils compléteront les protéines végétales des féculents ou du pain pour participer à la construction des organes de bébé. Vous pouvez également remplacer les 100 g de viande par 2 œufs ou 2 produits laitiers ; mais attention, le fer des œufs ou des laitages est moins bien assimilé par votre organisme ; nous vous recommandons donc de conserver, à au moins l'un des deux repas de la journée, un plat de viande, de volaille ou de poisson ;

— des légumes ou des fruits. Pour les fibres, utiles pour réguler votre transit et calmer l'appétit, et surtout pour les vitamines et les minéraux, indispensables pour bébé.

Cette base est un minimum qui peut prendre la forme d'un plat chaud, d'une salade composée ou d'un sandwich lorsque, par exemple, vous n'avez pas faim ou que vous disposez de peu de temps pour manger plus. Ou encore (mais pas plus de trois ou quatre fois par semaine) un repas plutôt sucré avec, par exemple, deux fruits, deux yaourts et 100 g de fromage blanc, deux ou trois tartines avec de la confiture ou du miel.

Mais le plus souvent, n'hésitez pas, en fonction de votre appétit, à manger plus copieusement et surtout à incorporer dans votre repas d'autres familles d'aliments (matières grasses, entrée, produits laitiers) selon vos goûts.

N'oubliez pas que vous avez besoin de quatre produits laitiers par jour. La solution la plus simple, pour y parvenir, consiste à en prendre un à chaque repas. Si ce n'est pas le cas, prévoyez d'en consommer deux à certains repas (par exemple, un bol de lait au petit déjeuner ; pas de produit laitier à midi ; 30 g d'emmenthal et un yaourt au dîner), ou encore en milieu de journée et/ou à l'heure du goûter.

Le programme qui suit vous indique une des façons de répartir vos aliments pour intégrer déjeuner et dîner au sein de votre alimentation quotidienne. Les valeurs retenues pour les quantités d'aliments ne sont que des moyennes ; certaines femmes enceintes mangeront plus, d'autres moins.

PETIT DÉJEUNER

Thé ou café	À volonté
Produit laitier	200 ml de lait demi-écrémé (soit un bol) ou 1 yaourt ou 100 g de fromage blanc 20 % de MG
Pain[a] *Beurre* *Confiture* ou *miel*	100 g soit 3 à 4 belles tranches 10 g soit deux noisettes 2 belles cuillères à café
Fruit	150 g soit 1 fruit de taille moyenne

a. Ou un bol de céréales.

DÉJEUNER

Crudités *Vinaigrette*	Une petite assiette (environ 100 g) ou plus 10 g soit une cuillère à soupe
Plat principal avec viande, *poisson,* ou *œufs* *Légumes verts* *Matière grasse*	100 g de viande ou 100 g de volaille ou 100 g de poisson ou 2 œufs ou 2 tranches fines de jambon À volonté 1 noisette de beurre soit 5 g (pour le plat) ou 1 cuillère à café d'huile soit 5 g ou 1 cuillère à soupe de crème fraîche (30 % MG)
Produit laitier	Un yaourt ou 100 g de fromage blanc, ou un bol de lait, ou une part de fromage (30 g)
Pain	60 g soit 2 tranches de pain complet ou 1/4 de baguette
Fruit	150 g soit 1 fruit de taille moyenne

COLLATION (à répartir selon votre faim entre la matinée et l'après-midi)

Produit laitier *Sucre* ou *Cacao en poudre*	1 yaourt nature ou 100 g de fromage blanc ou 1 bol de lait demi-écrémé 1 cuillère à café
Pain[a] *Beurre* *Confiture* ou *miel*	20 g de pain soit 1 tranche fine de pain 1 noisette soit 5 g 1 cuillère à café
Fruit	150 g soit 1 fruit de taille moyenne

a. Ou 3-4 biscuits.

DÎNER

Potage ou *Crudités*	avec 1 cuillère à soupe de crème fraîche avec 1 cuillère à soupe de vinaigrette
Plat principal avec viande, *poisson,* ou *œufs* *Légumes verts* *Féculent* *Matière grasse*	100 g de viande ou 100 g de volaille ou 100 g de poisson ou 2 œufs ou 2 tranches fines de jambon À volonté 200 g (poids cuit) soit 6 cuillères à soupe de riz, semoule, blé concassé, pâtes, légumes secs ou 4 petites pommes de terre 1 noix de beurre soit 10 g ou 1 cuillère à soupe d'huile soit 10 g ou 2 cuillères à soupe de crème fraîche (30 % MG)
Pain	30 g de pain soit 1 tranche
Produit laitier	1 yaourt ou 100 g de fromage blanc ou 1 bol de lait ou une part de fromage
Fruit	150 g soit 1 fruit de taille moyenne

EXEMPLES D'UNE SEMAINE DE MENUS POUR VOS DÉJEUNERS ET DÎNERS [a]

Déjeuner	Dîner
salade de tomates lapin à la moutarde petits pois et carottes cantal compote de pommes	velouté aux champignons cabillaud citronné au four riz créole fromage blanc 2 clémentines
salade de betteraves à l'orientale rôti de veau ratatouille camembert brochette de fruits en papillote	pousses d'épinards en salade omelette aux pommes de terre et champignons yaourt pomme au four
concombre au yaourt darne de saumon grillée à l'estragon fondue de poireaux fromage de chèvre salade de fruits frais	pizza 4 saisons (avec du fromage) salade frisée deux boules de glace
salade d'endives et avocats sauté de dindonneau flan de brocolis tarte tatin	truite en papillote au fenouil macaronis plateau de fromages raisin
salade de tomate et soja côte de porc épinards à la crème et blé concassé gâteau de semoule	salade verte chèvre grillé sur fond d'artichaut avec toasts dessert lacté au chocolat orange à la cannelle
1/2 pamplemousse spaghettis au thon et au parmesan tomates à la provençale fraises au sucre	taboulé jambon braisé julienne de légumes fromage blanc gâteau aux poires
salade mexicaine (maïs, poivron, avocat, haricots rouges) faux-filet grillé aux herbes haricots verts crème caramel	salade d'endives au roquefort et noix cassolette de fruits de mer pommes de terre vapeur yaourt nature à la cassonade compote à la rhubarbe

a. À chaque repas, vous pouvez prendre du pain. Celui-ci est d'autant plus important que votre repas comporte peu de féculents : grâce au pain, vous disposerez ainsi des glucides lents indispensables à votre bébé.

Repas rapides
pour femme enceinte pressée

Que ce soit pour des raisons professionnelles (le rythme du travail et la journée continue), familiales (l'organisation de la journée des autres enfants) ou personnelles (par exemple la pratique d'un sport ou l'heure des courses), la femme d'aujourd'hui ne dispose souvent, à l'heure du déjeuner (plus rarement à celle du dîner), que de dix à quinze minutes pour manger.

Si tel est votre cas, il est probable que la grossesse n'allongera pas le temps à consacrer à votre repas, tout du moins avant que vous n'interrompiez votre activité professionnelle. C'est en pensant à ces circonstances que nous avons élaboré quelques idées de repas rapides ou sur le pouce.

Repas rapides consistants

- **Fromage : 3 parts (90 g)**
  — un tiers de baguette ou 4-5 tranches de pain de seigle (90 g) ; si vous avez faim, prenez autant de pain que vous le souhaitez
  — une crudité assaisonnée à votre goût

- **Fromage : 3 parts (90 g)**
  — 3 petites pommes de terre (150 g)
  — une fine tranche de jambon
  — une salade verte assaisonnée à votre goût
  — pain selon votre appétit

- Repas identiques aux repas rapides légers avec des quantités de 50 % plus élevées

Repas rapides légers

Pour celles d'entre vous qui doivent limiter leurs portions pour ralentir leur prise de poids, nous avons confectionné ces repas rapides légers.

- **Salade et fromage**
  — fromage : 2 parts de 30 g (60 g en tout)
  — 2 tranches (40 g) de pain complet
  — une crudité assaisonnée avec une sauce allégée comprenant une seule cuillère à café d'huile.
  Exemples :
    - salade de tomates au basilic et à la mozzarella ;
    - salade verte au chèvre chaud (un crottin de Chavignol entier)
  — 1 fruit

- **Sandwich**
  — deux belles tranches de pain complet (60 g) ou un quart de baguette
  — une noix (10 g) de beurre allégé (41 % de MG)
  — une tranche (70 g) de viande froide, ou une belle tranche de jambon cuit, ou deux œufs durs coupés en lamelles, ou une demi-boîte (70 g) de thon au naturel
  — crudités à votre choix : salade, tomates, concombre
  — moutarde ou ketchup si vous le souhaitez
  — 1 yaourt

- **Salade composée**
  Par exemple :
  — des légumes verts à volonté (salade verte, concombre, tomates…)
  — un œuf dur ou une tranche de jambon, ou quatre bâtonnets de surimi, une demi-boîte (70 g) de thon au naturel
  — deux petites pommes de terre coupées en rondelles ou deux cuillères à soupe de maïs ou de riz cuit
  — une sauce salade allégée comprenant une seule cuillère à café d'huile
  — 1 yaourt

- **Repas rapide fruité, composé de deux fruits et de trois produits laitiers**
  Par exemple :
  — trois abricots
  — une petite barquette de framboises
  — deux yaourts
  — 100 g de fromage blanc (3 cuillères à soupe)

  ou bien
  — une pomme
  — une petite banane
  — un yaourt à la fraise
  — 200 g de fromage blanc

« Puis-je prendre un de ces repas rapides au déjeuner et au dîner d'une même journée ? »

Généralement, il est préférable de limiter la prise d'un repas rapide à l'un de ces deux moments, et de prendre à l'autre un repas plus traditionnel. De temps en temps, cela reste cependant possible, mais prenez alors un goûter consistant pour ne pas souffrir de la faim le soir.

Petit creux de 11 heures, goûter, fringale nocturne : quels en-cas ?

Les besoins nutritionnels de l'embryon puis du fœtus demandent un effort à l'organisme de la mère pour être assurés de façon optimale. Cet effort est continu, puisqu'il se prolonge sur les neuf mois de la grossesse, mais évolue également par à-coups, le corps de la mère pouvant être sollicité plus intensément à certains caps de l'évolution de bébé. Cet effort explique la nécessité souvent ressentie par la femme enceinte de manger entre les repas ; un petit déjeuner, un déjeuner et un dîner ne suffisent pas toujours, ce d'autant que ces trois repas sont parfois réduits à la portion congrue du fait de nausées (en début de grossesse) ou de la gêne liée à la pression du corps de bébé sur l'estomac de sa mère (en fin de grossesse).

Si tel est votre cas, si vous ne parvenez pas à prendre des repas copieux, n'hésitez pas à prendre un ou plusieurs en-cas au cours de la journée. Ils vous permettront d'assurer les besoins de bébé tout en restant en forme et en évitant l'inconfort digestif lié aux repas copieux.

Que manger ?

Quelle que soit l'heure de la journée à laquelle vous souhaitez prendre une collation, celle-ci peut satisfaire plusieurs objectifs à la fois :

— vous rassasier, vous calmer l'appétit jusqu'au repas suivant ou jusqu'à... la prochaine collation. Pour cela, rien de mieux que les glucides lents (présents dans le pain, les fruits, les biscuits secs), les protéines (dans les produits laitiers ou la charcuterie) et les fibres (fruits ou pain complet) ;

— vous faire plaisir : du beurre et de la confiture sur vos tartines, du chocolat avec votre pain, du sucre avec votre yaourt, du cacao en poudre avec votre verre de lait, une boule de sorbet avec votre salade de fruits... À vous d'agrémenter selon vos goûts la « base » pain-produit laitier-fruit ;

— concourir à votre équilibre : les produits laitiers (pour le calcium et les protéines), les fruits (pour les vitamines et les minéraux), les pains ou les biscuits secs (pour les glucides lents), la charcuterie (pour les protéines et le fer). Si, lors des repas classiques, vous mangez moins de ces aliments que « le minimum conseillé » (voir p. 112), il est impératif d'incorporer dans vos collations les portions qui vous manquent. Et si vous faites déjà « bien » aux repas, les collations seront pour vous l'occasion de faire encore mieux.

En cas de prise excessive de poids, vous éviterez les collations trop grasses et préférerez ainsi :

— les biscuits secs ou les tartines à la confiture, plutôt que les viennoiseries,
— les yaourts ou les fromages blancs plutôt que le fromage,
— le jambon plutôt que le saucisson.

Que boire ?

Pour ce qui est des boissons, pensez surtout au lait, avec ou sans chocolat en poudre, ainsi qu'au thé, à la tisane ou au café au lait : selon vos goûts, et vos problèmes de poids, vous y adjoindrez ou non un morceau de sucre.

Prenez de temps en temps un jus de fruit, surtout si vous mangez par ailleurs peu de fruits ; préférez-le sans adjonction de sucre (100 % jus de fruits) ou pressé par vos soins.

Par contre, évitez les sodas : du fait de leur richesse en sucres trop rapidement assimilés par l'organisme, ils sont mal supportés par l'organisme de la femme enceinte et, par ailleurs, favorisent la survenue des kilos superflus.

Et surtout, n'oubliez pas l'eau : elle reste la première boisson de la grossesse, la seule vraiment indispensable. Si vous buvez de l'eau minérale à l'heure d'une collation, vous pouvez la choisir plate ou gazeuse, au goût « nature » ou aromatisée : citron, orange, menthe, des eaux comme Volvic ou Perrier vous proposent ces fantaisies qui n'ont d'autre prétention, mais c'est déjà un bon point, que de faire apprécier l'eau à celles qui ont du mal à se contenter d'eau nature.

Des idées pour vos collations
Pour manger intelligent et gourmand entre les repas

Avec un produit laitier
Choisissez entre :
(indispensable si vous prenez moins de quatre produits laitiers par jour à vos repas)
— Un verre de lait chocolaté ou à la grenadine et une banane
— 100 g de fromage blanc avec un bol de fraises au sucre
— Un flan et une tartine au miel
— Un yaourt et trois biscuits petit-beurre
— Deux tranches de pain et 30 g de fromage
— Un bol de lait avec des céréales
— Un bol de chocolat au lait et deux tartines beurrées

Sans produit laitier
Vous avez le choix entre :
— Une belle tranche beurrée de pain de campagne avec deux rondelles de saucisson
— Un verre de jus de pamplemousse et deux tranches de pain d'épice beurrées
— Deux tranches de pain complet et quatre carrés de chocolat
— Deux biscuits au chocolat et une pomme
— Une poignée de cerises et quatre langues de chat
— Un chausson aux pommes
— Un pain aux raisins et deux clémentines
— Une salade de fruits et une boule de glace à la vanille

Faut-il prendre
certains suppléments ?

Même si votre nourriture est équilibrée, copieuse et variée, vous risquez de manquer de deux éléments au cours de votre grossesse : vitamine D (voir p. 69) et vitamine B9, encore dénommée folate ou acide folique (voir p. 82). Aussi, il est possible que votre médecin vous recommande de prendre des suppléments en ces deux vitamines sous la forme de médicaments. La vitamine B9 est surtout nécessaire en début de grossesse, la vitamine D au sixième ou septième mois. Le supplément en vitamine D est d'autant plus nécessaire que votre accouchement est prévu entre décembre et mai (le manque de soleil réduit la synthèse de vitamine D par la peau).

Si vous consommez peu de produits laitiers, il vous conseillera peut-être un supplément en calcium.

Si vous mangez peu de viande et que vos analyses montrent une anémie ou carence (voir p. 74), vous bénéficierez sans doute de comprimés de fer.

En ce qui concerne les autres suppléments (fluor et autres oligo-éléments, multi-vitamines), l'intérêt est nettement moins manifeste.

Combattre les « petits » désagréments de la grossesse

■

Au cours de votre grossesse, il est possible que vous souffriez de petits désagréments, non dangereux mais sources d'inconfort. Vous pouvez les éviter ou les calmer à l'aide de petits moyens dont certains concernent votre alimentation.

La constipation

Plus de la moitié des femmes enceintes se disent constipées. En effet, au cours de la grossesse, plusieurs facteurs se conjuguent pour provoquer ou accentuer un ralentissement du transit intestinal.

Facteurs responsables de la constipation pendant la grossesse

La progestérone
Hormone de la grossesse sécrétée par le corps maternel, la progestérone rend paresseux les petits muscles présents dans la paroi de l'intestin : celui-ci fonctionne au ralenti.

L'inactivité
La femme enceinte réduit généralement activités sportives et déplacements : or l'activité physique est un puissant stimulant du transit.

Le fœtus
Le volume du fœtus comprime les intestins et gêne la progression du « bol alimentaire ».

Même si la grossesse ralentit votre transit, ce n'est peut-être pas une vraie constipation. Au plan médical, on ne parle de constipation que lorsque la fréquence des selles est inférieure à trois par semaine et que les selles sont douloureuses à l'émission. Contrairement à une idée reçue, la « normalité » n'impose donc pas une selle quotidienne. Aussi, ne vous inquiétez pas inutilement, ce d'autant que votre transit devrait redevenir « comme avant » après l'accouchement.

Si vous souhaitez vraiment accélérer votre transit et, par exemple, avoir une selle par jour, certaines habitudes vous y aideront (voir encadré ci-dessous). Cette démarche vous sera particulièrement utile en cas d'hémorroïdes : sous la pression de l'utérus, les veines se dilatent parfois dans la région anale, formant alors des bourrelets sensibles, les hémorroïdes. En cas de constipation, celles-ci tendent à s'accentuer, à saigner ou à devenir plus douloureuses. Pour éviter ou corriger cette évolution, parlez-en à votre médecin (il vous indiquera un traitement local) et profitez des conseils qui suivent.

Pour améliorer votre transit pendant la grossesse, pensez à

Boire beaucoup
Pendant et entre les repas, que ce soit de l'eau, du lait, du thé, une tisane. Prendre un verre d'eau ou de jus de fruit au réveil : cela favorise un réflexe « accélérateur » entre estomac et côlon.

Manger des aliments riches en fibres
À chaque repas, profiter de la variété des fruits et des légumes.
Un classique : les figues sèches ou les pruneaux, mais attention aux calories en cas de problèmes de poids.

Aller à la selle à horaires réguliers
Par exemple, chaque matin après le petit déjeuner. Ne pas attendre si le besoin se fait sentir. Inversement, ne pas pousser pour rien du fait du risque d'hémorroïdes.

Prendre du son
Riz et pâtes complets ; pain complet, de seigle ou de son ; muesli, flocons d'avoine et autres céréales du petit déjeuner enrichies en fibres.
Si besoin : suppléments alimentaires à saupoudrer sur une crudité, une salade verte ou un laitage : All-Bran, son en paillettes, etc.
Augmenter progressivement les quantités et ne pas abuser afin d'éviter diarrhées, coliques et troubles de l'assimilation du calcium ou du fer.

En parler à votre médecin
Si ces mesures ne suffisent pas, il vous prescrira peut-être un laxatif.
Attention, certains laxatifs sont dangereux pour le fœtus : ne le choisissez jamais seule, que ce soit une pilule, des plantes ou une confiture à base de « produits naturels ».

Les œdèmes

La plupart des femmes retiennent de l'eau au cours de leur grossesse ; en moyenne, au bout de neuf mois, trois à quatre litres sont stockés dans le corps maternel. Cette augmentation du volume d'eau est loin d'être inutile ; une partie reste cantonnée dans les cellules, une autre dans la circulation sanguine dont l'augmentation du débit favorise ainsi les échanges entre la mère et le fœtus au niveau du placenta. L'aspect bénéfique de cette rétention d'eau est attesté par le fait que les mères qui n'en sont pas l'objet ont plus de risques de mettre au monde un bébé hypotrophique, c'est-à-dire trop chétif.

Parfois, les vaisseaux sanguins deviennent plus perméables à l'eau du fait des changements hormonaux ; alors l'eau diffuse autour des cellules, et les tissus gonflent de façon exagérée, inhabituelle et disgracieuse : on parle d'œdèmes.

Généralement, les œdèmes commencent à apparaître dans le bas du corps : les chevilles et les jambes sont les premières touchées. On s'en aperçoit souvent à l'occasion de difficultés à se chausser ou par les marques que laisse sur les chevilles « l'empreinte » des élastiques des chaussettes. Par la suite, les œdèmes peuvent soit se cantonner à ce niveau, soit monter en quelques semaines vers la taille, le tronc et les doigts ; les bagues deviennent difficiles à porter.

Notre conseil

Dans quelques rares cas, les œdèmes traduisent une maladie des reins ou une poussée de tension ; c'est pourquoi il faut toujours en parler à son médecin, surtout lorsque les œdèmes s'installent rapidement, en quelques jours. Mais le plus souvent, ils sont anodins et ne nécessitent pas de médicaments. Ne prenez surtout pas de diurétiques de votre propre initiative : ils sont le plus souvent non adaptés et dangereux.

Mesures destinées à réduire l'œdème

Évitez de piétiner
Marchez ou asseyez-vous, mais ne restez pas debout sans bouger.

Marchez à bon pas, montez les escaliers
L'activité musculaire favorise la circulation et le retour veineux.
Ne forcez pas afin d'éviter de déclencher des contractions ; parlez-en à votre médecin.

Surélevez vos jambes quand vous êtes couchée ou assise

Mettez-vous sur le côté quand vous vous allongez
Le retour du liquide d'œdème vers la circulation sera ainsi facilité.

Ne passez pas des heures allongée au soleil
Le soleil dilate les veines et accentue ainsi la stagnation.

Dégourdissez-vous les jambes régulièrement
Si vos occupations vous imposent de rester assise, levez-vous et faites quelques pas toutes les demi-heures.

Mangez peu salé (voir p. 98)
Le sel accentue le passage du liquide hors de la circulation.
Évitez cependant un régime sans sel strict, néfaste le plus souvent, sauf prescription de votre médecin.

Luttez contre la constipation

Évitez le port de vêtements trop serrés.

Évitez de croiser les jambes.
En privilégiant les aliments riches en fibres (voir p. 62) et en ne serrant pas trop jupe et pantalon, vous réduirez les risques de stagnation veineuse.

Avec votre médecin, envisagez :
— Un médicament veino-tonique.
Il raffermit la paroi des veines pour réduire la diffusion liquidienne vers les tissus.
— Le drainage lymphatique.
Réalisé par un kinésithérapeute, il cherche à ramener le liquide d'œdème vers la circulation lymphatique.

Les nausées et les vomissements

Les nausées touchent une femme enceinte sur deux ; elles s'accompagnent souvent de vomissements. Les nausées débutent généralement quinze jours après la conception ; pour certaines femmes, c'est même le premier signe qui leur indique qu'elles sont enceintes. Les nausées sont responsables de la perte de poids qui coïncide fréquemment avec les premières semaines de la grossesse. Elles cessent généralement après le troisième mois, mais certaines femmes en souffrent jusqu'à l'accouchement.

C'est surtout le matin à jeun que vous risquez d'en être incommodée ; sachez également que vous serez personnellement sensible à certains aliments ou à certaines odeurs bien spécifiques sans que ceux-ci ne gênent pour autant d'autres femmes enceintes.

N'hésitez pas à en parler à votre médecin. Celui-ci vous écoutera et vous examinera à la recherche d'une anomalie, telle une appendicite, qui pourrait aussi être la cause de vos nausées et qui nécessiterait un traitement rapide. Il pourra aussi vous proposer un médicament antinauséeux, mais, comme la constipation, ne vous risquez pas à l'automédication sauvage qui pourrait nuire au fœtus ! Enfin, votre médecin vous rassurera : ces vomissements ne majorent pas les risques de fausse couche ou de prématurité ; ils traduiraient même une réduction de ce risque car ils témoignent d'un taux élevé de progestérone, hormone indispensable au bon déroulement de la grossesse. Et pour être moins gênée, il vous reste à acquérir quelques habitudes (voir page suivante).

Pour réduire vos nausées

Faites plusieurs petits repas plutôt que deux trop copieux
Gardez les laitages, le pain ou les fruits prévus initialement aux repas principaux pour 10 heures ou 16 heures. Privilégiez les aliments riches en glucides pour ces collations : yaourt sucré, pain, biscuits secs, fruits.

Évitez les repas lourds ou trop épicés
L'excès de matière grasse favorise les nausées : attention aux fritures, aux plats en sauce. Les épices, l'ail et l'oignon sont souvent mal supportés.

Privilégiez le pain et les féculents
Ils vous apportent de l'énergie et des protéines végétales sous une forme facile à digérer et peu susceptible de déclencher des nausées.
Faites légèrement griller votre pain pour le rendre plus digeste.

Évitez de boire de trop grandes quantités d'eau le matin
Du thé, du lait ou du café au petit déjeuner ; un verre d'eau dans la matinée. Attention à la bouteille d'eau minérale achevée avant midi en croyant bien faire. Répartissez plutôt la prise de boissons sur l'ensemble de la journée.
Les boissons gazeuses, glacées et/ou légèrement sucrées sont parfois mieux supportées.

Prenez un petit déjeuner
La prolongation du jeûne de la nuit accentue les nausées.
Privilégiez les aliments riches en glucides : fruits, pain, céréales, biscuits secs.

Grignotez au lit avant de vous lever
Un aliment facile à manger et facile à digérer comme quelques biscuits salés, biscuits secs, céréales du petit déjeuner (corn flakes ou riz soufflé sans lait) ou encore des pop-corn. Cela tend à réduire l'acidité de l'estomac et l'intensité des nausées. Un peu plus tard, vous prendrez votre petit déjeuner.

Écartez les aliments qui, personnellement, vous indisposent le plus
Remplacez-les par un aliment d'une même famille ; par exemple, la viande par des œufs, le fromage par un yaourt, etc. Au besoin, mixez des aliments solides, s'ils « ne passent pas » : purée de légumes ou de pommes de terre, compote, etc.
L'alcool et le café accentuent souvent les nausées.
Le tabac aussi : une raison de plus pour arrêter de fumer.

Attention aux odeurs de cuisine
Elles accentuent souvent les nausées. Pensez à bien aérer la cuisine.
Mangez froid lorsque cela est possible : une salade mixte dégage moins d'odeur qu'un plat chaud préparé avec les mêmes ingrédients.

Ne vous allongez pas juste après avoir mangé
La digestion se déroulera mieux si vous restez debout ou assise pendant une demi-heure.

Les brûlures d'estomac

Chez la femme enceinte, les brûlures dites d'estomac correspondent en fait plus souvent à des brûlures de l'œsophage : au cours du troisième trimestre, l'estomac est comprimé par le volume que prend le fœtus. Les aliments et l'acidité normalement présents dans l'estomac ont alors tendance à remonter vers l'œsophage (« canal » qui relie la bouche à l'estomac) et vers l'arrière-gorge ; il en résulte une sensation douloureuse de brûlures avec parfois un mauvais goût acide dans la bouche.

Comment combattre la remontée de l'acidité

Évitez le café (normal et décaféiné), le thé, le chocolat, l'alcool, les colas (coca-colas, etc.), la menthe
Ils ont l'inconvénient d'augmenter le passage des acidités entre l'estomac et l'œsophage.

Buvez lentement, et plutôt entre les repas
Ne prenez pas plus d'un verre de boisson par repas : boire plus élève le risque de reflux.
Évitez les eaux ou les sodas gazeux.

Suivez les conseils destinés à combattre les nausées et notamment :
— Mangez peu gras.
— Faites plusieurs petits repas.
— Supprimez (encore une raison supplémentaire) le tabac.
— Ne vous allongez pas juste après un repas.

Dormez en position demi-assise
Rehaussez l'oreiller par un traversin.
Laissez un intervalle d'au moins deux heures entre votre dîner et le moment de vous coucher.

Parlez-en à votre médecin
Il recherchera une éventuelle cause à ces troubles, cause qu'il faudrait alors traiter de façon spécifique.
Il vous proposera un traitement adapté si les mesures énumérées plus haut ne suffisent pas.

Les crampes

Les crampes concernent près d'une femme enceinte sur trois. Elles surviennent surtout la nuit et touchent essentiellement les mollets, parfois les cuisses et les fesses. Il n'est pas rare qu'elles s'accompagnent d'impatience, c'est-à-dire d'un besoin irrésistible de bouger les jambes.

La survenue des crampes est favorisée par une carence en magnésium et en vitamines du groupe B. Votre première attitude sera donc de consommer des aliments qui en sont riches (voir p. 71 et 614). Si cela ne suffit pas pour les faire disparaître, parlez-en à votre médecin ; certains suppléments vitaminiques ou minéraux et certains médicaments peuvent s'avérer utiles.

Les fringales

La grossesse favorise la survenue de fringales ou envies irrésistibles de manger un aliment bien précis, le plus souvent sucré : chocolat, biscuits, gâteaux, etc. Si ces fringales surviennent une ou deux fois dans la semaine, vous pourrez y succomber sans complexe ni crainte : les soulager ne nuira pas au bon déroulement de votre grossesse. En revanche, lorsqu'elles deviennent pluriquotidiennes, elles risquent d'entraîner deux conséquences néfastes : une prise de poids trop importante ; un manque d'appétit aux repas classiques, d'où un déséquilibre alimentaire et une possibilité de carences.

Pour en réduire la fréquence, pensez d'abord à faire plusieurs petits repas. Vos fringales ne font peut-être que refléter un manque en énergie ressenti par votre organisme. Essayez donc de prendre une collation dans la matinée, une autre entre 16 et 17 heures à base d'un laitage, d'un fruit et d'un aliment céréalier (pain, céréales, biscuits secs). Et si vous avez envie de manger sucré, choisissez une nourriture où le sucre se comportera comme un glucide lent, afin d'éviter le retour précoce de la fringale qui risquerait de survenir avec des sucres rapides :

— tartine de pain complet ou de seigle avec beurre, plus de la confiture ou du miel,

— un fruit et deux biscuits secs,

— des corn flakes avec du lait et un fruit coupé,

— du chocolat avec un fruit ou du pain complet,

— une tarte aux fraises, aux pommes ou à un autre fruit.

Les fibres des fruits ou du pain ralentiront alors l'assimilation du sucre.

La diarrhée et les infections intestinales

Bien que moins fréquente que la constipation, la diarrhée n'est cependant pas exceptionnelle au cours de la grossesse. Elle peut avoir plusieurs origines :

— l'anxiété, en particulier lorsque la date de l'accouchement approche,

— une « grippe intestinale », ou plutôt une infection virale touchant plus particulièrement les intestins. Ce genre d'infection évolue généralement sur le mode d'une épidémie,

— une toxi-infection alimentaire, liée à la consommation d'un aliment périmé ou manipulé de façon non hygiénique.

Le plus souvent, la diarrhée n'est pas grave ; elle s'estompera spontanément, et vous pourrez en accélérer le dénouement avec quelques mesures simples.

En cas de diarrhée

Buvez beaucoup et mangez salé
La diarrhée entraîne une perte d'eau et de sel.

Mangez de la purée de carottes et du riz blanc ou des pâtes cuits à l'eau
Ces aliments ralentissent le transit.
Ne rincez pas le riz et gardez son eau de cuisson pour la boire : l'effet ralentisseur sur le transit en sera accru.

Mangez une banane écrasée bien mûre, une pomme au four ou en compote
Ces fruits ainsi préparés n'accélèrent pas votre transit – à la différence de la plupart des autres fruits.
Ils vous apporteront du potassium, dont les pertes, accélérées par la diarrhée, fatiguent.

Mangez du fromage, des laits fermentés et des yaourts
Ils sont plus faciles à digérer que le lait ou les autres produits laitiers.
Vous choisirez vos yaourts nature ou aromatisés, mais sans morceaux de fruits.

Mangez des biscottes, des biscuits secs ou du pain blanc légèrement grillé
Remplacez la confiture par du miel ou encore de la gelée de coing ou de fruits rouges.

.../...

Évitez les graisses cuites
— Prenez des pommes de terre cuites à l'eau avec une noix de beurre plutôt que sautées ou sous forme de frites.
— Faites cuire la viande, la volaille, les œufs ou le poisson avec peu de matière grasse et sans la faire brûler.

Évitez les aliments qui accélèrent le transit
— Thé et café.
— Les formes complètes du pain, du riz, des pâtes ou des autres céréales.
— Le son.
— Les légumes et les fruits crus (sauf la banane bien mûre).

Si la diarrhée se prolonge au-delà de quarante-huit heures, consultez un médecin
Il évaluera la gravité du problème et vous conseillera un traitement adapté.

Listériose
et toxoplasmose :
danger pour le bébé

Pour bébé comme pour vous, la nourriture est avant tout une source de bienfaits. Mais, dans quelques cas, elle véhicule certains microbes.

À côté des toxi-infections alimentaires habituelles, cause de diarrhée (voir pages précédentes), deux maladies sont également transmises par des aliments souillés : la listériose et la toxoplasmose. Elles sont souvent graves pour le bébé.

La listériose

La listériose concerne environ une grossesse sur deux cent cinquante. Elle constitue un grave problème lorsqu'elle touche la femme enceinte, puisque dans près de 20 % des cas elle provoque une fausse couche ou la naissance prématurée d'un enfant ayant des troubles respiratoires, neurologiques ou infectieux graves.

Pour éviter la listériose et ses conséquences néfastes

Évitez les laitages crus
— Ne buvez pas de lait cru, ne consommez pas de fromage à pâte crue ou au lait cru, comme certains vacherins, bries, camemberts, chèvres, époisse, etc.
— Ne mangez pas les croûtes de fromage.
— Préférez le lait pasteurisé ou stérilisé, les fromages à pâte molle pasteurisés ainsi que les fromages à pâte cuite : emmenthal, gouda, port-salut, cantal, comté, etc.

Évitez les charcuteries artisanales
Même si leur goût est plus savoureux, les critères d'hygiène qui président à leur confection sont moins rigoureux que pour les charcuteries industrielles.

Lavez avec soin salades et légumes

Lavez-vous les mains après avoir manipulé de la viande non cuite ou des animaux de basse-cour

Consultez un médecin en cas de fièvre
Si le diagnostic et le traitement sont précoces, les risques pour la santé du fœtus diminuent.

La toxoplasmose

La toxoplasmose est une maladie parasitaire très répandue : 60 % à 80 % des Français sont immunisés et ont donc été au contact du parasite avant l'âge de vingt ans. Elle est bénigne et passe le plus souvent inaperçue, sauf en cas de déficit immunitaire (par exemple chez les sidéens). Chez la femme enceinte, elle favorise alors fausse couche, mort du fœtus dans l'utérus ou troubles nerveux et oculaires chez le futur bébé.

Pour cette raison, le médecin va presque toujours demander une analyse en début de grossesse afin de vérifier si vous êtes déjà immunisée, c'est-à-dire si vous avez déjà été au contact du parasite – le plus souvent sans le savoir ; si c'est le cas, il n'y a pas de souci à se faire, vous serez capable sans problème de combattre le parasite si vous le rencontrez à nouveau.

En revanche, lorsque l'analyse de sang montre que vous n'êtes pas immunisée, soumettez-vous à quelques règles simples afin de réduire au maximum le risque de contamination.

Pour éviter la toxoplasmose
et ses conséquences néfastes
(si vous n'êtes pas déjà immunisée en début de grossesse)

Mangez la viande très cuite
Le parasite se trouve dans la viande.
Évitez la viande saignante, la fondue bourguignonne, les brochettes, et bien sûr le steak tartare.

Lavez-vous soigneusement les mains après toute manipulation de viande crue saignante
De façon générale, lavez-vous les mains avant chaque repas.

Lavez à grande eau tout aliment souillé de terre
Le parasite se trouve également dans la terre.
Cela est particulièrement important pour les légumes et les fruits consommés crus, sans oublier le persil et les fines herbes.
Portez des gants pour jardiner et lavez-vous bien les mains après avoir manipulé la terre.

Évitez le contact avec les chats
Le parasite loge souvent dans l'organisme du chat.
Faites nettoyer chaque jour et par une autre personne la litière du chat à l'aide d'eau bouillie ou d'un désinfectant. Confiez à d'autres la tâche de nourrir le chat.

En cas de fièvre ou d'apparition d'un ganglion, consultez tout de suite
Le médecin vérifiera si vous êtes infectée et vous proposera alors un traitement ; celui-ci réduira le risque d'atteinte du bébé.

Comment manger si...

Il peut arriver que votre grossesse soit plus problématique que prévu, imposant alors un suivi médical plus rapproché. L'alimentation joue un rôle dans certaines de ces situations.

Si l'une d'entre elles vous concerne, les pages qui suivent vous seront utiles ; mais, quoi qu'il en soit, parlez-en auparavant à votre médecin : votre situation personnelle est unique et elle peut nécessiter des conseils plus spécifiques.

Comment manger si je suis forte ou si je prends trop de poids

La mode actuelle prône la minceur, voire la maigreur, de façon exagérée, ce qui conduit de nombreuses femmes à se croire fortes alors qu'elles n'ont que quelques rondeurs « typiquement féminines » ; celles-ci ne comportent aucun danger pour leur santé, ni pour elles ni pour le bon déroulement d'une éventuelle grossesse. Lorsqu'elles sont enceintes, elles n'ont donc pas besoin de limiter *a priori* leur nourriture.

En revanche, il serait souhaitable que vous surveilliez votre alimentation si, préalablement à votre grossesse, vous étiez forte voire très forte (indice de masse corporelle respectivement supérieur à 25 et à 30, voir p. 41 et 42 pour savoir comment le déterminer). En effet, par rapport à une femme plus mince, cet excès de poids multiplie les risques de certaines complications par deux ou trois au cours de ces neuf mois :

— Complications touchant la mère : diabète, hypertension artérielle, infection urinaire, phlébite, recours à la césarienne pour l'accouchement. En revanche, vous avez moins de risque qu'une femme mince de manquer de fer et de souffrir d'anémie.

— Complications touchant l'enfant : naissance prématurée, anomalie congénitale, poids de naissance trop élevé, fragilité du nouveau-né.

Cette énumération ne doit pas vous effrayer : la très grande majorité des grossesses se déroulent puis se terminent bien, même chez les femmes fortes. Mais elle doit vous conduire à la régularité dans vos visites chez votre gynécologue ou votre sage-femme au cours de ces neuf mois ; ainsi, il sera possible de détecter puis de traiter au plus vite un problème éventuel.

Vous aurez également intérêt à surveiller votre façon de manger dès le début de votre grossesse ; cela vous permettra de limiter la prise de poids jusqu'à l'accouchement, et de réduire ainsi les risques de problèmes tant pour vous que pour le fœtus.

De plus, un régime équilibré peut vous permettre d'éviter de conserver des kilos supplémentaires à l'issue de ces neuf mois. Si vous laissiez libre cours à votre appétit, le risque serait réel puisque les femmes fortes conservent en moyenne 3,4 kilos par grossesse.

« Y a-t-il des facteurs qui prédisposent à une prise de poids liée à la grossesse ? »

En dehors d'un excès de poids préalable, plusieurs éléments entrent en ligne de compte. Ils doivent vous rendre vigilante, mais sans devenir obsessionnelle vis-à-vis de la nourriture, sous peine de vous gâcher ces neuf mois de grossesse et surtout de vous exposer, bébé et vous, à une insuffisance de nourriture fort préjudiciable.

Vous avez plus de risque de garder du poids de votre grossesse (et donc vous devez faire plus attention) si

Vous avez plus de trente-cinq ans
Vous étiez déjà forte avant la grossesse
Vous avez pris beaucoup de poids lors de vos grossesses précédentes
Vous ne pensez pas allaiter
Vous avez peu d'activité physique (marche, sport…)
Vous mangez de façon irrégulière
Votre mère ou vos sœurs ont gardé du poids de leur grossesse
Vous fumiez avant la grossesse (et, fort heureusement pour votre enfant, vous avez arrêté en début de grossesse)
Vous avez pris du poids dès le début de votre grossesse

« Concrètement, comment faire si je commence ma grossesse en ayant déjà un excès de poids ? »

Si vous commencez votre grossesse en étant déjà trop forte, vous pourrez, sans danger pour le bébé, limiter à sept kilos votre prise de poids durant ces neuf mois. Ces sept kilos correspondent à la croissance du fœtus et à celle des éléments « indispensables » à son développement (utérus, liquide amniotique, etc.), tandis que votre propre graisse corporelle n'aura pas augmenté, voire aura légèrement diminué : il est donc possible que vous soyez moins forte après l'accouchement qu'avant la conception. Mais attention, il n'est pas question pour autant de trop vous restreindre ou de jeûner : vous risqueriez de perturber le développement du fœtus et de donner naissance à un enfant trop maigre et trop petit.

Les régimes trop restrictifs sont dangereux durant une grossesse. Par contre, en suivant le régime qui suit, vous trouverez la plupart des éléments nécessaires à la croissance de bébé. Auparavant, prenez l'avis de votre gynécologue. S'il vous donne le feu vert, commencez le régime sans attendre, avant d'avoir accumulé les premiers kilos. En effet, les kilos pris en début de grossesse, au cours des quatre premiers mois, seront les plus difficiles à perdre après votre accouchement, car ils correspondent surtout à un développement de la graisse de la mère. En revanche, les kilos pris au cours des derniers mois « profitent » surtout au fœtus et auront donc moins d'incidence sur votre silhouette.

« J'étais mince avant ma grossesse, mais, dès les premiers mois, j'ai pris beaucoup de poids. Que faire ? »
La plupart des femmes minces retrouvent leur poids initial en quelques mois après l'accouchement ; elles n'ont donc besoin de suivre un régime ni pendant ni après leur grossesse. Cependant, vous pouvez suivre un régime équilibré si, bien que mince avant votre grossesse, vous avez pris trop de poids au cours de vos premiers mois de grossesse (voir p. 46). Demandez auparavant conseil à votre gynécologue.

En revanche, répétons-le, ne limitez pas votre nourriture si vous étiez mince et que vous prenez peu de poids : votre bébé risquerait d'être trop maigre, trop petit et trop faible. Plus étonnant, sachez que cette fragilité perdure jusqu'à l'âge adulte : sans que l'on en connaisse encore bien la raison, les enfants mal nourris pendant leur vie fœtale (lorsque la mère ne mange pas suffisamment), ou au cours de leur première année, ont plus de risques, à l'âge adulte, de souffrir de diabète ou d'hypertension, ou de mourir d'un problème cardiaque.

Votre régime pour limiter
votre prise de poids pendant votre grossesse

■

Pour suivre pendant votre grossesse un régime équilibré suffisamment riche en protéines, en minéraux, en fibres et en eau, il est bon de consommer chaque jour les quantités suivantes d'aliments :

— 4 parts de lait ou produits laitiers (voir p. 152), mais en sachant que le yaourt à 0 % de MG et le lait totalement écrémé ne sont pas limités étant donné leur faible densité calorique et leur richesse en calcium.

— 200 g de poisson (frais, surgelé ou en boîte au naturel) ou de viande débarrassée de sa graisse visible, de jambon dégraissé ou de volaille sans la peau (2 œufs remplacent 100 g de viande).

— 120 g de pain complet soit 6 tranches.

— 200 g de féculents pesés cuits soit : 4 petites pommes de terre, ne pas abuser des purées qui rassasient moins bien que des pommes de terre cuites dans leur peau, ou 6-8 cuillères à soupe de riz, pâtes, semoule, maïs, blé concassé (pilpil ou boulgour) ou légumes secs (lentilles, haricots blancs ou rouges, pois chiches, petits pois, flageolets).

— 300 g de fruits soit 3 parts (voir p. 152).

— À volonté, crus et cuits, tous les légumes qui ne sont pas des féculents (voir plus haut) ; ils ont l'avantage de faire du volume dans l'estomac et d'avoir une faible densité calorique. Ils peuvent être frais, surgelés ou en conserve.

— Deux parts et demie de matières grasses : beurre, crème fraîche, huile, etc. (voir p. 152).

— 15 à 20 g de confiture et/ou de sucre (le sucre est inclus dans cette quantité).

— Au moins un litre et demi de boissons sous forme d'eau, d'infusion : thé, chicorée, café...

Ces aliments seront répartis en trois ou, mieux, quatre repas.

➤ *Conseils de cuisson*

Cuire le plus souvent possible sans graisse à la vapeur, sur une poêle anti-adhésive, au four « classique », au four à micro-ondes avec très peu d'eau ou dans un court-bouillon parfumé aux herbes. Les matières grasses permises sont mises au dernier moment afin d'en conserver au mieux toutes les qualités.

➤ *Suggestion pour une journée*

- **Petit déjeuner**
    - selon votre goût : thé, café, chicorée avec un demi-morceau de sucre,
    - une portion de laitage (voir plus loin),
    - pain complet, de seigle, aux céréales, au son, intégral : 40 g soit 2 tranches qui peuvent être remplacées par 30 g (3-4 cuillères à soupe) de céréales en choisissant plutôt des flocons d'avoine, des flocons de 5 céréales ou du muesli non sucré, ceux-ci rassasient mieux que les pétales de maïs ou que le riz et le blé soufflés,
    - beurre : 1 noisette = 5 g = 1 cuillère à café rase,
    - confiture ou miel : 1 à 2 cuillères à café rase,
    - une part de fruit (voir plus loin).

- **Déjeuner**
    - une entrée de crudités, avec une vinaigrette comprenant 1 cuillère à café d'huile,

    - 100 g de poisson, viande, volaille,
    - 200 g de féculents plus des légumes verts,
    - une part de matières grasses (voir page suivante),

    - un laitage (voir page suivante),
    - 1 tranche de pain,
    - une part de fruit (voir page suivante).

- **Dans l'après-midi** (ou la soirée, ou la matinée selon vos fringales, votre plaisir, vos disponibilités, vos habitudes)
    - 2 tranches de pain complet, une noisette de beurre et une cuillère à café de confiture, ou 30 g de céréales, ou 3 biscuits secs,
    - un laitage.

- **Au dîner**
    - une entrée de crudités ou un potage de légumes sans féculents,

    - 100 g de poisson, viande, volaille,
    - des légumes cuits,
    - une demi-part de matières grasses,

    - un fromage à pâte dure (plus riche en calcium) soit 30 g de cantal, beaufort, emmenthal, parmesan,
    - 2 tranches de pain complet,
    - une part de fruit.

Une part de laitage correspond à :
— lait demi-écrémé : un grand verre ou un bol (200 ml)
(avec chocolat en poudre si désiré)
— un yaourt à 0 % de MG : nature ou aux fruits sans sucre ajouté
— un yaourt ordinaire : nature
Éviter les yaourts au goût « grec », au lait entier, au goût bulgare ou au bifidus : ils sont trop gras pour votre objectif.
— fromage blanc à 0 ou 20 % de MG : 100 g soit 3 cuillères à soupe
Éviter les laits fermentés à 10 % de MG (Fjord, etc.) plus proches de la crème fraîche que du fromage blanc.
— fromages à pâte dure : 30 g (cantal, beaufort, emmenthal, parmesan...) ; consommez-en une à deux fois par jour car ces fromages sont caloriques mais très intéressants par leur richesse en calcium.

Une part de fruit correspond à :
— une pomme, une poire ou une orange
— ou deux kiwis ou deux mandarines
— ou un bol de fraises, de framboises, de cassis ou de groseilles
— ou trois petits abricots ou trois petites prunes (deux si la taille de ces fruits est importante)
— ou une petite banane (ou une demi-grosse)
— ou une poignée de cerises ou de mirabelles
— ou un demi-melon ou une belle tranche de pastèque
— ou un demi-pamplemousse ou une demi-mangue
— ou deux fines tranches (ou un quart) d'ananas
— ou trois litchis
— ou une petite grappe de raisin (qui tient dans la main)

Les jus, les compotes sont déconseillés car trop vite digérés, ils rassasient moins.

Évitez les fruits secs (pruneaux, dattes...), les fruits oléagineux (noix, noisettes, etc.) et les fruits au sirop : ils sont très concentrés en calories.

Vous mangerez le plus souvent des fruits frais à la croque, au couteau ou encore coupés en morceaux ; ils se mélangent fort bien aux céréales, au yaourt ou au fromage blanc. Les fruits peuvent être pochés à l'eau et servis sans sucre, ou cuits au four sans sucre ni beurre mais avec dus jus de citron et de la cannelle.

Une part de matières grasses correspond à :

— huile	10 g soit 2 cuillères à café (ou 1 à soupe)
— ou beurre ou margarine	10 g soit 2 cuillères à café rases
— ou beurre allégé à 41 % de MG	20 g soit 4 cuillères à café rases
— ou crème fraîche à 30 % de MG	30 g soit 2 cuillères à soupe non bombées
— ou crème fraîche à 15 % de MG	60 g soit 4 cuillères à soupe non bombées
— ou vinaigrette allégée du commerce	25 g soit 2-3 cuillères à soupe
— ou mayonnaise allégée du commerce	10 g soit 2 bonnes cuillères à café

Choisissez le plus souvent de l'huile, pour les acides gras essentiels.

Comment manger
si je ne prends pas assez de poids

Si vous êtes mince ou maigre (indice de masse corporelle inférieur à 20, soit, par exemple, un poids inférieur à 57 kg pour 1,70 m – voir p. 42), vous aurez intérêt à manger copieusement pour prendre entre 12,5 kg et 18 kg au cours de ces neuf mois. En effet, du fait de votre manque de réserves, le poids et l'état de votre enfant dépendent étroitement de votre nourriture et des kilos pris pendant votre grossesse ; si vous prenez moins de 12 kg, vous risquez de mettre au monde un enfant chétif.

Les risques seraient encore plus grands si vous vous restreigniez volontairement alors que vous n'en avez pas besoin sur un plan médical : les attitudes de restriction alimentaire mènent quelquefois à des dangers vitaux pour bébé. La grossesse n'est pas un bon moment pour suivre des régimes amaigrissants farfelus : vous mettriez en jeu non seulement votre santé, mais surtout celle de votre enfant.

Notre conseil

Un impératif : pendant la grossesse, ne jamais vous mettre à un régime destiné à réduire votre prise de poids sans en parler à votre gynécologue : lui seul pourra déterminer l'éventuelle opportunité puis, en cas de réponse positive, l'objectif et le contenu d'un régime.

Risques liés à une restriction alimentaire extrême

Fausse couche.

Retard de croissance du fœtus.

Malformations congénitales, notamment au niveau du cerveau et du système nerveux.

Accouchement prématuré.

Fragilité du nouveau-né qui l'expose à des problèmes de santé au cours des premiers mois de la vie.

Maladies à l'âge adulte : hypertension artérielle, diabète, maladies cardiovasculaires.

« Si je prends plus de 12 kg pendant ma grossesse, pourrai-je ensuite les perdre ? »

Même si elle est souhaitable pour le bébé, vous craignez peut-être que cette prise de poids ne vous amène à être trop forte après l'accouchement ? Rassurez-vous : le risque est faible si avant la grossesse vous étiez maigre ou de poids normal ; vous perdrez probablement tous les kilos superflus en quelques mois, et cela spontanément sans avoir à vous mettre au régime.

« Si mon enfant est maigre à la naissance, n'a-t-il pas plus de chances d'être mince à l'âge adulte ? »

Non. Même si, dans certains cas, les très gros nouveau-nés ont plus de risques d'être gros à l'âge adulte, l'inverse n'est pas vrai. Curieusement, les nouveau-nés petits ou maigres (moins de 2,5 kg) ont même plus de risques d'être atteints à l'âge adulte de maladies habituellement provoquées par l'obésité telles que le diabète, l'hypertension artérielle, l'excès de cholestérol et l'insuffisance coronaire.

« J'ai pris peu de poids pendant les premiers mois de ma grossesse. Comment déterminer si cela pose un réel problème ? »

Avant tout, parlez-en à votre gynécologue. Il analysera votre poids habituel (voir p. 41), les kilos pris (ou perdus) pendant ce début de grossesse (voir p. 46), le déroulement de vos éventuelles grossesses antérieures. Il évaluera également la croissance de bébé à partir de l'examen de votre ventre et d'une éventuelle échographie. À partir de ces divers éléments, il vous conseillera peut-être de manger plus.

« Mon médecin me recommande de prendre plus de poids. Comment manger pour y parvenir dans les meilleures conditions ? »

Reportez-vous au « minimum requis » (voir p. 112) et élargissez-en les portions de la façon suivante :

— Doublez les doses de matières grasses.

— Prenez un plat de féculents et du pain à chaque repas.

— Ne commencez pas chaque repas par une assiette de crudités ou un bol de potage : en vous calant l'appétit, ce genre d'entrée risque de vous conduire à réduire votre portion du plat principal, alors même que ce dernier est plus consistant et donc plus adapté à votre objectif.

— Multipliez les collations (voir p. 128) : dans la matinée et l'après-midi, mais également en soirée, une ou deux heures après le dîner.

— Évitez les produits allégés, régalez-vous de produits « entiers » : lait entier, yaourts au bifidus ou au lait entier, fromage blanc à 40 % MG, fromages classiques, sucre, huile, crème et beurre non allégés.

« Je voudrais manger plus et prendre plus de poids, mais je me lasse vite et j'ai un certain dégoût de la viande ainsi que du poisson. Comment faire ? »

Si vous ne voulez pas manger de viande ou de poisson à l'un des repas, remplacez-les par un autre plat riche en protéines.

▩ Si vous avez envie d'un plat salé, voici quelques suggestions :
— Flan de légumes, de foies de volailles, de crabe ou à base d'œufs
— Quiche lorraine, tarte au saumon
— Soufflé au fromage
— Gratin dauphinois
— Raviolis, lasagnes au four, pâtes à la carbonara, spaghettis bolognaise
— Moussaka d'aubergines
— Parmentier
— Omelette aux pommes de terre
— Boudin, jambon, saucisses et autres charcuteries
— Légumes farcis : tomates farcies, pommes de terre farcies
— Crêpes au jambon, au fromage
— Croque-monsieur
— Riz cantonais
— Soupe au lait

▩ Si vous préférez un plat sucré, voici d'autres idées :
— Semoule au lait, riz au lait, crème pâtissière, œufs au lait, crème anglaise, île flottante, lait de poule, crêpes sucrées.

Il est souhaitable d'enrichir ces produits avec du lait en poudre (10 g par portion, soit une cuillère à soupe), afin d'élever leur teneur en protéines et en calcium.

Comment manger
si je suis végétarienne

Il existe de multiples régimes végétariens, chacun ayant des règles bien spécifiques. Si vous êtes adepte de l'un d'entre eux, suivez nos conseils afin d'éviter d'être carencée.

■ Si vous vous contentez de remplacer la viande par du poisson et/ou de la volaille, vous n'avez rien à modifier par rapport aux conseils généraux proposés pour toute femme enceinte.

■ Si vous prenez comme seuls produits d'origine animale les œufs et les laitages, vous augmentez les risques de carence en fer (voir p. 74). Il est alors probable que votre médecin vous prescrira un supplément sous forme médicamenteuse.

■ Si vous évitez le poisson, vous risquez de manquer d'acides gras de la famille omega-3 (voir p. 54). Pour trouver ces derniers, privilégiez alors certaines huiles : colza, soja, noix.

■ Si les produits laitiers constituent les seuls produits d'origine animale dans vos menus, vous risquez de manquer de protéines et de vitamine B12. Prenez chaque jour au moins huit produits laitiers et, en fonction de l'avis de votre médecin, un supplément en vitamine B12.

■ Si vous bannissez tous les produits d'origine animale, même les laitages, vous élevez les risques de carence grave en protéines (voir p. 51), fer (voir p. 74), vitamine B12 (voir p. 615), zinc (voir p. 85) et calcium (voir p. 63). Le lait de soja est une alternative, mais une alternative imparfaite ; ses qualités ne remplaceront pas celles des produits dont vous vous privez. Il est probable que votre médecin vous prescrira divers suppléments nutritionnels sous la forme de médicaments (voir p. 130).

Vous suivez un régime végétarien
Comment assurer vos besoins en protéines,
et ceux de votre bébé

Évitez les régimes végétaliens ou macrobiotiques stricts
Vous pouvez vous passer de viande, même de volaille ou de poisson.
Mais si en plus vous rejetez laitages et œufs, l'équilibre protéique sera vraiment compromis. Pour votre santé et celle de votre bébé, remplacez le régime végétalien par un régime végétarien qui accueille, au moins, les aliments d'origine animale mais n'ayant pas nécessité la mort d'une bête.

Enrichissez les plats de légumes par du fromage râpé, une sauce béchamel ou une préparation à base d'œuf
Vous concilierez ainsi gastronomie (vive les gratins !) et équilibre.

À chaque repas, prenez au moins un aliment source de protéines végétales
Les légumes verts sont riches en vitamines, mais très pauvres en protéines.
Il est donc impératif d'y associer un légume sec et/ou un aliment céréalier (riz, pâtes, semoule, pain, maïs, etc.).
En l'absence de laitages ou d'œuf, l'association des deux – légumes secs + aliment céréalier – est recommandée du fait de leur complémentarité (voir p. 576 pour plus de détails sur le végétarisme).

Prenez un petit déjeuner copieux
Du pain ou des céréales au petit déjeuner, un laitage ou du « lait » de soja : vous commencerez ainsi la journée avec une « avance ».

Savourez une collation dans la matinée et/ou l'après-midi
Pas seulement un fruit, mais également du pain et du fromage, ou encore un yaourt.

Comment manger
si j'ai moins de dix-huit ans

Pour une adolescente, la grossesse constitue souvent une situation délicate au plan social et familial, notamment lorsque :
— le conjoint est absent ou « démissionnaire »,
— les parents désapprouvent la survenue de la grossesse,
— les camarades font pression pour que la jeune fille continue à vivre et à manger comme si de rien n'était,
— l'adolescente dénie sa grossesse.

157

Même si, ce qui est heureusement, quand même, souvent le cas, vos proches vous soutiennent pour vous aider à bien vivre votre grossesse, il vous faudra veiller précautionneusement à votre alimentation car celle-ci doit couvrir à la fois les besoins de bébé et les vôtres propres, liés à la fin de votre croissance. Aussi, évitez certaines « modes » alimentaires telles que :

— L'obsession de la minceur ainsi que les régimes amaigrissants : outre les 12-15 kg liés au bon déroulement de la grossesse, il est normal, et même souhaitable, que vous preniez quelques kilos supplémentaires, liés à votre propre croissance.

— Le rejet de la viande et/ou des produits laitiers avec une tendance au végétarisme.

— La faible consommation de fruits et de légumes.

— La disparition des repas traditionnels au profit d'un grignotage constitué de chips, frites, aliments issus des « fast-food », boissons sucrées, glaces, bonbons, barres chocolatées : ces aliments sont bien agréables mais pauvres en éléments nutritifs utiles. Pas question de vous en priver, mais ils devraient rester l'exception et non remplacer les trois repas quotidiens « classiques ».

Ces habitudes alimentaires sont déséquilibrées alors même que sont augmentés vos besoins du fait de la simultanéité de l'adolescence et de la grossesse : il en résulte un plus grand risque de voir survenir certains problèmes au cours de ces neuf mois :

— carence en fer et anémie,

— insuffisance de prise de poids pour la maman,

— naissance prématurée,

— maigreur excessive du nouveau-né.

Rassurez-vous cependant. La plupart des adolescentes mènent une grossesse tout à fait normale, et vous aurez d'autant plus de chance d'y parvenir que vous consulterez régulièrement votre gynécologue et que vous suivrez nos conseils nutritionnels. Il vous faudra plus spécifiquement insister sur :

— Des repas globalement copieux, avec une ou deux collations par jour. Vous devrez en effet couvrir vos besoins (liés à la fin de votre croissance) et ceux de bébé. N'oubliez pas de prendre pain et/ou féculents à chaque repas.

— Les protéines, pour assurer là aussi vos besoins propres et ceux de bébé. Outre les protéines végétales provenant des féculents et du pain, n'oubliez pas les indispensables protéines animales issues des produits laitiers, des œufs, du poisson, de la volaille et de la viande.

— Le fer : avant la grossesse, vous étiez peut-être carencée (comme le sont souvent les adolescentes) du fait de vos règles. La grossesse et les besoins du fœtus accentuent ce risque. Prenez donc de bonnes portions de viande, de volaille et de poisson ; ces aliments sont, par ailleurs, riches en zinc et en vitamine B12, deux éléments, eux aussi, indispensables pour votre équilibre et celui de bébé. Si votre médecin vous prescrit des comprimés en fer, ne les négligez pas : ils vous permettront d'éviter l'anémie.

— Le calcium : votre croissance conjuguée à celle de bébé élève vos besoins (1 600 mg) par rapport à ceux d'une femme enceinte ayant quelques années de plus (1 200 mg). Consommez au moins quatre produits laitiers par jour, et si possible cinq. Si vous n'y parvenez pas, votre médecin vous proposera peut-être un supplément de calcium sous la forme d'un médicament.

— Prenez chaque jour des légumes, des crudités ou un potage, pour la vitamine B9, et des fruits, pour le bêtacarotène qui se transformera en vitamine A dans votre corps. Si vous consommez trop peu de fruits et de légumes, votre médecin vous conseillera probablement de prendre régulièrement un comprimé de vitamine B9 (encore dénommée acide folique ou folates).

Comment manger en cas de grossesses rapprochées

Le corps de la femme a besoin de se reposer après un accouchement afin de retrouver un équilibre adéquat à la fois pour sa propre santé et en vue d'une éventuelle nouvelle grossesse.

La plupart des obstétriciens recommandent de laisser passer au moins un an entre l'accouchement et le début de la grossesse suivante. Au cours de cette période, la femme forte pourra engager un programme amaigrissant raisonnable, celle qui est trop mince aura intérêt à prendre quelques kilos, et chaque femme reprendra des forces et rechargera ses réserves notamment en protéines (voir p. 51), acide folique (voir p. 82), fer (voir p. 74), calcium (voir p. 63), zinc (voir p. 85), et acides gras essentiels (voir p. 54).

Si, d'aventure, vous commencez une nouvelle grossesse dans les quelques mois qui suivent un accouchement, ne cédez pas pour autant à la panique : vous êtes sûrement apte à mener avec succès cette grossesse à son terme si vous mangez de façon équilibrée et en quantités suffisantes, en particulier en ce qui concerne les nutriments énumérés quelques lignes plus haut.

« J'allaite mon bébé. Faut-il néanmoins que je suive une méthode anticonceptionnelle si je ne souhaite pas commencer dès à présent une nouvelle grossesse ? »
Ajouter la fatigue et les besoins liés à une nouvelle grossesse à ceux de l'allaitement ne paraît pas très raisonnable. Or, contrairement au mythe populaire, le fait d'allaiter ne constitue pas une contraception efficace. Si vous allaitez, ce que nous ne pouvons que vous recommander, n'en oubliez pas pour autant d'être prudente lors des rapports sexuels : sans protection contraceptive, vous avez toutes les chances d'être enceinte plus vite que vous ne l'auriez probablement souhaité.

Comment manger
si j'attends des jumeaux

Les grossesses gémellaires concernent 1 % à 2 % des naissances ; pour les femmes traitées pour stérilité, ce pourcentage augmente secondairement à l'utilisation d'inducteurs de la fécondation, car ceux-ci provoquent volontiers des ovulations multiples.

Le principal risque obstétrical de ces grossesses est la prématurité : alors qu'il a été « programmé » pour recevoir un seul embryon, l'utérus doit en accueillir deux ; de ce fait, il est distendu plus tôt et plus nettement, ce qui risque de déclencher des contractions et un accouchement précoce. Pour éviter une prématurité préjudiciable, le suivi obstétrical est plus rapproché que pour une grossesse unique, et la mise au repos de la future maman plus précoce.

Au plan nutritionnel, il vous faudra non pas manger comme deux, mais augmenter modérément (de 10 à 15 %) vos portions par rapport à une grossesse unique, en insistant plus particulièrement sur :

— les produits laitiers : au moins quatre et si possible cinq par jour afin d'assurer le développement adéquat du squelette de vos deux bébés,

— les féculents, le pain et les fruits, afin que vos bébés ne soient pas chétifs à la naissance,

— les huiles d'origine végétale, pour les acides gras essentiels (voir p. 54),

— la viande, les volailles, le poisson et les œufs, pour les protéines et le fer,

— les légumes, pour les vitamines et les minéraux.

En comprimant votre estomac, le développement des deux fœtus et de l'utérus risque de gêner précocement vos repas ; dans ce cas, n'hésitez pas à faire cinq ou six petits repas par jour afin de bien vous nourrir sur la journée tout en mangeant en quantité modérée à chaque repas.

Les grossesses multiples (triples, voire quadruples ou quintuples) nécessitent des précautions nutritionnelles et surtout obstétricales encore plus étroites.

Comment manger
si je suis diabétique

Si vous êtes diabétique avant votre projet de grossesse, il vous faut, avant même la conception, en parler avec votre médecin. Vous pourrez très probablement mener avec succès une grossesse à terme, mais vous serez particulièrement attentive aux conseils médicaux afin que tout se passe bien.

Il arrive qu'un diabète survienne à l'occasion même de la grossesse, souvent lors du second trimestre ; on parle alors de diabète gestationnel. Une telle éventualité concerne environ 5 % des femmes enceintes ; elle est provoquée par une inaptitude du pancréas à sécréter le surplus d'insuline que lui demande la grossesse. Après l'accouchement, tout rentre en général dans l'ordre.

Dans ces deux cas, diabète préexistant ou diabète gestationnel, la glycémie est trop élevée dans le sang. Dans les deux cas, il vous faudra suivre avec exactitude le traitement éventuel ainsi que les conseils nutritionnels de votre médecin afin d'éviter des complications, rares mais graves, telles qu'une naissance prématurée ou un bébé trop gros ou encore, cas exceptionnel, la malformation de certains organes (cœur et système nerveux notamment).

Ainsi, votre médecin vous conseillera probablement de privilégier une alimentation riche en glucides complexes lentement assimilés lors de la digestion et d'éviter, au contraire, les glucides rapidement assimilés, ou, pour parler plus simplement, de préférer les « sucres lents » aux « sucres rapides ».

Dans cet objectif, vous aurez intérêt à :

— Consommer au déjeuner et au dîner des légumes « verts » avec vos légumes secs, vos pommes de terre ou vos aliments d'origine céréalière (pâtes, riz, semoule, maïs, blé concassé, pain). Cette association (voir p. 61) ralentit l'assimilation des glucides.

— Au petit déjeuner, préférer le pain complet au pain blanc ; les flocons d'avoine ou le muesli non sucré aux céréales soufflées telles que les corn flakes, le riz ou le blé soufflés ; un fruit entier à un jus de fruit.

— Éviter les purées ou les compotes : les aliments entiers, mâchés en bouche, sont assimilés plus lentement.

— Éviter les boissons sucrées, les jus de fruits, les bonbons et les barres chocolatées, les glaces.

— Éviter les aliments sucrés tels que la confiture ou le miel, les biscuits ou les pâtisseries. En revanche, de temps en temps, ils peuvent être pris au milieu du repas (pour la confiture ou le miel sur les tartines du petit déjeuner) ou en fin de repas (une pâtisserie au dessert ainsi qu'un biscuit ou un morceau de chocolat avec le café qui suit) : la digestion des glucides rapides sera alors freinée par la présence dans l'estomac et l'intestin du reste du repas.

La première
année de vie

*La première
année de vie*

La première
année de vie

La première
année de vie

La première
année de vie

La première
année de vie

Le lait d'abord : sein ou biberon ?

■

L'alimentation diversifiée

Votre bébé vient de naître : premiers regards, premières émotions. Une nouvelle aventure commence dans laquelle l'alimentation joue un rôle essentiel tant d'un point de vue physiologique qu'affectif. Car au cours des premières semaines de la vie, manger est une activité fondamentale qui occupe une grande part du temps du bébé et de sa maman, et qui lui permet de se développer, d'éveiller ses sens, son goût. C'est aussi le moment de l'échange, de la tendresse et du plaisir : qu'il soit nourri au sein ou au biberon, votre bébé vous accorde ses premiers sourires, ses premiers gazouillis. Sa faim est calmée, son désir satisfait.

Afin que tout se passe au mieux, nous avons cherché, par ce guide, à vous informer sur tous les besoins de votre enfant et sur la meilleure façon d'y répondre. C'est pourquoi il est d'abord important d'avoir quelques notions de base sur ce nouvel être qui vient au monde.

Le bébé, à la naissance, a des fonctions inachevées qui sont caractéristiques de son état de nourrisson et qui conditionnent son alimentation.

▪ Son système nerveux central est en pleine évolution. Son cerveau grossit de 2 g par jour pendant la première année. Au fur et à mesure, il acquerra ses fonctions motrices, ses rythmes biologiques, la coordination de ses mouvements. Pour aider sa maturation, son alimentation doit lui apporter les nutriments indispensables. Parmi eux, le sucre du lait (le lactose) et les acides gras essentiels sont déterminants.

▪ Certains organes de la digestion sont immatures. Le pancréas ne peut pas produire l'enzyme permettant la digestion de l'amidon avant deux ou trois mois (l'amylase), ni celle participant, avec les sels biliaires, à la digestion des matières grasses des laits de vache (la lipase) sauf si ces dernières ont été modifiées, comme c'est le cas dans les laits 1er âge.

▪ Le système immunitaire du tube digestif a un développement incomplet favorisant une perméabilité de la barrière intestinale qui peut provoquer, dans certains cas, une sensibilisation à certaines protéines des aliments. Les conséquences les plus fréquentes sont les allergies aux protéines de laits de vache, ou de soja, ou au gluten (voir p. 456), ou encore à d'autres aliments.

■ Les fonctions rénales ne sont pas non plus entièrement terminées à la naissance, ce qui entraîne des difficultés d'élimination du sel et de déchets issus de la transformation des protéines ainsi que des difficultés de dilution de ces déchets.

En résumé, l'alimentation des nouveau-nés doit donc non seulement leur apporter tous les matériaux et l'énergie dont ils ont besoin pour assurer leur croissance, mais encore ne pas dépasser leur capacité d'absorber, de transformer, et d'éliminer ce qui pourrait leur être apporté en excès.

L'allaitement maternel et/ou les laits infantiles ont une composition telle que cet excès ne se manifeste pas, ce qui n'était pas le cas lorsque les enfants étaient nourris avec un lait de vache non transformé. Ainsi, grâce à l'alimentation, le développement cellulaire et l'évolution des différentes fonctions permettent au nourrisson d'absorber, dès sa naissance, les nutriments nécessaires à sa croissance.

Votre bébé va grandir de 25 cm en un an, c'est-à-dire deux fois plus vite qu'à la période de sa croissance pubertaire la plus rapide. Là aussi, c'est au début de la vie que le phénomène est le plus marqué : 5 à 6 cm au cours des premiers mois.

Pour les professionnels de la petite enfance, il existe des repères pour évaluer les apports nutritionnels de l'enfant dont la croissance n'est pas satisfaisante. Mais il est primordial d'avoir constamment présent à l'esprit l'idée que les besoins réels varient considérablement d'un nourrisson à l'autre, ces variations pouvant aller facilement du simple au double.

À retenir

Il n'y a pas de régime standard pour le nourrisson comme pour l'enfant plus grand.

Le lait d'abord : sein ou biberon ?

Jusqu'au milieu de notre siècle, la survie du nouveau-né était un sujet de préoccupation majeure, lié en grande partie à son alimentation ; celle-ci reposait avant tout sur le lait de femme, selon les cas celui de la mère ou de la nourrice.

Aujourd'hui, dans les sociétés occidentales, la recherche de la nourriture n'est plus un enjeu de survie ; la production agroalimentaire a réalisé des progrès fantastiques. En particulier, on est devenu capable de transformer et d'adapter le lait de vache aux besoins du « petit de l'homme » ; ainsi, l'alimentation au biberon procure à présent l'assurance d'une croissance harmonieuse et d'un bon développement, et ce même si l'allaitement maternel apporte encore plusieurs bénéfices à l'enfant.

Libre de déterminer le moment où elle aura un enfant grâce à la contraception, la femme est également libre de choisir *entre le sein et le biberon*. Outre les critères de santé, un aspect fondamental de ce choix concerne la motivation à poursuivre, au-delà de l'accouchement, une symbiose où la mère et son bébé se découvrent, se sentent, s'identifient, se complètent. Ces dispositions affectives à l'égard du bébé peuvent bien sûr se maintenir, même si l'allaitement s'avère difficile et que les tétées doivent être complétées ou totalement remplacées par des biberons.

En revanche, il arrive que certaines mères allaitent à contrecœur, uniquement parce que leur entourage et/ou le médecin les ont pratiquement contraintes à le faire. Cela n'est pas souhaitable, car en résultent alors plus d'inconvénients que d'avantages, avec pour la mère plus de répulsion que d'attirance pour cet acte d'amour. Si vous décidez d'allaiter, il est souhaitable que cette décision soit réellement la vôtre, que vous y trouviez vous-même votre « contentement », votre plaisir, une manière privilégiée de communiquer avec l'enfant. Sinon, donnez-lui le biberon sans culpabilité mais avec tout autant d'amour ; vous y trouverez plus de bonheur – et lui aussi sans doute – que si vous l'allaitez avec réticence.

C'est pendant la grossesse que le couple peut penser à l'allaitement, en en parlant à la sage-femme, au médecin accoucheur, aux amies ayant vécu cette expérience. Les interrogations que vous vous posez avant de choisir de donner le sein ou le biberon peuvent concerner les avantages et les inconvénients du lait maternel, les transformations de votre corps et le fonctionnement du sein, l'image du sein nourricier et érotique, les éventuelles complications et les douleurs, les aspects pratiques et hygiéniques de la tétée.

« J'ai peur que l'allaitement abîme ma poitrine. Que faut-il en penser ? »

En fait, c'est surtout pendant la grossesse que le volume des seins va augmenter et qu'une forte prise de poids risque de faire apparaître des vergetures. L'allaitement proprement dit ne détériore pas votre poitrine. Si vos seins devaient s'abîmer, ce serait le sevrage brutal (on coupe la montée du lait) qui en serait responsable. En effet, au moment où la glande mammaire est en plein développement, on réduit brusquement le contenu dans une enveloppe trop grande, ce qui augmente les risques de déformer les seins. Par contre, un allaitement suivi d'un sevrage progressif leur redonne sensiblement l'aspect antérieur.

« On m'a dit que l'allaitement pouvait fatiguer. Est-ce vrai ? »

C'est vrai, et il est maladroit de le nier. On peut seulement répondre que cette fatigue ne se manifeste qu'au début de l'allaitement et que la récupération est excellente si des conditions de vie pénibles n'ajoutent pas un élément de surmenage.

Les bénéfices physiologiques de l'allaitement pour la mère sont une contrepartie inestimable à cette fatigue :

— l'allaitement favorise l'involution utérine du post-partum (c'est-à-dire la rétraction de l'utérus après l'accouchement) en provoquant la libération d'une hormone, l'ocytocine par l'hypophyse : vous perdez donc plus vite votre ventre ;

— il facilite la perte des kilos supplémentaires accumulés pendant la grossesse.

« Le meilleur pour mon bébé, c'est quoi ? »

Avec ce livre, vous trouverez la plupart des informations nécessaires à votre choix (allaiter ou non). N'hésitez pas à les compléter en en parlant à votre médecin, à la sage-femme ou encore à des amies ayant vécu une expérience identique. Mais quelle que soit la synthèse « objective » que vous réaliserez à partir de ces informations, sachez que la décision d'allaiter ne doit pas être seulement d'ordre rationnel « parce que c'est mieux pour bébé ». La future maman doit se sentir actrice de son don. Si l'allaitement est décidé sereinement, si le couple est convaincu qu'à travers ce geste la future maman accompagnera son bébé dans une relation personnelle souvent voluptueuse pour eux deux, l'allaitement sera une réussite, avec des instants inoubliables où la seule difficulté sera de laisser une place au père. En revanche, si le choix d'allaiter est pris à contrecœur, sans doute vaut-il mieux pour la mère et l'enfant surseoir et nourrir bébé au biberon, avec amour et tranquillité. Quel que soit votre choix, nous vous souhaitons de réussir et de bien vivre ces moments privilégiés pour vous et votre bébé.

L'allaitement au sein [1]

Bien allaiter : comment s'y prendre

➤ La montée de lait : comment l'assurer

Entre le deuxième et le quatrième jour, les seins augmentent souvent de volume : c'est ce qu'on appelle « la montée de lait », provoquée par un œdème et un accroissement de la circulation sanguine.

Vous sentirez vos seins tendus et chauds, presque « bouillonnants ». Cette sensation vous surprendra, mais elle est normale et le plus souvent non douloureuse, du moins si vous avez pris soin de mettre votre bébé au sein le plus tôt et le plus souvent possible. En effet, si, dès la naissance, le bébé a tété régulièrement et vigoureusement, la montée de lait ne sera pas trop brutale, car le sein aura été stimulé progressivement. Dans le cas inverse, elle est souvent douloureuse ; de plus, l'aréole de votre sein risque d'être trop tendue et ne pourra être bien saisie par le bébé. Pour détendre le sein, vous vous aiderez alors de compresses chaudes et d'un massage doux (voir p. 216).

« Que faire si la montée de lait n'a pas lieu ? »

On peut affirmer qu'elle aura toujours lieu. Mais il est fréquent que les mamans, l'entourage et même le personnel de la maternité pensent que, dès l'accouchement, les signes cités plus haut (la sensation de chaleur, de tension) doivent apparaître immédiatement. Or la fabrication du lait dépend de la stimulation de l'aréole. La montée du lait ne peut donc se faire sentir que trente à soixante-douze heures après la naissance. C'est long, beaucoup plus long qu'on ne l'imagine, et cette attente peut faire penser à certaines mamans un peu inquiètes ou manquant de confiance en elles qu'elles n'auront jamais de lait, ce qui n'est pas du tout fondé.

En attendant la montée de lait, soyez donc sereine et rassurez-vous : votre bébé a tout ce dont il a besoin car s'il tète vigoureusement, il est nourri par le colostrum qui est présent dès l'accouchement et qui constitue pour lui une source de bienfaits irremplaçables (voir p. 198).

---

1. Pour traiter ce chapitre, nous nous sommes largement inspirés des ouvrages remarquables suivants : *L'Allaitement* du Dr Marie Thirion, Paris, Albin Michel, 1994, et *Tétons et tétines* de M-C. Delahaye, Paris, Trame Way, 1990.

« À ce moment-là, faut-il que les tétées soient complétées par des biberons ? »

Cela est souvent proposé dans les maternités, mais si le bébé tète vigoureusement le colostrum et semble repu, ce n'est en fait pas nécessaire. Car passer de la succion du mamelon à celle de la tétine demande au bébé une autre compétence, une adaptation particulière. Par ailleurs, certains bébés pourraient trouver cette formule plus aisée et ils se détourneraient du sein qui demande plus d'effort. Il faut reconnaître que c'est rare, mais les difficultés de la mise en route de la montée du lait peuvent être la conséquence des compléments de biberons.

« Est-il nécessaire de beaucoup boire pour s'assurer d'une bonne montée laiteuse ? »

Le bébé tète vigoureusement, et le lait jaillissant est fabriqué à partir des éléments fournis par la maman, dont l'eau. Vous aurez donc naturellement soif et vous boirez, peut-être plus que d'habitude. Il n'est cependant pas utile d'anticiper et de s'obliger à ingurgiter des litres d'eau. Boire à sa soif est en fait la meilleure solution (voir p. 223).

« Y a-t-il un rapport entre la quantité de lait produite et la taille des seins ? »

Toute petite fille est une mère allaitante en puissance. Le tissu glandulaire actif du sein est embryonnaire jusqu'à la puberté, puis se développe. Il est noyé dans un tissu adipeux plus ou moins important qui détermine la taille des seins (voir schéma de l'anatomie du sein, p. 194), mais non son activité, liée au tissu glandulaire. N'ayez donc aucune inquiétude, même des seins petits peuvent satisfaire les besoins de bébé.

« J'ai l'impression que l'un de mes seins produit plus de lait que l'autre ; est-ce vrai ? »

En fait, on a plutôt l'impression qu'un des deux seins est « plus plein de lait » alors que cela correspond à une dilatation plus marquée des vaisseaux sanguins. Il est possible qu'un des deux seins ait une dilatation moins importante. Le corps n'est pas symétrique. Il en est ainsi des seins comme des pieds !

➤ *Bien s'installer*

Trouver la bonne position pour que votre bébé et vous-même soyez à l'aise pendant la tétée peut paraître simple. Cependant, on peut dire que ce n'est ni spontané ni « inné ».

Nous allons vous aider :
— vous n'aurez pas mal dans le dos,
— vous n'aurez pas de crampe,
— ce sera même un moment de repos et de détente.

La position de la mère

Assise ou couchée, le confort est primordial.

▨ Si la position couchée paraît plus confortable, vous pouvez vous caler le dos avec des coussins pour être maintenue sur le côté sans contraction du dos. Le bébé est lui aussi sur le côté, dans le creux de l'aisselle, soutenu par le bras (voir dessin ci-dessous).

Couchée

Si le nouveau-né apprécie la position sur le ventre, la maman se met à plat dos, soutient sa nuque avec un coussin, dégage son bras et pose son bébé sur son ventre, la tête face au sein.

▨ Si vous préférez la position assise, il faut éviter les crampes. Le bras qui soutient la tête du bébé doit être calé au niveau du coude sur un accoudoir ou sur des coussins dont la hauteur correspond à celle du coude sans modification du positionnement de l'épaule. Pour maintenir votre bébé sur les genoux sans effort, vous pouvez relever vos jambes avec un petit banc ou des coussins.

Les conseils concernant la position assise sont les mêmes quand il s'agit de donner le biberon (voir p. 261).

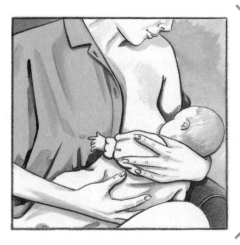

Assise   NON

Notre conseil

Les premières fois, la position la plus confortable, quel que soit le type d'accouchement que vous avez eu, est la position allongée sur le côté. Demandez au personnel de la maternité de vous aider en calant vos oreillers dans votre dos : vous êtes donc complètement allongée sur le côté.

Si vous tenez à être assise, refusez absolument d'allaiter votre bébé sur la chaise de la chambre, ou sur le bord de votre lit, les pieds dans le vide. Installez-vous sur votre lit, les oreillers derrière vous, assise comme si vous alliez prendre votre repas.

La position du bébé

Le visage du bébé doit être face au sein, la bouche au niveau du mamelon et dans l'axe du jet du lait, le corps contre celui de la mère et parallèle à lui, que vous soyez assise ou couchée.

Le nouveau-né a faim : il ouvre grand la bouche, tire la langue et happe le mamelon jusqu'à l'arrière de l'aréole. Lorsqu'il tète, le visage du bébé est collé au sein, le menton, le nez dans le sein ; vous aurez envie de faciliter sa respiration en appuyant délicatement sur votre sein à un niveau situé en face de son nez, mais n'ayez pas peur, le bébé ne peut pas s'étouffer en tétant, c'est le bout du nez et non les narines qui se niche dans le sein.

La bouche du bébé est à la hauteur du mamelon...

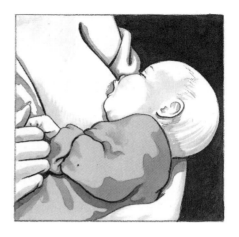

... et face à lui

NON

Le bébé prend le mamelon jusqu'à l'arrière de l'aréole

Parfois, le nourrisson garde le mamelon en bouche bien qu'il n'ait plus faim : après une tétée énergique, la bouche du bébé finit par faire ventouse avec l'aréole. Pour le décoller, appuyez sur votre sein aux commissures des lèvres du bébé afin de faire rentrer un peu d'air ; le bébé lâche alors le sein.

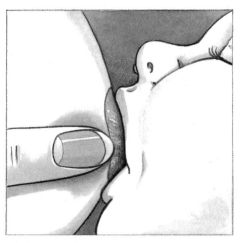

À la fin de la tétée, appuyez sur le sein
au niveau de la bouche du bébé

Comment allaiter bébé

NE FAITES PAS

— Ne vous penchez pas pour mettre le sein dans la bouche du bébé.

— N'appuyez pas sa tête contre votre sein.

— Ne le forcez pas à happer l'ensemble aréole-mamelon.

— Ne le secouez pas, ne l'« ennuyez » pas s'il dort ou s'endort alors que vous estimez que son repas aurait dû être plus long.

— Ne tirez pas sur le sein quand le bébé ne tète plus. C'est douloureux et inutile.

— N'utilisez pas de produits d'hygiène parfumés pour vos seins.

FAITES

— Tenez votre dos droit. Soulevez le corps du bébé avec celui de vos bras qui le maintient contre vous. S'il est trop lourd, mettez des coussins sous son corps et relevez vos jambes.

— Posez sa tête dans le creux de votre coude, son visage contre votre poitrine, sa bouche à hauteur du mamelon.

— Attendez qu'il ouvre grand la bouche ou caressez sa joue avec le bout du sein s'il ne le trouve pas assez vite, à votre avis.

— Attendez qu'il n'ait plus sommeil et que réapparaisse son envie de téter.

— Provoquez une arrivée d'air dans la bouche du bébé en soulevant sa lèvre avec votre petit doigt ou en appuyant sur votre sein au niveau de la lèvre pour créer une dépression. L'air rentre, et le bébé lâche le sein.

— Prenez une douche quotidienne et un linge propre humide pour rincer les bouts de sein avant la tétée.

➤ *Les premières tétées*

La tétée précoce (dès les premières heures suivant la naissance) est idéale pour bien démarrer l'allaitement. En effet, le bébé est alors doué d'un réflexe inné appelé « réflexe de fouissement » qui le pousse à se tourner vers la source de chaleur proche de sa tête et à s'y enfouir. Si la première mise au sein est plus tardive, le réflexe de fouissement sera moins vif, et il ne réapparaîtra que quarante-huit heures plus tard. Toutes les recommandations données ci-dessous restent cependant valables.

De toute façon, l'allaitement des premiers jours doit être pratiqué à un rythme soutenu, suivant le désir de l'enfant. Les horaires et les règles imposés par la maternité ne permettent pas toujours, hélas, de répondre à ce désir ; ce sera plus facile lorsque vous serez rentrée chez vous.

Quelques conseils pour réussir la première mise au sein

Proposez le sein dès les premières heures après la naissance.
Vous profitez ainsi du réflexe de fouissement maximal.

Ne malmenez pas les mamelons avec des désinfectants ou des parfums.
Ceux-ci couvrent l'odeur maternelle que l'enfant cherche à reconnaître. Les mamelons ne doivent être nettoyés qu'à l'eau potable (embouteillée ou non).

Ne plaquez jamais la tête du bébé contre le sein.
Vous déclencheriez chez lui un mouvement de recul : laissez donc le bébé chercher librement.

Faites sortir du mamelon une goutte de lait (voir p. 216).
Si le bébé a quelques difficultés à trouver le sein, par exemple parce que le réflexe de fouissement est dépassé, il sera attiré par l'odeur et se mettra à téter.

Laissez le bébé téter tout ce qu'il souhaite.
Il n'y a aucune raison de l'empêcher de téter vigoureusement tout le colostrum (voir p. 198) qu'il désire boire.
Proposez-lui successivement les deux seins s'il a vraiment une grande faim.

Ne vous inquiétez pas pour rien.
Certains nouveau-nés ne sont pas immédiatement intéressés par cette première tétée et ont surtout envie de dormir. C'est notamment le cas lorsqu'il s'agit d'un gros bébé. Mais, la plupart du temps, il réclamera au bout de quelques minutes ou de quelques heures.

➤ *Allaiter à la demande ou à horaires fixes ?*

Dans l'idéal, c'est donc votre bébé qui devrait fixer le nombre de ses tétées, les horaires et les quantités, le jour comme la nuit. Quand il s'endort en fin de tétée, il est inutile de poursuivre même si vous avez l'impression qu'il n'a pas assez tété. De même que le nouveau-né sait quand il a faim, il sait quand il est rassasié : il n'est pas nécessaire de minuter une tétée. Lorsque le bébé tète avidement à peu près sans s'arrêter, il a pris tout ce dont il a besoin en dix minutes environ. La tétée dure cependant parfois plus longtemps.

Il est probable que le rythme de bébé vous paraîtra chaotique pendant les premières semaines. Le nouveau-né a un grand besoin d'énergie car son corps se développe rapidement mais a peu de réserves. Ce besoin sera donc couvert par les tétées prises à la demande dans la journée et dans la nuit. Il n'est pas encore réglé pour dormir toute la nuit et rester éveillé le jour. Cela viendra au fur et à mesure et peut prendre, selon les enfants, quelques semaines à plusieurs mois. Soyez patiente : passé la période délicate du début, le rythme veille-sommeil-faim de bébé s'harmonisera de mieux en mieux. L'allaitement libre, à la demande, en est la clé. En respectant le rythme naturel de l'enfant, vous lui permettez de satisfaire au bon moment sa faim et ses besoins en énergie, son sommeil ou ses besoins de tendresse, avec vous.

« Quel est l'intervalle minimal entre deux tétées ? »

On a souvent écrit qu'il fallait deux à trois heures entre chaque tétée. Cela est sans doute vrai si l'enfant a fait un vrai repas, c'est-à-dire s'il a bien tété précédemment.

« Comment s'assurer que bébé a bu suffisamment à un repas ? »

— vous avez senti sa bouche aspirant vigoureusement vos mamelons ;
— vous avez entendu les bruits de sa déglutition ;
— vous sentez vos seins moins tendus, un peu mous ;
— le bébé s'est endormi, bien repu.

Mais votre bébé, sans que l'on sache pourquoi, se réveille et hurle. Il semble avoir faim. Il se précipite sur votre sein et tète comme un grand affamé. Il est possible que sa tétée antérieure ait été insuffisante. Vous aurez ensuite la surprise de le voir dormir pendant quatre ou cinq heures. Peut-être serez-vous inquiète car l'intervalle vous paraîtra trop long. Ne vous faites pas de soucis et ne le réveillez pas : il digère son repas copieux.

La fréquence des tétées

Dans l'allaitement à la demande, au début, c'est-à-dire les trois ou quatre premières semaines, il n'y a pas de règle.

Ce n'est pas facile, mais, insensiblement, en faisant connaissance avec votre bébé, vous ne confondrez plus les pleurs de la faim, les pleurs de l'ennui, les pleurs de mal au ventre, les pleurs de soif, les pleurs de mal aux fesses, etc.

« Comment reconnaître qu'un bébé a faim ? »

Il faut apprendre à reconnaître comment votre bébé manifeste sa faim. S'il pleure avec un bon cri vigoureux, c'est souvent la manifestation d'une solide envie de téter. Le cri n'est pas le seul signe, il peut aussi chercher votre contact ou renifler le drap de toutes ses forces pour exprimer le désir de votre sein. Un nourrisson en bonne santé connaît mieux que quiconque ses besoins et il saura les satisfaire par la tétée, tout du moins si vous suivez sa demande (le principe serait identique si vous nourrissiez votre enfant au biberon).

« Est-il normal qu'il réclame moins de six tétées par jour ? »

Les rythmes sont particuliers à chaque bébé. Il n'y a pas de schéma standard pendant les premiers mois. Votre bébé peut prendre six tétées un jour, cinq le lendemain et revenir à six, voire sept. Si le nouveau-né grossit régulièrement, c'est que cela lui convient. Ce sont les avantages (satisfaction des besoins) et les inconvénients (disponibilité au bébé) de l'allaitement libre. Cela vous laisse bien sûr peu de temps pour les autres occupations qui ne concernent pas bébé.

« Que faire si un bébé réclame plus de huit tétées par jour ? »

Cela peut arriver à la maternité ou à la maison. Si vous pouvez le satisfaire *avec plaisir*, pourquoi ne pas le faire ?

Si cela devient difficile, si vous êtes fatiguée et que vous avez envie d'autre chose, vous pouvez proposer un allaitement mixte et, ainsi, vous accorder des moments personnels (voir p. 185). Mais on peut aussi se demander si ces huit tétées sont de vrais repas et ne correspondent pas plutôt à un besoin de tendresse.

« Comment se déroule un vrai repas au sein ? »

Quand la lactation est bien établie, laissez le bébé téter complètement d'un côté. La trop fameuse règle montée en dogme à la maternité « cinq minutes à un sein, cinq minutes à l'autre » n'est valable que les premiers jours, avant la montée du lait. Il faut toutefois veiller à ne pas dépasser vingt à trente minutes au même sein, car un temps de succion trop long pourrait générer des crevasses (voir p. 220) ; de plus, la tétée devient alors moins efficace.

Pour savoir si bébé trouve encore du lait, observez ses mouvements de déglutition ; si leur vitesse se ralentit nettement, il a probablement complètement « vidé » le sein de son contenu en lait. S'il n'est pas repu, proposez-lui l'autre côté. À son « repas » suivant, vous aurez intérêt à allaiter « en sens inverse » : commencez par le sein non présenté ou présenté en second, lors de la précédente tétée.

« Comment se souvenir du sein qui a été donné à la tétée précédente ? »

Si vous avez peur de ne pas vous souvenir, décidez, par exemple, d'accrocher une petite épingle de sûreté à votre soutien-gorge du côté du sein qui vient d'être tété. Mais ne vous souciez pas trop de ces détails : dans la mesure où la lactation est bien établie, cela n'a pas beaucoup d'importance si vous vous trompez.

À retenir

Rappelez-vous qu'en début de tétée le lait est riche en eau et qu'au bout de quatre à cinq minutes, il se concentre en matières grasses (voir p. 198). C'est la crème qui calme l'appétit de bébé.

« Le bébé doit-il faire un rot après la tétée ? »

Après la tétée, ne le recouchez pas immédiatement. Au cours de la succion, l'enfant aspire aussi de l'air, air qui remplit partiellement son estomac et gêne sa digestion. Vous garderez bébé debout contre votre épaule pendant quelques minutes, jusqu'à ce qu'il fasse son rot ; pour l'aider, tapotez-lui le dos. N'hésitez pas non plus à marcher, à lui parler, à lui chanter une comptine ; le bébé, repu, est prêt à goûter à votre tendresse. Par ailleurs, protégez votre épaule par un lange ou une serviette : il n'est pas rare qu'une petite régurgitation accompagne le renvoi. Et lorsque votre enfant est particulièrement vorace, vous interrompez sa succion pendant quelques minutes afin de lui laisser faire un rot avant qu'il ne se remette à téter.

« La nuit, faut-il allaiter le bébé à la demande ? »

Si vous le pouvez, il est souhaitable que vous répondiez aux demandes nocturnes de votre enfant par le sein. Si vous êtes trop fatiguée, le père pourra lui donner un biberon contenant soit votre lait préalablement tiré et gardé au réfrigérateur, soit du lait pour nourrisson conseillé à la maternité ; mais attention, le bébé risque alors de prendre goût à la tétine et de refuser le sein au bout de quelques jours.

La nuit, essayez de découvrir ce moment privilégié où, à moitié endormie, vous êtes couchée sur le côté, le bras relevé, tandis que votre bébé tète, niché dans le creux de votre aisselle, tout contre vous. Vous aurez peut-être la surprise de vous réveiller quelques heures plus tard, alors que bébé, lui, se sera endormi. Il vous reste à le placer doucement dans son berceau, puis à apprécier le plaisir tranquille, qui facilitera votre rendormissement. Pendant des siècles, la tétée de nuit s'est ainsi pratiquée.

« Quand le nombre des tétées diminue-t-il ? »

Le nombre de tétées quotidiennes varie d'un enfant à l'autre et, pour le même enfant, d'un jour à l'autre.

Au bout de deux ou trois semaines, le nourrisson peut prendre des habitudes plus régulières et répartir ses tétées en cinq, six ou sept tétées par vingt-quatre heures. Le nombre six correspond aux habitudes françaises, le nombre cinq aux habitudes anglo-saxonnes. Ce qui importe, c'est de ne considérer ces chiffres ni comme des normes, ni comme des références.

Les seins produisent du lait au fur et à mesure de la tétée, à la demande. Géné-ralement, avec, selon les cas, un ou deux seins, vous pouvez chaque fois rassasier votre enfant. Et rappelez-vous que ce sont surtout le stress, la fatigue, les soucis qui risquent de réduire, voire de stopper, la lactation (voir p. 223) ; votre entourage se doit d'être compréhensif et de vous aider, et il est normal que vous vous reposiez pendant les moments non consacrés à votre bébé.

Spontanément, suivant son rythme, il décalera ses tétées pour en avoir quatre ou cinq par vingt-quatre heures, mais on ne peut dire à l'avance à quel âge cela se fera.

Certains bébés passent rapidement à quatre repas, d'autres restent à cinq assez longtemps. Encore une fois, il n'y a pas de règle. Seul le rythme du bébé est à prendre en compte.

Notre conseil

Le retour à la maison avec votre bébé vous procure beaucoup de joie, d'émotions et peut-être même de l'appréhension si c'est votre premier enfant. Le bébé doit, pour sa part, investir un nouveau lieu. Son seul repère, c'est vous, votre odeur, votre voix.

Tout est nouveau pour tout le monde. Un de vos soucis, c'est « avoir assez de lait ». Reportez-vous à la page 223.

Cela a l'air d'une évidence, sachez que l'accouchement fatigue, et l'allaitement aussi. Être une « superwoman » en reprenant un rythme de vie identique à celui d'avant l'arrivée du bébé est inenvisageable. Au début, faites donc l'essentiel, choix souvent difficile.

Un truc : pour vous reposer vraiment, décrochez le téléphone ou branchez votre répondeur pendant les tétées et vos siestes du matin et de l'après-midi.

➤ *Savoir si bébé consomme ce qui lui est nécessaire*

Il est inutile de peser bébé avant et après chaque tétée. Ce qui compte, c'est son comportement : sa facilité à s'endormir, son état de plénitude angélique, etc. Si vous avez vraiment besoin d'être rassurée, vous pouvez le peser une fois par jour, mais en fait, une fois par semaine est amplement suffisant.

GAINS DE POIDS MOYENS EN GRAMMES PAR SEMAINE

Âges	Filles	Garçons
0 à 2 mois	200	210
2 à 6 mois	140	150
6 à 12 mois	85	85

Les valeurs de ce tableau ne constituent que des repères. Selon les semaines, votre bébé prendra probablement un peu plus ou un peu moins ; vous n'avez pas à vous en inquiéter. Mais s'il s'en écarte régulièrement de plus de 30 %, parlez-en à votre médecin.

« Mon bébé a perdu du poids après la naissance. En combien de temps reprendra-t-il son poids de naissance ? »

Cette perte de poids est physiologique, elle s'élève à environ un dixième du poids moyen d'un nouveau-né. La reprise de poids se fait en général entre le dixième et le quinzième jour de vie. Lorsque le bébé est gros, aux alentours de 4 kg, la chute de poids est d'autant plus importante et la reprise de poids d'autant moins rapide.

« Comment savoir si un nourrisson prend suffisamment de lait au sein ? »

Outre le gain hebdomadaire de poids du bébé, les signes d'un allaitement bien ajusté aux besoins du bébé sont la fréquence des selles et celle des urines. En effet, plus un bébé boit de lait, plus il a de l'eau (contenue dans le lait) à éliminer. Donc, un bébé qui mouille beaucoup ses couches boit suffisamment ; inversement, si les couches sont peu mouillées, bébé reçoit probablement à peine ce qu'il lui faut.

« Mon bébé a des selles après chaque tétée, est-ce normal ? »

Les selles du nourrisson nourri au sein sont habituellement fréquentes, facilement six par jour, et de consistance très molle pour ne pas dire liquide. Elles ont une odeur aigrelette. Elles sont jaune d'or, mais virent très facilement au vert, sans que cela doive vous alarmer. Elles ont parfois un aspect granuleux ou totalement liquide. Cela ne signifie pas qu'il y ait une diarrhée, même en présence de six ou huit selles liquides, tant que la courbe de poids du bébé monte normalement.

« Mon bébé n'a que deux selles par semaine, est-ce normal ? »

D'autres bébés nourris au sein ont au contraire peu de selles, une ou deux par semaine par exemple, alors même qu'ils grossissent normalement, sans autres problèmes. Ce n'est pas une vraie constipation, mais cela signifie que bébé utilise presque tout ce qu'il mange. Vous n'aurez à vous inquiéter que si la rareté des selles s'accompagne de selles très dures, impossibles à éliminer, ou encore d'un ventre ballonné, tendu, douloureux.

« Un bébé nourri au sein peut-il avoir des diarrhées ? »

Il ne faut pas confondre, chez un nourrisson au sein, la fréquence de selles, leur consistance un peu molle, leur odeur aigrelette avec une diarrhée. Les selles assez liquides survenant après deux ou trois jours de fausse constipation ne sont pas une diarrhée.

S'il s'agit d'une vraie diarrhée, diagnostiquée par le médecin, la poursuite des tétées alternant avec une solution de réhydratation (voir p. 424) conduit habituellement à une amélioration de la consistance des selles et de leur nombre par rapport à la période normale.

« Dans ce cas, mon bébé va moins téter, je risque d'avoir des engorgements, que faire ? »

Vous devrez tirer votre lait (voir p. 217) et le stocker au congélateur dans un biberon stérile pour éviter l'engorgement, d'une part, et entretenir votre lactation pour le lendemain, d'autre part.

➤ *Quand arrêter l'allaitement ?*

La durée d'un allaitement dépend à la fois de la mère et de son bébé : là aussi, il n'y a pas de règle universelle. Plusieurs facteurs interviennent pour décider quand s'arrêter. Pour les femmes qui ont une activité professionnelle, c'est souvent la date de reprise du travail qui sera déterminante. Le congé de maternité est actuellement de dix semaines. À l'intérieur de cette période, il est possible de concevoir un allaitement exclusif pendant six à huit semaines et, ensuite, tranquillement, de programmer un sevrage (voir p. 187). Suivant la fatigue qu'elle va occasionner, le temps libre qu'elle laissera à la mère, la reprise du travail n'est pas incompatible avec la poursuite d'un allaitement mixte où il y aurait une tétée le matin et une le soir.

En dehors de la reprise du travail, les raisons personnelles ont leur rôle à jouer. Parfois, la maman a envie de vivre autre chose, elle souhaite se sentir libre, voir le bébé grandir et évoluer sans cette relation très charnelle au sein. Dans d'autres familles, c'est parfois le père qui aimerait retrouver le corps de sa femme sans cette référence à la maternité que constitue l'allaitement. En fait, à chaque situation correspond une solution, l'essentiel étant de ne rien brutaliser afin de mettre progressivement en place le sevrage ou l'allaitement mixte.

Il se peut que vous soyez amenée ou contrainte à arrêter brutalement l'allaitement : pour bloquer votre lactation, consultez alors votre médecin qui vous prescrira les médicaments qui conviennent.

« Quelle est la durée minimale idéale de l'allaitement ? »

Physiologiquement, les six ou huit premières semaines d'allaitement sont essentielles pour l'enfant. La plupart des femmes y parviennent, puisque, le plus souvent, la durée de l'allaitement tourne autour de trois mois. Mais, finalement, l'allaitement exclusif ou mixte dure le temps que la mère... et l'enfant le souhaitent.

Dans les pays en voie de développement, l'allaitement exclusif dure plusieurs années, c'est une question de survie pour le bébé. Il en va tout autrement dans les pays occidentaux ou dans les pays nordiques ; dans ces pays, lorsqu'une femme nourrit son bébé pendant plus d'un an, il s'agit d'un sein plus réconfortant ou tendre que vraiment nourricier.

➤ *Allaitement et travail*

Comme on l'a vu, ce sont souvent les contraintes de la vie professionnelle qui déterminent la durée de l'allaitement, ce qui peut être vécu par certaines femmes comme une frustration.

« Est-il possible de continuer à allaiter en reprenant une activité professionnelle ? »

Plusieurs cas de figure peuvent se présenter.

— En travaillant à domicile, il n'y a bien sûr pas de difficultés. Vous faites des pauses-allaitement chaque fois que cela est nécessaire.

— Vous travaillez dans une entreprise où il y a une crèche dans laquelle votre bébé est gardé à proximité. Votre employeur doit vous accorder deux fois trente minutes par jour jusqu'à ce que le bébé ait un an (article L 224-3 du Code du travail). À vous de voir si vous pouvez obtenir cela.

— Votre lieu de travail ne vous permet pas l'allaitement de proximité. La situation est alors plus compliquée. Vous pouvez peut-être, lors de vos pauses, tirer votre lait grâce à un tire-lait manuel ou électrique. Vous le conservez dans des biberons stériles qui doivent être maintenus au frais. Cela n'est possible que si, sur votre lieu de travail, il y a un réfrigérateur et que vous transportez les biberons dans une petite glacière pour ne pas rompre la chaîne du froid. Votre bébé pourra ainsi boire votre lait même en votre absence.

S'il n'y a pas de réfrigérateur, vous tirez votre lait mais vous ne le gardez pas. Cela entretiendra votre lactation pour les jours où vous serez à la maison.

➤ L'allaitement mixte

L'allaitement mixte consiste à compléter l'alimentation au sein par des biberons de lait adapté à l'âge de l'enfant (voir « laits » p. 235).

Il se pratique dans deux situations :

— Vous n'avez pas assez de lait et vous ne souhaitez pas maintenir un allaitement exclusif, mais continuer l'allaitement quand même.

— Vous voulez sevrer votre enfant, c'est-à-dire progressivement cesser de l'allaiter et passer aux biberons : c'est le sevrage.

« Comment organiser un allaitement mixte quand on n'a pas assez de lait ? »

En sortant de la maternité, vous avez reçu des conseils pour la préparation des biberons avec le nom d'un lait devant convenir au bébé.

Cinq à dix minutes avant l'heure probable de la tétée, préparez un biberon (voir p. 253) que vous mettrez à tiédir. Au moment du repas, vous donnez un sein que le bébé tète jusqu'au bout, puis l'autre sein s'il manifeste son insatisfaction. Si, à la suite de cette tétée aux deux seins, votre bébé, en contact avec vous, sentant votre odeur, pleure et a l'air affamé, vous lui présentez le biberon. Il décide alors des quantités dont il a besoin.

« Quelle quantité de lait doit-on préparer ? »

C'est assez difficile à préciser, cela dépend de l'appétit du bébé, de la quantité de lait qu'il a tétée, de son poids, de ses horaires.

On peut proposer le premier mois des biberons faits avec 90 g d'eau et 3 mesurettes de poudre de lait (voir p. 255). Suivant son appétit, il en laisse, et vous n'insistez pas pour qu'il finisse, ou il boit tout et est aux anges. Dans les deux cas, il a ce qui lui convient.

Le deuxième mois, vous pouvez préparer des biberons de 120 g d'eau et de 4 mesurettes de poudre.

> ## Notre conseil
> Ne jamais insister pour que votre bébé finisse le biberon.

« Si bébé ne boit pas tout, peut-on réutiliser le reste du biberon ? »

Certainement pas, pour des raisons d'hygiène (voir p. 254) : un biberon tiède ou laissé à température ambiante pendant plus d'une demi-heure peut être envahi de microbes qui risquent de provoquer des troubles intestinaux.

« Pendant combien de temps peut-on pratiquer l'allaitement mixte ? »

Tant que vous avez du lait et que l'association de ces deux modes d'allaitement vous convient ainsi qu'au bébé, cela peut durer plusieurs mois si vous le désirez.

« En pratiquant l'allaitement mixte, le bébé tète le lait qui est à la température corporelle. Faut-il donner les biberons de complément à cette même température ? »

Cela paraît cohérent de maintenir l'habitude. Si au moment de la mise à l'allaitement mixte vous proposez à l'enfant à la fois :

— un autre goût que celui du lait maternel,

— une tétine,

— un liquide à une température inhabituelle (trop froide ou trop chaude), il risque d'être désorienté et mécontent.

Si vous voulez essayer, reportez-vous page 259 pour connaître les précautions à prendre.

« Pendant l'allaitement mixte, est-il conseillé de donner autre chose que des biberons de lait ? »

Jusqu'à six mois, le bébé, avec l'allaitement mixte, a tous les éléments nutritionnels (sauf la vitamine D et le fluor) utiles à sa croissance et à son mieux-être. Cependant, il est d'usage de proposer au bébé, vers quatre mois, de nouvelles saveurs, de nouvelles consistances et une autre façon de manger : la petite cuillère.

Il est en effet possible de l'initier lentement à un autre mode alimentaire.

« Comment procéder à cette initiation tout en maintenant l'allaitement mixte ? »

En utilisant les conseils relatifs à cette initiation (voir p. 293), vous pouvez proposer à votre bébé, sans le forcer, deux ou trois cuillerées à café de purée de légumes (voir page 289) ou de compote de fruits une fois par jour. Vous finissez le repas par la tétée, complétée ou non par un biberon suivant l'appétit de bébé.

À retenir

L'allaitement mixte entraîne une baisse progressive de la quantité de lait produite par le sein et met en place un sevrage complet plus ou moins rapidement.

➤ *Le sevrage*

Le sevrage progressif

En fonction de l'âge de l'enfant, les modalités de sevrage seront différentes. Ce qui est toujours important :
— ne pas se presser,
— ne pas regretter ce moment fusionnel que constitue l'allaitement.

■ **Avant trois-quatre mois**

Avant trois-quatre mois, le sevrage signifie qu'on passe à un autre lait : le lait maternel est remplacé par un lait 1er âge (prescrit à la maternité ou par votre médecin) donné au biberon.

Pour choisir le biberon et la tétine, reportez-vous page 240.

« Quand peut-on commencer à sevrer le bébé ? »

C'est votre choix et votre désir qui sont les guides : désir de retrouver votre corps, d'avoir du temps pour vous, pour votre compagnon, pour vos autres enfants.

Vous êtes dans l'envie de voir grandir, s'épanouir votre bébé sans votre sein. Tout cela transforme votre regard, vos émotions, et vous aurez la surprise de constater qu'à certains moments de la journée vous avez moins de lait. Choisissez le moment de cette tétée moins abondante pour donner le lait au biberon.

« Quel est le meilleur moment ? »

Comme on l'a dit ci-dessus, on ne peut pas dire qu'il y ait un meilleur moment. Mais évitez de décider, dans la mesure du possible, de commencer le sevrage quand vous êtes fatiguée ou dans un moment de « déprime ». À moins que tout cela n'entraîne une baisse de lactation. Dans ce cas, vous pouvez en profiter pour mettre en route un allaitement mixte.

Il est aussi souhaitable que le bébé soit en pleine forme, sans rhume, sans poussée dentaire, qu'il ne soit pas grognon. Il risquerait de ne pas apprécier un changement alimentaire.

« Quand commencer le sevrage par rapport à la reprise de la vie professionnelle ? »

Trois semaines avant la reprise de votre vie professionnelle, vous pouvez commencer le sevrage. Vous pouvez procéder comme pour un allaitement mixte (voir p. 185).

« Avec un allaitement mixte, je vais continuer à avoir du lait et je préférerais que ma lactation s'arrête tout seule, comment faire ? »

À un repas, vous donnez un biberon à la place de la tétée. Le bébé accepte de le boire dans les quantités proposées (voir p. 260). Maintenez ce repas pendant deux ou trois jours.

Ensuite, proposez le biberon à un autre repas. En une semaine votre bébé pourra avoir deux repas de lait et le reste en tétées. Augmentez ainsi de suite tous les trois jours.

Vous pouvez maintenir les tétées complètes du matin et du soir tant que vous avez du lait.

De toute façon, en reprenant votre travail, la fatigue aidant, vous aurez peu à peu moins de lait, et votre bébé sera complètement nourri au biberon.

« J'ai essayé de donner un biberon, mais mon bébé pleure et repousse la tétine, que faire ? »

Il est vrai que le biberon ne permet pas le contact peau à peau auquel votre bébé est habitué et qui le réconforte. Parlez-lui, expliquez-lui la situation, mettez son visage contre un mouchoir propre que vous avez porté sur vous, qui aura votre odeur. Votre pull ou votre chemiser n'ont pas l'odeur ni le contact qu'il connaît. Si votre bébé a très faim, il acceptera sans doute la tétine, sinon essayez la timbale à bec ou la petite cuillère.

« Mon bébé refuse tout, tourne la tête vers le sein et paraît très fâché, que faire ? »

Vous avez vraiment envie de sevrer le bébé, ou vous devez absolument commencer le sevrage, il est nécessaire que cela se fasse paisiblement. Calmez-le, câlinez-le, rassurez-le et recommencez à proposer le lait plus tard, tranquillement et, surtout, sans être exaspérée ; ce n'est pas facile ! Le bébé, confortablement installé sur vous ou dans les bras de son père, peut s'endormir. Ne soyez pas inquiète parce qu'il aura « sauté » un repas. Il acceptera sans doute mieux, plus tard, le lait proposé au biberon, ou la timbale à bec, ou la petite cuillère. Cela vous fera un peu jongler avec le matériel.

« Comment s'organiser et s'installer pour que ce soit commode ? »

On peut préparer le biberon et le mettre à tiédir dans le chauffe-biberon réglé à la bonne température (voir p. 258) posé sur une table de hauteur normale pour ne pas avoir à vous pencher si vous devez effectuer des manipulations. Préparez également la timbale à bec, un bol et une cuillère à café (petite). Ces objets n'ont pas besoin d'être stérilisés car le lait n'y séjournera que le temps du repas.

Vous vous installez confortablement comme pour donner un biberon (voir p. 261), mais près de la table. Si vous devez faire différents essais, vous pourrez les faire avec le bébé dans les bras, vos mains pouvant être libres. Ainsi, il ne se sentira pas abandonné mais sera dans une position agréable, appréciée, pendant que vous manipulez (si nécessaire) les différents ustensiles propres à l'alimenter.

« Si bébé n'accepte pas la tétine, le repas risque-t-il de durer longtemps ? »

C'est effectivement probable : votre bébé est dans vos bras, c'est un moment à privilégier. Si votre bébé affamé trouve que le système est trop lent, cela peut l'inciter à accepter la tétine.

Mais il est vrai que les bébés allaités ont du mal à accepter au début le biberon. Dans le calme, avec amour et patience, vous arriverez, lui et vous, à trouver la méthode qui vous conviendra.

Beaucoup de nourrissons passent plus facilement du sein à la petite cuillère et acceptent plus tard la tétine.

« Peut-on imaginer que si, dans les premières semaines de l'allaitement, le bébé boit au biberon, le sevrage se passera plus facilement ? »

En effet, on peut le supposer, mais chaque maman est différente et chaque bébé aussi.

Si vous souhaitez habituer votre bébé au biberon, vous pouvez tirer votre lait entre les tétées ou à la fin des tétées, ce qui favorisera la montée du lait (voir « tire-lait » et « trop de lait » p. 217 et p. 224). Vous mettez le lait au réfrigérateur sans dépasser un délai de quarante-huit heures, ou au congélateur. Plus ou moins régulièrement, vous donnez votre propre lait au biberon. Votre bébé peut s'y adapter parfaitement bien. Au moment du sevrage, seul le goût du lait aura changé.

« J'ai mal aux seins, ils sont presque engorgés et je dois donner un biberon. Que faut-il faire ? »

Si vous sentez que vous avez du lait et que vos seins font mal, vous les traitez comme pour un engorgement (voir p. 215). Il est probable que dans votre cœur vous regrettez ce moment de l'allaitement. Vous n'avez pas vraiment envie de sevrer. Le Dr Marie Thirion dit très justement : « Pour bien sevrer, il faut en avoir envie. » Si vous le pouvez, faites donner le biberon par une autre personne. Vos seins réagiront moins si votre bébé n'est pas contre vous. Et pendant le repas de bébé pris avec quelqu'un d'autre, ayez une activité qui vous occupe suffisamment l'esprit et le corps pour que vous ne viviez pas trop intensément ce regret.

« Mes seins sont très douloureux, et il faut sevrer le bébé, comment faire ? »

Quelles que soient les raisons du sevrage, si les engorgements sont fréquents, vous devez voir votre médecin qui saura vous prescrire un médicament en comprimés accompagné de pommade destinés à réduire la production de votre lait.

■ Le sevrage après quatre mois

Il peut se faire :

— soit avec du lait de suite ou lait 2e âge (voir p. 282) en procédant comme pour un lait 1er âge (voir p. 187) ;

— soit par l'introduction de légumes ou de fruits en purée.

À retenir

La consommation de fruits sous forme de jus ou de compote ou de légumes en purée n'est pas indispensable à l'équilibre nutritionnel du bébé ; en revanche, elle lui permet de découvrir une autre façon de manger, avec des saveurs différentes, dans la joie et le calme.
Seul le lait maternel ou le lait au biberon est essentiel à cet âge.

« Comment sevrer en donnant de la purée de légumes ou de la compote ? »

Il s'agit d'un sevrage qui sera assez lent. L'introduction de légumes en purée ou de fruits mixés ou en compote (voir p. 293) se fait par paliers, au rythme de l'enfant qui apprécie plus ou moins des goûts inconnus et une nouvelle consistance à la petite cuillère (voir p. 301).
Une fois par jour, vous proposez deux ou trois cuillerées à café de légumes et/ou de fruits, avant la tétée. Le repas se termine au sein.

« En commençant le sevrage par des légumes ou des fruits, comment envisager l'évolution des repas ? »

— Dans la matinée, le nourrisson a les tétées habituelles.
— Le repas de la mi-journée évoluera comme celui d'un enfant allaité au biberon (voir p. 288). Les légumes et les fruits augmenteront doucement alors que l'enfant tétera sans doute de moins en moins. Au bout d'un mois, on envisagera l'introduction d'un peu de viande, de poisson ou d'œuf (voir p. 316).
— Les autres repas sont des tétées.

« Si le bébé a faim après les tétées, et que visiblement il n'y a plus de lait dans les deux seins, comment et avec quoi compléter ? »

— S'il s'agit de la tétée-goûter, vous pouvez proposer du lait 2e âge au biberon, ou un yaourt, ou du fromage blanc en choisissant si possible ceux qui sont enrichis en fer et en acides gras essentiels (ce sont les produits « croissance » dont nous parlons p. 309). Vous pouvez les sucrer légèrement avec une demi-cuillerée à café de sucre s'ils ne sont pas déjà sucrés.
— S'il s'agit de la tétée-dîner, vous pouvez compléter comme au goûter ou avec une préparation constituée de lait 2e âge épaissi avec des céréales spéciales bébé (voir p. 285).

« À quel moment remplacer la tétée-dîner par un vrai dîner ? »

C'est vous et votre bébé qui déciderez en fonction de vos plaisirs respectifs, de votre lactation, et de l'appétit du bébé.

Assez souvent, les bébés, en s'endormant pour la nuit, ont besoin d'une tétée-réconfort, de bonheur, d'intimité. Est-elle une tétée-dîner ? Quelquefois peut-être, mais d'autres jours, le bébé déjà habitué à un autre mode alimentaire préférera manger à la petite cuillère, comme au déjeuner mais sans viande, ni poisson, ni œuf et avec un dessert à base de fruits ou de laitage comme au goûter (voir p. 320).

Suivant votre lactation, la tétée-dîner deviendra la tétée-endormissement.

« Combien de temps cela peut-il durer ? »

Cela dépendra de votre disponibilité, de la lactation, de la demande de votre bébé et de votre envie d'y répondre. Dans certains pays nordiques, des enfants de plus d'un an mangent de tout mais continuent à téter le matin, le soir, et quelquefois dans la journée. Il est effectivement possible d'avoir du lait pendant des mois et même des années. Cela peut durer aussi longtemps que le bébé tète, que sa mère en a envie et que les conditions de satisfaire cette envie soient réalisées.

Le sevrage rapide

« Je n'ai pas du tout de lait, que puis-je faire ? »

Si, à la suite d'une émotion ou d'une maladie, vous n'avez plus du tout de lait, la seule solution, dans l'immédiat, est de donner des biberons de lait en suivant les conseils pages 240 à 262 et en utilisant les échantillons que vous avez sans doute eus à la maternité.

Que ce soit au biberon ou à la petite cuillère, votre bébé acceptera le lait si vous êtes calme et tranquille. Si vous souhaitez continuer, malgré tout, à allaiter, vous pouvez suivre les indications données aux pages 205 et 223.

Bien allaiter : comment ça marche

■

➤ *Comment le sein produit le lait maternel et comment le bébé boit*

Anatomie du sein : topographie d'une usine

Que le sein soit petit ou gros, en pomme ou en poire, plat ou en obus, ferme ou mou, il est toujours apte, après l'accouchement, à devenir une mystérieuse usine. Les seins sont tous différents, et leur esthétique est propre à chaque femme, mais « l'usine à lait » qui se cache sous cette peau si fine et si fragile fonctionne de la même façon chez toutes les femmes.

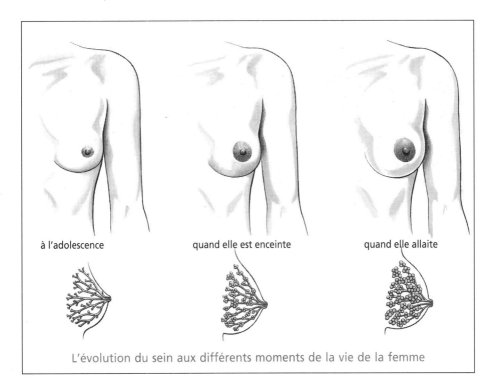

à l'adolescence   quand elle est enceinte   quand elle allaite

L'évolution du sein aux différents moments de la vie de la femme

Le sein se termine par un mamelon entouré par l'aréole, au relief granuleux. Le mamelon reçoit l'arrivée de dix à quinze canaux dénommés « canaux galactophores » ; chacun se termine par un petit trou, le pore. L'aréole et le mamelon sont parcourus par un réseau extrêmement dense d'organes sensoriels particulièrement sensibles au toucher et d'une importance capitale dans la mise en route de l'allaitement. D'autre part, des petits muscles disposés à l'intérieur du

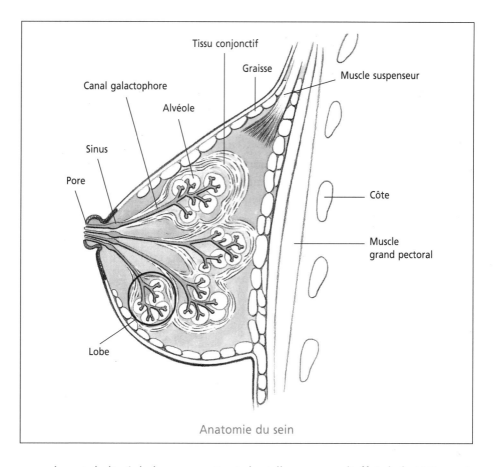

Anatomie du sein

mamelon et de l'aréole leur permettent de s'allonger sous l'effet de la tétée, puis de revenir à leur forme initiale.

L'intérieur du sein est constitué de tissu adipeux – de la graisse – dans lequel se trouvent quinze à vingt lobes de tissu glandulaire, chacun contenant de nombreuses alvéoles capables de sécréter le lait. Autour de chaque alvéole s'organise dès le début de la grossesse un intense réseau de vaisseaux sanguins et lymphatiques.

Mécanisme de production : comment l'usine fonctionne

Dès le début de la grossesse, trois hormones, la prolactine, la progestérone et les œstrogènes, sont produites en grande quantité. Sécrétée au niveau du cerveau par l'hypophyse, la prolactine est le principal signal qui commande la sécrétion de lait par le sein ; à mesure que la grossesse avance, son taux sanguin augmente régulièrement. Les seins gonflent et pourtant ils ne sécrètent pas encore de lait, car l'action de la prolactine est alors inhibée par les œstrogènes et la progestérone produits par le placenta. Ainsi, de façon remarquable, l'enfant induit, dans le corps de sa mère, la transformation des organes dont il aura besoin pour se nourrir.

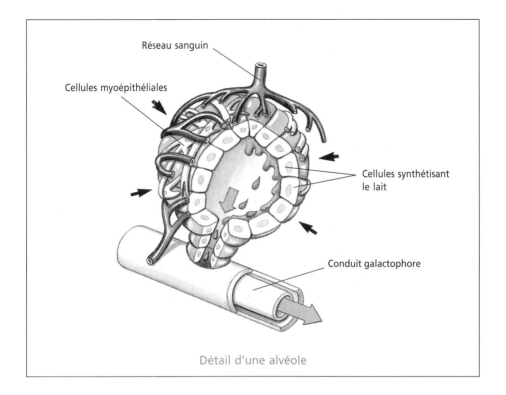

Réseau sanguin

Cellules myoépithéliales

Cellules synthétisant
le lait

Conduit galactophore

Détail d'une alvéole

À la naissance, le placenta est expulsé, d'où une baisse des œstrogènes et de la progestérone ; cela libère l'action de la prolactine sur les seins. C'est la « montée de lait » qui apparaît plus ou moins vite après l'accouchement. En fait, il ne s'agit pas d'une accumulation de lait, mais d'une dilatation assez brutale des vaisseaux sanguins, qui favorise les échanges. Quand la mère allaite, la prolactine est à son maximum, et le volume de lait obtenu par la tétée sera proportionnel à l'amplitude de cette augmentation.

C'est la succion du mamelon par le nourrisson qui va induire la sécrétion lactée, puis la maintenir au long de la tétée. En effet, la stimulation du mamelon conduit à la sécrétion d'une hormone : l'ocytocine. Cette hormone déclenche elle-même la propulsion du lait des alvéoles du sein jusqu'aux pores du mamelon. La prolactine commande la production de lait par le sein, l'ocytocine en commande l'éjection.

De nombreux facteurs sont susceptibles d'interférer sur la libération de l'ocytocine : la fatigue physique ou nerveuse, le sommeil insuffisant, les contra-riétés, les émotions, etc. Les soucis comme les joies en relation avec le bébé peuvent ainsi entraîner une augmentation de l'ocytocine, même en dehors des tétées, d'où l'apparition d'un écoulement spontané de lait. Pendant la tétée d'un sein, l'autre laisse parfois couler des gouttes de lait, car il est stimulé par l'ocytocine arrivée par voie sanguine dans les deux seins.

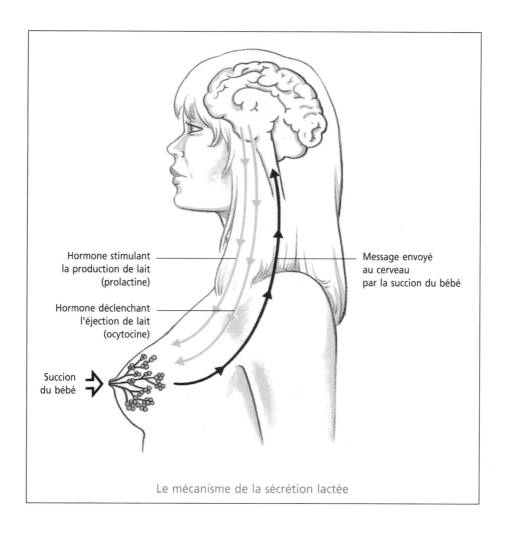

Hormone stimulant
la production de lait
(prolactine)

Hormone déclenchant
l'éjection de lait
(ocytocine)

Succion
du bébé

Message envoyé
au cerveau
par la succion du bébé

Le mécanisme de la sécrétion lactée

Les différentes étapes de la tétée

La succion du sein par le bébé conditionne la stimulation du mamelon et la production du lait. Il est donc fondamental qu'elle soit bien réussie. C'est un mouvement à la fois naturel, réflexe, et extraordinairement complexe. Reflet de la qualité de la maturation du nouveau-né, elle correspond au réflexe du stade oral primaire.

Dès la naissance, la succion débute par le réflexe de fouissement : guidé par les odeurs émises par le sein, le nouveau-né recherche le mamelon. La tétée commence. Le nouveau-né ouvre grand la bouche, sort la langue, la positionne en gouttière sous le mamelon qui s'étire. La langue effectue un mouvement de va-et-vient en ondulant de haut en bas. Une large part de l'aréole est prise dans la bouche, les lèvres et les gencives excitent en le massant le mamelon. De là partent des informations au cerveau, et les sécrétions hormonales vont suivre.

La succion est couplée à la déglutition, au réflexe qui permet de bien avaler. Grâce aux mouvements de la langue du bébé, le lait jaillit (presque de la même façon que de l'eau sortant d'une pomme d'arrosoir) directement dans son arrière-gorge, puis il est automatiquement dirigé vers l'œsophage. Cette déglutition est strictement coordonnée et inhérente au rythme de la langue. Ce faisant, le bébé réalise l'exploit de téter, d'avaler et de respirer sans avoir à lâcher le sein.

Comme on l'a déjà dit, pour optimiser la lactation, il est souhaitable d'effectuer la mise au sein dans les six heures qui suivent la naissance (le réflexe de fouissement est alors au maximum) et de bien positionner le nouveau-né afin que le réflexe succion-déglutition s'effectue énergiquement (voir p. 176). Ainsi, le nouveau-né pourra à la fois se rassasier et surtout stimuler la production de lait par le sein dès les premières heures après l'accouchement, production initiale qui conditionne en grande partie la réussite de l'allaitement les jours et semaines suivants.

➤ Ce qu'apporte le lait maternel à votre bébé

Le lait est le seul aliment prévu par la nature pour assurer la croissance des jeunes mammifères. S'il est vrai que tous les laits possèdent certaines caractéristiques communes, on observe cependant des différences très significatives entre les espèces. Dans chaque espèce, la composition du lait est exactement adaptée à la croissance des petits dans leur milieu.

■ *La quantité de protéines* est en relation directe avec la vitesse de croissance, dont le point de repère est l'âge auquel le petit a doublé son poids de naissance.

— le lait de rate contient 120 g de protéines par litre, et le raton double son poids de naissance à six jours ;

— le lait de vache contient 35 g de protéines par litre, et le veau double son poids de naissance à quarante-sept jours ;

— le lait de femme contient 9 g de protéines par litre, et le bébé double son poids de naissance à cent quatre-vingts jours.

■ *La teneur en lactose* – le glucide, ou sucre, du lait – est en relation directe avec le développement cérébral.

— le lait de la lapine contient 18 g par litre de lactose, et le cerveau du lapin adulte pèse 10 g ;

— le lait de vache contient 48 g par litre de lactose, et le cerveau adulte pèse 50 g ;

— le lait de femme contient 70 g par litre de lactose, et le cerveau adulte pèse 1 200 g avec une croissance rapide de 2 g par jour pendant deux ans.

Traditionnellement, on divisait l'allaitement en trois périodes : celle du colostrum du premier au cinquième-sixième jour après l'accouchement, celle du lait de transition du sixième au quinzième jour et enfin celle du lait mature ou définitif. Les données les plus récentes n'en distinguent plus que deux : le colostrum et le lait mature, ce dernier débutant au quatorzième jour après la naissance.

La composition du lait de femme varie d'une mère à l'autre, et chez une même femme, d'un jour à l'autre ou même d'un moment à l'autre au cours de la journée. Ainsi, sa teneur en graisses s'élève entre 6 et 10 heures du matin pour rester plus élevée le jour que la nuit. Elle change également au cours de la tétée, et c'est sur cette modification de goût et/ou de consistance que reposerait un des mécanismes de régulation de l'appétit du nourrisson. Très liquide au début, le lait s'épaissit rapidement, en même temps qu'augmente sa teneur en graisses qui passe du simple au quadruple en quelques minutes.

En présence d'une malnutrition globale de la mère touchant à la fois les calories et les protéines, le volume du lait maternel est considérablement réduit, allant même souvent jusqu'à un arrêt total ; c'est ce qui se passe, par exemple, au cours des grandes famines ou des régimes amaigrissants injustifiés. En dehors de ces cas extrêmes, la teneur du lait de femme en ses principaux constituants (graisses totales, lactose, protéines, immunoglobulines, sels minéraux...) est dans l'ensemble tout à fait comparable entre les pays, quel que soit leur niveau de vie. Parfois cependant, on constate une variation de la teneur en graisses et donc en énergie, ainsi qu'en vitamines A, C, B1 et B2.

Le colostrum, lait des premiers jours

Véritable concentré nutritionnel, le colostrum est d'un grand intérêt pour le bébé. Il est particulièrement riche en protéines (42 g par litre) : en se liant à l'eau et en la « piégeant » dans leurs mailles, ces protéines forment une espèce de gélatine et donnent au colostrum son aspect visqueux, jaunâtre et épais. Bien qu'il fasse peu uriner le bébé, le colostrum apporte donc de l'eau.

La présence d'anticorps et d'enzymes rend ce liquide irremplaçable (voir ci-dessous). Sa composition est très différente de celle du lait des jours suivants. De plus, en se nourrissant de colostrum, votre bébé va plus facilement évacuer de ses intestins un liquide qu'il gardait de la grossesse, le méconium.

RICHESSE DU COLOSTRUM PAR RAPPORT AU LAIT MATERNEL MATURE

Protéines :	4 à 5 fois plus
Lipides :	3 fois moins
Lactose :	1,5 fois moins
Autres glucides :	2 fois plus
Anticorps :	4 à 5 fois plus
Enzymes :	2 à 4 fois plus
Sels minéraux :	1,5 fois plus

Afin de profiter au maximum des avantages remarquables du colostrum, il est recommandé de donner fréquemment le sein au bébé dans les premiers jours qui suivent la naissance. Outre les bienfaits liés à sa nature, cela aura l'intérêt d'augmenter, puis de stabiliser le niveau de prolactine dans le sang pour permettre une montée de lait rapide et efficace en accord avec l'augmentation des besoins du nourrisson.

> ## Notre conseil
> Sachez que, du fait de son aspect épais, le colostrum ne permet pas toujours d'étancher la soif du bébé, notamment lorsqu'il fait chaud. Dans ce cas, vous lui donnerez un biberon d'eau en plus des tétées de colostrum.

Les spécificités nutritionnelles du lait maternel [1]

Les qualités du lait maternel sont primordiales, même s'il n'y a pas un, mais plusieurs laits de femmes, chacun étant étroitement adapté aux besoins de son bébé et représentant pour lui l'aliment idéal.

■ Les protéines

La teneur en protéines du lait mature est quatre fois plus faible que celle du lait de vache. Deux familles de protéines sont essentiellement présentes : la caséine et les protéines solubles du lactosérum.

— Les caséines du lait maternel

Elles ont une répartition spécifique et très différente de celle du lait de vache. Cette caséine permet une floculation fine, c'est-à-dire une coagulation en fins flocons dans l'estomac du bébé, et favorise ainsi une meilleure digestibilité.

— Les protéines solubles

Elles constituent une des caractéristiques essentielles du lait de femme. Elles contiennent :

— l'*alpha-lactalbumine* qui représente la plus importante partie des protéines solubles. Elle participe à la digestion du sucre du lait, le lactose ;

— la *lactoferrine* : elle intervient dans l'assimilation du fer. Elle a également une action anti-infectieuse (voir p. 201) ;

— les *immunoglobulines* et le *lysozyme*, autres facteurs de défense importants (voir p. 201) ;

— les *acides aminés* (voir lexique p. 619) tels que la taurine et des peptides, petites protéines qui pourraient stimuler les défenses immunitaires.

---

1. La composition détaillée du lait est indiquée à l'annexe page 610.

— D'autres protéines qui peuvent être :

— des *enzymes* qui participent à la digestion ;

— des facteurs de croissance qui agissent au niveau de la sécrétion d'hormones (comme l'insuline, la cortisone, l'hormone de croissance et la thyroxine), ainsi qu'au niveau de la maturation de l'intestin du bébé ;

— des *prostaglandines* : elles stimulent le transit intestinal et joueraient un rôle dans l'immunité digestive ;

— des *nucléotides* : ils jouent un rôle fondamental dans l'immunité (défense contre les infections) ou l'assimilation du fer.

■ Les lipides

Les graisses constituent presque la moitié de l'énergie apportée par le lait maternel. La teneur en graisses est en moyenne de 40 g par litre, mais les variations individuelles sont élevées, de 13 à 84 g par litre, indépendamment de tout état de malnutrition. Ces variations tiennent en partie aux conditions de recueil du lait puisque la teneur lipidique du lait est plus élevée dans la matinée que le soir et beaucoup plus faible au début de la tétée qu'à la fin (voir p. 180).

Le lait de femme contient quatre fois plus d'acides gras insaturés (voir lexique p. 619) que le lait de vache. Parmi eux, les acides gras essentiels (voir p. 619), qui passent ainsi de la mère au bébé ; celui-ci ne sait pas les fabriquer, alors même qu'il en a un besoin pressant puisque ces acides gras jouent un rôle important dans l'édification des nerfs et du cerveau. Le lait de femme en contient quatre à cinq fois plus que le lait de vache.

En outre, les graisses du lait de femme sont plus assimilables que celles du lait de vache du fait de leur structure et de la présence dans le lait maternel d'enzymes qui facilitent la digestion.

■ Les glucides

Comme chez pratiquement tous les mammifères, le lactose est le glucide dominant dans le lait de femme (85 à 90 % des glucides totaux) et constitue environ 40 % de l'énergie totale du lait. Il participe avec les lipides à assurer les besoins caloriques de bébé. Le reste (10 à 15 %) correspond à une cinquantaine de glucides de formules diverses ; on en compte une cinquantaine dont on connaît encore mal le métabolisme et le rôle.

■ Les sels minéraux

Le lait de femme contient quatre à cinq fois moins de sels minéraux que le lait de vache, mais ils sont, bien entendu, parfaitement adaptés aux besoins du nouveau-né.

— Le calcium est présent dans des concentrations relativement faibles, mais son absorption est facilitée par la teneur importante en lactose du lait maternel.

— Les teneurs en potassium et en sodium du lait de femme sont peu élevées, conformément aux faibles besoins du nouveau-né. Cela contribue à diminuer le travail du rein pendant les premiers mois de vie, période où cet organe, qui n'a pas encore terminé sa maturation, est encore peu performant.

— La teneur en oligo-éléments du lait de femme diffère de celle de tous les autres laits de mammifères. Elle est plus élevée dans le colostrum que dans le lait mature. Surtout, l'assimilation de ces oligo-éléments par l'organisme du nourrisson est plus importante, notamment pour le fer, le cuivre et le zinc, et meilleure qu'avec le lait de vache.

■ Les vitamines

Dans le lait de femme, la plupart des vitamines sont en concentration suffisante pour couvrir les besoins du nourrisson.

Moins riche en vitamine K que le lait de vache, le lait maternel ne couvre pas toujours le besoin, d'où le recours à un supplément médicamenteux pour le bébé (voir p. 202). En revanche, la teneur en vitamine C est trois à quatre fois plus élevée que dans le lait de vache.

La teneur en vitamine D dépend de l'intensité d'ensoleillement que reçoit la mère ; dans les pays tempérés, quel que soit le temps, cette teneur est insuffisante, si bien qu'il est nécessaire de donner à votre bébé un complément que vous conseillera votre médecin.

■ Les facteurs de défense

Le lait de femme possède une particularité qu'aucun procédé technologique ne remplace : ses propriétés antimicrobiennes et anti-inflammatoires. Celles-ci sont liées à la présence :

— de *lysozyme* qui participe à l'équilibre de la flore fécale (les bactéries présentes normalement dans l'intestin et qui participent au transit) ;

— de *lactoferrine,* protéine du transport du fer. Elle inhibe la croissance de plusieurs microbes en piégeant le fer indispensable à ces micro-organismes ;

— d'*immunoglobulines* qui ont des activités anticorps dirigées contre la plupart des bactéries et des virus. Ces immunoglobulines constituent une immunité naturelle transmise au nourrisson par sa mère et susceptibles de le protéger vis-à-vis des microbes présents ou passés contre lesquels sa mère s'est immunisée ;

— des *leucocytes*. Ces cellules agissent de deux façons : en sécrétant des substances à action anti-infectieuse d'une part, en exerçant une action destructrice sur certains germes d'autre part ;

— des *oligosaccharides* favorisant les facteurs de croissance du lactobacillus bifidus. Celui-ci colonise l'intestin des nouveau-nés et joue un rôle de premier plan dans la protection contre les infections intestinales et la diarrhée.

➤ *Les suppléments nécessaires pendant l'allaitement*

Il est parfois nécessaire d'apporter au bébé nourri au sein des suppléments de vitamine D, de vitamine K, de fluor ou de fer. Dans chaque cas, le médecin vous conseillera en fonction du contexte.

▓ La concentration en *vitamine D* est faible dans le lait de femme. Il est donc nécessaire d'en donner chaque fois que le climat ou le mode de vie ne permet pas le contact de la peau du nourrisson avec la fraction ultraviolette de la lumière solaire ; c'est le cas en période hivernale, lorsque le bébé sort peu ou lorsque l'atmosphère est chargée de fumées industrielles.

▓ Le lait de femme est plus pauvre en *vitamine K* que le lait de vache. Mais la flore intestinale du bébé peut, semble-t-il, en fabriquer. Votre médecin vous expliquera que faire.

▓ Le *fer*. Son administration est systématique dès la naissance chez les prématurés, les bébés à petit poids de naissance, et chez les jumeaux : le lait maternel ne suffirait pas à couvrir les besoins. Pour les autres enfants, il n'y a le plus souvent aucun problème.

➤ *Les inconvénients possibles du lait maternel*

Symbole de pureté, d'amour et d'aliment idéal pour l'enfant, le lait maternel comporte cependant certains risques pour la santé de bébé. Bien les connaître permet de mieux les prévenir.

La contamination du lait par des substances toxiques

Les risques les plus fréquents sont ceux provoqués par les toxiques consommés par la mère : le tabac, l'alcool, les drogues dures ou douces. Ceux-ci passent dans le lait et peuvent provoquer chez le bébé excitation ou somnolence. Le lait d'une femme fumant dix à vingt cigarettes par jour contient 0,4 à 0,5 mg par litre de nicotine, nicotine qui peut déclencher des arrêts respiratoires chez l'enfant.

Presque tous les médicaments passent dans le lait, mais tous ne sont pas pour autant contre-indiqués en cas d'allaitement. Seuls ceux susceptibles d'avoir des effets néfastes sur bébé vous imposeront de choisir entre allaiter ou prolonger votre traitement. Votre médecin saura vous conseiller ; il envisagera aussi l'éventualité de vous laisser allaiter grâce à un changement dans sa prescription.

Plus sournoise est la contamination du lait par les désherbants et les pesticides chimiques utilisés en agriculture. C'est un problème préoccupant, bien que les taux de DDT, de lindane ou d'autres substances toxiques n'aient jusqu'à présent pas atteint un niveau réellement dangereux. Le risque varie suivant les régions, les habitudes alimentaires et les méthodes agricoles.

Dioxine et lait maternel

La dioxine est un polluant issu des processus industriels utilisant le chlore : pesticides organochlorés (DDT), blanchiment du papier, désinfectants, métallurgie, incinération des ordures. Cette molécule a été rendue responsable de cancers, de réduction des défenses immunitaires contre les bactéries et les virus ainsi que d'altérations des processus de reproduction avec, notamment, diminution de l'hormone mâle : la testostérone.

La dioxine paraît plus toxique pour l'animal que pour l'homme ; cela n'a pas empêché les organismes de surveillance nationaux de formuler des recommandations concernant la dose journalière admissible (DJA), dose à ne pas dépasser pour éviter les risques de toxicité cités plus haut.

La dioxine de l'environnement se concentre dans la graisse du corps, animal ou humain. Aussi, les aliments qui en sont les plus riches sont les produits laitiers, les viandes et les poissons, notamment sous leurs variétés les plus grasses.

Produit en partie à partir des réserves en graisse de la mère, le lait maternel est particulièrement chargé en dioxine : un bébé nourri exclusivement au sein ingurgite près de cent fois la dose journalière admissible par kilo de poids corporel ! À l'inverse, le lait de vache ainsi que les laits infantiles ont des taux nettement plus faibles (dix à vingt fois moins) ; en effet, d'une part les vaches se nourrissent – au moins en partie – d'herbe, peu polluée par la dioxine, d'autre part, la lactation régulière à laquelle elles sont soumises équivaut à une sorte de détoxication continue.

Faut-il donc éviter d'allaiter son enfant ? En fait, la dioxine ne génère des manifestations toxiques que pour une accumulation dans l'organisme correspondant à une exposition à des doses fortes pendant plusieurs années, durée largement supérieure à un allaitement même prolongé. C'est ce que semblent confirmer les études scientifiques : elles n'ont pas retrouvé d'effets négatifs de la dioxine du lait maternel sur le développement et la santé de l'enfant. Aussi, lorsqu'on met en balance le risque très hypothétique lié à la dioxine et les avantages incontestables du lait maternel, la réponse est claire : si vous souhaitez allaiter votre enfant, faites-le, car il en tirera plus d'avantages que d'inconvénients.

La contamination par infection

L'enfant ne doit pas téter un sein malade (voir p. 221), car le lait peut être contaminé, en cas, par exemple, de lymphangite ou d'un abcès. Par ailleurs, lorsque la mère est infectée, le lait risque de transmettre des virus comme ceux du sida ou de l'hépatite B ou C. Dans les pays occidentaux, on interdit à toute mère séropositive d'allaiter.

En cas d'hépatite B, l'allaitement est contre-indiqué, même si le nouveau-né a reçu une séroprophylaxie et une vaccination à la naissance. Dans l'état actuel des connaissances scientifiques, l'hépatite C représente également une contre-indication.

L'intolérance au galactose

Il s'agit de ce qu'on appelle « la galactosémie congénitale ». C'est une maladie familiale héréditaire, transmise à l'enfant à partir d'anomalies génétiques de ses deux parents. L'enfant ne possède pas l'enzyme nécessaire à l'utilisation du galactose (constituant du lactose ou sucre du lait). Alors, tout apport de lactose, et donc tout apport de lait, maternel ou animal, entraînerait des désordres métaboliques rapidement irréversibles. Cependant, rassurez-vous, cette maladie est grave mais très rare, et votre médecin saura en faire le diagnostic.

La jaunisse au lait maternel

Le lait de certaines femmes a un constituant anormal (un enzyme dénommé lipase) qui entraîne chez le bébé une jaunisse sans gravité.

Bébé est jaune, ou abricot, mais il ne se plaint pas, et il n'y a aucun risque de toxicité. Généralement, cette jaunisse dure quatre à huit semaines puis disparaît d'elle-même du fait de la maturation progressive des capacités du foie de l'enfant. Tout cela ne comporte aucun danger, et la mère peut fort bien continuer à allaiter comme si de rien n'était. Si elle tient cependant à ce que bébé ait un teint plus habituel, il lui suffira de tirer le lait puis de le chauffer à 55 °C pendant quinze minutes, ce qui inactivera la lipase anormale.

➤ *Allaitement et divers problèmes*

Nous allons répondre ici aux multiples questions que vous pouvez encore vous poser à propos de l'allaitement. Elles portent sur des cas particuliers (césarienne, grossesse multiple, prématurés). Vous verrez que, la plupart du temps, les choses sont plus simples qu'on ne l'imagine.

« Je n'ai pas voulu allaiter à la maternité ; on m'a prescrit des médicaments mais, rentrée à la maison, je désire allaiter. Est-ce possible ? »
Le médicament est généralement prescrit pour plusieurs jours. Si vous désirez allaiter, arrêtez le traitement et mettez votre bébé au sein, comme si c'était les premières tétées (voir p. 177).
— Installez-vous confortablement (voir p. 174).
— Veillez à ce que le bébé attrape bien le mamelon et l'aréole (voir p. 175).
— Laissez-le faire aussi longtemps et énergiquement qu'il le désire, à chaque sein et souvent.

Notre conseil
Si le bébé ne peut rien déglutir au début parce qu'il n'y a rien, donnez-lui un biberon après l'essai de la tétée.
Un nouveau-né doit manger quand il a faim.

« Existe-t-il un moyen pour que le bébé, tout en buvant le biberon, puisse amorcer une lactation suffisante alors qu'elle a été bloquée ? »
Il existe un matériel d'aide à l'allaitement assez souvent utilisé quand le bébé est faible (voir illustration ci-dessous). Pour vous le procurer adressez-vous à la « Leche League » (p. 226).

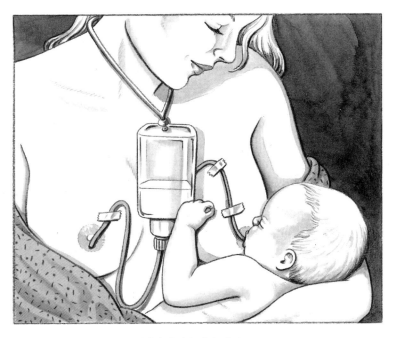

Matériel d'aide à l'allaitement

« Peut-on allaiter à la suite d'une césarienne ? »
La césarienne n'est pas une contre-indication. Suivant le type d'anesthésie, la première mise au sein se fera plus ou moins tôt.
Si une anesthésie générale a été pratiquée, une petite quantité d'anesthésiant traverse le placenta pendant l'intervention et peut être responsable d'une légère somnolence du bébé. Dès que la maman et le bébé seront éveillés, il pourra téter.

« Après une césarienne, quelle est la position la plus confortable pour allaiter ? »

La meilleure position, tant que vous êtes fatiguée et que vous avez mal au ventre, est la position allongée. N'hésitez pas à demander de l'aide pour être confortablement installée. Dès que vous êtes bien à l'aise, faites comme vous le sentez (voir p. 173).

« Peut-on allaiter des jumeaux ? »

Le lait est fourni à la demande en fonction de la succion du bébé : si vous avez deux bébés, il y aura donc plus de succion, et par conséquent assez de lait pour les deux.

Pendant votre séjour à la maternité, votre plus grande disponibilité vous permettra de les mettre au sein l'un après l'autre. La quantité de lait s'adaptera à leurs besoins.

« Comment éviter le risque d'être toujours en train d'allaiter l'un ou l'autre des jumeaux ? »

C'est une évidence, des jumeaux demandent plus de disponibilité qu'un enfant unique. Une bonne assistance pour vous aider est souhaitable. N'hésitez pas à demander conseil auprès d'une puéricultrice de PMI (protection maternelle et infantile) ou à avoir des échanges avec des associations de soutien (voir p. 226) que vous aurez contactées dès le moment où vous aurez appris que vous alliez avoir des jumeaux.

« Si les jumeaux ont faim en même temps, comment s'y prendre ? »

Si vous tenez à les allaiter, ils peuvent téter ensemble (voir dessin page suivante). Sinon, en fonction de la demande des bébés et de votre lactation, vous pouvez pratiquer l'allaitement mixte (voir p. 185). Ainsi, vous alternez sein et biberon pour chaque enfant ou vous complétez chacune des tétées par un biberon. Avec l'allaitement mixte, il est probable que vous aurez de moins en moins de lait.

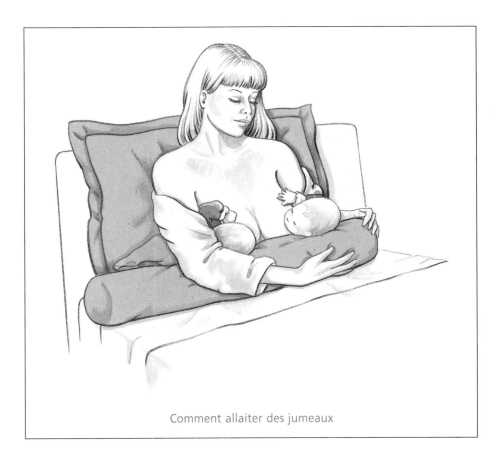
Comment allaiter des jumeaux

« Peut-on allaiter un bébé né à terme de faible poids de naissance ? »

Les nourrissons de petit poids de naissance sont souvent fragiles et ont besoin de lait maternel encore plus que les autres enfants. Précisez bien à l'équipe soignante que vous désirez allaiter afin qu'elle vous donne les conseils qui conviennent pour tenir correctement le bébé pendant la tétée (voir ci-dessous).

« Y a-t-il une façon particulière de tenir le bébé ? »

Si le nourrisson est faible et fatigué, mais apte à téter parce qu'il a faim, vous devez, en le laissant libre de se mouvoir, lui soutenir la tête avec la main opposée au sein que le bébé va téter. Le reste du corps du bébé est soutenu avec le bras, contre vous et face à vous.

 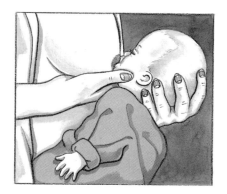

Comment allaiter un bébé de faible poids

La main du côté du sein qui va être tété soutient le sein, les doigts sous le sein, le pouce au-dessus. Si le bébé est particulièrement faible, vous soutenez en même temps sa mâchoire avec la main en V (voir dessin).

« Peut-on allaiter un bébé prématuré ? »

On appelle prématuré un bébé né avant la trente-septième semaine de grossesse.

Si vous accouchez prématurément, votre lait est plus riche en protéines et en anticorps que lors d'un accouchement à terme.

Si votre bébé est en couveuse, trop faible pour téter, tirez votre lait (voir p. 217) qui lui sera donné, avec éventuellement des compléments. Ainsi, vous aurez entretenu votre lactation, et le bébé, dès qu'il pourra téter, sera allaité comme vous le désirez.

« Peut-on allaiter tout en prenant des médicaments ? »

Attention ! L'automédication est rigoureusement contre-indiquée.

Si vous devez suivre un traitement, votre médecin saura vous prescrire ceux qui sont compatibles avec l'allaitement. S'il est vraiment impossible de trouver un médicament compatible, il est évident qu'il faut cesser d'allaiter. Si ce traitement est de courte durée, vous pouvez tirer votre lait, et le jeter. Vous entretiendrez ainsi votre lactation et reprendrez l'allaitement quand le traitement aura cessé d'être nocif pour le bébé.

En fait, il y a très peu de situations où les médicaments prescrits nécessitent un arrêt total de l'allaitement.

« Je dois m'absenter pendant quelques jours, mais je ne souhaite pas arrêter l'allaitement, que faire ? »

Ne pouvant pas emmener votre bébé avec vous, vous devez entretenir la lactation. Vous emportez un tire-lait et, aux heures où votre bébé téterait, vous tirez votre lait (voir p. 217). Si vous n'avez pas la possibilité de le conserver au frais (température de 3 °C), vous le jetez. À votre retour, votre bébé pourra téter comme d'habitude.

Les principaux avantages de l'allaitement maternel

— Contact de peau à peau entre la mère et son enfant.
— Adaptation du lait maternel à la croissance de l'enfant.
— Digestion facile pour l'enfant.
— Meilleure résistance de l'enfant aux infections.
— Acides gras adaptés à la croissance du cerveau.
— Plus économique.
— Plus pratique (pas de biberon à préparer, à chauffer ni à nettoyer).

Petite histoire de l'allaitement au sein

Les rites des jours suivant immédiatement l'accouchement ont évolué très lentement. Ainsi, jusque vers 1970, le nouveau-né était soumis à un jeûne simplement coupé d'un peu d'eau sucrée, et cela régulièrement le premier jour, souvent pendant trois jours.

➤ *L'Antiquité*

À l'époque romaine, on considérait le colostrum (lait de la mère des cinq premiers jours suivant l'accouchement, dont on a vu la qualité irremplaçable p. 198) comme un liquide excrémentiel équivalant à du sang mal blanchi, de même nature que les lochies utérines. Il était donc mauvais pour le nouveau-né.

Suivant les époques et les lieux, les solutions de remplacement varient. Seuls les Spartes, à l'époque de Lycurgue et de Dracon (750-800 av. J-C), considéraient l'allaitement maternel comme primordial et obligatoire dès la naissance ; l'enfant était propriété de l'État, et on devait bien le nourrir afin qu'il devînt un soldat robuste. En revanche, à Athènes, on admettait les nourrices mercenaires.

À Rome, Soranus (98-138 ap. J-C) interdit l'allaitement des premiers jours. Si le nouveau-né a faim, on lui donne du miel tiédi mélangé à du lait de chèvre. Jusqu'au vingtième jour, le lait maternel est considéré comme « indigeste, trop épais et caséeux ». Pendant cette période, la mère peut donner son lait à un autre enfant plus âgé, alors que son propre nourrisson est allaité par une nourrice. La plupart du temps, particulièrement dans les familles patriciennes, la mère n'allaitait pas du tout.

Soranus recommandait le recours à la nourrice afin que la mère « garde ses appâts et ne vieillisse pas ». Il donne de très nombreux conseils sur les critères qui doivent présider au choix des nourrices : leurs qualités physiques, la couleur de leur peau, la forme des seins, leur vie sexuelle et surtout l'examen de leur lait en appréciant tant sa couleur ou son odeur que sa façon de coaguler. Les critères de sélection mis au point par Soranus sont restés quasiment identiques jusqu'à l'apogée du recrutement des nourrices au XIXe siècle. Les autorités médicales déconseillaient l'utilisation du colostrum.

S'il n'y avait pas de nourrice, le nouveau-né était alors alimenté avec une bouillie ou une panade (soupe faite d'eau, de pain et de beurre, quelquefois de lait, qui ont bouilli ensemble) prémâchée par la mère. Certains ont vu, dans cette bouillie des premiers jours, le symbole de la participation du père, puisque la farine provient de son labeur et aide à la survie ainsi qu'au développement de l'enfant les premiers jours ; cette bouillie était chargée d'une valeur affective, véritable complément, si ce n'est homologue, du lait maternel.

➤ *De la Renaissance à nos jours*

Les habitudes ancestrales résistent aux opinions émises par les médecins. Au XVIIe siècle, Guy Patin (1601-1672) pense que les bouillies farineuses peuvent provoquer diverses maladies. Il propose de les remplacer par une purée de biscottes ou par de la panade. La cuisson des biscottes et du pain favorise en effet une digestion plus facile de l'amidon ; mais la farine issue d'un grain complet rendait la préparation trop riche en fibres pour les intestins du nourrisson. D'autres auteurs préconisent pour la période néonatale un mélange de panade bouillie, de bière légère et de miel qui ne peut « sûrir ni fermenter et ne transmet pas à l'enfant les vices et les maladies de la femme » (Van Helmont, *in Tétons et tétines*, p. 185).

Lorsqu'il survivait à ces pratiques alimentaires, le nourrisson avait ensuite le droit d'être allaité. Suivant les époques et les pays, l'allaitement durait deux à trois ans pendant lesquels les relations sexuelles étaient interdites. En effet, si une nouvelle grossesse survenait alors que l'enfant était encore allaité, il fallait qu'il soit immédiatement sevré. « La lactation risquait de cesser totalement car l'embryon installé au fond de la matrice pouvait sucer le sang et n'en laisser plus arriver une goutte aux mamelles » (Dionis, *in Tétons et tétines*, p. 11).

Cette recommandation concernant l'abstinence sexuelle a sans doute été un mobile puissant dans la recherche d'une nourrice, et cela depuis l'Antiquité. Rapidement, l'allaitement mercenaire se démocratise. La famille aisée accueille chez elle la nourrice, celle-ci confie alors son nouveau-né à une autre nourrice (lorsqu'elle ne l'a pas tout simplement abandonné) et ainsi de suite. À Paris, en 1780, 21 000 enfants naissent chaque année, 1 000 seulement sont allaités par leur mère ; 1 000 le sont par une nourrice à domicile, tandis que les autres sont envoyés à la campagne où les conditions d'hygiène et la pauvreté sont alors responsables d'une impressionnante mortalité infantile.

Au XVIIIe siècle, le taux de mortalité des enfants allaités par leur mère s'élève à 16 % quand la mère est pauvre et « seulement » à 10 % quand elle ne l'est pas. Le taux de mortalité augmente pour les enfants en nourrice : si l'enfant est issu d'une famille riche, il est de 17 % et monte à 38 % quand il s'agit d'enfants pauvres mis en nourrice à la campagne. Le taux de mortalité peut même atteindre 91 % pour les enfants abandonnés et recueillis à l'hôpital. Les situations sont à peu près identiques dans toute l'Europe.

Un statut de nourrice « mercenaire » existait depuis le XIIe siècle. Vers 1769, le premier bureau des nourrices est créé rue Saint-Apolline à Paris, et une réglementation se met en place, mais elle reste peu appliquée.

➤ *Comment l'allaitement est perçu à travers les âges*

La mise en nourrice a suscité beaucoup de réactions de la part des penseurs, moralistes ou médecins. Ainsi, Érasme écrit dès le XVe siècle : « Pourquoi est-ce que Nature leur a baillé deux mamelles, comme deux petites bouteilles sinon pour cet effet ? » ; d'autres traitent même les mères n'allaitant pas de « meurtrières ».

Mais les avis sont souvent contradictoires d'une époque à l'autre : au XVIe, on vante le bonheur de nourrir, alors qu'auparavant les mères étaient accusées de pécher quand elles allaitaient avec joie et plaisir. Ambroise Paré affirme « qu'une femme n'est mère que si elle accouche et allaite à la fois. Il y a en effet une sympathie naturelle entre les mamelles et la matrice ». Vallembert, médecin du duc d'Orléans, pense, lui, que le lait est fait de la même matière que celle qui a formé l'enfant ; on croit par ailleurs à une connexion entre l'utérus et les seins par l'intermédiaire de la circulation sanguine.

Au XVIIIe siècle, les moralistes et les médecins, tel Ballexserd en 1762, plaident en faveur de l'allaitement maternel contre l'usage des nourrices : « La mère fortifie sa santé, elle s'attache à l'enfant, ce qui la remplit de joie, et la joie favorise la circulation ; ce qui donne un appétit réglé qui vient réparer ses forces. » Au milieu du siècle, Jean-Jacques Rousseau préconise dans l'*Émile* un retour à la nature et en particulier à l'allaitement maternel. Celui-ci devient même une mode, mais pour peu de temps : à la fin du XVIIIe siècle, peu de mères allaitent leurs enfants, et on assistera même au XIXᵉ siècle à une forte croissance du recours aux nourrices. Après la guerre de 1870 et la défaite face à la Prusse, il faut penser à peupler la France pour prendre sa revanche : la baisse de la natalité et la mortalité infantile sont considérées comme deux fléaux ; les combattre devient une cause nationale. Ce sont, en 1892, les débuts des dispensaires « Goutte de lait » du Dr Budin (1846-1907), médecin à l'hôpital de la Charité à Paris ; leurs objectifs sont de surveiller la santé de l'enfant, d'encourager l'allaitement maternel, d'éduquer à l'hygiène et de diriger le sevrage. C'est le début de la puériculture.

Pour favoriser l'allaitement, les prescripteurs du XXᵉ siècle donnent des arguments moraux, comme auparavant ; suivant les époques et les auteurs, ces conseils sont plus ou moins teintés de culpabilité : « Ne pas donner le sein, ce peut être plus ou moins consciemment rejeter l'enfant et même le désir d'enfant. » On prétend que les bébés nourris au sein sont plus calmes, plus tranquilles. Pour d'autres, on essaie de convaincre en mettant l'accent sur la commodité, la simplicité, le toujours-prêt, l'économie.

Depuis une vingtaine d'années, les livres de puériculture parlent enfin du plaisir que la mère peut trouver dans la relation qu'elle crée avec son enfant, l'alimentation étant un des premiers vecteurs de la communication non verbale.

Bien allaiter : comment éviter les pépins

➤ *Les mamelons malformés*

Le téton borgne

Rares sont les malformations naturelles des seins, comme le « téton borgne » ou mamelon ombiliqué (le mamelon rentre dans le sein à la façon d'un doigt de gant retourné). Mais, de tout temps, la forme des mamelons a été un souci pour la jeune mère désirant allaiter ; et, au cours des siècles, divers remèdes furent proposés pour les faire saillir, principale préoccupation.

Le téton aplati

On parle souvent à tort de bouts de seins malformés lorsque les premières mises au sein n'ont pas eu lieu avant la « montée du lait » : le sein est gonflé et dur, le mamelon aplati est imprenable, le bébé ne peut téter.

Ne vous inquiétez pas, sachez patienter. Après quelques essais infructueux, votre bébé, stimulé par la faim, parviendra à téter.

« Comment peut-on prévenir ce désagrément ? »

D'abord, il faudrait que le sein soit présenté au bébé dès les premières heures après la naissance. Et surtout, il faudrait avoir préparé auparavant vos mamelons.

« Comment préparer les mamelons ? »

Même s'ils ne sont pas aplatis, vos mamelons ont besoin d'être renforcés pour supporter les efforts de traction qu'ils subiront au moment des tétées. Pendant les trois derniers mois de grossesse, on favorise leur élasticité en les massant avec de la lanoline pure ou de l'huile d'amande douce, en les pinçant entre le pouce et l'index, en les étirant vers l'avant, en les roulant entre les doigts. Pour les mamelons qui ont tendance à se rétracter, on conseille également de découper les pointes du soutien-gorge de telle manière que son contour appuie juste sur l'aréole du sein ; en contact avec les vêtements, les mamelons auront ainsi plus facilement tendance à saillir.

« À quoi servent les coques d'allaitement appelées aussi "coquilles d'allaitement" ? »

Dans le cas du mamelon aplati, il peut favoriser son érection si vous choisissez une coque d'allaitement à petite ouverture qui peut s'appeler « forme-mamelon ». Mais attention, elle doit être portée pendant la grossesse entre votre sein et le soutien-gorge.

Une coquille d'allaitement

« Pourquoi s'appellent-elles "d'allaitement" » ?

D'autres coques d'allaitement servent à recueillir le lait qui s'écoulerait de façon inopinée. Elles ont une large ouverture qui permet au sein de s'écouler sans mouiller vos vêtements. Mais utilisez-les plutôt occasionnellement, car ces coques, en appuyant sur les canaux galactophores (voir p. 194), stimulent le sein qui coulera encore plus. Il vaut donc mieux utiliser des coussinets.

« Qu'est-ce qu'un coussinet ou compresse pare-lait ? »

C'est un petit coussin de cellulose absorbant à mettre entre le sein et le soutien-gorge. Il vous permet d'éviter de tacher vos vêtements lors d'une montée de lait inopinée. Il en existe de nombreuses marques dans le commerce. Lorsque vous les mettez en place, veillez à ce que le sein ne soit pas comprimé.

Craintes et techniques d'autrefois

Jusqu'au milieu du XIXᵉ siècle, les accoucheuses parlaient de « vices de conformation des seins » lorsque la poitrine leur paraissait malformée ; elles craignaient par-dessus tout que le nouveau-né ne puisse téter. Le frein de la langue du bébé était alors considéré comme coresponsable, et, pendant des siècles, on le coupait avec l'ongle, le plus souvent sale. Il en résultait une infection et une inflammation douloureuse au niveau de la bouche du bébé ; celui-ci avait alors une raison bien réelle de ne plus pouvoir téter.

Les « vices de conformation des seins » les plus courants étaient dus à la mode des corsets suivie par les femmes « de condition ». Celles-ci portaient en effet dès leur plus jeune âge des corsets qui avaient pour effet de comprimer et de rentrer les bouts des seins. Ces méfaits étaient tels qu'en 1792 un médecin les dénonça à l'Assemblée nationale : « La chaleur de la partie supérieure amollit et gâte les mamelles. La compression qu'éprouvent les seins, non seulement les affaiblit, mais en détruit les bouts ; une infinité d'enfants nouveau-nés périssent parce que les mamelles de leurs mères en sont dépourvues... » C'était une raison supplémentaire pour avoir recours aux nourrices mercenaires, femmes de la campagne, donc plus simples et sans corset. Évidemment, celles qui souhaitaient allaiter elles-mêmes leur enfant devaient enlever leur corset dès les premiers mois de la grossesse et préparer leurs seins en vue de l'allaitement.

Au XIIIᵉ siècle, le chirurgien Loufranc proposait une cupule de gland, garnie de térébenthine ou de poix, appliquée chaude sur les mamelons. En 1363, Gui de Chauliac faisait poser sur le mamelon un tube de verre maintenu par un bandage. Le bout du sein était tiré par aspiration. Ce système pouvait s'appeler suçoir, téte-role ou pipe.

Au XVIᵉ siècle, Amatus Lusitanus plaçait à l'extrémité du sein une fiole rincée à l'eau bouillante pour provoquer un vide susceptible de tirer le mamelon. Cette fiole était encore utilisée au siècle dernier. Célèbre chirurgien des rois François Iᵉʳ et Henri II, Ambroise Paré fabriquait des petits chapeaux de buis avec, à l'extrémité, un enfoncement en forme de dé à coudre dans lequel venait se loger le mamelon ; une fois les bouts des seins tirés, il fallait les empêcher de rentrer en les enveloppant dans des étuis de buis ou d'ivoire, de plomb ou de cire.

Mais c'est surtout à la fin du XVIIIᵉ siècle que vont apparaître une multitude de petits objets censés stimuler l'érection des seins. D'autres médecins accoucheurs préféraient des moyens plus naturels tels qu'une tétée donnée à des bébés plus âgés, voire à des femmes spécialisées « qui sont dans l'habitude de faire les bouts aux nouvelles accouchées ». Cette technique de « l'échange » de nourrissons a duré jusqu'à la Première Guerre mondiale : pendant quelques minutes, un bébé de deux ou trois mois (tétant vigoureusement) tète et fait saillir le bout de sein de la mère du nouveau-né : celui-ci n'a ensuite que peu d'efforts à fournir pour téter et boire le lait maternel.

En 1859, le médecin Caron dans son ouvrage *Code des jeunes mères, traité théorique et pratique pour l'éducation des nouveau-nés, destiné aux personnes qui désirent élever elles-mêmes leurs enfants*, précise : « C'est généralement en titillant légèrement, matin et soir, l'extrémité du mamelon qu'on le dispose à s'ériger. » Cette pratique était passée de mode après la guerre de 1914-1918, au moment où les femmes coupèrent leurs cheveux, raccourcirent leurs robes et enlevèrent leur corset, à l'époque du charleston. Mais, depuis quelques années, on se remet à proposer des conseils presque identiques.

➤ *L'engorgement*

Pendant des siècles, la mise au sein est restée tardive, débutant plusieurs jours après la naissance. Les engorgements étaient inéluctables. En 1720, Dionis observe que « souvent après les couches, le lait se porte avec affluence dans les mamelons, s'y caille et s'y durcit. La succion du mamelon par le nouveau-né devient alors très difficile, voire impossible ».

En fait, l'engorgement n'est pas une accumulation de lait stocké dans le sein ; c'est une distension des vaisseaux, donc une congestion sanguine avec œdème.

Les remèdes d'aujourd'hui

La prévention de l'engorgement passe par la mise au sein fréquente et régulière dès les tout premiers jours suivant la naissance. Il est également nécessaire de porter un soutien-gorge adéquat : si les seins sont comprimés ou au contraire mal soutenus, les canaux lactifères peuvent être bloqués, et le lait ne s'écoule plus correctement.

Malgré ces précautions, il arrive que les seins deviennent durs, tendus, douloureux, avec localement une augmentation de chaleur. Une douche chaude sur le sein ou la pose de compresses chaudes constituent alors autant de moyens simples pour favoriser l'écoulement du lait.

On peut en augmenter l'effet en provoquant manuellement l'écoulement. « Il consiste à saisir l'aréole entre les doigts, loin en arrière à la limite de la zone pigmentée, puis doucement, lentement, calmement, effectuer des mouvements progressifs d'étirement et de pression, simulant ce que fait bébé avec sa bouche. Les doigts ne doivent toucher que l'aréole, jamais appuyer sur le mamelon, ce qui bloquerait l'écoulement » (Thirion, p. 216).

 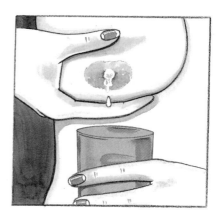

Massage des seins en cas d'engorgement

Notre conseil

Évitez d'utiliser un tire-lait : en cas d'engorgement ; ce serait douloureux et inefficace car, en créant un effet de succion, le tire-lait stimule encore plus la lactation.

« Dans quelles situations un tire-lait est-il utile ? »

Nous avons vu qu'il n'est pas recommandé de l'utiliser en cas d'engorgement, mais il est nécessaire :

— si vous avez beaucoup de lait et que vous désirez en faire profiter un lactarium ;

— si vous souhaitez faire des réserves de lait au congélateur pour que votre bébé puisse avoir son repas avec votre lait, même quand vous êtes absente (voir p. 224).

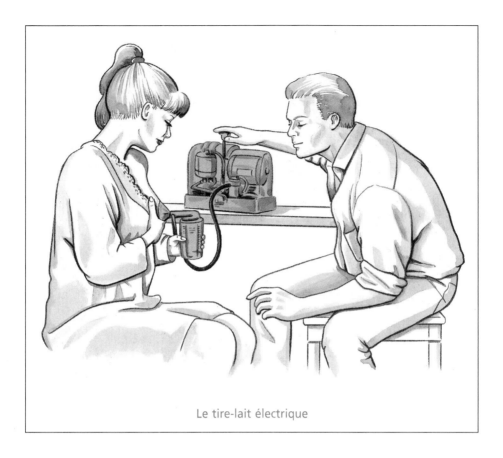

Le tire-lait électrique

« Quel tire-lait choisir ? »

Il existe des tire-lait électriques pour une utilisation fréquente et des tire-lait manuels pour une utilisation occasionnelle.

Si vous prenez un tire-lait électrique, choisissez celui à *variateur d'intensité*. Ainsi, vous pourrez régler automatiquement la force d'aspiration : celle-ci n'est pas continue mais alternée, ce qui est plus agréable.

— Si le tire-lait est sans variateur de puissance, testez son aspiration sur votre main afin d'anticiper la sensation que votre sein subira. Afin d'améliorer le rendement, vous pourrez masser votre sein avec la main en allant de la base du sein jusqu'à l'aréole sans la toucher.

— Le tire-lait manuel est pratique pour une utilisation épisodique. Actuellement, les plus efficaces sont les tire-lait à piston ou à poignée. Le modèle « en klaxon de vélo » est à déconseiller : il est traumatisant pour le sein, mais il est le seul qui soit remboursé par la Sécurité sociale.

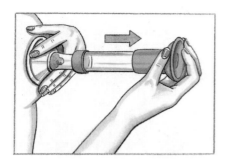
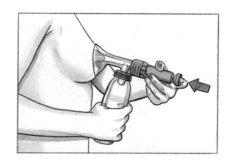

Les tire-lait manuels

« Est-il nécessaire de prévoir l'acquisition d'un tire-lait ? »

En ce qui concerne les tire-lait électriques, il est sans doute plus raisonnable de parler de location que d'achat, d'autant plus que, si vous avez une ordonnance de votre médecin, les frais de location sont pris en charge par votre organisme d'assurance maladie.

En revanche, les tire-lait manuels sont plus abordables.

Nos recommandations pour recueillir et garder votre lait

— Soyez attentive aux précautions d'hygiène :
- Lavez-vous bien les mains.
- Essuyez-les avec un torchon propre.
- Passez les mamelons à l'eau potable comme pour une tétée.

— Nettoyez correctement tout ce qui est en contact avec le lait en le passant à l'eau bouillante.

— Conditionnez le lait recueilli dans un biberon stérile à stocker au réfrigérateur pendant quarante-huit heures maximum près du bac à glaçons.

— Si vous décidez de le congeler, ne remplissez pas complètement le biberon, mettez une étiquette avec la date. Il peut y être conservé un à quatre mois.

— Si vous transportez le lait recueilli, ne rompez pas la chaîne du froid. Utilisez une bouteille-biberon Thermos préalablement mise au froid (dans le réfrigérateur) pour conserver le biberon au froid pendant le trajet.

Le biberon congelé sera réchauffé en faisant couler sur ses parois de l'eau tiède puis de plus en plus chaude. Si vous observez dans le biberon deux niveaux de lait, c'est normal : les matières grasses surnagent. Secouez le biberon, et le lait prendra son aspect normal.

ATTENTION
Ne pas réutiliser un lait déjà chauffé.
Ne pas recongeler un lait qui a été décongelé.

L'engorgement : les remèdes d'autrefois

Les jeunes mères disposaient de peu de remèdes pour soulager leur seins engorgés. Elles se mettaient des cataplasmes à base de fécule ou de mie de pain trempée dans du jaune d'œuf. Pour les mères « raffinées », on proposait des cataplasmes faits de roses de Provins cuites dans du vin rouge et appliqués à froid. Si cela était insuffisant, on avait recours à la lie de gros vin, ou encore à des feuilles de courge pliées. À la campagne, on utilisait une crêpe chaude ou une omelette, et, si l'engorgement résistait, on faisait téter les seins par de très jeunes chiots, ou par des femmes dont c'était la spécialité.

Dans le Gard, au XIX⁰ siècle, vivait un téteur réputé, recommandé par les professeurs de la faculté de Montpellier. « Ce téteur était un paysan, grand vieillard à barbe rousse, hirsute, terriblement laid, qui n'était connu que par le surnom de Lou Labbat. » En fait, les téteurs ou téteuses étaient plutôt rares, et les jeunes accouchées utilisaient habituellement des instruments avec lesquels elles vidaient elles-mêmes leurs seins. C'étaient les tire-lait, conçus de façon à leur permettre de se téter elles-mêmes. Les plus anciens étaient en forme de ventouse ou de pipe, le plus souvent en terre.

D'autres tire-lait étaient en verre avec un réservoir permettant de récupérer le lait. Au XVIII⁰ siècle, ils s'appelaient des « tétines » et furent utilisés jusqu'à la moitié du XIX⁰ siècle, époque à laquelle ils furent détrônés par des appareils plus modernes, à tube de caoutchouc, les téterelles.

➤ *Les crevasses*

Sous le terme « crevasses » sont regroupées des affections de gravités diverses :

— les gerçures qui prennent la forme d'un minuscule trait d'abord rouge brun (plus foncé que le mamelon), puis rouge à la surface du bout du sein ;

— de profonds sillons rouges divisant la surface du mamelon ;

— une érosion du sommet et/ou de la base du mamelon dont le revêtement entamé a été arraché et qui peut saigner à la tétée.

Outre le fait qu'ils causent une douleur extrême, ces deux derniers degrés sont de vraies plaies et donc une porte d'entrée aux microbes pouvant provoquer une infection du sein.

Les remèdes d'aujourd'hui

Pour éviter les crevasses, la meilleure solution passe par la prévention ; celle-ci repose avant tout sur des mesures simples d'hygiène :

— prendre une douche quotidienne avec savonnage des seins ;

— ne pas utiliser d'antiseptiques même sans odeur ; ils agressent la peau et donc la fragilisent ;

— se laver les mains avant chaque tétée ;

— nettoyer les seins après la tétée avec de l'eau potable (embouteillée ou non).

Après la tétée, le mamelon doit être bien séché avec une compresse propre. L'idéal serait de laisser les mamelons à l'air et si possible au soleil. Les femmes vivant nues n'ont jamais de crevasses, mais cette pratique serait sans doute difficile à généraliser dans nos pays, sauf peut-être l'été sur les plages ! Un moyen plus occidental consiste à sécher les bouts de sein à l'aide d'un sèche-cheveux à température douce.

« Que faut-il utiliser pour éviter le frottement des mamelons sur le soutien-gorge ? »

Vous pouvez intercaler une compresse douce, ou un simple petit mouchoir en tissu, ou en papier, plié en quatre.

Il existe dans le commerce des coussinets d'allaitement dont on a parlé plus haut. Cela peut revenir cher s'ils ne sont pas lavables, car vous devez les changer dès qu'ils sont humides : le mamelon doit être toujours au sec.

En plus de ces mesures d'hygiène, il est capital que le bébé ait une bonne position afin de saisir dans sa bouche la totalité de l'aréole ; ainsi, les tractions s'exerceront sur une large surface, et le bout du mamelon sera moins fragilisé.

« Que faire quand les crevasses sont là ? »

Si, malgré toutes ces précautions, les crevasses apparaissent, commencez par vérifier si la position du bébé est bonne (voir p. 175). Si le mamelon souffre beaucoup au moment de la tétée, la douleur peut être calmée par des médicaments antalgiques ; par ailleurs, on amorcera l'arrivée du lait en massant l'aréole en arrière de la zone à crevasses. La cicatrisation peut être hâtée par l'utilisation de crèmes à base de vitamines A et E.

Un « truc » parfois proposé mais auquel on pense peu : « Enduire la crevasse avec le lait récolté est le meilleur geste qui soit. Ce lait est stérile, bourré d'éléments de défense contre les infections et d'hormones favorisant multiplication cellulaire et cicatrisation [1]. » Il doit sécher sur le mamelon pour être efficace.

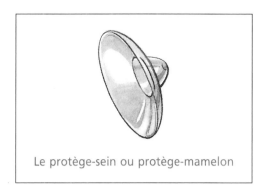

Le protège-sein ou protège-mamelon

On utilise, si nécessaire, des protège-mamelons en silicone qui font écran entre le bout de sein et la bouche du bébé. Le risque est, que le bébé saisissant la partie en silicone, l'aréole ne soit pas stimulée : le mamelon risque alors de ne pas se mettre en érection et le lait de ne pas couler. Ces protège-mamelons ne devraient donc être utilisés que très temporairement.

« Que faire lorsque l'infection se propage ? »

Que ce soit une galactophorite, un abcès, ou une lymphangite, il faut arrêter l'allaitement du côté du sein malade en cas d'infection. Si l'état général de la mère le permet, il reste toujours possible d'allaiter le bébé avec l'autre sein, tandis qu'habituellement le lait du sein atteint est tiré, puis jeté.

En cas de crevasse ou d'infection, il convient de consulter le plus tôt possible un médecin ; celui-ci proposera généralement un traitement (antiseptique ou antibiotique, anti-inflammatoire, etc.) compatible avec la poursuite de l'allaitement.

---

1. M. Thirion, *L'Allaitement, op. cit.*

Nos conseils pour prendre soin de vos seins

— Pendant le dernier trimestre de la grossesse, renforcez vos mamelons :
- les pincer doucement,
- les étirer vers l'avant,
- les rouler entre les doigts.

N'insistez pas en cas de contractions utérines et parlez-en à votre gynécologue.

— Faites votre toilette quotidienne normalement avec un savon doux sans parfum.
— Lavez les aréoles et les mamelons en début et en fin de tétée avec de l'eau potable embouteillée ou non.
— Gardez les bouts de sein bien au sec.
— Portez jour et nuit un soutien-gorge en coton spécial allaitement acheté en fin de grossesse, avec des bonnets plus profonds que ce qui vous est nécessaire avant l'accouchement. Choisissez un modèle de soutien-gorge sans armature avec de larges bretelles.
— Pensez à protéger votre poitrine du froid en vous couvrant les épaules et les bras particulièrement sensibles au courant d'air.
— Provoquez un sevrage lent et long pour éviter les engorgements.

Les remèdes d'autrefois

Au XVIe siècle, Ambroise Paré propose d'utiliser des bouts de sein artificiels pour aider à la guérison ; « pour la curation d'icelle, doit la nourrice laver son tétin avec de l'eau alumineuse et parce que le bout de mamelle demeure douloureux, estant pressé de ses habillements, aura un instrument de plomb fait en la manière d'un chapeau, lequel sera percé au bout de plusieurs trous dans lequel mettre le bout de son tétin afin que le lait puisse s'écouler ». C'est probablement le massage du sein et de l'aréole qui, en fait, provoquait cet écoulement.

En Picardie, en Artois et en Flandre, on employait une coquille ligneuse de noix qui permettait de maintenir sur le mamelon un linge imbibé de crème fraîche employée comme calmant.

La tétine de vache posée à la place du mamelon devint très répandue de 1709 à 1830. Tout d'abord utilisée à l'état naturel, elle a été ensuite améliorée ; elle pouvait être chamoisée, parcheminée ou tannée. Avant son utilisation, elle était mise à tremper dans de l'eau tiède ou froide. La tétine de vache était fixée par des fils sur un chapeau de buis ou d'ivoire de la forme du bout de sein. L'appareil était placé sur le mamelon malade. On appela cet appareil le « galactophore », et il fut très répandu en Europe.

La tétine de vache présentait cependant certaines difficultés mécaniques, car son maintien continuel dans l'eau favorisait sa décomposition ; cela lui donnait une odeur aigre, source de refus de l'enfant, et augmentait la fréquence du muguet. Aussi, dès que l'on a su transformer le caoutchouc, au milieu du XIXe siècle, on fabriqua progressivement de faux mamelons souples et élastiques. À la fin du XIXe siècle, on proposait ainsi des bouts de sein en verre dont la forme emboîtait exactement le sein et dont le sommet était constitué d'un petit mamelon en caoutchouc en forme de tétine. Ces bouts de sein étaient encore en vente jusqu'à une date récente.

➤ *Lorsque le lait vient à manquer*

Il n'est pas rare qu'une femme qui souhaite allaiter ait la sensation de manquer de lait, de façon partielle ou totale. Dans certains cas, ce manque provient d'un dérèglement des glandes fabriquant les deux hormones, l'ocytocine et la prolactine, qui règlent la lactation ; seul le médecin pourra en faire le diagnostic. Mais, dans la très grande majorité des cas, le manque de lait est provoqué par certaines maladresses ou par un environnement mal adapté. Il peut se manifester dès les premiers jours, notamment lorsque les débuts de l'allaitement ont été mal conduits, entraînant une montée de lait trop lente.

Plus souvent, les difficultés surviennent après quelques semaines. De retour à la maison, la mère est confrontée à la découverte de la personnalité du bébé, à l'entretien de la maison, à la gestion de la famille, à la vie d'épouse, aux « visites de naissance », à des émotions diverses. Tout cela peut entraîner une grande fatigue et un coup de « spleen », avec la sensation de manquer de lait. À ce moment-là, la mère est face à une alternative : poursuivre l'allaitement coûte que coûte ou passer à l'allaitement mixte.

Si vous êtes dans ce cas et que vous souhaitez poursuivre l'allaitement exclusif, certains moyens simples pourront vous aider :

— faites téter le bébé le plus souvent possible, car la succion stimule la montée du lait,

— reposez-vous, faites la sieste, laissez tomber les tâches ménagères, ne soyez pas impatiente, retrouvez le calme et la sérénité,

— buvez à votre soif. Contrairement à la tradition populaire, la bière n'a pas de vertus galactogènes. La meilleure boisson est l'eau sous toutes ses formes (sauf alcoolisée bien entendu). En dehors de l'eau (du robinet ou en bouteille), on peut boire du thé léger ou des tisanes. Parmi les tisanes, la bourrache, le fenouil, l'anis, le basilic, sont réputés être efficaces sur la production de lait. Il n'y a pas de limite de quantité, il n'est pas nécessaire de se rationner. Si la consommation d'eau est supérieure aux besoins, le surplus sera éliminé dans les urines,

— favorisez le contact peau à peau avec le bébé afin de créer des émotions fortes et de stimuler ainsi la fabrication d'ocytocine.

« Y a-t-il des boissons ou des aliments qui favorisent la production de lait ? »

Certains produits revendiquent des vertus dites « galactogènes » : ainsi, l'anis et le fenouil donneraient au lait une saveur particulière excitant les papilles du bébé ; celui-ci téterait alors avec plus d'efficacité, gage de « bonne fabrication du lait ».

« Je n'ai pas eu de lait pour mon premier bébé, est-ce que j'en aurai pour le second ? »

De multiples raisons, en relation avec la mise au sein à la maternité, ont pu vous donner l'impression que vous n'aviez pas de lait. Lisez bien le chapitre « Bien allaiter : comment s'y prendre » (p. 171) et si vous souhaitez allaiter votre deuxième bébé, cela se fera tout naturellement.

➤ *Avoir trop de lait*

Tant que la sécrétion d'ocytocine (voir p. 196) n'est pas bien adaptée, un sein peut couler pendant que le bébé tète l'autre, ou encore les deux seins peuvent « déborder » en dehors de toute succion. Il est possible d'utiliser des coquilles de recueil de lait afin d'éviter les taches sur les vêtements, mais le port de ces coquilles entretient parfois l'écoulement. Quant aux coussinets, il vaut mieux les éviter car la chaleur et l'humidité favorisent la multiplication microbienne et la formation de crevasses.

Si votre lait continue à s'écouler de façon trop abondante au-delà du premier mois, votre médecin vous prescrira sans doute un traitement hormonal pour diminuer cette lactation excessive.

« Que faire avec cet excès de lait ? »

Vous pouvez mettre en réserve le trop-plein de lait. Après la tétée du bébé, le lait est tiré (avec un tire-lait) ou bien le sein est vidé manuellement (comme pour un engorgement) directement dans un biberon stérile. Avant réutilisation il peut être alors conservé au réfrigérateur pendant quarante-huit heures maximum (dans la partie froide, près du bac à glaçons) ou au congélateur (dans ce cas, il vaut mieux utiliser des biberons en plastique afin d'éviter un éclatement des biberons sous l'effet du gel).

Si vous confiez par moments votre bébé à un parent ou une amie, il pourra ainsi être nourri au biberon mais avec votre lait, même pendant votre absence. Un tel biberon se réchauffe normalement avant son utilisation.

« Peut-on faire profiter un autre bébé de ce lait ? »

Si vous n'avez pas besoin de stocker le supplément de lait pour les besoins de votre bébé, vous pouvez le confier à un lactarium ; cet organisme l'utilisera pour des bébés qui ont un besoin vital de lait de femme, mais que les mères ne peuvent pas nourrir. Si vous êtes prête à donner votre lait, le lactarium mettra à votre disposition des biberons, et un collecteur viendra deux fois par semaine chercher les biberons stockés au froid. Si une telle démarche vous intéresse, parlez-en à votre médecin ou au centre de PMI (protection maternelle et infantile) dont vous dépendez.

Depuis 1986, une circulaire ministérielle interdit formellement le don direct de lait frais d'une mère au bébé d'une autre. Une circulaire de novembre 1992 impose des règles strictes pour le don du lait, don qui passe par un lactarium et nécessite au préalable une analyse sanguine de la « donneuse » afin de dépister une éventuelle infection transmissible au bébé par le lait (sida, etc.). Ce dépistage est indispensable même si les tests effectués pendant la grossesse étaient négatifs ; il est à répéter tous les trois mois pendant la durée du don. À l'occasion des consultations avec la sage-femme ou le gynécologue, au cours des séances de préparation à l'accouchement, les futures mères peuvent demander où se trouve le lactarium le plus proche afin de réfléchir aux modalités d'un éventuel don.

Outre son aspect altruiste, le don a l'intérêt de favoriser la prolongation de l'allaitement de son bébé par la mère « donneuse », car le fait de tirer régulièrement le lait entretiendra la lactation.

Quand votre bébé fait des siennes

Toute mère rêve d'un allaitement idéal, d'une symbiose parfaite avec son enfant. Comment faire pour que bébé ait envie de téter quand les seins deviennent lourds, puis qu'il dorme bien, qu'il gazouille, qu'il soit angélique ? Comme toute expérience humaine, l'allaitement nécessite un temps d'apprentissage. Les petites difficultés de démarrage sont souvent faciles à résoudre, mais elles peuvent prendre des proportions quasiment dramatiques chez une maman fatiguée, angoissée, peut-être seule. Les conseils de la puéricultrice ou du médecin pourront alors s'avérer utiles. Par ailleurs, afin de s'exprimer et de parler de cette expérience, les mères ont à leur disposition un réseau d'entraide.

SOS Allaitement

En cas de problème, pour savoir où vous adresser près de chez vous, écrivez à :
— Inter-Association-Allaitement, 19, rue Dalhain, 67200 Strasbourg ;
— ou Solidarilait, 26, boulevard Brune, 75014 Paris, tél. 01 40 44 70 70 ;
— ou Leche Leage, BP 18, 78620 L'Étang-la-Ville, tél. 01 39 58 45 84.

« Que faire si bébé refuse le sein ? »

C'est en effet une situation angoissante. Il convient d'abord de vérifier que les bouts de sein n'ont pas été enduits de produits masquant la propre odeur de la mère. Il est inutile ensuite de tenir fermement la tête du bébé sur le sein, car son premier réflexe serait alors de se rejeter en arrière pour libérer son cou et sa tête. S'il est vraiment affamé, il vaut mieux laisser l'enfant maître de ses mouvements et choisir l'instant où il souhaitera se placer au contact de la peau du sein. Pour mettre toutes les chances de son côté, cette approche se déroulera au mieux dans le calme et la sérénité ; la mère vérifiera que la position de l'enfant est confortable. Le réflexe de fouissement réapparaîtra, et l'enfant tétera quand il aura faim. Si ce n'était pas le bon moment, il tétera plus tard.

« Bébé tète mal : que faire ? »

Hormis les premiers jours, et plus particulièrement pour les nouveau-nés un peu prématurés et fatigués, ce cas de figure est rare.

Dans le calme, on laisse le bébé sentir longuement le mamelon (simplement rincé à l'eau) et, éventuellement, on caresse les lèvres du bébé avec le mamelon pour qu'il apprenne à le reconnaître. Tout seul, il se mettra à téter s'il a faim. Au début, ses mouvements de succion et de déglutition sembleront parfois manquer d'énergie, mais il absorbera quand même les quantités qui lui sont nécessaires, même si c'est plus lentement. Si cela lui convient mieux, il tétera par petites quantités mais plus souvent.

Il arrive aussi que l'enfant plus grand tète moins bien ou apparemment moins efficacement que quelques mois plus tôt. Tant que sa courbe de poids reste correcte, il n'y a pas lieu de s'inquiéter.

« Mon bébé dort le jour et reste éveillé la nuit, que faire ? »

L'enfant se trouve alors dans un système complètement inversé, qui perturbe le repos de la famille. Passé les premiers jours, voire les premières semaines, où il est préférable de suivre le rythme de bébé, on peut induire doucement un rythme jour-nuit plus habituel. Vous réveillerez bébé toutes les deux heures le jour, pour le changer, le nourrir ou encore jouer avec lui ; si nécessaire, vous le nourrirez également la nuit, mais pas plus souvent que toutes les quatre heures. Ce changement doit se faire très progressivement. L'horloge biologique, qui dépend de la maturité du système nerveux central, ne se commande pas, ne se « dresse » pas d'un coup de baguette magique. C'est elle qui est en jeu dans cette difficulté.

« Si un bébé pleure souvent, est-ce parce qu'il ne mange pas à sa faim ? »

Si ce n'est pas la faim, d'autres raisons peuvent expliquer des pleurs avant, pendant ou juste après une séance d'allaitement :
— Ses couches sont mouillées.
— Il a peut-être de petites coliques ou un transit rapide et douloureux. Pour le soulager, on peut lui masser le ventre, le bercer dans les bras, une main sous le ventre.
— Il s'ennuie et a besoin d'être dans les bras pour retrouver des odeurs, le confort, la tendresse. Ce n'est pas du caprice, mais un besoin affectif.
— Ses rythmes veille-sommeil ne sont pas bien établis, et il n'a pas encore de repère.
Comprendre les raisons de ces pleurs participe de la découverte de la personnalité de l'enfant. Rapidement, vous distinguerez les différents pleurs et trouverez ainsi la solution adéquate.
Il serait tout à fait regrettable que chaque pleur soit interprété comme un signe de faim. L'enfant, dans ce cas, n'aurait plus qu'un seul repère à tous ses petits problèmes : celui du sein. Rapidement, la mère se retrouverait dans une situation de grande dépendance, fatiguée, énervée. Il pourrait en résulter un manque de lait dû à la fatigue ou, au contraire, un excès lié à la répétition des tétées : plus l'enfant tète souvent et énergiquement, plus la production de lait est importante. Par ailleurs, une telle attitude risquerait de provoquer chez l'enfant ayant grandi une tendance à répondre à chaque problème de la vie par une prise de nourriture.

« Si bébé dort beaucoup, faut-il le réveiller pour lui donner le sein ? »

Devant un enfant qui se réveille moins souvent que la plupart des autres bébés, il n'y a pas lieu de s'inquiéter tant qu'il tète bien et que sa courbe de poids est satisfaisante ; laissez-le donc dormir autant qu'il le désire. Le seul risque est que la montée du lait ne coïncide pas avec les moments où l'enfant a faim. En attendant que bébé se réveille, il faudra alors traiter le sein comme pour une montée de lait douloureuse (compresses chaudes et massages) afin d'éviter un engorgement du sein.

La plupart du temps, une synchronisation va rapidement s'installer, et l'enfant aura justement faim au moment où vous sentirez le sein « gorgé de lait ». Cependant, si les tétées sont rares et la courbe de poids non satisfaisante, parlez-en à votre médecin.

« Bébé vomit, que faire ? »

Au moment du rot, après la tétée, presque tous les enfants rejettent quelques gorgées de lait. L'enfant a trop bu, peut-être un peu vite, et il rejette le trop-plein. Il n'y a aucune inquiétude à avoir.

Parfois, les gros rejets surviennent plus spécifiquement chez les nouveau-nés dont les mères boivent beaucoup de lait. Ces enfants auraient une hypersensibilité aux protéines du lait de vache (bu par la mère) dont quelques molécules passent dans le lait de la mère. Dans ce cas, il est souhaitable que la mère arrête de boire du lait et de consommer des laitages. Mais, pour satisfaire ses besoins en calcium, elle consommera alors deux bons morceaux de fromage à pâte cuite, très riches en calcium et aux protéines moins allergisantes, semble-t-il, que celles des autres produits laitiers ; l'autre solution consiste pour la mère à prendre des comprimés de calcium sous contrôle médical. Si les protéines de lait de vache sont effectivement en cause dans les vomissements de votre enfant, une telle réduction des produits laitiers dans votre alimentation conduira à la cessation des vomissements. Mais il vous faudra être particulièrement attentive au moment du sevrage ou de la mise en place de l'allaitement mixte : parlez-en à votre médecin.

Si vous trouvez que votre bébé rejette en jets et souvent des quantités importantes de lait, il faut consulter votre médecin.

Bien allaiter : comment manger

Vous allaitez et vous souhaitez donner à votre bébé toutes les chances de bonne santé. Pendant des siècles, les mères se nourrissaient sans conseils précis autres que quelques racontars moyenâgeux comme celui-ci : il ne faut pas manger de persil, cela « couperait » le lait.

Maintenant, on sait que le lait maternel est produit à partir des réserves et de la nourriture de la mère. Afin de préserver votre capital santé, votre alimentation ressemblera à celle suivie en fin de grossesse, mais vous serez particulièrement attentive :

— à fournir à votre lait les acides gras essentiels : l'acide linoléique et alpha-linolénique que l'on trouve dans les huiles de colza, de noix et de soja, ou celles à mélanges nutritionnels équilibrés ;

— à lui apporter du calcium sans puiser dans vos réserves. Vous continuez donc, comme pendant la grossesse, à consommer plus de produits laitiers que d'habitude, c'est-à-dire quatre à cinq portions par jour (voir p. 347) ;

— à compenser les pertes en magnésium. En effet, l'allaitement est à l'origine d'une perte de magnésium de l'ordre de 50 à 75 mg par jour. Afin de consommer ce qui est nécessaire, il est conseillé de manger des aliments qui contiennent du magnésium, d'utiliser du lait enrichi en magnésium (160 mg par litre) et/ou de boire de l'eau riche en magnésium comme Hépar, Contrex ou Badoit (100 mg par litre) ;

— à rétablir vos réserves de fer. Pour constituer sa masse sanguine, le bébé, au cours de la grossesse, a utilisé votre fer. D'autre part, pendant l'accouchement, les hémorragies ont entraîné une perte de fer. Même si vous avez eu des prescriptions de fer, il est nécessaire de consommer du fer bien assimilé comme celui des viandes, des volailles et du poisson. Les produits laitiers ordinaires ne contiennent pas de fer, il est donc souhaitable que vous utilisiez des laits enrichis en fer, surtout si vous mangez peu de viande et de poisson.

« Comment organiser mes repas ? »

Voici un schéma indicatif à adapter selon vos goûts et vos habitudes :

— *Petit déjeuner :*
- de préférence du lait enrichi en fer et en magnésium, sinon un autre produit laitier (lait, yaourt, fromage, laitage),
- du pain ou des biscottes, ou des céréales,
- du beurre,
- de la confiture ou du miel (facultatif),
- un fruit de saison, à limiter si l'enfant a des selles diarrhéiques ou glaireuses.

— *Déjeuner :*
- un hors-d'œuvre à base de légumes ou de fruits, crus ou cuits, assaisonnés avec une vinaigrette aux huiles conseillées (voir ci-dessus),
- de la viande, ou du poisson, ou un œuf,
- des légumes cuits, frais ou surgelés, ou en conserve, ou des féculents (riz, pâtes, pommes de terre, légumes secs), accommodés selon vos envies,
- un fromage ou un laitage,
- un fruit de saison si l'entrée était à base de légumes cuits,
- du pain,
- de l'eau riche en magnésium de préférence.

— *Goûter :*
  • comme le petit déjeuner.

— *Dîner :*
  • comme le déjeuner.

Si les légumes ont été consommés au déjeuner, il est préférable de choisir des féculents au repas du soir et inversement, ce qui n'empêche pas de manger du pain.

— *Collation éventuelle :*
  • À base de produit laitier, de préférence.

> **Notre conseil**
> Il ne faut pas abuser des excitants comme le café et le thé, et encore moins de l'alcool, car tous passent dans le lait. Il vaut mieux en boire peu et plutôt au cours ou à la fin du repas.

« Y a-t-il des aliments à ne pas consommer ? »

Il est vrai qu'on dit souvent : « Il ne faut pas manger de légumes à goût fort, tels que le cresson, les choux, le céleri, les oignons, les asperges, car leur arôme parfume le lait. » Cependant, votre bébé peut les apprécier. Il faut donc observer son comportement si ces aliments ont fait partie de votre menu. À travers eux, le bébé s'initie aux habitudes familiales, aux saveurs appréciées par son entourage, qu'elles soient épicées ou non.

« On m'a dit de manger moins de crudités si mon bébé avait des selles glaireuses. »

Effectivement. Continuez à consommer deux ou trois fruits par jour, mais peu de salade verte et peu de crudités ; en revanche, n'oubliez pas les légumes cuits.

« Je suis végétarienne, dois-je changer mon alimentation durant l'allaitement ? »

Si vous êtes végétarienne, c'est-à-dire si vous consommez des céréales complètes, des légumineuses (légumes secs, soja), des noix, des amandes, des fruits, des légumes, des matières grasses, du lait, des fromages et des œufs, votre alimentation est de bonne qualité. Cependant, veillez à prendre chaque jour :

— sept à huit portions de produits laitiers (voir dans le chapitre « Végétarisme » tableau, p. 590),

— de l'œuf ou du tofu (l'œuf a l'avantage d'être riche en fer),

— environ 150 g de légumineuses (légumes secs) en donnant la préférence aux lentilles qui apportent du fer,
— des céréales complètes,
— des légumes et des fruits,
— des matières grasses,
— des produits sucrés si vous avez l'habitude d'en consommer.

« Je suis adepte du végétalisme, dois-je changer mes habitudes alimentaires lorsque j'allaite ? »

Au cours de l'allaitement, votre organisme de femme doit répondre aux besoins de production de lait qui peut atteindre un litre par jour. Durant ces périodes, vous veillerez tout particulièrement aux apports en nutriments présents en quantités limitées dans l'alimentation végétalienne, c'est-à-dire le fer, le zinc, le calcium, les vitamines D, B2 et B12.

Par ailleurs, une femme allaitante qui n'accepterait pas de prendre un supplément de vitamine B12 devrait quand même impérativement en donner au nourrisson sous peine de déficit nerveux grave.

Le manque d'apport vitaminique D peut, dans une certaine mesure, être pallié par une exposition au soleil plus prolongée, mais en prenant expressément des précautions pour éviter coup de soleil et déshydratation ; encore faut-il que les conditions climatiques et personnelles soient réunies pour pouvoir en bénéficier. Enfin, pour augmenter l'apport de calcium, on conseille aux femmes allaitantes végétaliennes une plus grande consommation de lait de soja enrichi en méthionine et calcium.

> ### Notre avis
> Il est très délicat de bien conduire un régime végétalien pendant l'allaitement : le risque est grand de carence en fer, en calcium et surtout en vitamine B12.
> Par contre, le régime végétarien, qui a comme seuls interdits la viande et le poisson, mais autorise les produits laitiers et les œufs, est compatible avec les exigences de l'allaitement.

« Peut-on maigrir en continuant d'allaiter ? »

Dans la majorité des cas, un allaitement bien conduit et une alimentation variée et équilibrée permettent un retour progressif au poids habituel. Au cours des neuf mois de grossesse, le volume de l'utérus croît de façon considérable, parallèlement au fœtus. Après l'accouchement, il retrouvera plus facilement son volume habituel si vous allaitez, grâce à l'action de l'ocytocine, hormone stimulée par les succions du sein (voir p. 196).

Par ailleurs, un allaitement prolongé permet plus facilement à l'organisme d'utiliser les graisses stockées pendant la grossesse dans le tissu sous-cutané, et donc participe à la perte de poids.

« Je voudrais perdre du poids assez rapidement tout en préservant la qualité de mon lait, comment faire ? »

Si l'excès de poids est important, vous pouvez limiter :

— les graisses d'assaisonnement et les graisses cachées dans les charcuteries, les pâtisseries, les fritures, les viandes en sauce, les sauces type mayonnaise ;

— le sucre en poudre, en morceaux, et les sucres inclus dans les pâtisseries, les biscuits, la confiture, les confiseries, les desserts industriels, les sodas, les glaces, les boissons aux fruits (voir tableau, p. 368).

Mais un vrai régime amaigrissant, dans le cadre d'un allaitement, ne s'improvise pas ; il vaut mieux consulter un médecin ou un diététicien.

« Nous sommes une famille d'allergiques. Dois-je faire attention à mon alimentation pendant que j'allaite mon bébé ? »

Il faut en parler à votre médecin. Il pourra vous conseiller en tenant compte des manifestations allergiques que vous présentez. Pendant votre allaitement, afin de diminuer l'éventuelle sensibilité de votre bébé, il pourra vous conseiller de supprimer les œufs, le poisson et les produits laitiers. Dans ce cas, vous devez augmenter les quantités de viande afin de compenser la diminution d'apport en protéines issues du lait. Et n'oubliez pas de lui demander une supplémentation en calcium.

Allaitement et contraception

Contrairement à une idée reçue, le fait d'allaiter n'assure pas une contraception efficace. Certes, la fertilité est diminuée, mais l'absence de règles entre la lactation et le retour de couches est une fausse sécurité.

Généralement, il est préférable de ne pas utiliser la pilule prise avant la grossesse, mais plutôt de prendre une contraception orale peu dosée ; dans tous les cas, le conseil du médecin est nécessaire.

233

L'allaitement au biberon

Vous avez choisi de nourrir votre bébé au biberon. Sachez tout d'abord qu'on parle d'allaitement au biberon lorsqu'on utilise un lait autre que le lait de femme. Les raisons qui motivent votre choix peuvent être très diverses.

▪ Vous préférez nourrir votre bébé au biberon parce que :
— vous n'avez pas envie d'allaiter,
— ou vous jugez que ce sera plus simple que l'allaitement au sein,
— ou bien vous estimez que l'allaitement au sein vous demandera trop de disponibilité,
— ou encore, vous avez peur d'être trop fatiguée.

▪ Ce choix est une alternative satisfaisante.
— Actuellement, grâce aux immenses progrès de l'industrie, on peut, avec le biberon, nourrir sainement son bébé, satisfaire ses besoins nutritionnels.
— Avec le biberon, on peut tout à fait bien établir une relation de tendresse, de contact et d'échanges avec le tout-petit.

Avantages et inconvénients du biberon

Les « plus » du biberon
— Il fait participer qui veut : le père, la grand-mère, les frères et sœurs, etc.
— Il peut être une occasion de créer un lien plus fort entre le père et son bébé.
— Grâce à lui, vous vous sentez plus libre, plus mobile.
— Vous savez exactement ce que boit votre bébé, ce qui peut être rassurant.

Les « moins » du biberon
— Vous êtes obligée de nettoyer, de stériliser et de préparer les biberons.
— Vous devez acheter du lait et de l'eau.
— Le goût du lait est uniforme : même poudre, même eau, alors que les saveurs de l'alimentation de la maman passent dans le lait maternel.
— La sensation de satiété est modifiée du fait de la composition du lait toujours identique du début à la fin du repas, alors que la composition du lait maternel varie en cours de tétée.
— Il n'a pas d'anticorps spécifiques.

Comment choisir le lait de votre bébé

Vous êtes sans doute très perplexe devant la multiplicité des laits pour nourrissons que l'on trouve aujourd'hui. Voici quelques conseils pour éviter la panique.

« Faut-il donner le même lait qu'à la maternité ? »

C'est souvent l'habitude, mais ce n'est pas une nécessité. Parfois, les mamans se sentent plus rassurées d'utiliser le même lait qu'à la maternité.

« Est-ce moi qui décide du changement de lait ou dois-je demander l'avis de mon médecin ? »

Si vous désirez changer de lait pour des raisons économiques ou des raisons d'approvisionnement plus pratique, il faut donner à votre bébé un lait ayant les mêmes caractéristiques que celui auquel l'enfant est habitué.

Le mieux est de vous faire conseiller par un médecin ou par une puéricultrice. Le médecin verra les détails de la composition du lait que votre bébé reçoit, il s'attachera entre autres aux critères suivants :

— le type de glucides : le lait contient-il uniquement du lactose ou bien est-il additionné de malto-dextrines ?

— les quantités de chacune des fractions protéiques : caséine et protéines solubles (ou lactosérum, ou lactalbumine).

Il peut arriver que le médecin soit amené à changer de lait pour des raisons de petits troubles digestifs tels que des ballonnements, des coliques, des régurgitations importantes, une constipation, ou des diarrhées (voir le chapitre sur les « Divers troubles alimentaires », p. 422).

« Peut-on passer sans problème d'un lait à un autre ? »

Pour la majorité des enfants, le changement d'un lait pour un autre, dans la même catégorie d'âge, ne pose aucun problème d'adaptation.

Cependant, certains laits ont des caractéristiques particulières et conviennent mieux à certains enfants.

« Et comment s'y retrouver dans tous ces laits ? »

Il existe une très large gamme de laits pour nourrisson, près de cinquante répartis en huit catégories différentes (voir p. 239). Ces nombreux laits sont adaptés aux différents âges du bébé et aux situations particulières de chacun. Qu'ils soient vendus en grande surface ou en pharmacie, tous sont soumis à la réglementation (voir annexe p. 619). Cette dernière, mise au point par des scientifiques de la nutrition et de la pédiatrie, est un gage de haute qualité. Les recherches menées par les industriels continuent toujours et permettent l'élaboration de produits satisfaisant de mieux en mieux les besoins nutritionnels du petit enfant.

Vous trouverez donc des laits 1er âge (ou lait 1), des laits 2e âge (ou lait 2) et des laits pour enfants en bas âge. Ce sont les premiers qui nous intéressent pour le moment. Ils ont été mis au point pour les nourrissons de la naissance jusqu'à l'âge de quatre ou six mois. Leur nom officiel est « préparation pour nourrisson », mais ils sont appelés « laits » lorsqu'ils sont élaborés à partir de lait de vache ; s'ils contiennent du soja, ils ne peuvent plus s'appeler « laits », mais uniquement « préparation pour nourrisson ».

➤ Les laits 1er âge réalisés à partir du lait de vache

Ils s'appellent « laits pour nourrissons ». Ces laits sont adaptés à l'enfant dès la naissance.

Les dénominations « humanisés ou maternisés » ne doivent plus être utilisées.

En plus des classiques laits 1er âge, vous avez à votre disposition les laits hypoallergéniques, des laits acidifiés, des laits antireflux, des laits en cas de diarrhée. Les différentes marques sont indiquées au tableau présentant les laits (p. 239) ; étant donné l'évolution du marché, cette liste peut ne pas être exhaustive. Nous allons examiner chacun des laits que vous serez amenée à rencontrer.

Les laits 1er âge ont pour caractéristiques de comporter :

— des *protéines*, provenant de celles du lait de vache, mais qui ont été remaniées pour se rapprocher de celles du lait de femme en quantité et en qualité ; en effet, le lait de vache nature contient quatre fois plus de protéines que le lait de mère. Vous pourrez lire sur les étiquettes de certains laits pour nourrissons que les protéines sont modifiées ou adaptées, et vous verrez aussi que les noms de ces protéines sont la caséine et les protéines solubles ou lactosérum ;

— des *matières grasses*, le plus souvent d'origine végétale, afin d'apporter certaines graisses essentielles au bon développement de l'enfant. La crème naturellement présente dans le lait de vache a été supprimée. Les graisses du lait apportent au bébé environ la moitié de ses calories ;

— des *glucides* provenant du lait et s'appelant « lactose », parfois additionné de malto-dextrines. Le lait de vache nature contient moins de glucides que le lait maternel ;

— tous les *minéraux* nécessaires à l'enfant ; le fer n'est pas obligatoirement ajouté (le lait de vache n'en contient que des traces infimes), mais, dans les trois premiers mois de la vie, le petit enfant n'a pas besoin de supplément : il a ses réserves personnelles.

— toutes les *vitamines,* en particulier les vitamines C et D. Mais la quantité de vitamine D ajoutée au lait ne suffit pas toujours, et le médecin en prescrira si nécessaire ;

— 88 % d'*eau* au moment où ils sont donnés au bébé, que vous ayez acheté le lait sous forme liquide ou que vous l'ayez préparé en ajoutant vous-même l'eau à la poudre de lait instantanée.

« Les laits liquides pour nourrissons sont-ils différents des laits en poudre ? »

Il existe des laits liquides 1er âge en briquettes ou en flacons. Ces laits sont identiques aux laits en poudre auxquels on ajoute de l'eau, même s'ils n'ont pas exactement la même couleur ni le même goût. Ils peuvent être d'utilisation plus commode, lorsque vous êtes en déplacement par exemple, puisque vous n'avez pas besoin de transporter d'eau, que le mélange est déjà fait et que vous n'emportez que ce dont vous avez besoin.

« Qu'en est-il des laits biologiques ? »

Certains ont l'appellation *laits biologiques 1er âge*, le fabricant garantit que chaque composant de ce lait a droit à la qualification « biologique » identifiée par un label européen (voir p. 601).

➤ Les préparations pour nourrissons à base de protéines de soja pour le 1er âge

Ces produits n'ont pas droit à l'appellation « lait », mais le remplacent totalement dans le cas où le bébé ne tolère pas les protéines de lait de vache.

Ils sont enrichis en tous les éléments qui manquent au soja afin de satisfaire aux besoins nutritionnels du petit enfant ; ainsi, ils contiennent en plus du calcium, du fer, du zinc, de la méthionine.

➤ Les laits spécifiques toujours dans la catégorie du 1er âge

Les laits hypoallergéniques ou HA

Ce sont des laits 1er âge dans lesquels les protéines de lait de vache sont rendues moins allergisantes par divers procédés techniques.

Ce type de produit est conseillé à titre de prévention, aux bébés de famille à risques allergiques, mais les *laits hypoallergéniques ne sont pas adaptés aux cas d'intolérance véritable* au lait de vache. Parlez-en à votre médecin.

Les laits antireflux ou AR

Ce sont des laits 1er âge ayant pour rôle de diminuer les phénomènes de régurgitation due au reflux (voir p. 429). Ces laits contiennent un épaississant qui atténue la remontée du lait de l'estomac à la bouche.

Ils simplifient la préparation des biberons quand l'épaississement est nécessaire ; cela évite d'ajouter des épaississants tels que le Gumilk (ou la Gélopectose).

Les laits fermentés ou acidifiés

Ce sont des laits 1er âge qui sont prescrits en cas de ballonnements intestinaux, de coliques. Ces phénomènes diminuent lorsque le lactose (sucre du lait) est mieux digéré. Les ferments lactiques ajoutés à ces laits enrichissent la flore intestinale de l'enfant et facilitent la digestion du lactose. De plus, ces ferments, en permettant une fragmentation plus grande des caillots de caséine dans l'estomac, améliorent la digestion.

> ### Notre conseil
> Le goût de ce lait vous surprendra, car il est acidulé : cela tient à l'activité des ferments lactiques. Ne pensez surtout pas que le lait est avarié.

Les laits pour nourrissons enrichis en taurine, en L-carnitine, en nucléotides

Ces trois éléments existent dans le lait de femme en très petites quantités. Ils peuvent être ajoutés, mais sans obligation, aux préparations pour nourrissons.

Les laits spéciaux pour prématurés et enfants de petit poids de naissance (hypotrophiques)

Ce sont des laits fabriqués à partir du lait de vache, enrichis en protéines, un peu appauvris en graisses que l'on a pris soin de modifier et enrichis en plusieurs minéraux et vitamines.

Les remplaçants du lait donnés en cas de diarrhée

Ce sont des laits sans lactose ou pauvres en lactose, le lactose étant mal digéré dans le cas de diarrhée. C'est le médecin qui les conseillera.

Il existe aussi des produits beaucoup plus sophistiqués ne contenant pas de lactose, qui ont de plus des protéines très transformées (le terme est « hydrolysées »). Ces produits ne se prennent absolument pas sans l'avis du médecin.

LES DIFFÉRENTS LAITS OU PRÉPARATIONS UTILISÉS DE LA NAISSANCE À 4 OU 6 MOIS

Nom général	Intérêt	Lieu d'achat		Marques [a]
		grandes surfaces	pharmacie	
laits 1er âge ou lait 1	alimentation normale	+	+	Alma 1, Aptamil 1-Milupan, Blédilait 1, Enfamil 1, Gallia 1, Guigoz 1, Lémiel 1, Materna 1, Milumel 1, Modilac 1, Nidal 1, Novalac 1, Nutricia 1, SMA confort
lait biologique	idem	+		Baby Bio 1
laits hypoallergéniques 1er âge	dans les familles à risque d'allergie ou comme relais du sein chez le nouveau-né		+	Alma HA, Enfamil HA, Gallia HA, Guigoz HA, Milumel HA, Nidal HA
laits antireflux	en cas de rejets, de vomissements		+	Alma AR1, Enfamil AR1, Milumel AR1, Modilac AR, Nutrilon AR1, Gallia AR1, Guigoz confort 1, Nidal AR1
laits fermentés/ acidifiés	ballonnements douleurs coliques régurgitations		+	Bio Guigoz 1, Gallia lactofidus 1, Pélargon 1
laits pour petits poids	pour prématuré et hypotrophique		+	Pré-Alma, Pré-Aptamil-Milupan, Pré-Enfamil, Pré-Gallia, Pré-Guigoz, Pré-Guigoz + AGPI-CL, Pré-Milumel, Pré-Modilac, Pré-Nidal, Pré-Nidal + AGPI-CL
laits sans ou pauvres en lactose	en cas de diarrhée		+	Al 110, Diargal, Diarelac, HN25, HN RL, O-Lac Lactodiet, Modilac sans lactose, Diarigoz
Préparations au soja	Intolérance aux protéines du lait de vache et/ou au lactose		+	Gallia soja, Modilac soja, Prosobee 1, Végélact

a. Mise à jour juillet 98.

239

➤ *Un cas particulier : le lait de chèvre*

À l'époque actuelle, le lait de chèvre est utilisé par certains. Sa composition, pour 100 ml, est de 3,4 g de protéines, 3,8 g de lipides, 4,6 g de glucides, 66 calories, des éléments minéraux et vitaminiques en quantités assez proches de celles du lait de vache. Le tableau de la page 270 vous permet de comparer la composition des laits de différentes espèces. Le lait de chèvre ne contient peu ou pas de fer (0,1 mg pour 100 ml), peu de folacine (ou acide folique), et peu de vitamines B1 (thiamine), B3 (acide pantothénique), B6 (pyridoxine) et pas du tout de vitamine B12.

L'ajout de fer, d'acide folique et de vitamine B12 est indispensable pour éviter l'anémie. Empiriquement, il a été constaté que les protéines de lait de chèvre étaient moins allergisantes que celles de lait de vache.

« Puis-je donner du lait de chèvre à mon bébé ? »

Du point de vue de la collecte et de la transformation, le lait de chèvre est soumis pratiquement aux mêmes normes que le lait de vache. C'est seulement le lait cru qui peut être vecteur de la fièvre de malte ou brucellose. Donc, pour être utilisé, le lait de chèvre doit être bouilli dix minutes au moins et à gros bouillons afin que soient détruites les bactéries pathogènes (brucella). La coagulation au chauffage de certains laits de chèvre, favorisée par leur acidité naturelle, peut être évitée par l'adjonction d'une pincée de bicarbonate de soude.

> Notre avis
> Il n'existe pas de lait de chèvre adapté au nourrisson. Il pourrait être donné à la rigueur vers la fin de la première année, obligatoirement bouilli ou stérilisé et complémenté en acide folique.

Comment choisir biberons et tétines

Vous allez acheter les biberons pour votre bébé. Chaque biberon et sa tétine sont accompagnés d'accessoires :

■ une bague porte-tétine dans laquelle on passe la tétine que l'on visse sur le biberon,

■ un capuchon qui protège la tétine.

Sachez que la tétine et les accessoires d'une marque ne s'adaptent qu'aux biberons de la même marque. Chaque marque a un grand échantillonnage de matériel. Nous allons essayer d'y voir clair.

➤ *Les biberons*

Le biberon est le moyen d'apporter au bébé un substitut du lait de femme. Les catalogues d'articles de puériculture proposent des biberons qui rivalisent de séduction et parfois d'ingéniosité. Ils peuvent être en Pyrex® ou en plastique (poly-carbonate), qui est incassable et inaltérable par la chaleur et les produits de stérilisation.

Les biberons peuvent être de forme triangulaire, cylindrique, évasée en bas ou trapue.

Ils peuvent s'acheter en pharmacie, en parapharmacie, en grande surface et jouer les porte-publicité des marques du prêt-à-porter pour les tout-petits.

Les différents types de biberons

Caractéristiques	Caractéristiques	Caractéristiques	Caractéristiques
forme cylindrique 240 ml	110-120 ml 25-50 ml	300-330 ml	avec fond arrondi
Commentaires	Commentaires	Commentaires	Commentaires
le plus simple, le plus pratique	éventuellement utile pour donner de l'eau à bébé	sa grande contenance est mieux adaptée à l'enfant de plus d'un an	nettoyage très facile grâce au fond « en cuvette »

Caractéristiques
forme triangulaire

Commentaires
**attention de bien
nettoyer les « angles »**

Caractéristiques
forme incurvée

Commentaires
préhension facilitée

Caractéristiques
à tête coudée

Commentaires
**la tétine
est automatiquement
pleine de lait,
et le bébé
n'avale pas d'air**

Caractéristiques
trapu

Commentaires
**moins haut et plus
large, n'est pas
compatible avec
tous les appareils
à stériliser**

Caractéristiques
jetable

Commentaires
**aucun nettoyage,
pas d'investissement dans
un stérilisateur, parfait pour
les voyages, mais onéreux
si usage fréquent**

Caractéristiques
transformable

Commentaires
**on peut y adapter : soit une tétine, soit un bec
verseur, soit une paille.
Lorsqu'on retire la tétine, son ouverture est assez
large pour y mettre de la purée et donner le repas
à la petite cuillère, son capuchon est étanche**

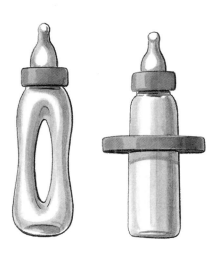

Caractéristiques
ergonomique

Commentaires
valable si la poignée ne se remplit pas
du liquide que doit boire
le bébé, sinon nettoyage impossible

Caractéristiques
avec indicateur de
chaleur

Commentaires
des cristaux à la base
du biberon se colorent
en fonction de la
température du lait,
*mais rien ne vaut
la goutte
sur l'avant-bras !*

Caractéristiques
en anneau

Commentaires
choisir celui qui
s'ouvre par les deux
bouts pour faciliter
le nettoyage

« Quelle est la principale qualité d'un biberon ? »

L'essentiel est qu'il soit facile à laver et à stériliser, ce qui est le cas lorsque le biberon est de forme cylindrique.

« Combien de biberons faut-il acheter ? »

Au début, votre bébé aura sans doute six ou sept repas par jour. Il semble donc raisonnable d'en avoir au moins six, si vous stérilisez à chaud, ou deux ou trois si vous stérilisez à froid.

« Est-il préférable de commencer par des biberons en verre ? »

Les biberons en verre représentent 70 % des achats pour les nouveau-nés. On conseille habituellement d'utiliser des biberons en verre pour le 1er âge. Il est probable qu'instinctivement on les trouve plus hygiéniques. En effet, le biberon en plastique, à la longue, a tendance à se rayer et à devenir un peu opaque, ce qui ne fait pas net. C'est probablement pour cette raison que l'on préfère, au début, les biberons en Pyrex®. Cependant, si l'hygiène est bien respectée (voir p. 254), les résultats sont identiques avec des biberons en plastique.

« À partir de quand peut-on utiliser des biberons en plastique ? »
Comme on vient de le voir, dès la naissance si vous le désirez. Mais dès que l'enfant est susceptible de le prendre seul, c'est certainement nécessaire. En effet, le biberon a de fortes chances d'échapper fréquemment des mains de bébé, destin auquel un biberon de verre aurait du mal à résister.

« J'aimerais utiliser le même système qu'à la maternité : des biberons pleins et jetables. »
Les industriels de laits infantiles ont en effet mis au point des biberons à usage unique, appelés « nourettes », complètement stériles et préalablement remplis de lait pour nourrissons d'un volume de 90 ml. Toutefois, il ne vous sera pas possible de les utiliser, car ce système est réservé aux maternités et aux collectivités hospitalières.

« J'aimerais avoir le minimum de manipulations et le maximum de garantie hygiénique, que choisir ? »
La meilleure solution est le biberon jetable ou biberon de voyage. Il est constitué d'un sac en plastique se glissant dans un tube-support gradué et rigide, mais non jetable, sur lequel se fixent une bague, un obturateur et une tétine jetables. L'inconvénient est qu'il est nettement plus onéreux à l'usage.

« Il existe plusieurs tailles de biberon, lesquelles sont les plus utiles ? »
On peut tout à fait se contenter d'une seule taille. La plus courante est 240 ml.
Il en existe des plus petits (110 à 120 ml) proposés pour les jus de fruits (voir p. 264). Mais bébé peut tout à fait prendre son jus de fruits dans son biberon habituel. Toutefois, ces biberons seront utiles pour que bébé puisse étancher sa soif avec de l'eau (non sucrée bien sûr), notamment le jour où il sera capable de tenir seul le biberon et de le mettre à sa bouche. Prévoyez de préférence un modèle en plastique, pour résister aux chutes.
Les fabricants proposent aussi des biberons de 25 à 50 ml pour les médicaments. Ils ne sont pas vraiment indispensables.
L'utilisation des biberons de grande contenance (300-330 ml) avant un an est contre-indiquée, l'enfant buvant de gros volumes pourrait faire de gros renvois.

➤ Les tétines

Il existe plusieurs sortes de tétines. Elles varient par la forme, la matière ainsi que par le type de perçage. Essayons d'y voir plus clair.

« En caoutchouc ou en silicone ? »

En octobre 1996, l'Institut scientifique d'hygiène alimentaire a constaté qu'une tétine en caoutchouc sur dix libérait des nitrosamines, substances cancérogènes qui peuvent diffuser dans la bouche du bébé[1].

Depuis le 1er avril 1995, une norme européenne a fixé les teneurs limites en nitrosamines et en substances nitrosables dans les tétines. Son application semble laborieuse. Actuellement, certaines tétines en caoutchouc ont une teneur en nitrosamines supérieure à la réglementation.

> ## Notre conseil
> Tant que l'étiquetage n'indiquera pas la quantité de nitrosamines libérées par les tétines en caoutchouc, il semble plus prudent d'habituer le bébé aux tétines en silicone.

« Quels sont les différents types d'ouvertures des tétines ? »

Il existe trois types d'ouvertures :

— les tétines spéciales nouveau-nés au perçage excentré qui permet au lait de jaillir sur les côtés des joues du bébé et non au fond de la gorge ;

— les tétines à fente, à ouverture modulable et décentrée avec trois repères permettant de choisir le calibre de l'ouverture et ainsi le débit du lait ;

— les tétines à ouverture verticale en T assurant un débit qui se règle en fonction de la succion plus ou moins énergique du bébé.

Tétine nouveau-né   Tétine à ouverture en T   Tétine à débit variable

---

1. *Sciences et Avenir*, octobre 1996.

« Quel type de tétine faut-il proposer au bébé ? »
Au début, il serait sage d'avoir à sa disposition les trois types de tétines. En effet, c'est en observant les réactions de votre bébé que vous saurez quelle est celle qui lui convient. Car chaque bébé est unique : certains vont téter très goulûment et vouloir un débit rapide. D'autres n'arrivent pas à boire lorsque le débit est trop fort. Il faut essayer de s'adapter aux besoins de votre bébé. Voyons les différents cas de figure qui peuvent se présenter.

« Bébé s'énerve, cela ne va pas assez vite. Que faire ? »
Utilisez la tétine à débit variable en choisissant pour commencer le débit 1 ou 2. Si votre bébé s'impatiente encore, passez au débit 3. Et si jamais il trouve que ce n'est pas encore assez rapide, essayez la tétine en T.

« Bébé perd le souffle, il n'arrive pas à avaler son lait. »
Proposez la tétine à perçage excentré. On l'appelle aussi « tétine pour nouveau-né ». Elle est conçue pour un écoulement plus lent. Ainsi, le débit sera plus modéré, et votre bébé pourra boire à son rythme, sans avoir l'impression d'être gavé.

« Bébé se fatigue et tète peu. »
Certains bébés sont vite fatigués par l'effort que leur demande la tétée. Ils se détournent alors du biberon ou s'endorment dans vos bras, en n'ayant bu qu'une toute petite quantité de lait. Si cette attitude n'est qu'occasionnelle, cela signifie sans doute que votre bébé n'a pas besoin de manger plus et qu'il a bu ce qui lui était nécessaire. Mais si c'est systématique, alors vous pouvez rectifier les choses en proposant la tétine en T ou celle à fente ; choisissez le débit 1 ou 2. Ainsi, le débit sera suffisamment rapide pour qu'en peu de temps bébé puisse boire la quantité de lait dont il a besoin.

Comment nettoyer et stériliser les biberons

Le lait nourrit le bébé. Il a été choisi par le médecin et est adapté aux besoins de bébé. Mais il dépend de vous que tout se déroule parfaitement. En effet, le biberon doit être propre : c'est la qualité essentielle. Et, même si cela a l'air d'une évidence, rappelons que, pour être propre, il faut que le biberon, la tétine et les accessoires le soient aussi.

Le lait contient tous les éléments nécessaires à la croissance du bébé, mais aussi à celle des microbes ! Car les microbes aussi profitent des bienfaits du lait et peuvent s'y développer ; le lait devient ce qu'on appelle « un bouillon de culture », terme bactériologique qui signifie qu'il y a une multiplication de microbes qui peuvent provoquer des diarrhées, parfois graves.

➤ *Le nettoyage*

Au cours de la préparation du biberon, il peut y avoir des contaminations microbiennes. Comment les éviter ?

Le nettoyage est une étape indispensable. Certaines personnes pensent qu'un biberon vaguement rincé est assez propre car, de toute façon, il va être stérilisé. C'est une erreur : on ne stérilise pas un récipient sale.

Le matériel pour nettoyer les biberons

— du liquide à faire la vaisselle,
— un grand goupillon, réservé à cet usage, pour nettoyer l'intérieur des biberons et les pas de vis,
— un petit goupillon pour l'intérieur de la tétine.

Nettoyage du biberon

Dès que le repas est terminé et que le bébé bien repu est tranquille, ou dort béatement, rincez le biberon, afin d'éviter la formation de résidus caillés. À l'aide d'un goupillon et de deux ou trois gouttes de produits à laver la vaisselle, vous brossez le biberon et son pas de vis intérieurement et extérieurement, puis vous rincez à l'eau très chaude et vous le mettez à égoutter sur un linge propre.

> ### Notre conseil
> Vous pouvez laver les biberons dans le lave-vaisselle, mais vous devez alors les rincer à l'eau pour éliminer les traces de produits de rinçage. Comme pour l'autre méthode de nettoyage, ils doivent ensuite être stérilisés sauf si le biberon est préparé puis consommé immédiatement.

Nettoyage des tétines, des bagues et des capuchons

Vous rincez à grande eau les tétines sorties des bagues à vis, vous les nettoyez avec un produit à laver la vaisselle intérieurement et extérieurement en les retournant si vous n'avez pas de petit goupillon. Vous brossez les bagues à vis et les capuchons, puis vous les rincez à grande eau et les mettez à côté des biberons sur un linge propre pour les égoutter. Protégez le tout avec un autre linge propre, jetable ou non.

Notre avis

Un biberon ainsi nettoyé peut ne pas être stérilisé *s'il est préparé avec les précautions indiquées et consommé immédiatement* : la multiplication microbienne dans le lait ne se met en effet en route qu'au bout de vingt à trente minutes.

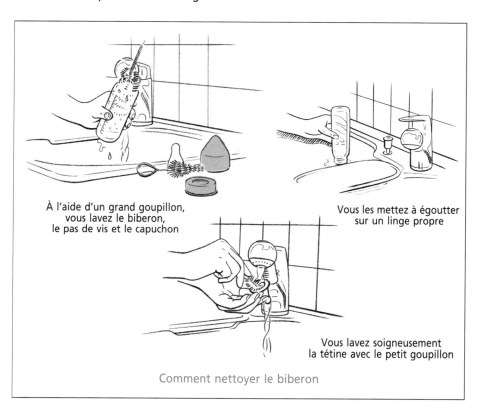

À l'aide d'un grand goupillon, vous lavez le biberon, le pas de vis et le capuchon

Vous les mettez à égoutter sur un linge propre

Vous lavez soigneusement la tétine avec le petit goupillon

Comment nettoyer le biberon

➤ *La stérilisation*

Le but de la stérilisation est de détruire les microbes présents sur les parois du biberon qui pourraient ensuite polluer le lait, surtout si celui-ci est préparé à l'avance.

La stérilisation se fait selon deux techniques, à chaud ou à froid.

La stérilisation à chaud

■ Le *plus simple* et le *plus économique* est de se servir d'une grande casserole dans laquelle on couche les biberons pour qu'ils soient complètement immergés. L'ébullition doit être maintenue quinze minutes.

Les tétines, les bagues et les capuchons sont à leur tour plongés dans l'eau bouillante et doivent bouillir cinq minutes supplémentaires. Les biberons risquent de devenir opaques à cause du calcaire de l'eau : en mettant quelques gouttes de vinaigre dans l'eau, on évite cet inconvénient. Les biberons et leurs accessoires doivent ensuite être sortis et stockés (comme indiqué p. 252).

Lorsque vous sortez de l'eau les biberons et leurs annexes, n'oubliez pas de le faire avec des mains parfaitement propres voire même avec la pince spéciale si vous le souhaitez. Vous videz les biberons, les fermez et les rangez à l'abri de la poussière. Vous les utiliserez dans les vingt-quatre heures.

■ La *plus traditionnelle* est la stérilisation dans la marmite Soxhlet® pouvant contenir six biberons. Pour que la stérilisation soit efficace, il faut que les biberons soient installés renversés, les tétines et les annexes posées sur le fond des biberons. Le temps d'ébullition conseillé est de vingt minutes. Les biberons et leurs accessoires doivent être sortis et stockés (voir p. 252) selon les modalités indiquées au paragraphe précédent.

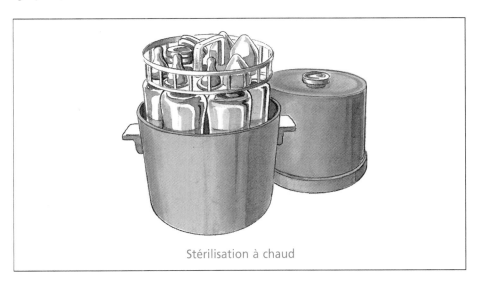

Stérilisation à chaud

■ La *plus rapide,* mais cependant traditionnelle, est l'utilisation de l'autocuiseur. Les biberons sont installés couchés dans le panier de l'autocuiseur, les tétines et les annexes posées sur le dessus avec un fond d'eau pour produire la vapeur à partir du sifflement de la soupape, le temps de stérilisation doit être de sept minutes. Il faut attendre de cinq à sept minutes après l'arrêt de la source de chaleur pour ouvrir l'autocuiseur. Biberons et accessoires doivent être sortis et stockés selon les modalités indiquées précédemment.

■ La *plus pratique* est la stérilisation par des appareils fonctionnant à l'électricité, en se basant sur le principe de la vapeur sous pression. Suivant les appareils, le temps de stérilisation varie de neuf à vingt-cinq minutes. L'avantage de ce système, c'est que les biberons ainsi stérilisés peuvent rester dans l'appareil et n'en sortir qu'au fur et à mesure de la préparation des repas.

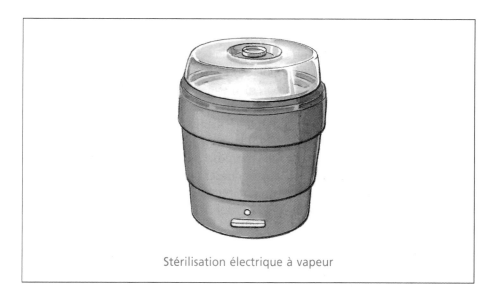

Stérilisation électrique à vapeur

▪ La stérilisation la *plus moderne* fonctionne au four à micro-ondes. L'opération est très rapide : huit à dix minutes selon la puissance du four. L'eau dans laquelle sont plongés les biberons est vaporisée dans un bac en plastique prévu et vendu à cet effet. Plusieurs inconvénients sont à signaler :
— certains plastiques ne conviennent pas à ce mode de stérilisation,
— le verre du biberon, par simple contact, risque de faire fondre le récipient,
— les tétines en silicone (ou en caoutchouc) ne supportent pas les micro-ondes,
— les bacs ont des dimensions qui ne sont pas toujours compatibles avec celles des fours à micro-ondes.

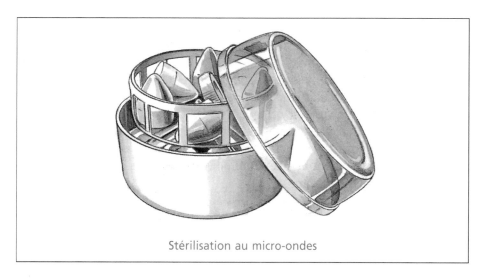

Stérilisation au micro-ondes

La stérilisation à froid dans une solution antiseptique

L'antiseptique utilisé est l'hypochlorite de sodium, constituant de l'eau de Javel®. Il est présenté dans le commerce sous deux formes : une forme liquide et une forme en comprimés.

Il existe des bacs spécialement conçus avec une grille calant les biberons. Ils peuvent être prévus pour trois, quatre ou même six biberons avec leurs accessoires. Un repère indique la quantité d'eau à verser, et, suivant le volume du bac, vous ajoutez la quantité de liquide antiseptique ou de pastilles nécessaire. Chaque produit a sa propre concentration. Il faut donc bien lire les explications données avec le produit que vous utilisez.

Le mélange eau + antiseptique est efficace pendant vingt-quatre heures, il faut donc le renouveler chaque jour. La stérilisation des biberons et des accessoires se fait en général en une heure et demie. Là encore, lisez bien les notices explicatives car, selon le produit, le temps de stérilisation peut varier. Biberons et tétines peuvent rester immergés dans le liquide jusqu'à l'utilisation.

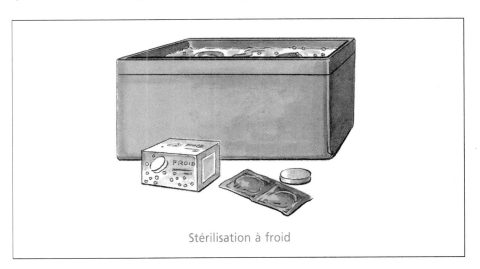

Stérilisation à froid

« L'odeur de l'eau de Javel qu'ont les tétines et les biberons stérilisés à froid peut-elle déranger le bébé ? »

À la naissance, le bébé a un odorat qui ne fait pas la distinction entre ce que nous appelons une bonne et une mauvaise odeur. La seule bonne odeur qu'il connaît est celle de sa mère. On peut supposer que la découverte du biberon et de la tétine stérilisés à froid sera associée à celle de son alimentation. Nous, adultes, ne pouvons accepter cette association de goût et nous pensons qu'il en est de même pour le bébé. Toutefois, pour éviter ce souci, vous pouvez rincer les biberons et les tétines avec l'eau servant à faire les biberons.

◼ *Questions sur la stérilisation* ◼

« La stérilisation à froid est-elle aussi efficace que la stérilisation à chaud ? »

Certaines personnes pensent que la stérilisation à chaud est plus sûre parce que les biberons et leurs annexes ont bouilli. Pourtant, ces deux types de stérilisation (à chaud et à froid) se valent ; on utilise même le système à froid dans les centres de prématurés ! Sachez également qu'après une stérilisation à chaud, le stockage des biberons stériles peut poser un problème, quand ceux-ci ne peuvent rester dans l'appareil.

« Jusqu'à quel âge doit-on stériliser les biberons de bébé ? »

On conseille de maintenir la stérilisation des biberons pendant les trois à quatre premiers mois de la vie. Il est possible que votre médecin pense que cela est inutile. Effectivement, si vous ne préparez pas le biberon à l'avance mais juste au moment du repas et que le nettoyage a été parfait, la stérilisation n'est pas absolument nécessaire.

Mais rappelez-vous que, de toute façon, vous devez stériliser les biberons tant qu'ils sont préparés à l'avance, c'est-à-dire lorsqu'ils ne sont pas consommés dans la demi-heure qui suit.

« Si on lave les biberons au lave-vaisselle, est-il nécessaire de les stériliser ? »

Un biberon lavé au lave-vaisselle doit d'abord être rincé, parce qu'il garde des traces de liquide de rinçage qui ne sont évidemment pas recommandées pour le nourrisson. Ensuite, vous devez le stériliser sauf s'il est préparé et consommé immédiatement.

« Comment stocker les biberons stériles ? »

Avec des mains soigneusement lavées et séchées avec un essuie-tout jetable ou un torchon propre, vous posez les différents éléments sur un linge propre : les tétines doivent être prises par le bord extérieur, les bagues et les capsules saisies par le haut. Vous pouvez aussi utiliser des pinces pour saisir les objets. Vous montez les biberons en installant la tétine dans sa bague que vous vissez légèrement sur le biberon et vous couvrez avec le capuchon.

Le meilleur lieu de stockage est le réfrigérateur. En effet, sa basse température empêche les quelques microbes qui resteraient de se multiplier.

Comment préparer les biberons

Les accessoires indispensables de l'allaitement au biberon

— 6 à 8 biberons (moins si vous stérilisez à froid) — 1 petit goupillon
— 6 à 8 tétines avec bagues et capsules — 1 grand goupillon
(même chose) — 1 chauffe-biberon
— 1 stérilisateur
— 1 pince pour prendre les biberons et tétines

➤ *Que met-on dans un biberon ?*

Le biberon peut être fait à partir de lait pour nourrisson sous forme liquide, prêt à l'emploi, vendu en « brique », ou bien à partir d'un lait en poudre auquel on ajoute une eau adéquate en proportions précises (voir p. 255).

Si vous utilisez un lait pour nourrisson se présentant sous forme liquide, la préparation est toute simple. Le lait est versé dans le biberon et réchauffé à la température appréciée par l'enfant. Il ne faut pas oublier de conserver la « brique » entamée au réfrigérateur, elle doit être utilisée dans les vingt-quatre heures.

Pour savoir quel type de lait vous devez utiliser, consultez votre médecin et reportez-vous aux pages 235 à 239.

« Quelle eau utiliser ? Peut-on utiliser l'eau du robinet ? »

La qualité bactériologique de l'eau du robinet est bien contrôlée ainsi que la concentration des polluants (exemple : l'excès ou non de nitrates et l'absence de résidus de pesticides). La fréquence des contrôles dépend du nombre d'habitants desservis par l'adduction publique d'eau. La mairie doit fournir ces informations sur simple demande. Si vous habitez une ville de plus de cent mille habitants, les contrôles sont quotidiens, c'est une sécurité. Mais les eaux du robinet peuvent contenir jusqu'à 1 500 mg par litre de sels minéraux, ce qui peut être beaucoup pour un nourrisson ayant un rein encore immature.

C'est pour cette raison qu'il est préférable d'utiliser de l'eau en bouteilles pour préparer les biberons pendant les quatre ou cinq premiers mois. Parmi les eaux en bouteilles, vous choisirez une eau minérale ou une eau de source portant la mention « convenant pour nourrissons ». Cette mention signifie que l'eau est faiblement ou très faiblement minéralisée et que la teneur en nitrates est inférieure à 15 mg par litre. L'eau ne doit pas être fluorée.

« Pourquoi l'eau ne doit-elle pas être fluorée ? »
Lorsque l'eau n'est pas fluorée, le médecin sait quelle quantité il doit prescrire au nourrisson. Si, au contraire, l'eau est fluorée, elle peut l'être trop ou pas tout à fait assez : il est alors difficile de savoir qu'elle est la consommation exacte du bébé. La marge de sécurité est étroite entre la dose de fluor nécessaire pour protéger des caries et celle capable de créer une fluorose (maladie de l'émail dentaire et de l'os occasionnée par un apport excédentaire en fluor).

« Les eaux de source sont-elles aussi bonnes que les eaux minérales ? »
Elles sont aussi bonnes si elles portent la mention « convenant pour nourrissons », comme il a été expliqué plus haut. Attention, il y a un certain nombre d'eaux minérales qui ne conviennent pas au nourrisson parce qu'elles sont trop riches en minéraux.

« Faut-il éviter de changer d'eau ou, au contraire, faut-il en changer souvent pour éviter que le bébé ne s'y habitue ? »
Changement ou pas, cela n'a aucune importance pourvu que le bébé reçoive une eau convenable pour les nourrissons.

➤ Comment préparer un biberon ?

Les règles d'or de l'hygiène des biberons

— Vérifiez toujours la date de péremption du lait que vous utilisez.
— Lavez-vous soigneusement les mains et essuyez-les avec un torchon jetable ou un linge propre.
— Ne prenez pas le biberon par le goulot mais par le corps.
— Prenez la tétine par le bord extérieur et glissez-la dans la bague, protégez le tout avec le capuchon saisi par le haut.
— Ne conservez pas un biberon de lait tiède dans une Thermos ; vous pouvez en revanche conserver un biberon d'eau tiède, prête à recevoir le lait en poudre à l'heure du repas.
— Ne gardez jamais un reste de lait qui n'a pas été consommé. Jetez-le.
— Si vous préparez les biberons pour la journée, ils doivent avoir été stérilisés avant d'être remplis ; conservez-les au réfrigérateur, au fond mais surtout pas dans la porte qui est l'endroit le moins froid du réfrigérateur.

La préparation des biberons

La reconstitution de chaque lait en poudre se fait avec une mesurette arasée et non tassée pour 30 ml d'eau. Il n'y a pas lieu de se préoccuper du volume final.

Pratiquement, vous versez dans le biberon la quantité d'eau dont le volume est un multiple de 30. Elle peut ensuite être tiédie dans le chauffe-biberon, au bain-marie ou au four à micro-ondes, pour faciliter la dilution de la poudre de lait. Vous ajoutez les mesurettes (1 mesurette non tassée dans 30 g d'eau), vous agitez en roulant le biberon entre vos mains (voir dessins ci-dessous), il est prêt. Le fait de rouler le biberon entre vos mains évite à la poudre d'aller s'agglutiner dans la tétine : ainsi, vous évitez les grumeaux, et les trous ne sont pas bouchés.

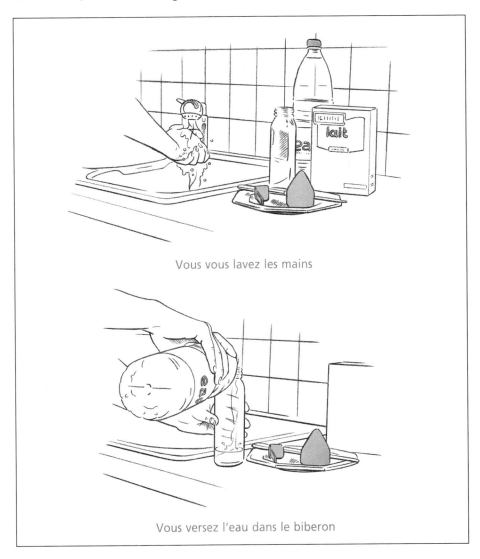

Vous vous lavez les mains

Vous versez l'eau dans le biberon

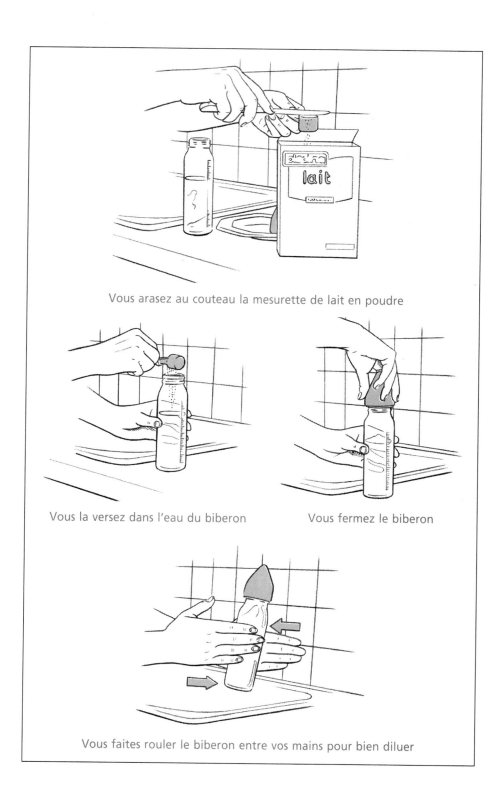

Vous arasez au couteau la mesurette de lait en poudre

Vous la versez dans l'eau du biberon

Vous fermez le biberon

Vous faites rouler le biberon entre vos mains pour bien diluer

Votre médecin vous fera une prescription où le volume indiqué sera celui de l'eau. Par exemple il vous dira : six biberons de 120. Cela signifiera que vous mettrez 120 ml d'eau dans le biberon. Vous ajouterez 4 mesures de lait en poudre, donc la quantité de lait obtenue sera supérieure à 120 ml (environ 130-135 ml) ; ne forcez pas bébé à le terminer, il boira ce qui lui est nécessaire.

Matériel nécessaire à la préparation des biberons

— la boîte de lait,
— la bouteille d'eau « convenant pour nourrissons »,
— le biberon et ses accessoires,
— une soucoupe pour poser la mesurette de lait,
— un couteau pour araser la poudre de lait.

« Comment préparer les biberons lorsqu'on utilise un biberon très bien lavé mais non stérilisé ? »
Avec vos mains très propres, vous ne prenez pas le biberon par le goulot mais par le corps. Une fois que vous l'avez rempli de lait, vous prenez la tétine par le bord extérieur, la glissez dans la bague et installez le tout sur le biberon que vous protégez avec le capuchon saisi par la paroi extérieure.

« Comment faire lorsqu'on utilise des biberons qui restent dans le stérilisateur ? »
Vous procédez exactement comme décrit précédemment.

« Comment procéder avec des biberons stériles entreposés au réfrigérateur ? (comme il est indiqué p. 252) »
Vous dévissez la bague avec tétine et capuchon, et la posez sur une soucoupe propre ou un linge propre. Puis vous préparez votre biberon en reconstituant le mélange eau-lait en poudre comme indiqué plus haut.

« Prépare-t-on un seul biberon à la fois ou bien les cinq ou six biberons de la journée tous en même temps ? »
Les deux solutions sont possibles. Soit vous préparez les biberons au fur et à mesure de l'heure des repas, soit vous les préparez à l'avance. Cette seconde solution est souvent plus pratique pour les mamans très occupées, qui ont déjà d'autres enfants, ou pour les mamans de jumeaux ou de triplés, débordées par la tâche. Si les biberons sont préparés à l'avance, ils sont stériles, mais ils doivent être conservés dans la partie la plus froide du réfrigérateur, c'est-à-dire au fond, et surtout pas dans la porte.

Le stockage des biberons de lait

Si vous préparez les biberons à l'avance, vous les stockerez au réfrigérateur près de la source de froid, comme on vient de le voir.

À la maternité, on a pu vous proposer des biberons à donner à température ambiante. Il s'agit de biberons jetables totalement stériles. Dans le cas de préparation familiale ou d'une petite collectivité, il est totalement déconseillé de laisser un biberon à température ambiante. La multiplication des germes microbiens (même si le biberon a été préparé proprement) est si rapide que le lait sera souillé et probablement impropre à la consommation, même si son aspect est normal. Le biberon qui n'est pas destiné à être pris immédiatement mais au cours de la promenade, ou dans la nuit, ne doit pas être préparé à l'avance et maintenu tiède. Lorsque vous devez vous déplacer et emporter un biberon avec vous, il est recommandé de maintenir l'eau tiède dans le biberon stérile et de n'ajouter les mesurettes de lait qu'au moment du repas.

Les biberons préparés à l'avance doivent être gardés au froid et réchauffés au moment où ils sont servis. Vous jetez les restes, sauf si, dans la demi-heure qui suit, bébé accepte de finir son biberon.

La température

Il existe trois moyens pour réchauffer le biberon :
— le bain-marie,
— le chauffe-biberon,
— le four à micro-ondes.

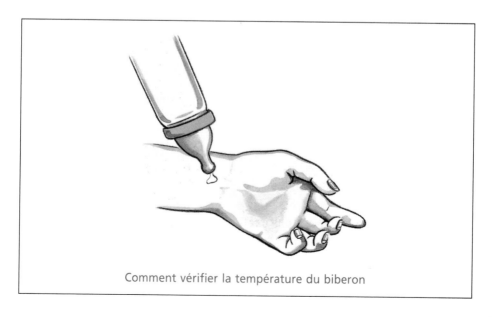

Comment vérifier la température du biberon

La température du lait doit être aux environs de 35/36 °C. Pour contrôler cette température, mettez une goutte de lait sur la peau de l'intérieur du poignet ou de l'avant-bras : vous devez alors sentir une température identique à celle de votre propre peau.

Lorsque vous utilisez le four à micro-ondes, le biberon retiré aussitôt après le début de la sonnerie est encore froid, mais le liquide chaud (vous le contrôlez comme il est dit plus haut). Il est donc important que vous puissiez étalonner la durée et la température de chauffage de votre micro-ondes pour des quantités précises de lait, car la durée varie avec la puissance du four. Faites quelques essais en dehors de l'heure des repas pour éviter d'avoir, dans une main, un biberon brûlant et, dans un autre bras, un bébé hurlant de faim et peu décidé à attendre que le biberon refroidisse.

« Peut-on donner un biberon à température ambiante ? »

C'est tout à fait possible. Si vous préparez votre biberon au moment du repas, vous le donnerez donc à bébé sans avoir fait chauffer l'eau. Si vos biberons sont préparés à l'avance et stockés au réfrigérateur, il faut tout de même les réchauffer un peu pour qu'ils ne soient pas trop froids, mais vous avez moins besoin de les faire chauffer si votre bébé a pris l'habitude de boire le lait à température ambiante.

« Je dois me déplacer. Comment faire pour donner à mon bébé un biberon à la bonne température et dans de bonnes conditions d'hygiène ? »

Vous ne partez pas en promenade ou ailleurs avec un biberon tout préparé. Vous emportez un biberon d'eau tiède placé dans un flacon isotherme, et d'autre part, la boîte de poudre de lait. C'est juste au moment où le bébé veut boire que vous ajouterez la poudre à l'eau.

« Je pratique l'allaitement mixte. Comment faire ? »

La question est traitée page 185.

Les quantités de lait

Comme pour l'allaitement au sein, l'allaitement au biberon doit répondre à la demande du bébé, qui est adaptée à ses besoins. Le tableau ci-après donne une idée des quantités habituellement bues par les nourrissons durant vingt-quatre heures et qui correspondent à celles prescrites par le médecin ou que vous lirez sur la boîte de lait.

L'ALIMENTATION D'UN NOURRISSON JUSQU'À 3 MOIS[a]

Âge	Volume total par jour (ml)	Nombre de repas par jour
De la naissance à 8 jours	100-400	7-6
8 à 15 jours	450-500	7-6
15-30 jours	550-650	(7) -6
Deuxième mois	600-700	6-5
Troisième mois	720-800	6-5
Quatrième mois	780-850	5-4

a. D'un poids moyen pour l'âge.

« Comment les repas de bébé s'organisent-ils dans la journée ? Quelle est leur fréquence, quels sont leurs horaires ? »

Dans la majorité des cas, le nombre habituel de repas est de six par jour, plus quelquefois un dans la nuit. Mais il n'est pas obligatoire que les six biberons soient de même volume et répartis à intervalles réguliers dans la journée (un espacement de deux heures et demie à trois heures permet aux processus de digestion de se dérouler sans problème). En effet, le bébé peut, par exemple, avoir besoin, dans la matinée, de biberons plus importants et plus rapprochés que dans l'après-midi.

Le biberon de nuit s'avère parfois nécessaire ; un nourrisson qui se réveille la nuit parce qu'il a faim est un nourrisson qui a besoin de lait. Le nouveau-né ignore les différences entre le jour et la nuit. Progressivement, en quelques semaines ou en plusieurs mois, il acquerra un nouveau rythme.

Le passage à cinq repas se fait tout naturellement. L'enfant prend des biberons plus volumineux et allonge l'intervalle. Il y a parfois quelques jours d'hésitation : il revient à six repas un jour et s'accommode de cinq le lendemain. Il suffit d'observer et de suivre son rythme.

Certains enfants aiment prendre de gros biberons (sans manifester le moindre problème) et se mettent rapidement à cinq puis à quatre repas par jour. Il est donc difficile d'établir une norme.

Comment donner le biberon

Bébé a besoin qu'on le regarde, qu'on lui parle. Le repas, dès cet âge, est une occasion d'échanges, de tendresse. Profitez de ce moment pour sentir votre bébé, faire sa connaissance. Se nourrir est pour le tout-petit le moyen de découvrir le monde et la relation à l'autre.

« Comment s'installer ? »

Asseyez-vous confortablement, avec le coude calé sur des coussins ou sur un accoudoir, la tête du bébé dans le creux du bras, le nourrisson étant en position semi-allongée. Le biberon est tenu entre le pouce et l'index, et maintenu dans la bouche de l'enfant de manière que la tétine soit pleine de lait, cela pour éviter que le bébé n'avale de l'air.

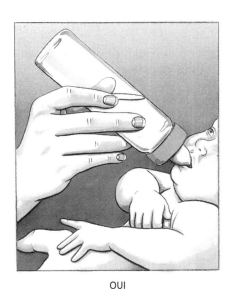 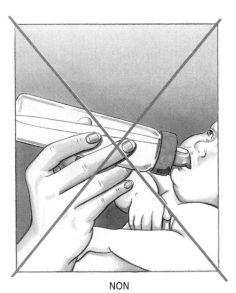

OUI   NON

Comment tenir le biberon

« Comment régler la tétine pour le bon débit ? »

Tout d'abord, ne vissez pas la bague à fond, afin qu'un peu d'air puisse passer et que la tétine ne s'aplatisse pas, bloquant l'arrivée d'air. Puis choisissez le débit en fonction de l'énergie avec laquelle le bébé tète (voir les différents types de tétines page 245).

Si le débit est bon, vous voyez une colonne de petites bulles d'air le long de la paroi du biberon. S'il n'y a pas assez de bulles, cela signifie que le bébé fait trop d'efforts pour téter et qu'il risque de se fatiguer.

« Que faire si bébé arrête de téter ? »

C'est peut-être que bébé est fatigué de tout cet effort : vous arrêtez alors momentanément la tétée en tenant votre bébé en position verticale, appuyé contre votre épaule. À ce moment, il peut faire un renvoi, et vous recommencez alors à lui donner le biberon : en effet, le trop-plein d'air avait pu lui donner l'impression qu'il avait l'estomac plein.

Lorsque l'enfant visiblement n'a plus faim, s'endort, qu'il est béat, *inutile d'insister*, son repas est terminé, même si le biberon n'est pas vide. Il faut veiller à maintenir bébé durant un moment debout, contre vous, afin qu'il se débarrasse d'un trop-plein d'air et/ou de lait. À la page 267 sont indiquées les différentes positions pour le rot. Ensuite, vous recouchez bébé.

« Combien de temps devrait durer un biberon ? »

Chaque bébé a son rythme. Il est habituel de dire qu'une tétée dure dix à vingt minutes, mais cela peut être plus court ou plus long selon l'appétit du bébé et son plaisir de sucer.

« Que faire si le bébé refuse de lâcher le biberon ? »

Il est probable que son envie de sucer n'est pas complètement satisfaite. Laissez-lui le temps d'être heureux...

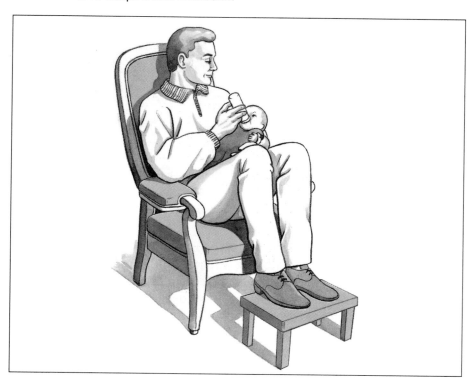

Questions sur l'allaitement au biberon

« Comment s'assurer que l'alimentation que je donne à mon bébé lui convient ? »

Un bébé en pleine forme mange de bon appétit, prend régulièrement du poids et grandit. La taille d'un bébé s'accroît de 25 cm durant la première année de vie. Un nourrisson grossit en moyenne de 25 à 30 g par jour pendant les deux premiers mois de sa vie, de 20 g par jour de deux à six mois, puis de 12 g environ de six à douze mois (les courbes de poids et de taille sont indiquées en annexe p. 612 et p. 613). Ces chiffres ne sont que des notions moyennes, résultats d'études de populations d'enfants bien portants : chaque enfant a son rythme particulier, et c'est seulement la *rupture de ce rythme* qui peut constituer un sujet de préoccupation.

Un enfant en bonne santé est actif dans ses mouvements, il a une peau soyeuse et bien colorée. Son corps est recouvert d'une couche de graisse ferme. Sa peau est chaude, l'enfant respire aisément, son abdomen est proéminent mais souple, ses couches sont régulièrement mouillées. Il a au moins une selle par jour, mais il peut en avoir une après chaque biberon : le transit varie d'un bébé à l'autre et pour un même bébé, d'un jour à l'autre. Les selles sont de couleur plutôt jaune, elles ne sont jamais moulées, elles n'ont pas l'aspect grumeleux ni l'odeur aigrelette des selles d'enfant nourri au sein (l'odeur augmente à l'introduction de la viande). Il dort bien, s'éveille et mange, est satisfait, actif quelque temps puis s'endort à nouveau. De temps en temps, il pleure de faim, de soif (d'eau) ou d'inconfort, ou parce qu'il a envie de compagnie, de tendresse, ou pour bien d'autres raisons. Un nourrisson qui se porte bien est la preuve vivante qu'il reçoit une alimentation qui lui convient.

« Quels suppléments faut-il donner à un enfant nourri au biberon ? »

— Un supplément de *vitamine D* est préconisé par la plupart des pédiatres bien que les préparations pour nourrissons soient obligatoirement enrichies en vitamine D (400 UI [Unités internationales] par litre). Ainsi, dans son alimentation, un nourrisson trouve environ 300 UI. L'exposition de la peau au soleil (au cours des promenades par exemple) est une source naturelle de vitamine D (voir p. 615), mais elle est, en général, jugée insuffisante et une supplémentation de 600 à 800 UI est prescrite. Cette supplémentation varie en fonction des conditions de vie de l'enfant (ensoleillement) et de la pigmentation de sa peau.

— Le fer transporte l'oxygène dans le sang. Il joue un rôle important dans le développement de l'enfant, surtout pendant la première année. La supplémentation en *fer* chez le nourrisson de moins de quatre mois n'est pas utile car, en plus de sa réserve de fer, l'enfant dispose, à la naissance, du fer libéré lors de l'hémolyse physiologique des premières semaines. Après quatre mois, ses réserves s'épuisant, le nourrisson qui ne reçoit pas un lait enrichi en fer devra recevoir du fer sous forme médicamenteuse.

— Enfin, au titre de la prévention de la carie dentaire, une supplémentation en *fluor* est préconisée lorsqu'on utilise une eau contenant moins de 0,3 mg de fluor par litre. Les quantités recommandées par la Société de pédiatrie sont de 0,25 mg de fluor par jour durant la première année et de 0,5 mg à 1 mg par jour de un à dix ans.

« Le jus de fruits est-il nécessaire dès les premiers mois de la vie ? »

Il est encore habituel de conseiller la consommation de jus de fruits dès les premiers mois. On pensait, autrefois, que les bébés avaient un besoin d'un apport supplémentaire en vitamine C car les laits en usage n'en contenaient pas. En effet, comme 700 ml de lait apportaient 7 mg de vitamine C, on prescrivait quelques cuillères à café de jus d'orange, soit environ 10 ml, qui fournissaient 6 mg (!) de vitamine C, quantités négligeables par rapport aux 35 mg conseillés pour une journée.

Dans les mentalités, le jus de fruits est devenu une étape obligatoire, un gage de bonne santé, le début de la période où l'enfant n'est plus tout à fait un nourrisson, donc un « grand » ! Proposer du jus de fruits participe à une esquisse de diversification permettant la première rencontre avec un goût nouveau, c'est là sa justification.

Pour certains nourrissons il est une « boisson-plaisir », pour d'autres, pas du tout, car tous n'aiment pas le goût acide.

> **Notre avis**
> Aujourd'hui, *le jus de fruits est inutile* car les laits pour nourrissons sont enrichis en vitamine C (5 mg pour 100 ml) et apportent tout ce qui est nécessaire au nourrisson.

« Quels sont les différents types de jus de fruits ? »

Vous disposez :

— du *jus frais* soit pressé à la maison et donné aussitôt, soit préparé industriellement, réfrigéré et vendu avec une date limite de consommation,

— des *jus conservés* par la congélation : ils sont à base de concentré ayant perdu au moins la moitié de la teneur naturelle en eau,

— des *jus conservés* par la pasteurisation (chauffage rapide).

Par ailleurs vous avez le choix entre :

— les jus spécial-bébé en ampoule ou en flacon vendus par les industriels de l'alimentation infantile : leur prix est disproportionné par rapport à leur intérêt nutritionnel,

— les jus de fruits de grande consommation. Parmi ceux-ci, il existe des types très différents :

• les purs jus de fruits qui contiennent 100 % de jus de fruits, pas de colorants, pas de conservateurs,

• les jus à base de concentré,

• les nectars qui sont à base de concentré, de pulpe (ou purée) de fruits plus toujours du sucre (dans la proportion de 1,5 à 20 %),

• des boissons aux fruits qui ne contiennent que 10 % de jus de fruits auxquels s'ajoutent de l'eau, du sucre et des arômes, que nous ne conseillons pas pour les nourrissons,

• enfin les jus gazéifiés qu'il n'est pas question de donner à un bébé.

La présence ou non de colorants et de conservateurs est indiquée sur l'emballage.

« Si la maman tient vraiment à donner un jus de fruits, lequel conseillez-vous ? »

Le jus de fruits frais maison donné tout de suite au bébé, ou bien un jus du commerce pasteurisé ou congelé, qui doit être un pur jus de fruits, sans sucre et sans additif ; on peut choisir un jus fait à partir d'un concentré. Les boîtes ou bouteilles de petits formats, c'est-à-dire au maximum 25 cl, sont pratiques.

« Quand et en quelles quantités donner ce jus de fruits ? »

Le jus est souvent donné à tort dans la matinée entre deux repas. Outre le fait que l'on habitue l'enfant à réclamer, ou à croire qu'il a faim entre les repas (à condition que ceux-ci ne soient pas exagérément espacés de plus de quatre heures), cette boisson froide, souvent sucrée, peut avoir un effet diarrhéique.

Le jus de fruits ne présente pas ces inconvénients s'il est donné *à la fin d'un repas diversifié*. Mais il ne doit pas prendre la place de l'eau de boisson du repas ni de celle de la journée. Il est alors préférable de le donner pur et surtout pas resucré.

Il n'est pas nécessaire de dépasser 50 g (soit 5 cl) de jus de fruits par jour.

« Bébé peut-il avoir soif d'autre chose que du lait ? »

La recommandation de donner de l'eau, en plus du lait, reste valable chaque fois qu'on peut supposer que les pertes d'eau augmentent (température ambiante élevée, enfant trop couvert, fièvre, etc.). On observe que, dès le tout début de sa vie, l'enfant différencie ses besoins et, quand il a soif, il accepte volontiers l'eau. Il serait néfaste de la sucrer ou de la parfumer car, au fil des mois, l'enfant ne saurait plus se désaltérer avec de l'eau simple.

« Un enfant nourri au biberon peut-il être constipé ? Dans ce cas, que faire ? »

On parle de constipation lorsque le nourrisson a moins d'une selle par jour, sèche et difficile à émettre, avec un abdomen ballonné et douloureux. Si bébé pousse, devient tout rouge et émet une selle normale, ce n'est pas de la constipation. Une selle normale, à cet âge, c'est une selle non moulée. Le transit intestinal d'un bébé est très variable : il peut avoir une selle par jour comme une après chaque biberon.

Si votre bébé est réellement constipé, la première démarche consiste à lui donner plus d'eau à boire. Vous lui proposez un peu d'eau : une à trois cuillères à soupe d'eau riche en sulfate de magnésium, telle que l'eau Hépar, entre les biberons. Vous pouvez aussi préparer les biberons en utilisant pour moitié de l'eau Hépar. Si votre bébé a plus de trois mois, vous pouvez lui donner deux à trois cuillères à soupe de jus de pruneaux ou d'autres fruits, additionnés d'eau.

Autre solution, un peu de « gymnastique » : laissez « pédaler » votre bébé sans couches et massez-lui le ventre trois ou quatre fois. Un petit suppositoire de glycérine peut également aider. Mais ne donnez jamais de laxatif sans l'avis du médecin.

« Que faire si bébé régurgite ? »

Les régurgitations accompagnent souvent le rot. C'est une façon naturelle de se débarrasser du trop-plein de lait pour le bébé qui a bu trop vite ou en trop grande quantité. Lorsque le nourrisson renvoie sans effort un peu de lait frais, que sa croissance est normale, et que sa faim semble assouvie, il n'y a pas lieu de s'inquiéter : les régurgitations disparaissent vers la fin de la première année, il faut simplement être patient et les accepter (voir « Remèdes aux rejets » p. 431).

« Après le biberon, mon bébé a le hoquet, que dois-je faire ? »

Le hoquet correspond à des contractions spasmodiques du diaphragme survenant en général chez les bébés qui boivent trop vite. Lorsque l'enfant a le hoquet, installez-le en position plutôt assise pour qu'il soit à l'aise et attendez simplement que cela se passe... On peut essayer de ralentir le rythme de la tétée ou du biberon.

« À quel âge un bébé aura-t-il envie de boire son biberon tout seul ? »

Cela ne dépend pas de l'âge chronologique mais du stade de développement neuromoteur de votre bébé. C'est à peu près au moment où le bébé est capable de se tenir assis.

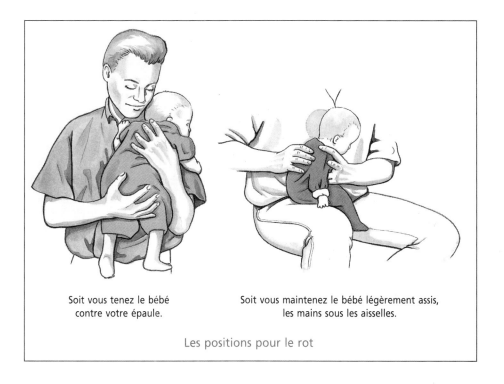

Soit vous tenez le bébé
contre votre épaule.

Soit vous maintenez le bébé légèrement assis,
les mains sous les aisselles.

Les positions pour le rot

Histoire de l'allaitement au biberon

➤ *Les laits d'autrefois*

Actuellement, l'aliment de base est le lait de vache modifié, mais, jadis, des laits d'autres mammifères ont été utilisés. Les fables les plus anciennes, les légendes les plus tenaces nous montrent fréquemment des bébés nourris avec un lait animal. On connaît Jupiter nourri par Amalthée la chèvre, Orion par une ourse, Romulus et Remus par une louve, ou encore l'enfant sauvage.

L'utilisation d'un lait animal était la règle chez les nourrices à la campagne. Dionis constate que ces nourrices « donnent à téter à l'un et à l'autre [leur bébé et celui confié] et il va sans dire que le leur est mieux partagé ». Elles complétaient donc un allaitement au sein souvent, si ce n'est toujours, insuffisant, par un biberon de lait animal. Les conséquences sur la santé de l'enfant étaient désastreuses. Outre le manque d'hygiène, il mourait de gastro-entérite presque inévitablement.

Le choix du lait animal a suscité de nombreuses controverses car on disait depuis des siècles que l'animal, par son lait, communiquait à l'enfant sa bestialité.

La préférence des médecins en 1760 dont Jean-Louis Desessartz, dans *Traité sur l'éducation corporelle des enfants en bas âge*, était pour le lait d'ânesse, puis celui de la chèvre et, en dernier recours, le lait de vache ou de brebis.

La bonne qualité d'un lait était évaluée par le « test de l'ongle ». Quand on met une goutte de lait sur l'ongle maintenu horizontalement, s'il reste et ne s'écoule librement que lorsque l'ongle est incliné, il est considéré comme parfait, ni trop aqueux, ni trop épais.

Le lait de brebis

On le savait gras et épais. Il était utilisé pour les enfants minces et hypotrophiques, mais les difficultés de digestion étaient telles que son utilisation a été peu répandue.

Le lait de vache

C'est néanmoins avec le lait de vache que le sevrage des nourrissons était le plus souvent fait. On ne peut dissocier les problèmes d'hygiène et l'évolution de l'utilisation du lait de vache. Il est vrai que, si ses caractéristiques nutritionnelles ne le rendent pas conforme aux besoins du nourrisson, ce sont surtout ses mauvaises qualités bactériologiques ainsi que celles de son contenant qui ont provoqué des bilans terribles de mortalité infantile.

La difficulté, ou plutôt la notion de propreté souvent inexistante, surtout à la campagne, pour l'entretien du contenant et l'idée de l'existence d'un « principe vital » détruit à l'air a encouragé la tétée directe au pis, très répandue au XVIIIe siècle, et qui se perpétua dans certaines régions jusqu'au début du XXe siècle.

Le lait d'ânesse

On savait déjà au XVIIIe siècle qu'il contenait à peu près les mêmes quantités de sucre et de caséine que le lait de femme et qu'il coagulait de la même façon dans l'estomac.

Il était considéré comme très digeste. Il convenait particulièrement pour les premiers jours de la vie où la mère ne devait pas donner le sein, car le colostrum était considéré comme un poison et donc rejeté. Il pouvait aussi permettre d'attendre la venue de la nourrice.

Il y avait cependant des difficultés, car une ânesse produit 1,5 l de lait et doit nourrir son ânon. Le reste était facilement altérable (on ne connaissait pas les règles d'hygiène). Il était cher car rare, et réservé à des enfants privilégiés.

Buffon recommandait la consommation sur place et même directement au pis de l'animal. Cet usage a été vulgarisé au XIXe siècle par le tableau de F. de Haenen reproduit page suivante. Le Dr Parrot installa une écurie d'ânesses à l'Hospice des enfants malades, pour nourrir les enfants syphilitiques, car le lait d'ânesse, comme celui de la chèvre, est réfractaire à la syphilis.

L'allaitement des nourrissons par les ânesses à l'Hospice des enfants malades.
Gravure d'après le tableau de F. de Haenen (paru dans *L'Illustration* [1887]).

Le lait de chèvre

Au XVIIIᵉ siècle, on le considérait comme rafraîchissant et purgatif. On savait qu'il était aussi gras que le lait de femme, moins sucré mais plus caséineux. Il coagulait en gros caillots et convenait mieux à des enfants après quelques mois.

D'après Buffon, la chèvre se prête par excellence au rôle de nourrice. Elle a plus de « sentiments et de ressources, elle vient au secours de l'enfant infortuné, et se complaît dans un acte de charité ». De plus, la chèvre se laissait dresser pour être tétée par un bébé.

Dans le Bourbonnais, on disait que les enfants élevés avec du lait de chèvre pouvaient devenir hystériques, dévergondés et très enclins à l'amour. Rappelons que Lamartine et le fils aîné de Victor Hugo ont été élevés au lait de chèvre.

Le tableau page suivante permet de comparer la composition de laits d'espèces différentes.

COMPOSITION COMPARÉE DE 100 ml de LAITS DE MAMMIFÈRES
(d'après Souci, Fachmann, Kraut)

Laits	Protéines grammes	Lipides grammes	Glucides grammes	Énergie calories	Minéraux grammes
de femme	1,2	4,0	7,0	67	0,210
de vache	3,3	3,7	4,6	65	0,740
de chèvre	3,8	4,5	4,5	73	0,86
de brebis	5,2	6,26	4,9	96	0,86
d'ânesse	2	1,01	6,2	41	0,47
de jument	3,2	1,5	6,2	48	0,360
de bufflonne	4,0	7,97	4,9	106	0,74
de ratte[a]	8,4	10,3	2,6	136	1,300
de lapine[a]	13,9	18,3	2,1	228	1,800

a. J. Rey (voir bibliographie p. 628).

➤ Histoire de l'adaptation progressive du lait de vache

L'allaitement artificiel a été longtemps une des principales causes de mortalité infantile. En 1877, la mortalité des jeunes enfants est en France de 18 % en moyenne, mais de 15 à 16 % dans les départements où domine l'allaitement maternel et de 35 à 45 % là où l'allaitement artificiel est important.

L'adaptation hygiénique

Le premier problème à résoudre était celui de la qualité hygiénique du lait, notamment pour toutes les questions liées à sa conservation. En effet, le lait était pollué au cours de la traite, les bidons souvent sales. Le temps écoulé entre la traite et la consommation concourait à faire tourner le lait.

Vers la fin du xviiie siècle, Baldini conseille de laver les biberons plusieurs fois par jour, de traire l'animal trois fois par jour, de conserver le lait tiède à l'abri de l'air et de le faire chauffer au moment des repas. Gay-Lussac a montré qu'une brève ébullition chaque jour permet de conserver le lait pendant des mois. On observe ce phénomène, mais on n'en devine pas la raison. Du reste, c'est coûteux, cela modifie le goût du lait, et on a du mal à l'imposer aux mères.

En 1868, on note une amélioration. Le lait livré à Paris est collecté dans des bidons en tôle étamée placés dans des récipients d'eau froide pour que la température du lait ne dépasse pas 10°. On fait deux collectes par jour, les produits sont mélangés et transportés dans des bidons fermés, la distribution dans les crémeries se fait vers 3 heures du matin. L'été, le lait de la première tournée est chauffé à 100° au bain-marie puis refroidi rapidement.

Ces techniques performantes étaient en fait peu appliquées ou dévoyées par de nombreuses fraudes. En effet, à différents moments des manipulations, certains personnages peu scrupuleux n'hésitaient pas à diluer le lait avec l'eau de la Seine ou d'une mare avoisinant la laiterie, d'autres l'écrémaient et… revendaient la crème à part !

Pour masquer ces opérations qui dénaturaient le lait, on ajoutait différentes substances : des carottes carbonisées, du caramel, des pétales de soucis, de l'extrait de chicorée qui lui rendaient sa couleur ; le lait de chaux, l'eau plâtrée, la farine lui rendaient son opacité, et l'onctuosité était rendue par l'ajout de gélatine. Pour qu'il soit moins fade, on ajoutait du sucre ou du sel, et pour qu'il soit mousseux du blanc d'œuf. Les falsifications étaient telles que le Dr Lebehot écrivait en 1858 : « À Paris, on crée des liquides que l'on vend comme du lait et qui n'en contiennent pas une goutte. »

Il pouvait contenir également des éléments chimiques plus ou moins toxiques pour retarder sa fermentation. Il s'agissait le plus souvent de bicarbonate de soude.

Toutes ces fraudes étaient bien sûr interdites, mais elles ne commencèrent à disparaître qu'en 1902, lorsque le journal *Le Matin*, relayé par toute la presse, fit une campagne de dénonciation très efficace.

D'autres tentatives de conservation sont proposées, mais elles n'ont qu'un caractère expérimental. Appert, en 1831, propose de réduire le lait de moitié, d'y ajouter des jaunes d'œuf, de le mettre en bouteille et de le faire bouillir deux heures. Newton, en 1835, prend un brevet pour un lait de vache sucré, lentement concentré en une masse semblable à du miel, qui se conserve assez bien dans des pots.

En 1866, Page, qui s'associe par la suite à Nestlé, prépare dans des boîtes en fer-blanc soudé, un lait concentré fortement sucré.

En 1888, les médecins, au sein de l'Académie de médecine, ne sont pas encore complètement d'accord sur l'efficacité de l'ébullition du lait. C'est un an plus tard que le Congrès international d'hygiène se prononce à l'unanimité en faveur de l'ébullition, notion qu'entérinera l'Académie de médecine en 1890.

La diffusion des principes de Pasteur ne commence à se réaliser que dans la dernière décennie du XIXe siècle. En peu d'années, l'application de ces principes va trouver une confirmation éclatante grâce à l'action de médecins comme Budin qui a pu faire régresser la mortalité infantile par la distribution, dans des dispensaires, d'un lait stérilisé.

Les médecins et les industriels imaginent divers procédés permettant de chauffer suffisamment le lait, afin de détruire tous les germes. Il est vendu en bouteilles de contenance variée, mais le produit est cher et seulement distribué dans les grandes villes.

C'est en 1866 que fut créé par le Pr Soxhlet le premier appareil à stériliser destiné aux familles. Au début, on stérilisait le lait dans de petites bouteilles spéciales bouchées avec un disque en caoutchouc appelé « obturateur », recouvert d'un capuchon. Comme une conserve, le disque de caoutchouc se déprimait au refroidissement. Ce mode de conservation va s'étendre, se perfectionner au cours des décennies suivantes ; même si quelques médecins restent attachés au lait cru, il faudra attendre 1930 pour que cet usage ait diffusé dans chaque couche de la société.

L'adaptation digestive

Parallèlement à la mise au point de la sécurité bactériologique, les chercheurs faisaient l'analyse chimique du lait de vache, afin de le comparer à celui du lait de femme.

Dès le premier quart du XIXe siècle, la composition qualitative et quantitative est connue. Il s'agit de la caséine, du beurre, du sucre, des sels minéraux, de la densité et de l'alcalinité. Ainsi, on peut comprendre les différences avec le lait maternel et expliquer la mauvaise tolérance du lait de vache que l'on va essayer d'améliorer en recommandant le coupage et le sucrage encore en usage jusqu'en 1970.

On recommandait une dilution de 1/4 de lait entier bouilli pendant les premiers jours. Ensuite, on augmentait le lait et on diminuait l'eau progressivement jusqu'à ce qu'il n'y ait plus que 30 g d'eau bouillie et le complément de la ration en lait entier bouilli ou stérilisé sucré.

En 1893, le Pr Vigier présenta à la Société thérapeutique le « lait humanisé de Winter ». Il s'agissait d'un lait dépouillé de la moitié de sa caséine par coagulation avec la présure. Il était mis en bouteilles aussitôt après le traitement et stérilisé. Les nourrissons le digéraient bien, mais leurs courbes de poids n'étaient pas meilleures que ceux alimentés avec un lait coupé et sucré.

Malgré le coupage, de nombreux nourrissons supportaient mal le lait de vache. Certains pensaient que les diarrhées étaient dues à une fermentation glucidique, et on vit apparaître des laits albumineux. Pour Czerny, la diarrhée était due à une intolérance aux graisses. Ainsi, le lait partiellement écrémé enrichi en glucides est mis au point.

On sait maintenant pourquoi les selles étaient diarrhéiques, luisantes de matières grasses : alors que ceux du lait de femme sont à 90 % digérés par le bébé, la composition et la structure des acides gras des lipides du lait de vache sont telles qu'ils ne sont utilisés qu'à 60 %. On en a déduit, à tort, que le nourrisson ne pouvait pas digérer les graisses et qu'il devait avoir une alimentation pauvre en matières grasses. Cette idée fausse perdure (voir « Diversification », p. 322).

L'adaptation du lait aux besoins du nourrisson débute vraiment aux États-Unis. En 1915, Gesten Berger met au point un lait tenant compte de la différence de composition en lipides du lait de vache et du lait de femme. Il mélange à du lait écrémé des graisses végétales dans des proportions de nutriments se rapprochant de celles du lait de femme. Cette formule s'est appelée « Synthetic milk adapted » ou SMA, toujours en vente, mais, bien sûr, avec de nouvelles modifications.

En 1919, Kim Marriot de Saint Louis (USA) pense que la supériorité du lait de femme est due à son pH acide. Ainsi, il prépare un lait de vache enrichi avec 5 g d'acide lactique. Ce lait, dont la tolérance et l'effet sur la courbe de poids sont remarquables, a connu une grande vogue, surtout dès que son emploi a pu en être facilité par les techniques industrielles. Ce sont les laits acidifiés toujours en vente et conformes à la législation la plus récente.

La contribution des grandes firmes de diététique infantile a joué un rôle essentiel dans les progrès dont a bénéficié l'alimentation de l'enfant. L'apparition des différents types de laits industriels a connu plusieurs étapes. Les seules formes disponibles ont été longtemps les laits concentrés, puis les laits en poudre. Différentes formules de préparation de lait en poudre avaient été proposées au XVIIIᵉ siècle, puis au XIXᵉ, notamment par Grimwada aux États-Unis, en 1855. Mais la diffusion et la commercialisation n'ont été réelles qu'entre les deux guerres ; c'est alors que le grand public a commencé à utiliser largement les laits en poudre, dont le séchage est obtenu, après homogénéisation, soit par pulvérisation, soit par des rouleaux. Grâce à la technique de granulation, la dissolution peut maintenant se faire instantanément.

Ainsi, pendant des décennies, on aura à disposition des laits concentrés sucrés, en poudre partiellement écrémés et sucrés, dont certains seront acidifiés.

L'adaptation métabolique

À partir de 1970, l'évolution des connaissances sur l'immaturité du nouveau-né, sur sa physiologie, et sur les composants du lait de femme a permis aux chercheurs de mettre au point des formules tendant à se rapprocher encore plus du lait de femme. Ce fut la naissance des laits appelés « humanisés ».

Leurs modifications portent sur leur teneur en protéines, que l'on rapproche de celle du lait de femme. De plus, une partie de la caséine est supprimée tandis que le lait est enrichi en protéines solubles.

— 1 l de lait de vache partiellement écrémé contient 30 g de protéines.

— 1 l de lait humanisé contient 15 à 17 g de protéines.

— 1 l de lait de femme contient 11 g de protéines.

La quantité totale de lipides n'est pas modifiée, mais leur nature l'est en remplaçant une partie des graisses lactiques par des graisses végétales.

Comme le lait de femme, les laits humanisés ne contenaient que du lactose, alors que les laits traditionnels étaient enrichis en sucre, parfois en miel ou en dextrine-maltose, quelquefois en farine de blé dextrinée. Ils étaient déminéralisés car le lait de femme est trois à quatre fois moins riche en sels minéraux que le lait de vache. Ils étaient supplémentés en vitamines, par exemple la vitamine C. Le lait de vache en contient trois à quatre fois moins que le lait de femme.

➤ *Biberons et tétines du passé*

Le biberon n'a pas toujours ressemblé au biberon que nous connaissons aujourd'hui : il a une longue histoire.

Les biberons

Les premiers biberons retrouvés dans les fouilles gallo-romaines étaient en terre ou en verre, en forme de gourde avec une anse et un bec par lequel s'écoulait le lait. La déglutition se faisait directement puisqu'il suffisait d'incliner le récipient. C'était le *guttus.*

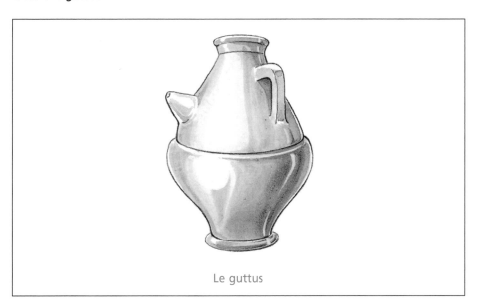

Le guttus

L'utilisation de laits animaux existait, bien sûr, au Moyen Âge ; on utilisait plutôt des cuillères ou des tasses en bois ou en étain. La tasse devint progressivement un « canard » (encore en usage actuellement pour faire boire les malades allongés) : il s'agit d'une sorte de tasse avec un bec.

Dans les régions montagneuses, on utilisait des cornes de bovidés percées ou, mieux, complétées par une peau chamoisée ou parcheminée servant de tétine et attachée à la partie effilée. On raconte que Guillaume le Conquérant fut nourri ainsi. A. Franklin, dans la nouvelle édition de 1977 du *Dictionnaire historique des arts, métiers et professions exercés dans Paris depuis le XIIIᵉ siècle*, rapporte que la Maison royale de Charles VII notait dans ses comptes « la cuillère d'argent blanc (ou poêlon), pour la bouillye à Mgr Messire Charles de France, le pot d'argent à mettre le lait » ainsi que les serviettes « pour mettre devant lui quand on lui donne la bouillye ».

La corne de bovidé

Le pot d'argent du prince était, suivant les époques, le rang et la fortune des familles, en matériaux divers, terre, faïence, ou fer-blanc plus ou moins décorés. C'était une version du *guttus* de l'Antiquité. Les petits trous mis au bout du bec furent supprimés. À partir du XVIIIe siècle, on bouchait l'orifice du bec par une éponge ou, mieux, par une bandelette roulée, qui s'imbibait de lait et pouvait être sucée par le bébé.

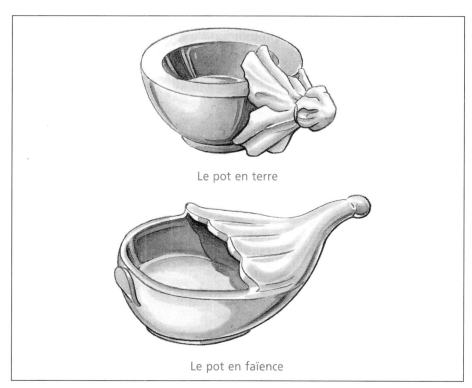

Le pot en terre

Le pot en faïence

Au XVIe siècle, en plus des petits pots, on voit apparaître des bouteilles qui sont tout d'abord en cuir, puis en bois, et qui commencent à s'appeler « biberons ». Dans l'Ariège, on en fabriquait en hêtre évidé, mais ils donnaient un mauvais goût au lait. Ce sont les biberons en forme d'aiguière en étain, ou en fer-blanc, ou en verre, qui se répandent le plus. Ils étaient munis d'une tétine de vache, traitée comme celle des mamelons artificiels. Ils sont utilisés dans les campagnes jusqu'au début du XXe siècle. Suivant les artisans, ils sont plus ou moins renflés, mais le principe est toujours le même.

Au XIXe siècle, on prévoit une ouverture latérale pour introduire le liquide. Pendant la tétée, le bouchon de cette ouverture est retiré, ce qui facilite la succion. Cependant, la forme va changer : ce sera le biberon limande ou appelé « parisien ». Il peut être en verre, en faïence ou même en cristal, plus ou moins aplati, ou au contraire renflé, leurs inventeurs rivalisant d'ingéniosité pour les perfectionner. On peut citer l'innovation, en 1860, du biberon à soupape. Ce sont les biberons à tubes, dont les plus connus sont les biberons Robert et surtout Montchovaut. Ils se composent, en général, d'une bouteille avec un embout d'ivoire ou d'étain, ou de buis ou de faïence, percé de deux trous : l'un servant pour la prise d'air, l'autre pour la tétée qui se faisait par un tube en verre plongeant dans la bouteille et se terminant par une tétine en caoutchouc, et une rondelle en os ou en ivoire placée à la base de la tétine, afin que l'enfant ne mette pas le tube dans sa bouche. Ils furent perfectionnés par l'adjonction, au bout du tube de verre, d'une soupape en caoutchouc coupée en biais qui régulait le débit. Ils semblaient parfaits, et leur succès fut immense.

La bouteille en bois (XVIe s.)   Biberon en verre (XIXe s.)

Le biberon limande ou parisien (XIXᵉ s.)

Le biberon Montchovaut (XIXᵉ s.)

Cependant, le corps médical, à partir de 1890, les critiquait, car leur nettoyage était impossible. Le lait y séjournait longtemps et était souvent « tourné », puisqu'on vantait l'avantage de ce système qui « permettait aux caillots de pénétrer dans le tube sans l'obturer ». Ils furent accusés d'« infanticides » et interdits de fabrication seulement en 1910.

En 1892, le premier « verre de la nourrice » fut créé par le Dr Icard, permettant de mesurer le lait et l'eau à ajouter, résultant de proportions calculées par des auteurs très compétents. Ce moyen a encore été simplifié par la création d'un biberon lui-même gradué. L'objectif principal des fabricants, sur le conseil des autorités scientifiques, est la simplification et la facilité de l'entretien, l'exactitude et la précision de la graduation dépendant du lait proposé (concentré ou en poudre).

Jusqu'en 1960, des biberons à petits goulots ont été utilisés dans les hôpitaux de Paris, alors que les familles pouvaient se procurer ceux à gros goulots, permettant un nettoyage efficace.

L'évolution de la tétine

On a vu que l'embout du *guttus* ou des biberons a fait l'objet de nombreux essais. On a successivement employé du bois, du liège, de la corne, de l'ivoire, du Celluloïd et du caoutchouc.

Cet embout était amélioré par une tétine qui pouvait être une éponge, un morceau de drap enroulé ou de la tétine de vache. Les tétines de caoutchouc apparurent vers 1830. Le caoutchouc était grossier et avait une odeur repoussante.

Le caoutchouc, mieux traité, devint plus souple, plus élastique ; on put créer les tétines « aérifères », où un trou était percé sur la partie ventrue. La marque fut déposée en 1908.

C'est seulement en 1912 qu'on eut l'idée de percer deux trous ; ainsi, quand l'enfant relâche la tétine pour respirer, le mouvement d'air se fait automatiquement.

L'initiation à la diversification et le sevrage

Le mot sevrage a deux sens :
— c'est le passage du lait maternel au lait « artificiel »,
— c'est aussi le passage d'une alimentation lactée à une alimentation diversifiée.

C'est pourquoi il y a souvent confusion entre sevrage et diversification alimentaire. Avant l'âge de trois mois, il n'y a pas d'ambiguïté dans les termes : sevrer veut dire séparer l'enfant du sein de sa mère et lui faire connaître un autre lait. Mais, entre quatre et six mois, l'enfant entrant dans la période où on lui propose les « à-côtés » du lait, sevrer signifie le séparer du sein de sa mère et lui faire connaître des aliments autres que le lait, donc diversifier son alimentation.

Dans toutes les cultures et les civilisations, le moment du sevrage est le moment où l'enfant ne va plus, ou presque plus, téter. On lui fait abandonner le sein au profit des aliments solides habituellement utilisés par la famille. Ainsi, l'enfant va s'intégrer et ne plus être un nourrisson. La date de la mise en place du sevrage a de tout temps été sujette à controverse.

> Notre conseil
>
> De nos jours, la recommandation est de ne pas commencer à diversifier l'alimentation avant l'âge de trois mois, ou mieux quatre mois, mais de ne pas pour autant la repousser au-delà de six mois, sauf en cas d'allergie.

Diversifier, c'est introduire dans les repas du bébé des aliments autres que le lait, que certains appellent des « à-côtés » du lait (le *beikost* des Allemands) ; les Québécois parlent des aliments « solides ».

L'alimentation variée précoce des bébés est un phénomène récent propre aux pays avancés industriellement. Il est lié en partie à la généralisation du travail des deux parents qui souhaitent une diminution rapide du nombre des repas et qui veulent voir l'enfant grandir plus vite en s'associant plus rapidement aux rites familiaux.

« Pourquoi diversifier l'alimentation du bébé ? »

Cette diversification, en son début, a essentiellement un rôle éducatif. L'enfant va en effet découvrir, apprécier et s'habituer aux préparations épaisses, grumeleuses, aux nouvelles saveurs, salées ou non, froides, pour passer au stade des repas diversifiés semi-liquides puis en morceaux. Il lui faut progressivement abandonner le biberon pour la petite cuillère.

Le début de la diversification et son mode d'application sont déterminés en fonction :
— du stade du *développement* du nourrisson,
— du changement de lait entre le cinquième et le septième mois,
— de la *disponibilité alimentaire*, c'est-à-dire des types d'aliments existants dans le pays où vit l'enfant.

Ce qui change chez le nourrisson entre quatre et six mois

Au fil des jours, les rythmes biologiques du sommeil et des prises alimentaires se mettent en place. Ainsi, les périodes de jeûne peuvent être plus longues, de telle sorte que le bébé (mais pas tous les bébés) peut « faire sa nuit » et ne plus avoir besoin de biberon au milieu de la nuit.

L'évolution de l'alimentation du nourrisson et la relation du bébé avec sa nourriture sont, au début de la vie, en étroite liaison avec le développement neuro-musculaire et psychomoteur, et avec la qualité affective des échanges qui s'établissent entre lui et ses parents.

LE DÉVELOPPEMENT DE L'ENFANT ET L'ÉVOLUTION DE SON ALIMENTATION

Développement	Psychomoteur	Dentition	Consistance
Position couchée	Déglutition involontaire	0	Alimentation liquide
	Début praxie et mastication	0	Alimentation semi-liquide et lisse
Position assise	Préhension début autonomie	Apparition des incisives[a]	Grignotage contrôlé
	Veut tenir sa cuillère		Grumeaux
Position debout	Veut manger seul	Premières molaires	Petits morceaux écrasables
	Boit seul au verre	Canines	

a. Il n'y a pas de liaison directe entre l'âge d'apparition des dents et la texture de l'alimentation donnée au nourrisson.

Ce tableau met en évidence des praxies de plus en plus complexes (en psycho-logie, la praxie est la fonction permettant l'organisation spatiale et temporelle des gestes en fonction d'un but).

On a vu que, dès la fin du deuxième mois, le nourrisson sait repousser avec sa langue, et que la partie antérieure de la langue commence à être utilisée pour avaler. Il est alors capable d'ingérer des liquides un peu épais mais encore lisses. Ensuite, il tient sa tête, découvre sa bouche avec ses mains. Il commence déjà à explorer le monde avec ses mains : il palpe, il tape, il essaie même d'attraper. C'est vers quatre mois qu'il met les mains au sein ou au biberon lorsqu'on lui donne à manger.

« À quel âge le nourrisson peut-il avaler les aliments déposés sur sa langue ? »

Ce n'est généralement pas avant trois ou quatre mois. En effet, la dégluti-tion volontaire se met en place. L'alimentation s'épaissit, et on propose alors la cuillère.

Cet objet dur et froid risque d'être refusé par l'enfant habitué à la douceur du sein ou de la tétine. Vous pouvez très bien attendre pour proposer à nouveau ce premier changement de mode d'administration des aliments, bébé a tout son temps. Lorsque vous ferez une nouvelle tentative, pensez à tiédir la cuillère que vous aurez choisie petite.

Les bébés qui grandissent rapidement peuvent avoir besoin de consommer plus d'aliments, tandis que d'autres sont satisfaits de quantités plus petites. De toute façon, vers quatre mois, les à-côtés du lait doivent être introduits non pas pour remplacer le lait mais pour le compléter : à cet âge, le nour-risson doit absolument recevoir au moins 650 à 800 ml de lait par jour.

« Quels sont les changements physiologiques qui caractérisent les bébés entre quatre et six mois ? »

À partir de l'âge de quatre à six mois, la plupart des bébés peuvent être prêts physiologiquement et psychologiquement à consommer des aliments mixés, mais le plaisir de téter subsistera encore longtemps.

— L'appareil digestif est suffisamment développé pour permettre une bonne absorption de toute une gamme d'aliments.

— La « barrière » que forme la muqueuse intestinale s'est développée, et les risques d'allergie alimentaire à six mois ont diminué.

— Le réflexe de succion, utile pour téter et tenir le mamelon dans la bouche, s'est graduellement affaibli.

— La sécrétion de la salive a augmenté et aide le petit enfant à avaler des aliments de consistance épaisse.

— La coordination musculaire s'est améliorée : la langue peut transférer à peu près les aliments solides de l'avant à l'arrière de la bouche.

— Le contrôle des mouvements de la tête s'est amélioré. C'est environ vers six mois que le bébé peut se tenir assis avec le soutien d'un support, se pencher en avant, détourner la tête et faire comprendre à la personne qui en prend soin qu'il n'a plus faim.

« Le nourrisson naît-il gourmet ? »

Déjà, le nourrisson est sensible aux saveurs : il l'est depuis sa naissance... il les a rencontrées s'il était nourri au sein. Comme on l'a dit précédemment, le goût de certains aliments passe dans le lait. Très tôt, le bébé manifeste son amour de la saveur sucrée, son déplaisir pour le salé, son rejet violent de l'acide et de l'amer ; ces quatre saveurs sont les fondements de notre goût avec celle de l'umami (saveur du glutamate dans les civilisations asiatiques). Ainsi, déjà le nourrisson va commencer à découvrir les différentes sensations gustatives que procurent les aliments.

« Faut-il saler les plats de bébé ? »

Il convient d'être vigilant au moment de la diversification, car vous pourriez être tentée de saler comme pour vos propres repas et cela conduirait à surcharger le travail du rein ; l'enfant doit, jusqu'à six ou sept mois, et même au-delà, manger peu salé. Au-delà et à plus long terme, l'obligation est moins nette mais si vous l'habituez à manger peu salé, il n'y aura que des avantages pour sa santé.

Le changement de lait

Vers quatre mois, le bébé peut très bien être encore allaité. Mais si la mère n'a pas suffisamment de lait, ou bien si elle n'en a plus du tout, le bébé est en âge de recevoir des *préparations de suite* ou laits de suite.

Si l'enfant était déjà au biberon et recevait un lait 1er âge, il a maintenant besoin d'un lait de suite, communément appelé lait 2e âge. Ce dernier apporte des *acides gras* qu'il ne peut trouver ailleurs dans son alimentation et du *fer*, une subcarence en fer pouvant survenir à cet âge. Ce n'est pas le lait de vache qui doit prendre le relais du lait de mère ou des préparations pour nourrissons.

Lait 2e âge ou préparation de suite ?

On s'était habitué à l'appellation lait 2e âge : elle n'est aujourd'hui plus légale depuis 1994 ; on doit employer le terme de « préparation de suite », ou lait de suite lorsque le produit est uniquement à base de protéines de lait de vache. La plupart des laits de suite sont présentés par le fabricant avec le nom de la marque suivi de la mention 2.

« Quels sont les avantages des laits de suite par rapport au lait de vache ? »

Comparées au lait de vache, les préparations de suite actuellement en vente en France ont des avantages nutritionnels certains. Elles contiennent :

— moins de protéines (2,6 g pour 100 ml contre 3,2 g),

— cinq à neuf fois plus d'acides gras essentiels nécessaires au développement cérébral,

— des minéraux en quantités ajustées, par exemple vingt fois plus de fer (1 mg/100 ml contre 0,05 mg),

— des vitamines (dont les vitamines D et C absentes du lait de vache), douze fois plus de vitamine E (1 mg/100 ml contre 0,08 mg).

« Quelles quantités de laits de suite est-il bon de donner ? »

Diverses enquêtes faites chez les enfants de dix mois ont mis en évidence un défaut d'apport en fer, en vitamine E et en acides gras insaturés. Le phénomène est très net chez les enfants nourris au lait de vache et aux produits laitiers courants. Il existe aussi, mais moins nettement, chez ceux ne recevant qu'un seul biberon par jour de lait 2e âge.

> Notre avis
> À partir de quatre ou six mois et jusqu'à douze mois, nous recommandons au moins un demi-litre de lait de suite par jour. Cette quantité est répartie en deux ou trois biberons selon l'âge, voir page 297.

La figure ci-dessous illustre l'importance du lait enrichi en fer dans l'alimentation de l'enfant en fin de première année.

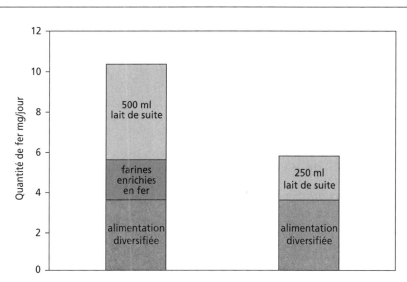

La colonne de gauche montre qu'une alimentation diversifiée, c'est-à-dire comportant quotidiennement des légumes, des fruits, 20 à 25 g de viande ou de poisson ou d'œuf, un demi-litre de lait de suite et des farines ou céréales enrichies en fer, apporte la quantité de fer recommandée à un enfant entre six et douze mois, soit 10 mg de fer par jour.
La colonne de droite correspond à la consommation la plus fréquente en France : soit un biberon de lait de suite au petit déjeuner, plus une alimentation diversifiée à base de produits laitiers courants, de légumes, de fruits, de féculents et de viande ou équivalents. Ce type d'alimentation qui apporte moins de 6 mg de fer par jour n'est pas satisfaisant.

Apports en fer selon les aliments choisis
vers 6-12 mois

Les nouveaux aliments pour compléter le lait

◼

De nos jours, le lait doit demeurer primordial chez le nourrisson de quatre mois, mais divers aliments vont faire leur apparition dans l'alimentation de bébé : ce sont les produits céréaliers, les légumes, les fruits. Ces aliments, nouveaux pour le bébé, l'initient à des saveurs différentes de celle du lait de biberon.

Notre conseil

Lorsque les « à-côtés » du lait sont offerts aux bébés entre quatre et six mois, il n'est pas nécessaire d'observer un ordre rigoureux entre farines infantiles, légumes et fruits. En France, on préconise d'abord les farines sans gluten, instantanées ou à cuire ; celles au soja ne semblent pas intéressantes.

➤ *Les farines ou céréales infantiles*

On a vu que, pendant des siècles, les premières diversifications se faisaient vers un an ou parfois plus tard avec des dérivés des céréales. Il est vrai qu'à cette époque l'alimentation était riche en hydrates de carbone ; les enfants avaient donc une alimentation trop exclusivement lacto-farineuse, ce qui était à l'origine du scorbut infantile (à cause du manque en vitamine C) et de ce que l'on a appelé pendant longtemps la « dyspepsie aux farineux » qui se manifestait par des « selles mousseuses, non liées, un abondant météorisme et un abdomen dilaté » (Terrien).

À cette époque, l'embonpoint du bébé était un gage de sécurité pour les parents. Le Pr Terrien note « qu'un léger embonpoint est enviable, mais il est certaines limites qu'on ne saurait franchir sans danger ».

Après la dernière guerre, pendant les « Trente Glorieuses », les consommations vont évoluer avec le pouvoir d'achat : moins de céréales, mais plus d'aliments réputés nobles, la viande, les légumes, les fruits qui sont associés à l'image du corps élancé, fin, nerveux, alerte. C'est la mode pour les adultes, cela le devient pour les enfants. Nous sommes donc dans une période de retour du balancier où le « beaucoup », le « calant », le « remplissant » d'autrefois font place au léger, au coloré, au sucré.

Aujourd'hui, on souhaiterait trouver un bon équilibre entre ces deux attitudes, toutes deux excessives.

« Qu'appelle-t-on exactement « farine » aujourd'hui ? »

Actuellement, les farines sont souvent appelées *céréales infantiles*. Ce sont des aliments destinés à la préparation des bouillies plus ou moins liquides. Elles ont été spécialement traitées pour tenir compte de l'immaturité des systèmes de digestion des premiers mois et doivent répondre aux spécifications de la législation française[1], elle-même calquée sur le droit européen. Les farines ou céréales infantiles contiennent essentiellement :
— de l'amidon rendu digeste par cuisson ou par fractionnement enzymatique,
— un peu de protéines,
— des vitamines du groupe B.

« De quoi sont composées les farines ? »

Les farines et produits assimilés adaptés à l'enfance peuvent être fabriqués à partir de toutes les céréales (blé, seigle, avoine, orge, riz, maïs, sarrasin, sorgho) et des farines extraites des tubercules (pommes de terre), des racines (tapioca et arrow-root) ou des graines (soja). Ces produits sont dépourvus de fibres.

« Quelles sont les différentes sortes de farines (ou céréales infantiles) ? »

Il en existe de nombreuses variétés.
Si on les classe d'après leur facilité d'emploi, on dispose de trois types :
— les farines ou céréales instantanées,
— les farines ou céréales à cuire,
— les farines ou céréales prêtes à l'emploi, déjà diluées dans du lait.
Si on considère leur composition, les farines ou céréales peuvent être :
— *sucrées* ou non (la législation autorise un maximum de 30 g de sucre pour 100 g de produit instantané),
— *additionnées* de légumes déshydratés ou de fruits en paillettes,
— *parfumées* à la vanille ou au cacao (au maximum 5 g pour 100 g de produit et seulement pour les enfants de plus de huit mois).
Sachez que toutes ces additions sont sans intérêt nutritionnel, mais participent à la découverte des saveurs et des consistances,
— *lactées* : les céréales sont mélangées à de la poudre de lait en proportions telles que l'adjonction d'eau, si on suit les indications données par le fabricant, reconstitue une bouillie au lait. Ces farines lactées sont d'un emploi commode mais qui ne doit être qu'exceptionnel, car le lait utilisé n'a pas les avantages du lait de suite.

---

1. Arrêtés du 1-7-1976 et du 11-1-1994. Nouvelle directive des Communautés européennes [16-2-1996] traduite en droit français : arrêté du 17-4-1998.

Tous ces produits sont obligatoirement enrichis en vitamine B1 et souvent en autres vitamines du groupe B. Certains sont enrichis en fer, mais ce n'est pas une obligation légale.

« Pourquoi certaines farines portent-elles la mention "sans gluten" ? Qu'est-ce exactement que le gluten ? »

Les farines peuvent être *sans gluten*, et cela doit être mentionné sur l'emballage. Le gluten est un composé protidique contenu dans certaines céréales (blé, orge, seigle et sans doute avoine). Il peut être à l'origine d'intolérance chez certains enfants prédisposés et provoquer une sensibilisation (maladie cœliaque). Par précaution, on conseille de ne pas en donner avant six mois.

« Qu'appelle-t-on farine diastasée ? »

C'est un terme qui n'est plus utilisé. Une farine diastasée est une farine enrichie en extrait de malt. Ce dernier produit a la capacité de transformer l'amidon, le rendant ainsi facilement digestible par le bébé dont les fonctions digestives ne sont pas encore performantes. Les techniques sont maintenant différentes, mais, de toute façon, toutes les farines 1er âge sont *prédigérées*, c'est-à-dire que leur amidon a été rendu plus digestible.

« Que faut-il penser des céréales lactées en briques, prêtes à l'emploi ? »

Elles peuvent être conseillées si elles sont effectivement préparées avec du lait 1er âge pour les enfants âgés de quatre à six mois, puis avec un lait 2e âge pour les enfants ayant au moins quatre mois. Cela doit être indiqué sur l'étiquette : il est mentionné que le produit contient des acides gras essentiels et en général du fer.

Elles sont pratiques d'utilisation car ne nécessitent aucune manipulation, mais elles sont plus onéreuses et occupent plus de place dans vos placards...

« Pourquoi donner des céréales infantiles aux bébés ? Est-ce bénéfique ? Est-ce utile ? »

C'est l'*amidon* que contiennent les céréales qui rend les farines particulièrement importantes. L'amidon est un glucide complexe dont la digestion est plus lente que celle du sucre. Les glucides de l'amidon sont dits complexes parce qu'ils sont constitués de plusieurs centaines, voire de plusieurs milliers de molécules de glucose formant des sortes de chaînes s'enchevêtrant. Le glucose, pour passer la barrière intestinale, doit être libéré de ses chaînes (!) par l'action des enzymes. Ce processus met plus de temps, dans le cas de l'amidon, que la digestion-absorption du sucre (saccharose) qui est un glucide presque simple. Grâce au léger effet de ralentissement de la digestion-absorption, bébé est rassasié et les biberons peuvent donc être plus espacés.

En outre, grâce à divers processus technologiques, l'amidon des farines subit une prédigestion, et la préparation devient plus fluide donnant au bébé des sensations orales différentes de celles du lait pur.

« Les farines ou céréales infantiles font-elles grossir ? »

L'apport énergétique des farines n'est pas supérieur à celui du sucre, soit 4 calories au gramme ; dans la question précédente, nous montrons l'intérêt de l'amidon qui permet l'espacement des biberons. Il est encore très regrettable qu'un anathème soit jeté sur l'emploi des farines chez le petit enfant. L'adage « les farines font grossir » ne correspond à aucune réalité, et nous encourageons leur consommation.

« Ne risquent-elles pas de constiper mon bébé ? »

Les farines ou céréales infantiles données à votre bébé dans les proportions indiquées ci-dessous n'augmentent ni la durée du transit intestinal, ni le volume des selles, ni leur nombre.

« Quand peut-on commencer à donner des céréales infantiles ? »

Il ne semble pas utile de commencer avant l'âge de trois mois ; les recommandations officielles les conseillent à partir de quatre mois. Cependant, si votre bébé est plus jeune et pleure beaucoup la nuit, vous pouvez ajouter dans le dernier biberon, deux ou trois petites cuillères à café de farine sans gluten peu ou pas sucrée, ce qui permettra généralement au bébé et aux parents de passer une nuit plus calme. Il est probable que le rythme veille-sommeil de l'enfant n'est pas encore acquis, et quelques grammes d'amidon prédigéré ne présentent pas d'inconvénient et sont sans aucun doute préférables à un médicament.

« Quelle quantité peut-on donner ? »

L'introduction des farines doit être progressive. Vers l'âge de trois à quatre mois, votre bébé reçoit au moins quatre biberons de lait pour nourrisson ou de lait de suite. D'abord, un biberon peut être enrichi en céréales infantiles, sans gluten, dans la proportion de une puis deux cuillerées à café (2 à 3 g) pour 100 ml de liquide. Quelques jours après ce premier ajout, on enrichit un deuxième biberon de la même manière.

« Dans quel biberon de la journée vaut-il mieux ajouter la farine ? »

Nous pensons qu'il est intéressant d'augmenter en calories le premier et le dernier biberon de la journée étant donné que ces deux biberons sont en général beaucoup plus espacés que les autres.

Le tableau ci-dessous montre la place des céréales infantiles dans l'alimentation de la première année de vie. Au moment de la diversification, l'amidon participe, comme liant, à l'introduction des légumes.

PLACE DES CÉRÉALES INFANTILES (FARINES) SELON L'ÂGE

Aliments	Âge	Utilisation/consistance
Céréales sans gluten peu ou pas sucrées	3 mois ou mieux 4	1 à 2 préparations très fluides
Autres céréales	6 mois	1 à 2 préparations fluides selon le plaisir de l'enfant

L'ALIMENTATION D'UN BÉBÉ DE PLUS DE 3 MOIS

Composition d'un biberon — Eau 150 ml + poudre lait pour nourrisson : 5 mesurettes *ou* Eau 180 ml + poudre lait pour nourrisson : 6 mesurettes — *Si vous utilisez un lait prêt à l'emploi,* faites des biberons de 170 à 200 ml suivant l'appétit de l'enfant
Premier repas 1 biberon de lait pour nourrisson + 3 à 4 cuillerées à café de céréales infantiles sans gluten [a]
Deuxième, troisième et éventuellement quatrième repas 1 biberon de lait pour nourrisson
Dernier repas Comme le premier repas

a. La législation les conseille plutôt à partir de 4 mois.

➤ *Les légumes*

Ils apportent des glucides, un peu de fibres « douces » (non agressives), des minéraux, des vitamines et de l'eau. L'intérêt nutritionnel des légumes et des fruits au moment de la diversification de l'alimentation du bébé n'est pas majeur.

En effet, sachez bien que tant que votre bébé boit du lait pour nourrisson ou, mieux, le lait maternel, tous ses besoins nutritionnels sont assurés (sauf les besoins en fluor et partiellement en vitamine D). Il n'est donc pas nécessaire d'introduire autre chose. Si votre bébé est au sein, il sera initié à différents goûts par le biais de votre alimentation (les aliments que vous mangez donnent certaines saveurs au lait).

Néanmoins, lorsque l'enfant nourri au biberon a atteint au moins l'âge de trois ou quatre mois, on peut lui proposer d'autres saveurs, odeurs et couleurs que celles du lait (avec ou sans céréales) qui l'initieront insensiblement à l'alimentation variée.

Consultez le tableau ci-dessous pour plus de détails.

LA PLACE DES FRUITS ET DES LÉGUMES DANS L'ALIMENTATION[a] ENTRE 3 ET 6 MOIS

Âge	Fruits	Légumes[b] dont pommes de terre
vers 4 mois	— Jus, compote ou fruits crus (frais ou surgelés, épluchés, très mûrs, mixés) — Quelques cuillerées à café à un repas — Augmentation progressive	— Purée de légumes (frais, surgelés ou en pot) — Une cuillerée à soupe — Augmentation progressive
5-6 mois	— *Idem* à 2 repas	— *Idem* en purée mixée ou en potage à un repas

a. Les quantités ne sont pas précisées car elles sont variables suivant l'appétit, mais, à cet âge, légumes et fruits ne doivent pas prendre la place du lait, aliment indispensable.
b. Tous les légumes peuvent être proposés dès le début de la diversification alimentaire, sauf la plupart des choux, les navets et les salsifis. Cependant, parmi les choux, les brocolis et les choux-fleurs sont généralement bien acceptés.

« Quels légumes peut-on donner à bébé ? »

On choisit parmi tous ceux dont on dispose, comme les bettes, ou blettes, les betteraves rouges, les brocolis, les champignons, les courges, les courgettes, les choux-fleurs, les endives, le fenouil, les haricots verts extra ou très fins, les potirons, les salades cuites variées, les tomates épluchées et épépinées. On peut associer aux légumes cités plus haut un peu de pommes de terre comme liant et préparer une purée homogène, onctueuse et peu salée.

« Y a-t-il des légumes à exclure ? »

Pour le moment, on exclut les artichauts, le céleri, les choux à feuilles, les navets, les petits pois même extra-fins, les poireaux, les poivrons, les salsifis, parce qu'ils risquent de provoquer des gaz. Mais s'ils sont consommés en petites quantités et associés à des pommes de terre (soupe ou purée), ils sont en général parfaitement tolérés.

Ces mélanges ne permettent pas à l'enfant de connaître et d'apprécier la saveur originelle de chacun des légumes pris séparément. Pour former le goût de bébé à un certain nombre de saveurs, il est donc souhaitable d'alterner un légume unique et un mélange de légumes, associés dans les deux cas à de la pomme de terre (voir recettes p. 297).

« Y a-t-il des légumes qu'il est préférable de limiter ? »

Une mention spéciale doit être faite à propos des carottes et des épinards (frais ou surgelés) qui peuvent, plus que d'autres, avoir accumulé les nitrates au cours de leur culture. Il est prudent d'éviter ces légumes avant l'âge de cinq à six mois. Si les carottes (trop souvent considérées comme incontournables dans l'alimentation d'un bébé), qu'elles soient fraîches ou surgelées, sont proposées de temps en temps et en *petites* quantités, l'apport en nitrates est plutôt négligeable. Rappelons cependant que les conserves spéciales bébé ont des teneurs en nitrates contrôlées. Des informations sur les nitrates et les nitrites sont indiquées page suivante.

« Les légumes frais sont-ils préférables ? »

Vous pouvez utiliser les produits frais du jardin ou du marché. Mais il faut savoir qu'un légume est considéré nutritionnellement comme frais quand il est consommé dans les vingt-quatre heures qui suivent sa cueillette. Le transport, le stockage et l'exposition dans un magasin peuvent faire perdre en quarante-huit heures 80 % de la vitamine C. Cela est particulièrement vrai pour tous les légumes à feuilles et vivement colorés.

« Faut-il saler les légumes frais ? »

Vous cuisez les légumes sans sel et vous n'en ajoutez pas dans l'assiette. Cela vous paraîtra peut-être fade ; c'est normal, car vous n'êtes plus habituée à la saveur naturelle des légumes, mais c'est parfait pour votre bébé.

« Que faut-il penser des petits pots ou des briquettes ? »

Les conserves spéciales bébé, souvent appelées « petits pots » et qui existent aussi sous forme de « briquettes », sont soumises à la législation[1] des « aliments pour bébés destinés aux nourrissons et enfants en bas âge ». Ce sont des produits prêts à l'emploi ou déshydratés.

La législation précise :
— l'emploi des additifs,
— la teneur en certains nutriments tels que les protéines,
— la quantité de sucre ajouté, soit inférieure à 15 g pour 100 g de produit,
— la quantité de sel pour que le produit soit peu salé.

Elle prévoit des contrôles multiples en matière de contaminants tels que les pesticides et les nitrates. La réglementation pose le principe qu'« en matière de contaminants, les aliments adaptés à l'enfant doivent présenter des

---

1. Arrêtés du 1-7-1976 et du 11-1-1994 modifiés pour être conformes à la nouvelle directive des Communautés européennes du 16-2-1996, traduite en droit français par l'arrêté du 17-4-1998.

garanties supérieures à celles qu'offrent les aliments de consommation courante correspondants ».

La législation impose aussi, entre autres, l'obligation de ne pas rajouter de sel. Ces mesures s'appliquent à toutes les conserves spéciales bébé quels que soient leurs points de vente et quel que soit leur conditionnement (pots de verre, sachets, briquettes, plats).

L'excès de nitrates

Il peut être dangereux chez les enfants de moins de trois mois et même jusqu'à cinq mois : les bactéries intestinales réduisent les nitrates en nitrites qui peuvent franchir la muqueuse intestinale, parvenir dans la circulation où ils transforment l'hémoglobine des globules rouges en méthémoglobine, incapable de jouer son rôle de transporteur d'oxygène. Les nitrates s'accumulent surtout dans les légumes à feuilles et dans les carottes (notez que ce sont les nitrites qui ont le rôle nuisible). Le fumier dit « naturel » peut en être responsable aussi bien que les engrais chimiques.

La législation fixe, pour les aliments destinés aux enfants de moins de quatre mois, un taux de nitrates inférieur ou égal à 5 mg pour 100 g de produit prêt à l'emploi. Pour les aliments destinés aux enfants plus âgés, les fabricants se sont fixés une limite de 25 mg pour 100 g. Les contrôles s'effectuent sur les conditions de culture, aux différentes étapes de la fabrication, sur les composants.

« Les conserves spéciales bébé, ou petits pots, sont-elles différentes des conserves courantes ? »

Les conserves appertisées classiques contiennent plus de sel qu'il est nécessaire à un bébé et, pour cette raison, ne doivent participer à l'alimentation de votre bébé qu'à titre de dépannage. De plus, elles ne sont pas soumises à des contrôles aussi exigeants que ceux imposés aux aliments pour bébé.

« Les petits pots sont-ils meilleurs que les produits frais ? »

Si votre préoccupation est d'éviter le plus possible les contaminants, les pesticides, les résidus d'engrais, évidemment, les produits frais ne sont pas protégés par la législation comme les aliments de l'enfance (petits pots). Mais les produits frais offrent au bébé la découverte irremplaçable de nouvelles saveurs.

« Apportent-ils autant de vitamines ? »

La vitamine la plus largement répandue dans les légumes est la provitamine A ou carotène. La plupart des légumes colorés, jaunes, orangés, rouges et verts, qu'ils soient cuits familialement ou industriellement, en sont très riches.

La vitamine la plus populaire est la vitamine C. Nous en parlerons plus largement à propos de fruits. Dans les légumes, il y a peu de vitamine C : 10 à 20 mg pour 100 g. La cuisson à l'eau en détruit la moitié alors que 20 % seulement sont détruits lors de la conservation industrielle.

« Que signifie "garanti en vitamines" ? »

Les conserves spéciales bébé peuvent avoir une teneur en vitamine C garantie et chiffrée. Garantie signifie que la teneur globale du produit représente 80 à 200 % de la quantité de vitamine C naturellement présente dans les matières premières avant leur transformation. Cette conserve est plus riche en vitamine C que le même produit préparé à la maison. Cela tient à la teneur initiale et à l'éventuelle supplémentation de l'aliment utilisé.

« Les petits pots sont-ils bons pour le développement du goût ? »

Ils sont en général un moyen facile d'initier l'enfant à des goûts variés notamment lorsque les parents ont peu de temps pour acheter, éplucher, cuire et mixer les légumes. On le verra plus loin, il vaut mieux introduire chaque goût nouveau séparément et en cela, ils sont commodes car prêts à l'emploi et proposés en petit conditionnement. En fait, ils sont complémentaires des produits frais car ils permettent de varier les saveurs proposées à l'enfant.

« J'ai goûté le pot de légumes de mon bébé, c'est fade. Dois-je ajouter du sel ? »

Non, les légumes des conserves spéciales pour bébé sont salés, et leur contenu en sel correspond à ce que l'organisme de votre bébé est capable d'utiliser.

« Une fois que le pot est ouvert, combien de temps peut-on le conserver ? »

Un pot ouvert peut être gardé au réfrigérateur, avec son couvercle remis en place, durant quarante-huit heures.

« Que faut-il penser des purées instantanées ? »

Les purées instantanées sont faites avec des légumes déshydratés qui, une fois reconstitués, c'est-à-dire additionnés d'une quantité d'eau adéquate, correspondent à un petit pot. Il faut bien sûr que soit spécifié sur l'emballage qu'il s'agit d'un aliment adapté à l'enfance.

« Et les potages en briques ou en pots ? »

C'est la même chose que précédemment : si le potage est spécifié comme aliment de l'enfance, il se rapproche d'un petit pot de légumes de consistance un peu plus liquide.

« Et les aliments pour bébé vendus au rayon frais, qu'est-ce que c'est ? »

Ces semi-conserves sont des produits correspondant à la législation des produits de l'enfance, que l'on doit garder au réfrigérateur (5 à 6 °) pour un temps relativement court toujours indiqué sur l'emballage, souvent de une à trois semaines ; une fois ouverts, ils doivent être consommés tout de suite. Ils sont cuits industriellement dans l'emballage et conservés sous vide à l'abri de l'air. Cette technique de conservation réduit beaucoup les pertes d'arôme et de goût des produits.

« Que faut-il penser des légumes surgelés ? »

Ce ne sont pas des aliments soumis à la législation spécifique des produits de l'enfance. Les surgelés ont néanmoins l'avantage de conserver au maximum les propriétés du légume ou du fruit et d'exister sous forme non salée.

« Comment proposer les légumes à bébé ? »

Vers quatre ou six mois, vous commencez en utilisant soit des petits pots, soit des préparations familiales mixées à base de légumes ou de fruits. Par là vous ferez découvrir à bébé de nouvelles saveurs qu'il apprendra à apprécier ou à rejeter.

Rappelez-vous que l'introduction d'un aliment nouveau, et de plus par un moyen inhabituel (la petite cuillère), ne doit pas être utilisée de force. Si le nourrisson refuse, il vaut mieux ne pas insister et lui donner son biberon de lait. La petite cuillère participe au sevrage et le nourrisson doit être prêt : il suffit d'attendre le bon moment en sollicitant l'enfant à quelques jours d'intervalle. Il est par ailleurs souhaitable de faire connaître le goût de chaque légume séparément afin de multiplier les contacts de bébé avec des saveurs nouvelles.

« Concrètement, comment doit-on introduire les légumes dans l'alimentation de bébé ? »

Les légumes mixés peuvent être donnés à votre bébé de deux manières :

— soit vous les proposez directement à la cuillère, que l'enfant soit au sein ou au biberon. À cet âge, il tétera le contenu de la cuillère et il terminera son repas avec sa tétée ou son biberon habituel,

— soit vous les mélangez avec le biberon de lait. On commence par une puis deux cuillères à café au repas de la mi-journée. Vous augmentez progressivement les quantités en suivant les réactions de l'enfant. On arrive ainsi, au bout d'environ trois ou quatre semaines, à donner quatre à cinq cuillères à soupe, soit l'équivalent d'un petit pot de 100 g.

À cet effet, les potages et/ou purées déshydratés ou prêts à l'emploi, en briquettes ou en pots, sont d'un emploi pratique pouvant se substituer de temps à autre aux préparations familiales.

En variant les modes de préparation, l'enfant commencera à s'habituer à des consistances différentes.

À retenir

Une règle : ne jamais forcer bébé à manger ce qu'il n'aime pas.

➤ *Les fruits*

Les fruits, comme les légumes, sont parmi les premiers à initier le nourrisson à de nouveaux goûts. Souvent, leur saveur sucrée rend plus facile l'apprentissage de la cuillère. Par ailleurs, il faut savoir que la valeur vitaminique des fruits est mieux conservée que celle des légumes, les fruits étant protégés par leur peau.

Il existe de nombreuses variétés de fruits, qu'on peut proposer crus et mixés, ou en compote. La compote de pommes est bien sûr un grand classique. Prenez l'habitude de ne pas la sucrer ou de n'ajouter que très peu de sucre. En effet, les fruits ont une saveur sucrée naturelle, et si vous les sucrez trop, leur goût véritable disparaît.

« Comment peut-on proposer à bébé des fruits frais ? »

Vous pouvez faire découvrir à votre enfant un fruit mûr épluché et mixé au dernier moment. L'attente provoque en effet une perte de vitamine C. Les baies (fraises, framboises, mûres) et les kiwis qui contiennent des graines très dures sont à éviter au début d'autant que certaines sont susceptibles de provoquer des allergies. Afin que le mélange soit onctueux malgré la richesse en eau de certains fruits (comme la poire, le raisin épluché et épépiné...), on peut ajouter un peu de banane ou de pomme qui servent de liant. Peu de sucre permet au nourrisson de se familiariser avec des saveurs authentiques et de ne pas s'habituer au goût sucré.

« La banane doit-elle être pochée ? »

Si elle est très mûre, ce n'est pas nécessaire. Alors que, si elle est très ferme et/ou verte, son amidon est difficile à digérer ; elle doit donc être cuite.

« Que faut-il penser des compotes en petits pots ? »

La législation concernant les « petits pots » de fruits est la même que celle pour les légumes. Les conserves de fruits mixés sans ajout de sucre et dont la teneur en vitamine C est garantie sont d'un emploi pratique. Mais si les fruits sont enrichis en sucre, le bébé va s'habituer à la saveur très sucrée, et ainsi, dès le départ, on ne lui offre pas l'occasion de connaître la saveur originelle des fruits que plus tard il aura peut-être des difficultés à accepter. C'est pourquoi il est recommandé de vérifier les ajouts de sucre sur les étiquettes des petits pots que vous achetez dans le commerce.

L'avantage des petits pots : en hiver, on peut varier et ne pas présenter l'inévitable compote de pommes. Les différentes variétés sont aujourd'hui innombrables : fruits exotiques, pêches, fraises, etc.

« Que faut-il penser des jus de fruits, quand et comment les donner ? »

Contrairement à une idée reçue, le lait pour nourrisson et le lait de suite apportent la quantité de vitamine C dont l'enfant a besoin (p. 607) sans qu'il soit nécessaire de recourir au traditionnel jus de fruits. Donc il n'y a pas de nécessité nutritionnelle à vouloir, comme jadis, donner du jus de fruits, mais ce dernier participe à l'initiation à des goûts nouveaux tels que l'acide, acidité pas toujours appréciée d'ailleurs !

Le jus de fruits peut être proposé vers trois ou quatre mois, à la place d'une compote ou de fruits crus mixés, ou à la fin du repas complètement diversifié (que nous verrons plus loin). Il est donné au biberon, puis à la petite cuillère et ensuite au verre, en utilisant les timbales spéciales pour bébé. Il ne doit pas être donné à la place de l'eau du repas ou de la journée.

« Si on tient absolument à donner du jus de fruits, lequel choisir ? »

Il en existe beaucoup de variétés.

1) Les jus de fruits frais : les fruits subissent une simple pression (presse-fruits, centrifugeuse) et sont consommés dans le délai le plus court possible.

2) Les jus de fruits conservés qui comportent une date limite d'utilisation optimale, une fois ouverts, doivent être entreposés au réfrigérateur et consommés dans les vingt-quatre heures. On distingue :

— Ceux qui font partie de la catégorie « Aliments pour bébé » et qui ont toutes les garanties de la législation spécifique de ces produits. Ils ont été pasteurisés et se présentent soit en ampoule de 10 ml, soit en flacon de différents volumes ; une tétine peut être adaptée sur les plus petits. Ils sont en général à base de fruits à saveur peu acide (poire, banane, pomme, etc.) pour plaire au goût du bébé.

— Les jus et produits assimilés destinés aux adultes et aux grands enfants (voir encadré). Lisez attentivement les étiquettes afin de choisir le produit qui affiche la plus forte quantité de jus concentré, car il aura la plus forte teneur en vitamines et minéraux.

Bien noter que les sirops de fruits n'ont pas d'autre intérêt que d'apporter du sucre (80 %) et un arôme.

Les jus gazéifiés ne doivent pas être donnés aux bébés.

Quelques informations à propos des jus de fruits et produits assimilés

— Les purs jus de fruits ne contiennent que du jus de fruits sans aucune adjonction.

— Les jus à base de concentré sont obtenus en restituant l'eau qui avait été extraite lors de la concentration. La concentration signifie l'élimination d'une partie de l'eau de constitution du fruit, ce qui facilite le stockage et le transport des matières premières.

— Les nectars sont composés de jus ou de purée de fruits (c'est-à-dire la pulpe), d'eau et de sucre. Le pourcentage de jus ou de purée doit être de 25 à 50 % selon les fruits.

— Les boissons aux fruits contiennent 10 % de jus, de l'eau, du sucre, éventuellement des arômes naturels et des acides alimentaires.

— Les jus de fruits surgelés sont des jus concentrés auxquels on rajoute l'eau au moment de l'utilisation.

Tous les flacons, une fois ouverts, doivent être gardés au réfrigérateur (de 4 à 6 °). Déjà, au bout de cinq jours dans ces conditions, 10 à 35 % de la vitamine C initiale sont détruits.

À retenir

— Vers quatre mois, soit le bébé est allaité, soit il consomme entre 600 et 800 ml de préparation pour nourrisson, quelques « à-côtés », c'est-à-dire un peu de farine (sans gluten), une petite quantité de purée fine de légumes ou/et de fruits.

— N'oubliez pas qu'un biberon de légumes avec peu ou pas de lait a une valeur énergétique très inférieure à la même quantité de lait de suite.
  • 100 ml de lait de suite apportent 70 calories,
  • 100 g de potage de légumes 35 calories.

L'ALIMENTATION D'UN BÉBÉ DE PLUS DE 4 MOIS

La composition d'un biberon	
— soit : eau 180 ml + 6 mesurettes de poudre de lait pour nourrisson (ou de lait de suite), — soit : eau 210 ml + 7 mesurettes de poudre de lait pour nourrisson (ou de lait de suite). Si vous utilisez un lait prêt à l'emploi, faites des biberons de 200 à 240 ml suivant l'appétit de l'enfant.	
Les repas de la journée	
Premier repas	1 biberon de lait pour nourrisson ou d'un lait de suite + 4 à 5 cuillerées à café de céréales infantiles sans gluten.
2e repas si 5 repas par jour	Un biberon de lait pour nourrisson ou d'un lait de suite.
Repas de la mi-journée	Introduction de légumes et/ou de fruits : — 2 à 3 cuillerées à café d'un petit pot de légumes ou de fruits (de préférence sans sucre ajouté), — soit vous donnez les 2 à 3 cuillerées à café d'une purée de légumes ou de fruits crus mixés (voir recettes page suivante) à la petite cuillère avant un biberon de lait dont le nourrisson boira les quantités qui lui conviennent, — soit vous donnez les 2 à 3 cuillerées à café de purée de légumes dans le biberon avec le lait. Cette technique est valable quand il y a peu de légumes, et ne s'applique pas aux fruits. Augmentez tous les deux jours de 2 à 3 cuillerées à café suivant l'envie de l'enfant.
Repas de l'après-midi	Un biberon de lait pour nourrisson ou d'un lait de suite.
Dernier repas	Comme le premier repas.

➤ *Réalisations pratiques : quelques idées*

Recette de la purée

Tant que l'enfant mange très peu de légumes, certaines mamans considèrent qu'il est plus pratique de donner des petits pots. Mais si la purée peut être partagée avec un ou plusieurs enfants plus grands, vous pouvez préparer des quantités plus importantes ; si les enfants mangent ensemble, bébé sera d'autant plus content qu'il partagera la même nourriture que « les grands » : la convivialité autour de la table commence dès la première année.

Faites cuire avec très peu de sel ou même sans sel des pommes de terre avec un même volume de légumes frais épluchés ou surgelés en ajoutant éventuellement condiments et fines herbes. La cuisson à la vapeur sous pression est conseillée parce qu'elle conserve mieux la saveur et les vitamines et qu'elle n'occasionne pas de pertes minérales.

Égouttez-les et passez-les au mixeur. Ajoutez l'eau de cuisson des légumes ou, mieux, du lait de suite liquide pour obtenir l'épaisseur désirée.

Cette purée peut être conservée couverte quarante-huit heures au réfrigérateur.

Notre conseil
La bonne idée est de mettre au congélateur dans des bacs à glaçons les quantités non utilisées. On obtiendra ainsi des cubes de purée de légumes utilisables une autre fois.

Quelques idées de recettes pour vos purées

— Pommes de terre + carottes + persil
— Pommes de terre + haricots beurre + 1 pointe d'ail[a]
— Pommes de terre + brocolis
— Pommes de terre + carottes + endives
— Pommes de terre + courgettes + basilic
— Pommes de terre + tomates épluchées épépinées, thym
— Pommes de terre + poireaux + carottes + 1 rondelle d'oignon[a]

a. Ces condiments peuvent provoquer des gaz chez certains bébés.

Les idées de recettes de purée proposées dans les menus de cinq-sept mois (p. 320) sont aussi valables à quatre mois et *vice versa*.

Recette de fruits crus mixés

Prenez des fruits bien mûrs, épluchez-les ou utilisez des fruits surgelés, et mixez-les juste avant de servir. Pour préserver la couleur des fruits blancs, ajoutez une goutte de citron. Ne pas ajouter de sucre.

Quelques idées de recettes de compotes de fruits

— Pomme + poire
— Banane + pomme ou poire
— Pomme + pêche
— Banane + clémentine
— Pomme + ananas
— Pomme + abricot
— Pomme + raisin épépiné et épluché

Comment aider bébé
dans ses nouvelles expériences

Votre bébé, qui ne connaît que le lait, va être confronté à de nombreuses nouveautés :

— une consistance moins liquide,

— des goûts inconnus,

— un instrument « barbare » dur et froid : la cuillère,

— une position presque assise.

Comme bien des mamans, vous avez hâte de voir grandir bébé. Mais c'est peut-être votre premier enfant, et vous êtes inquiète de lui faire accomplir ce passage, de l'obliger à abandonner le monde du nouveau-né. Cette transition parfois difficile qu'est le sevrage marque en effet un début d'autonomie et implique l'établissement d'autres relations avec la mère.

La grande règle consiste à respecter les rythmes et les goûts de votre bébé, même si cela ne vous enthousiasme pas. Il a le droit de ne pas aimer, de ne pas apprécier les nouveautés que vous lui proposez. Il le manifeste en repoussant avec sa langue, en détournant sa bouche de la tétine ou de la cuillère (voir p. 280 et 415). Il n'est pas encore prêt, son plaisir est de téter, et son unique besoin est le lait et votre contact, tout d'affection, de chaleur. Rien ne presse, la seule sagesse est la patience aimante sans inquiétude.

Petite histoire du sevrage

Les premières recommandations connues dans le monde occidental datent du premier siècle après J-C, avec Soranus (98-138), à Rome. Selon lui, le sevrage ne doit pas commencer avant que l'enfant puisse absorber autre chose que des liquides, en moyenne pas avant six mois. La manière de le conduire est minutieusement décrite. On commence par des miettes de pain trempées dans de l'eau miellée ; ensuite, on peut donner des soupes de blé moulu, des décoctions claires ou des œufs à la coque, que la nourrice mâche avant de les faire passer dans la bouche de l'enfant. Le lait doit être donné en dehors de ce repas qui serait sans cela indigeste. Le sevrage complet doit coïncider avec la fin de l'éruption dentaire, dix-huit à vingt-quatre mois. Après le sevrage, l'enfant doit être habitué à une très grande variété d'aliments de bonne qualité ; cette diversité aiguisera son appétit s'il en manque.

Le moment du sevrage a toujours été une préoccupation. Déjà, Ambroise Paré (1510-1590) pensait, dans certains de ses ouvrages, que la généralisation de la diversification trop précoce (sans précision sur l'âge) était une cause de retard dans la dentition, qu'elle engendrait de la constipation rebelle et des coliques.

Plus tard, au XIXe siècle, le moment du sevrage fait l'objet de discussions passionnées à l'Académie de médecine. En effet, l'arrêt de l'allaitement provoque une forte mortalité. Brochard considère que le sevrage fait mourir un nourrisson sur six. De plus, on constate que le rachitisme se développe surtout au cours de la deuxième année. Pour certains, cela est dû à l'abus des farineux, pour d'autres, à la viande ou à la suralimentation.

Depuis Soranus, et jusqu'à une époque récente, les recommandations ont peu varié. Au XIXe siècle, le sevrage ne débute plus avec du vin miellé, mais avec des préparations diverses, à base de farines ou de fécules qui sont estimées très digestes. Les œufs ne doivent être donnés qu'après un an, les viandes blanches à partir de dix-huit ou vingt mois, les viandes rouges encore plus tard, et plutôt sous forme de bouillon. On ne croit pas à l'utilité des fruits et des légumes, qui sont considérés comme indigestes.

Au moment où le Dr Budin a créé les dispensaires et les premières « Gouttes de lait », on redoutait les méfaits d'une suralimentation anarchique. On a donc mis en place des règles strictes concernant la qualité et la quantité d'aliments à donner à l'enfant, ainsi que les intervalles des repas.

La diminution des tétées doit se faire progressivement, à partir de six mois. Trousseau (1801-1867) admet que le sevrage doit se faire entre deux éruptions dentaires. Plus généralement, on conseille de le réaliser entre dix-huit et vingt mois après la sortie des canines, ou même quand toutes les dents de lait sont complètement sorties, entre vingt-huit et trente mois.

Au cours du XXe siècle, les dates du début du sevrage ont beaucoup varié. À la fin des années trente, pour certains médecins, on devait débuter à huit mois, pour d'autres, à cinq mois ; dans les années cinquante, à trois mois ; et dans les années soixante-dix, à deux mois et demi.

L'alimentation diversifiée

■

Les transformations du bébé et ses besoins : comprendre

Bébé se développe

■

La seconde moitié de la première année est caractérisée par une évolution continue du développement neuromusculaire décrit précédemment (voir p. 280).

➤ *Apprendre à mâcher*

C'est vers six mois qu'apparaissent les premières dents – les incisives –, mais il faut savoir que l'âge de l'éruption dentaire s'étend de quatre-cinq mois à dix-huit mois et que la présence des dents n'est pas nécessaire pour manger des préparations alimentaires de consistance épaisse.

Le passage de la succion à la mastication n'est pas un phénomène simple dont on décide qu'il doit avoir lieu à un âge donné. Le mécanisme qui fait passer les aliments introduits sur la langue vers le fond de la bouche n'est pas le même que celui qui envoie presque directement vers le pharynx le liquide aspiré d'un sein ou d'une tétine. Il n'est possible qu'à un certain stade du développement neuromusculaire qui peut survenir, selon les enfants, de deux à huit mois.

➤ *Apprendre à aimer d'autres consistances*

Bien entendu, pour que cette évolution se fasse, il faut des sollicitations. C'est pourquoi il est bon de renouveler périodiquement des tentatives d'introduction de préparations plus ou moins épaisses dans la bouche du nourrisson. Mais sollicitation ou stimulation ne sont pas obligation ni contrainte. Cette évolution permet de proposer et de faire accepter au bébé des préparations de consistances différentes : de fluides et semi-fluides elles deviennent plus épaisses et seront plus adaptées à l'ébauche des mouvements de la mastication qui se mettent en place, ainsi qu'aux premières expériences de la cuillère.

« Mon bébé refuse tout ce qui n'est pas absolument lisse. Je suis obligée de tout broyer au mixeur car il crache tout ce qui ressemble à un grumeau. Que faire ? »

La consistance grumeleuse est souvent accompagnée d'autres nouveautés qui sont des saveurs inconnues jusqu'alors. Il est difficile de savoir ce qui fait faire la grimace à bébé.

L'adjonction de viande ou de poisson mixé dans la purée peut apporter des grumeaux. Votre bébé n'est pas encore prêt à sentir et à apprécier ces grumeaux. Il a sans doute pris l'habitude de déguster une purée de légumes bien lisse, bien veloutée. On peut supposer que la viande ou le poisson mixé apporte un nouveau goût que bébé identifie mal et qui ne lui donne pas la sensation de plaisir qu'il a avec l'onctuosité de la purée.

Il faudrait essayer de ne pas tout mélanger. Dans l'assiette, vous mettez la purée, et, à part, dans une soucoupe, la ou les cuillerées à café de viande ou de poisson mixé dans lesquels vous ajoutez un peu de sauce, ou de jus de cuisson, ou du lait, ou du bouillon de légumes pour que ce mélange ne soit pas trop sec. Vous lui faites goûter cela, sans la purée. Il peut ne pas l'aimer. Tant pis, vous donnez un peu de purée puis vous recommencez avec la viande ou le poisson. De toute façon, n'insistez pas. À cet âge l'apport en protéines issues de la viande ou du poisson a peu d'importance.

Notre conseil
Au moment de l'introduction de la viande, ou du poisson, ou du jambon, évitez les mélanges.

« Mon bébé mange très bien les légumes-viande en petits pots mais pas du tout les recettes que je lui prépare. »

Il est effectivement assez fréquent que les bébés habitués à manger des petits pots, dont l'onctuosité est maximale, refusent les repas faits avec un matériel ménager. Ce refus est lié au goût, à l'onctuosité et peut-être aussi à la présentation.

Un truc
Essayez de mettre votre préparation dans un petit pot et non dans une assiette. Cela peut déclencher l'appréciation de votre recette. Plus tard, quand vous saurez que c'est la présentation qui est le moteur de son refus, faites chauffer le petit pot (le jour où c'est prévu) et, devant lui, en lui expliquant, servez-le dans l'assiette utilisée pour son repas.

« Par quel aliment puis-je commencer à initier mon bébé à des préparations non mixées ? Quels sont les aliments les plus faciles à mâcher et surtout qui ne risquent pas de l'étouffer ? »

Ce n'est pas vraiment en relation avec l'aliment, mais plutôt en relation avec l'envie du bébé, elle-même liée à son développement. En effet, quand votre bébé prend un objet qu'il est capable de porter à sa bouche, on considère qu'il peut faire la même chose avec des lamelles de fruits bien mûrs.

Au dessert, prévoyez des lamelles de poire ou de pêche très mûre qui s'écrasent sans doute dans sa main au début ; plus tard, il les prendra plus délicatement. Il portera sa main à sa bouche, il léchera et aura ainsi des mini-morceaux. Évidemment, cela fera un peu désordre, pour ne pas dire sale. Le toucher et l'odeur participent au plaisir de la découverte.

Mais sachez qu'il existe des enfants qui détestent, pendant un temps, ce contact un peu humide et poissant, alors même qu'ils sucent leurs jouets avec délectation. Dans ce cas, attendez et faites les propositions une autre fois.

« Mon bébé mange tout seul son biscuit et même une croûte de pain mais refuse de toucher les lamelles de fruits, et recrache les grumeaux. Que faire ? »

Vous dire d'attendre patiemment est sûrement une solution. Un jour, vous voyant manger des morceaux, il fera comme vous et il aura sauté l'étape grumeaux. Attention, cependant, à ce que les morceaux soient très mous, facilement écrasables, comme les coquillettes ou les pâtes à potage, ou l'omelette, veillez à ce que les quartiers de tomates soient épluchés et épépinés, que les betteraves rouges soient en bâtonnets, les avocats en lamelles, etc. Ne le quittez pas des yeux pendant cette découverte pour éviter les fausses routes (c'est-à-dire qu'il ne s'étrangle).

« Que faut-il faire si mon bébé s'étrangle, c'est-à-dire fait une fausse route ? »

Il faut expulser ce corps étranger en créant un violent courant d'air dans la trachée et la gorge. Pour ce faire :

— chez le petit nourrisson, on pratique la manœuvre « ventrale ». Il faut mettre le nourrisson à plat ventre sur la face antérieure de votre avant-bras reposant, lui-même, sur la face supérieure de votre cuisse. Votre main, la paume vers le haut, retient le bébé dont la tête est plus basse que le tronc. La tête du bébé dépassant du genou, appliquez trois ou quatre tapes très énergiques du plat de la main, dans le dos entre les deux omoplates ;

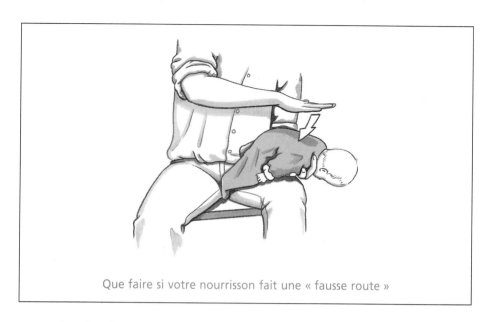

Que faire si votre nourrisson fait une « fausse route »

— chez l'enfant plus grand, c'est la manœuvre de Heimlich. Placez-vous derrière l'enfant debout ou assis sur une table. Ceinturez-le avec les bras, vos deux mains sur la partie haute de l'abdomen au-dessus du nombril, ou vos deux poings et appuyez.

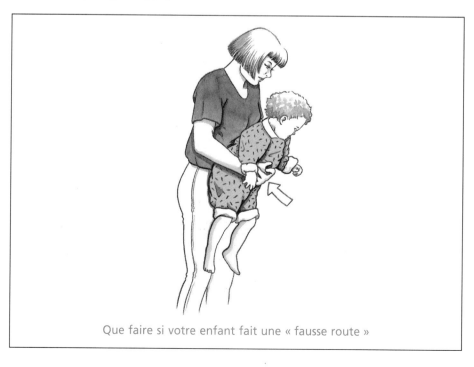

Que faire si votre enfant fait une « fausse route »

➤ *Apprendre la cuillère*

En ce qui concerne ce passage de l'alimentation liquide à une alimentation plus consistante, nos habitudes introduisent une difficulté supplémentaire : la cuillère. L'évolution spontanée du petit enfant sera de passer du biberon à la main. Un jour vient où il porte à la bouche un morceau d'un aliment et où plus tard, malhabilement, il voudra se servir de la cuillère, la tenir seul. Ces différentes étapes se font au rythme propre du bébé. Si bébé n'aime pas le contact de cet instrument dur et froid qu'est la cuillère, on conseille non seulement de la choisir petite, mais aussi de la tiédir les premières fois où on la propose à bébé.

« Mon bébé veut absolument manger tout seul. Il tape dans sa purée avec le dos de sa cuillère et en met partout. Dois-je le laisser faire ? »

L'enfant est à un âge où il découvre son indépendance. Si vous vous fâchez, il est conforté dans son pouvoir et son autonomie. Si vous riez, il sera ravi car il vous fait plaisir.

Certains pédopsychiatres assurent qu'un enfant qui a tapé dans sa soupe, plongé ses mains dans la compote éprouve le plaisir de dompter la matière. D'autres disent qu'il faut que l'enfant fasse la différence entre l'aliment et la pâte à modeler, que taper, ce n'est pas manger de la purée et que poser des limites à l'enfant le structure.

Voici donc deux avis contradictoires. Que pouvez-vous faire ? Peut-être :

— définir clairement ce que vous, personnellement, acceptez et tolérez,

— être cohérente dans les limites et les repères que vous donnez à l'enfant. Il ne tapera pas dans sa purée, mais vous le laisserez taper dans son bain. Il ne jettera pas son assiette ni vos livres, mais vous lui réserverez dans un coin de la cuisine, des boîtes en plastique qu'il dérangera, jettera, etc., et qu'il rangera avec vous.

Notre avis
Il n'y a pas de conseil qui puisse convenir à toutes les mamans, car chacune a son opinion sur l'éducation, sur le comportement acceptable, et chacune a sa relation personnelle avec son bébé en train de devenir grand.

« Comment s'installer pour donner au bébé des légumes ou des fruits à la petite cuillère quand il commence à découvrir cette nouvelle façon de manger ? »

1. Vous vous installez confortablement comme si vous donniez le biberon. Si vous êtes droitière, votre bébé est soutenu par votre bras gauche et inversement.

Votre siège est confortable, vous pouvez vous tenir droite sans être raide. Le bras qui tient le bébé est soutenu par un accoudoir ou des coussins.

2. Avant de vous installer, vous avez préparé, sur une table à hauteur de vos bras, la purée de légumes tiède, dans une assiette pouvant conserver la chaleur, la petite cuillère, une timbale avec de l'eau et le chauffe-biberon avec le biberon prêt.

3. Vous attachez autour du cou de bébé le bavoir ou la serviette qui protège ses vêtements. En fonction du plaisir et de l'appétit du bébé, vous lui donnez les quantités prévues. Vous lui faites faire ses rots s'il a l'habitude d'en faire pendant le repas, ou une fois le repas terminé.

➤ *Apprendre de nouveaux goûts*

Dans les mois qui suivent, le petit enfant accepte quelques grumeaux, puis les aliments moulinés. Tous les légumes que l'on a déjà pu faire connaître à bébé sont indiqués page 289. C'est le moment d'ajouter l'artichaut à la palette de ses connaissances. Ce légume fibreux peut parfois donner des ballonnements ; en effet, il est riche en inuline, glucide non absorbé au niveau intestinal et transformé en gaz par les bactéries. La flore intestinale s'est développée et permet aux fibres de l'artichaut d'être bien tolérées.

« Mon bébé semble changer de goûts : un jour il apprécie beaucoup la purée de haricots verts, et le lendemain il n'en veut plus. Est-ce par caprice ? »

Peut-être est-ce sa manière de vous signifier qu'il grandit en testant vos réactions. Peut-on pour autant appeler cela un caprice ? Peut-être n'a-t-il pas faim ce jour-là. Les goûts évoluent, et ce qui est acquis ne l'est pas définitivement et inversement. Ne vous précipitez pas cependant pour lui préparer autre chose. Il mange son dessert en fonction de son appétit et il boit du lait pour compléter si nécessaire. Il est encore trop petit pour comprendre que « s'il ne mange pas, il n'y aura rien d'autre à part le dessert jusqu'au prochain repas ».

LA PLACE DES FRUITS ET DES LÉGUMES À L'ÂGE DE 5-6 MOIS [a]

Âge	Fruits	Légumes [b]
Vers 6 mois	Jus, compote ou fruits crus (frais ou surgelés, épluchés, très murs, mixés) : quelques cuillerées à café à deux repas. Augmentation progressive.	Légumes (frais, surgelés ou en pot) en purée mixée en potage à un repas. Augmentation progressive.
7-8 mois	Proposer des fruits très mûrs écrasés ou en fines lamelles que l'enfant prendra seul.	— Moins mixés et — proposer des petits morceaux à deux repas.
Vers 1 an et plus	Fruits écrasés et/ou à croquer.	— Écrasés à la fourchette, — début des morceaux, — début des hors-d'œuvre sous forme de légumes crus et/ou cuits.

a. Les quantités ne sont pas précisées car elles sont variables suivant l'appétit de l'enfant. Une règle : ne jamais le forcer à manger ce qu'il n'aime pas.
b. Tous les légumes peuvent être proposés dès le début de la diversification alimentaire, sauf la plupart des choux, les navets et les salsifis. Cependant, parmi les choux, les brocolis et les choux-fleurs généralement sont bien acceptés.

« Mon bébé avait jusqu'à présent bon appétit, mais il semble depuis quelques jours ne plus avoir faim, que faire ? »

Chez chaque enfant, l'appétit varie d'un jour à l'autre. Il y a des périodes de grand appétit qui compensent les périodes de manque d'appétit. Elles sont souvent rythmées par des phases de croissance ; quand il s'agit d'un adolescent, on dit qu'il est en poussée de croissance. Pour un bébé, c'est la même chose. Sa taille et son poids sont un peu comme un escalier. Il y a des périodes d'accélération et des périodes plates.

C'est aussi le cas dans le domaine psychomoteur où tout à la fois il va se tenir assis ou debout, phraser des syllabes, jouer autrement, etc. Tout cela contribue à des modifications d'appétit. Si le seul symptôme est la diminution de l'appétit, et que, par ailleurs, son activité, sa gaieté, son sommeil, ses jeux n'ont rien d'inhabituel, vous n'avez pas à vous inquiéter : lorsque son organisme en ressentira le besoin, il mangera plus.

Cependant, un manque d'appétit peut être le signe précurseur d'une poussée dentaire ou d'une maladie bénigne : il va avoir de la fièvre, ou une diarrhée, il va tousser... Il est peut-être aussi grognon, « pas en forme ». Dans ce cas, il faut le surveiller, mais il est normal qu'il n'ait pas faim. Ne le forcez pas à manger et proposez-lui ce qu'il aime. Il va peut-être faire un retour au plaisir de la succion, et vous lui donnerez un biberon. Quand il sera guéri de cette maladie annoncée par ce manque d'appétit, il mangera comme quatre pour « rattraper », et vous aurez l'impression qu'il est insatiable. Donnez-lui les quantités qu'il souhaite. Cela va durer quelques jours, et ensuite les habitudes antérieures se remettront en place.

« Depuis quelque temps, mon bébé semble redoubler d'appétit. Dois-je lui donner plus ? »

Nous sommes dans la situation inverse de la précédente. Votre bébé a depuis peu un gros appétit. Il est en période de croissance, ou il va être en période de croissance, ou bien il a été fatigué durant un moment et il rattrape ce qu'il n'a pas consommé dernièrement. Tout cela est parfaitement normal. Vous lui donnez en fonction de son appétit les purées, les fruits, la farine, les croûtes de pain, mais vous continuez à lui proposer, dans les quantités habituelles, les produits laitiers, la viande, le poisson et les œufs qui apportent les protéines dont il a un besoin relativement constant, qu'il soit en période de poussée de croissance ou non.

Bébé s'ouvre au monde

Le bébé manifeste ses préférences, il va découvrir qu'il peut contrarier ses parents en refusant de manger, en crachant, en détournant la tête, ou tout autre chose pour faire preuve de son autonomie. Il est probable que, si vous insistez pour que votre enfant avale ce que vous avez décidé qu'il devait manger, il y aura bataille avec chantage. Mais ce qui compte, ce n'est pas que vous remportiez une victoire : « je suis arrivé(e) à lui faire manger... », l'important, c'est d'entendre le message implicite du bébé « j'ai le droit de ne pas aimer... même si c'est toi qui as préparé le plat, tu dois l'accepter ». Rassurez-vous, ce n'est pas un caprice. En étant sereine et calme, vous saurez ne pas lui communiquer votre anxiété qui risque de générer son opposition. Le repas, même s'il ne correspond pas à ce que vous aviez prévu, restera un moment privilégié de complicité et de joie.

« Mon bébé mange sans problème de nouveaux aliments à la crèche, mais il est très difficile à la maison. Comment expliquer cela ? »

Toute l'évolution dont on vient de parler se fait de la même façon à la crèche ou chez une assistante maternelle : c'est dans ces lieux qu'il va découvrir les nouveaux aliments constituant son déjeuner. Les parents établissent une coopération avec le personnel de la crèche ou l'assistante maternelle, pour que les découvertes et l'équilibre de l'enfant soient les plus harmonieux. Il est possible que votre bébé accepte plus facilement à la crèche ou chez l'assistante maternelle les nouveautés qu'à la maison. Ne soyez pas déçue si, le soir, il ne veut pas du potage de légumes, il a peut-être besoin d'un moment de tendresse dans vos bras avec un biberon. L'alimentation en crèche est développée à la fin de ce chapitre.

Croissance et plaisir : bien manger au quotidien

Comment proposer et donner d'autres aliments

Entre six et douze mois, bébé continue à explorer le monde, son alimentation est un des moteurs de cette exploration. Il découvre que :

— avec ses mains, il peut porter à sa bouche et grignoter une croûte de pain ou des lamelles de pêche ou de poire bien mûre ou de tomate épluchée, épépinée,

— ses purées peuvent être moins onctueuses et même présenter des grumeaux dus à l'adjonction d'un peu de viande ou de poisson mouliné.

➤ *Le lait qui se mange*

Jusqu'à un an, le lait de suite est le mieux adapté aux besoins du nourrisson. Le lait de vache et les produits laitiers ne peuvent assurer les apports en fer et en acides gras essentiels.

Nous reparlerons des autres produits laitiers au chapitre concernant l'alimentation de un à trois ans. Disons pour l'instant que ce sont des dérivés du lait de vache qui contiennent des protéines de haute valeur biologique, plus ou moins de calcium suivant le procédé de fabrication, des matières grasses avec de la vitamine A.

« À quel âge peut-on commencer à donner des produits laitiers autres que le lait ? »
L'introduction des yaourts, du fromage blanc, des petits-suisses, du fromage peut se faire vers cinq ou six mois, à condition qu'ils ne remplacent pas les préparations faites avec le lait de suite.

« Peut-on remplacer le lait de suite par les nouveaux fromages et yaourts "destinés aux enfants en bas âge" ? »
En effet, il existe maintenant sur le marché des fromages blancs et des yaourts labellisés comme « aliment adapté à l'enfant », qui sont enrichis en fer et en acides gras essentiels. On considère qu'ils peuvent être donnés à la place du lait de suite, mais cela doit se faire de manière réfléchie :

— s'ils sont utilisés comme dessert, consultez les menus indiqués page 333 ;

— s'ils sont donnés au goûter, à la place d'un biberon de plus de 200 g, il faut savoir que deux fromages blancs nature de 50 g ne calment pas l'appétit aussi bien que le biberon. Vous devrez ajouter des fruits mixés crus ou cuits pour augmenter le volume et laisser votre bébé grignoter des croûtes de pain ou des biscuits. Il ne faut pas non plus oublier de lui proposer de l'eau.

Les yaourts

Il en existe de nombreuses variétés. Les yaourts nature ou au lait entier (brassés ou non), mais non parfumés, doivent avoir la préférence. On peut les proposer peu ou non sucrés.

Les fromages blancs

Dans la riche gamme des fromages blancs, il vaut mieux choisir ceux qui contiennent entre 20 et 30 % de matières grasses. Les teneurs en matières grasses des fromages sont toujours exprimées en pourcentage de matières sèches et non en pourcentage de fromage tel qu'on le consomme. Ainsi, dans 100 g de fromage blanc à 20 % de matières grasses, il y a effectivement 3,6 g de matières grasses, parce que ce fromage ne contient que 18 g de matières sèches (82 % d'eau).

> ### Notre conseil
> Les fromages blancs conditionnés en portions individuelles de 30 g, 45 ou 60 g sont assez pratiques au début, surtout si bébé est seul à en consommer, mais, au prix du kilo, ils coûtent très cher. Comme pour les yaourts, il vaut mieux choisir ceux qui ne sont pas parfumés.

« Qu'appelle-t-on exactement petit-suisse ? »
C'est un type de fromage blanc avec une législation et une appellation spécifiques (p. 344).
À propos des yaourts, ou des fromages blancs, ou « suisses » *parfumés*, il est utile de signaler que ces produits, qu'ils soient aux fruits ou aromatisés, sont des aliments sucrés entre 8 et 13 % ainsi :
— un yaourt de 125 g peut contenir 10 à 16 g de sucre, soit 2 à 3 morceaux,
— une portion de fromage blanc de 30 g peut contenir de 3 à 5 g de sucre, soit un morceau.

« Peut-on donner des yaourts à 0 % de matières grasses ? »
Non, ils ne sont pas adaptés au tout-petit.

« Et les laits "yaourts" au bifidus ? »

Légalement, il n'existe pas de yaourt au bifidus. Du reste, ils ne s'appellent pas yaourts mais laits fermentés (voir p. 344) ; ils peuvent être donnés au même titre que les yaourts. Il serait intéressant qu'il en existe aussi certaines catégories « adaptées au nourrisson » (voir p. 309).

« Peut-on donner aux bébés des flans ou des crèmes-desserts ou tout autre dessert fait à base de lait ? Si oui, à partir de quel âge ? »

Oui, à partir de cinq-six mois, tous les desserts du commerce peuvent être proposés comme les autres produits laitiers. Mais il faut savoir que ces desserts sont largement sucrés, comme on vient de le dire plus haut à propos des fromages blancs aromatisés. De plus, qu'ils soient en petits pots ou non, ils ne sont pas préparés avec un lait de suite. Ils sont fabriqués avec 70 à 80 % de lait et apportent donc les protéines et le calcium du lait de vache.

> ### Notre conseil
> Il vaut mieux éviter les produits qui peuvent habituer l'enfant aux saveurs trop sucrées. Une solution : mélangez un laitage parfumé (donc sucré) avec du yaourt ou du fromage blanc nature. Le mélange ainsi obtenu aura l'avantage d'initier l'enfant à des saveurs nouvelles tout en étant peu sucré. Vous pouvez également préparer des crèmes, des flans, avec le lait de suite en suivant les recettes traditionnelles. Ces desserts auront la couleur et la saveur délicate que vous aurez choisies.

« Est-ce que mon bébé peut goûter la glace que je viens de m'acheter ? »

On peut considérer la glace comme une des crèmes dont on vient de parler (excepté qu'elle est généralement encore plus sucrée). Ce qui est nouveau ici, c'est que votre bébé va découvrir le froid. Mais attention, les glaces en boules achetées dans la rue ne sont pas toujours parfaites au plan sanitaire et peuvent provoquer des troubles intestinaux. Il serait plus sage que vous vous achetiez une glace industrielle vendue enveloppée. Ainsi, si votre bébé l'apprécie, il pourra en manger avec plaisir et sans risque de gastro-entérite.

Les autres fromages

Quand le nourrisson prend dans sa main un morceau de pain, il peut à ce moment-là découvrir les fromages mous étalés sur le pain. Ce sont les crèmes de gruyère, les camemberts, les coulommiers, les bries, les pâtes persillées (bleu, fourme, roquefort), autrement dit les pâtes qui peuvent facilement s'écraser dans la bouche.

Bien qu'ils s'étalent facilement, il vaut mieux éviter les fromages double crème ayant plus de 60 % de matières grasses non tant parce qu'ils sont trop gras, mais parce qu'ils contiennent peu de calcium.

> **Notre conseil**
> Plus un fromage est riche en matières grasses, plus il est mou, et moins il contient de calcium. C'est pourquoi vous devez contrôler sur l'emballage la teneur en matières grasses.

« Puis-je donner du fromage de chèvre de fabrication artisanale à mon bébé ? »

Si « fabrication artisanale » signifie utilisation d'un lait non pasteurisé, le fromage, qu'il soit de chèvre, de brebis ou de vache, peut être à l'origine d'une infection bactérienne grave causée par la listeria. De plus, les laits de chèvre et de brebis consommés crus sous forme de fromage frais peuvent être parfois vecteur de la brucellose (ou fièvre de Malte). En conclusion, il vaut mieux ne pas donner de fromage au lait cru à un petit enfant de moins de trois ans.

« Les fromages bleus (type roquefort et divers bleus) ne sont-ils pas dangereux pour les bébés du fait des moisissures ? À partir de quel âge peut-on les donner ? »

Les moisissures ont l'intérêt de donner un goût typique et d'être riches en vitamines du groupe B. Elles ne sont pas dangereuses, mais plutôt bénéfiques. Les fromages bleus sont proposés à l'enfant comme les autres fromages, quand il en apprécie la saveur, en général vers huit à douze mois.

« Faut-il enlever la croûte des camemberts ou du brie ? »

Bien que les croûtes de ces fromages soient riches en calcium et en moisissures qui contiennent des vitamines du groupe B, elles sont déconseillées chez le jeune enfant car elles peuvent être, dans de rares cas, à l'origine d'infection grave due à la bactérie listeria.

« Puis-je donner des fromages préparés artisanalement à mon bébé ? N'y a-t-il aucun risque de contamination ? »

Comme nous l'avons vu plus haut à propos des fromages de chèvre, les fromages préparés artisanalement sont déconseillés chez les jeunes enfants en raison du risque de contamination issue d'un lait cru.

S'il s'agit d'un fromage blanc, donc frais, il faut vous assurer qu'il a été préparé à partir d'un lait pasteurisé ou ayant subi une ébullition domestique (voir p. 351) avant de pouvoir le donner sans crainte.

« Et les fromages au lait cru, comme les camemberts "au lait cru" vendus dans le commerce ? »

Nous avons répondu plus haut qu'il pouvait être dangereux de donner des fromages frais fabriqués à partir de lait cru à des jeunes enfants. Le lait cru conditionné par les industriels laitiers est de bonne qualité bactériologique, mais il n'est pas adapté à la petite enfance.

« Comment proposer les différents produits laitiers ? »

Un des desserts terminant le déjeuner ou le dîner peut être à base de fromage blanc ou de yaourt, l'autre étant à base de fruits.

Au fur et à mesure que votre enfant acceptera les morceaux, on peut lui proposer des lamelles de fromages à pâte molle ou persillée avec un peu de pain. Le goût de bébé est un bon guide, qui peut même l'amener à apprécier les fromages à goût fort surtout si son entourage les aime : le bébé est habituellement ravi de goûter ce que mangent les grands, enfants ou parents.

Il a été traditionnel de mettre du fromage râpé dans les repas de légumes. S'il s'agit d'une pincée, l'enfant aura le plaisir de découvrir un autre parfum à sa purée de légumes. S'il s'agit d'une grosse portion, il faudrait, ce jour-là, supprimer ou diminuer la part de viande ou de poisson ou d'œuf car l'alimentation de bébé serait *trop riche en protéines*. La place des produits laitiers dans le second semestre de la vie est résumée dans le tableau ci-dessous.

LA PLACE DES PRODUITS LAITIERS AUTRES QUE LES LAITS POUR NOURRISSONS ET LES LAITS DE SUITE

6-7 mois	— En plus du lait de suite du matin et du goûter : en dessert à un des repas sans viande/poisson/œuf proposer : 3 à 4 cuillères à café de fromage blanc[a] ou un petit-suisse ou un demi-yaourt[a].
	— En remplacement des viande/poisson/œuf donner : 1 grosse pincée (5-7 g) de fromage râpé ou 1/2 crème de gruyère.
Autour de 8 mois-1 an	— Augmentation à 2 à 3 cuillères à soupe de fromage blanc (environ 60 g) ou 1 yaourt[a].
	— Découverte des saveurs des fromages présentés en fines lamelles avec du pain.
	— Emploi du lait de suite dans les entremets selon les recettes traditionnelles.

a. Si possible enrichi en fer et en acides gras essentiels.

À retenir

Tous les fromages sont de bonnes sources de protéines comme les autres produits d'origine animale. Mais il est souhaitable de ne pas faire double emploi avec la viande, ou le poisson, ou l'œuf, tant que l'enfant consomme un demi-litre de lait de suite, afin de ne pas provoquer une surconsommation de protéines.

➤ *Les féculents ou sources d'amidon*

Grâce à la consommation des céréales infantiles dont on a parlé précédemment, l'organisme de l'enfant s'est habitué à digérer l'amidon.

L'introduction du pain et des biscuits dépend du plaisir de l'enfant à tenir dans sa main une croûte de pain et à la porter à sa bouche. Il est classique de proposer au bébé des biscuits qui s'écrasent facilement en fondant dans la bouche. Leur saveur peut cependant favoriser une surconsommation : il est donc souhaitable d'en restreindre le grignotage. Proposez-lui plutôt des croûtes de pain, vous verrez comme il les aimera !

L'introduction de la semoule, des pâtes fines, dépend du plaisir qu'a le bébé à accepter une alimentation grumeleuse, une texture moins lisse que celle à laquelle il était jusqu'à présent habitué.

« À partir de quand puis-je donner du riz ? »

Votre bébé a déjà consommé du riz avec les céréales infantiles, mais il était transformé pour être avalé facilement. Le riz en grain même très cuit risque, en revanche, de provoquer une fausse route, il est donc préférable d'attendre que bébé soit habitué aux morceaux, probablement vers dix-huit mois, deux ans.

Le tableau ci-contre résume les différentes étapes de l'introduction de ces produits au cours du second semestre de vie.

Il est important de noter que, dès que l'enfant prend quatre repas, le premier repas de la journée doit contenir des produits amylacés, c'est-à-dire des féculents (pain ou farine), afin de permettre l'espacement dans la matinée entre le petit déjeuner et le déjeuner sans que l'on soit obligé de donner une collation qui risquerait de l'habituer à un grignotage. Quant au dernier repas, il est également souhaitable d'apporter des produits amylacés pour faire face au long jeûne nocturne.

LA PLACE DES PRODUITS CÉRÉALIERS ET DES POMMES DE TERRE (de 6 à 8 mois)

Aliments	Âge	Utilisation
Farines infantiles (gluten permis)	6 mois	1 à 2 bouillies au lait de suite plus ou moins épaisses, selon le plaisir de l'enfant.
Farines infantiles parfumées, cacaotées ou avec légumes et/ou fruits	7-8 mois	1 bouillie au lait de suite, le matin, à prendre à la petite cuillère suivant le plaisir de l'enfant, sinon au biberon. 1 bouillie au lait de suite le soir à la place du potage.
Pâtes fines, semoule Pommes de terre	7-8 mois	Parfois à un repas en remplacement du potage ou de la purée de légumes ou à la place des pommes de terre dans la composition des potages ou purées de légumes
Croûte ou morceau de pain		Dès que l'enfant peut grignoter en attendant un repas ou pour se consoler que le repas soit fini.
Biscuit		Grignotage contrôlé et limité.
Maïzena, tapioca, semoules et autres farines à cuire ou instantanées		Pour faire des crèmes au goûter avec un lait de suite quand l'enfant ne veut plus de biberon et préfère manger à la petite cuillère.

« Quels types de biscuits puis-je donner à mon bébé ? Des biscottes ? des petits grillés suédois ? »

Vous pouvez donner à votre bébé :

— soit de la croûte de pain blanc (gros pain, baguette, etc.),

— soit les biscuits recommandés aux nourrissons : ils correspondent à une législation qui limite les quantités de sucre et de matières grasses, imposent des teneurs précises en vitamines et en calcium, et ils fondent facilement dans la bouche.

Les autres sortes de biscuits ou de biscottes (type « grillé suédois ») peuvent être dangereuses pour un bébé qui ne sait pas mâcher et qui risque de s'étrangler.

« Faut-il donner du pain frais ou du pain dur ? »

La croûte de pain dur est très bien car elle fond plus lentement dans la bouche.

« La baguette peut-elle être dangereuse pour les tout-petits ? »

Les petits morceaux croustillants peuvent être dangereux, mais pas le croûton que l'enfant lèche et fait fondre dans sa bouche.

À propos des biscuits : attention !

Tout ce qui est dur, cassable, émiettable, tout ce qui ne fond pas dans la bouche est dangereux car pouvant créer une fausse route, c'est-à-dire que le bébé risque de s'étrangler, de s'étouffer (voir p. 303).

De toute façon, il est plus prudent de ne pas laisser sans surveillance un bébé qui mange.

« Le pain complet est-il préférable au pain blanc ? »

À cet âge de la vie, l'intestin du bébé n'est pas encore mature pour supporter l'enveloppe des graines de blé (voir p. 361), le pain complet aura l'effet du papier de verre... Donc, préférez la croûte de pain blanc.

➤ *De nouvelles sources de protéines : la viande, le poisson, les œufs*

Le nourrisson de cinq-six mois environ est habitué au lait, aux céréales infantiles, aux légumes et aux fruits. Il peut maintenant consommer de nouveaux produits d'origine animale : la viande, le poisson et les œufs. Le rôle essentiel de ces produits est d'apporter, tout comme le lait, des protéines que l'on ne peut pas trouver dans les aliments d'origine végétale et qui contiennent des acides aminés indispensables à la croissance.

Chez le nourrisson et le petit enfant, ces protéines sont fournies par le lait de suite dont l'apport doit rester prioritaire. La quantité de lait de suite ne devant pas descendre en dessous d'un demi-litre, les apports recommandés en fer, calcium, protéines sont presque couverts, et la consommation en viande, poisson ou œuf peut donc (et doit) être modérée.

La viande

Disons tout de suite que le jus de viande, encore parfois prescrit, est sans intérêt nutritionnel, car il ne contient qu'environ 2 % de protéines. On peut le considérer à la rigueur comme une initiation au goût de la viande.

Toutes les viandes peuvent être données : rouge ou blanche, volaille, jambon, abats (foie d'agneau, de génisse, de porc, de veau, de volaille). Elles doivent être cuites avec un peu de matières grasses ou pochées à l'eau. On les présente mixées, puis moulinées ; avant l'existence des mixeurs, on grattait la viande au couteau afin d'obtenir de la pulpe.

La cervelle et la moelle épinière : des interdits

La cervelle est intéressante par l'onctuosité qu'elle donne aux préparations, mais son intérêt nutritionnel n'est pas à la hauteur de sa réputation. À cause de l'épidémie d'ESB (encéphalopathie spongiforme bovine, plus communément appelée « maladie de la vache folle »), elle est, tout comme la moelle épinière, fortement déconseillée, les tissus nerveux supérieurs étant des lieux de prédilection du prion. Le prion est l'agent de l'ESB. Les experts, à l'heure actuelle, nous assurent que le prion n'est pas dans le muscle, c'est-à-dire que, d'après ces experts, nous pouvons tous consommer de la viande de bœuf.

Il existe des petits pots ou conserves spéciales pour nourrissons mixés puis en grumeaux qui sont à base :
— uniquement de viande,
— ou de mélange de légumes et de viande ou de poisson.

Ces conserves sont soumises à la législation des aliments diversifiés de l'enfance dont il a été question à propos des légumes. Les pots de 100 g de mélanges viande-légumes contiennent 10-15 g de viande, soit 3 g de protéines. Pour plus de détails sur les petits pots, reportez-vous aux pages 290 à 293.

« On entend beaucoup parler des viandes traitées aux antibiotiques. Peuvent-elles présenter un danger pour les bébés ? »
La législation française est très pointilleuse quant à l'utilisation des antibiotiques chez les animaux d'élevage destinés à la consommation humaine. Les antibiotiques ne peuvent être donnés qu'à titre curatif. Les analyses des résidus indiquent des traces infimes d'antibiotiques dans les viandes vendues en boucherie.

Les vétérinaires assurent que les résidus de médicaments vétérinaires ou d'additifs ne font actuellement pas courir de danger au consommateur en raison de normes de sécurité très sévères.

Le poisson

Le poisson est un aliment de qualité, par ses protéines, ses matières grasses de valeur nutritionnelle très intéressante et ses minéraux et vitamines.

Les poissons gras ou maigres peuvent être proposés à votre bébé au même titre que la viande et dans les mêmes proportions. Certains ont un goût fort et sont longs à digérer. On évite habituellement d'en proposer aux bébés alors qu'ils sont nutritionnellement intéressants et que les enfants apprécient leur saveur.

Des informations plus détaillées sont données page 353.

« Le poisson est-il préférable à la viande ? »

Beaucoup de personnes ont, ou ont eu, des préjugés contre le poisson. Viande et poisson ont la même teneur en protéines. Ils ont chacun des caractéristiques différentes, c'est pourquoi il faut varier et les proposer en alternance dans l'alimentation. La viande est riche en fer, le poisson contient pour sa part des matières grasses de qualité particulièrement intéressante notamment pour le cerveau de bébé.

Il est bon de faire apprécier très tôt le poisson, qui, dans beaucoup de familles, demeure encore un mal-aimé.

L'œuf, source de protéines de très bonne qualité

Pendant des siècles, il a été le premier aliment d'origine animale (autre que le lait) à être recommandé dès la fin de la première année.

En 1922, le Pr Terrien considère « l'œuf comme excellente source d'albuminoïdes » (nom donné à tous les aliments riches en protéines végétales ou animales). « Il est d'une digestibilité parfaite, particulièrement léger, et d'un excellent rendement digestif. » En 1936, on pense qu'il faut être prudent, car beaucoup d'enfants manifestent une intolérance pour l'œuf qui est considéré alors comme « un véritable poison pour l'organisme ». En 1950, on pense que l'enfant avant deux ans peut prendre un jaune d'œuf dur. En 1954, c'est à dix mois ; en 1965, à quatre mois ; en 1979, à trois mois et demi. En 1975, on se demande pourquoi seulement le jaune et pas le blanc.

Le blanc d'œuf cru étant une substance hautement allergisante, il est recommandé aujourd'hui de proposer les œufs *cuits durs.* On peut donner dès le début le jaune et le blanc de l'œuf dur. Certains préfèrent donner d'abord le jaune d'œuf dur vers six mois et le blanc cuit seulement vers neuf mois, voire à onze mois au Canada ! De toute façon, le blanc d'œuf ne doit pas être introduit dans l'alimentation d'un bébé dont les parents sont allergiques sans l'avis du médecin (voir p. 435).

« Qu'est-ce qu'un œuf extra-frais ? »

L'œuf extra-frais se vend en boîte qui doit porter la mention « extra-frais » ou « frais-extra ». La date indiquée est celle du jour de conditionnement, sept jours après, la mention extra-frais doit être enlevée, et l'œuf s'appelle alors « frais ». La dénomination œuf-coque ne correspond à aucune appellation légale. À la maison, l'œuf se conserve au réfrigérateur, la pointe en bas (pas plus d'une semaine pour l'œuf à la coque), et loin des odeurs qu'il absorbe facilement.

« Les œufs biologiques ont-ils des qualités supérieures à celles des œufs industriels ? »

Les produits issus de l'élevage biologique, dont les œufs, sont soumis à une réglementation stricte pour obtenir leur label, et se présentent comme une alimentation de qualité. Les animaux sont tenus de recevoir une alimentation presque intégralement biologique, d'être élevés dans de bonnes conditions et soignés sans recours à la pharmacopée conventionnelle.

Cependant, nous n'avons pour l'instant pas connaissance d'étude scientifique comparant les vertus des œufs biologiques et des œufs ordinaires, eux-mêmes soumis à une législation très précise.

« Quelles quantités de viande, de poisson, d'œuf, faut-il donner ? »

Si l'introduction des légumes s'est bien passée et que le bébé de cinq-six mois mange avec plaisir son repas de légumes à la petite cuillère, on peut commencer par ajouter une cuillère à café de viande variée mixée ou du poisson. Ces quantités augmentent pour arriver à donner l'équivalent de trois cuillères à café au bout de deux ou trois semaines. S'il aime toujours le lait, l'introduction de la viande n'est pas nécessaire. C'est la diminution de consommation de lait qui conduit à l'introduction de viande-poisson-œuf, presque toujours donnés en quantités bien supérieures à ce que nous conseillons au tableau ci-dessous.

> Notre conseil :
> En pratique, bébé pourra goûter, mélangé aux légumes ou à part, sous forme moins lisse : du bœuf, du veau, du filet de porc, du jambon, de l'agneau, du lapin, du poulet, du dindonneau, de la dinde, du foie, de tous les poissons (lieu, cabillaud, daurade, merlan, merlu, colin, limande, flétan, truite, etc.) ou de l'œuf cuit dur.

CONSISTANCE ET QUANTITÉS DES VIANDES, DES POISSONS ET DES ŒUFS
(de 6 mois à 1 an)

Âge	Aliments	Quantités
5-6 mois	Viandes ou poissons mixés œuf dur (jaune + blanc) jaune d'œuf cuit dur	10 g [a] (en cuit 2 cuil. à café) 1/4 (calibre moyen) 1/2
7-8 mois	Viandes ou poissons mixés œuf dur (jaune + blanc) jaune d'œuf cuit dur	15-20 g [a] (en cuit 3 à 4 cuil. à café) 1/3 1
9-12 mois	Viandes-poissons mixés ou hachés (selon l'attitude du bébé) œuf dur	20-25 g [a] (en cuit 4 à 5 cuil. à café) 1/2

a. Partie crue sans déchet.

« Comment évaluer les quantités ? »

Il n'est pas question de peser : il faut simplement évaluer le volume souhaitable pour le nourrisson (voir p. 355). Soyez attentive à ne pas donner plus, même si l'enfant en est particulièrement gourmand.

Au tableau ci-dessous, vous voyez comment 10 g de viande peuvent être remplacés en quantités et en qualité.

Comment 10 g de viande peuvent être remplacés

10 g de viande ou de poisson (cru sans déchets) ou 2 cuil. à café de produit cuit
= 1/2 jaune d'œuf cuit dur = 1/4 d'œuf dur
= 1/3 de « petit pot » de viande conserves spéciales bébé
= 1 « petit pot » de 100 g de légumes-viande ou poisson
= 1 grosse pincée (5-7 g) de gruyère râpé
= 1/2 part de crème de gruyère à 45 % de matières grasses

L'ALIMENTATION D'UN BÉBÉ DE 5-7 MOIS

Premier repas   Un biberon de lait de suite + 1 à 2 cuillerées à soupe de céréales.
Repas de la mi-journée   — Une purée de légumes ou un petit pot de légumes.   Si la quantité de légumes acceptée par l'enfant est telle qu'il prend peu de lait, on peut commencer à proposer de la viande, ou du poisson, ou de l'œuf.   On peut proposer de la purée de légumes avec une cuillerée à café de viande ou de poisson et augmenter comme indiqué page 319 ou proposer un petit pot de mélange légumes-viande ou poisson.   — Finir le repas par des fruits crus ou cuits mixés et non sucrés, ou des fruits en petits pots, ou du jus de fruits frais.   — Donner à boire de l'eau pendant le repas.
Goûter   Un biberon de lait de suite.
Dîner   Il est comme le repas de midi, mais sans viande-poisson-œuf.   On peut utiliser des céréales aux légumes ajoutées au lait de suite. Ainsi, progressivement, le repas du soir deviendra vers six-sept mois un repas de légumes sur le modèle de celui du déjeuner en variant les légumes.   Quand le dîner sera constitué de potage ou de purée de légumes plus ou moins épaissis, terminer le repas par un laitage tel que yaourt ou fromage blanc [a]. Si le lait de suite est la base d'un potage avec des céréales et des légumes, donner un dessert à base de fruits.

a. Si possible type « croissance » enrichis en fer et acides gras essentiels.

Des exemples de déjeuners pour une semaine, de fabrication familiale, adaptés à un bébé de cinq-sept mois sont présentés dans le tableau ci-dessous.

EXEMPLES DE MENUS POUR UNE SEMAINE

Purée de champignons	+ Poulet	Compote de pommes
Purée de potiron	+ 1/2 part de crème de gruyère	Banane/poire mixées
Purée de fenouil et carotte	+ Filet de merlan	Pêche [a]
Purée à la betterave rouge	+ 1/2 œuf dur	Nectarine [a]
Purée de haricots verts	+ Filet de dinde	Abricots [a]
Purée de chou-fleur	+ Rôti de porc	Banane/pomme mixées
Purée de légumes variés	+ Colin	Jus d'orange

a. Frais, surgelés ou en petits pots sans sucre.

« Nous sommes végétariens. Quelle sources de protéines autres que la viande pouvons-nous donner à notre bébé ? »

À cet âge de la vie, votre enfant n'a fondamentalement besoin que des protéines de lait. Donc il n'est aucunement besoin de remplacer les protéines de viande par autre chose, il suffit que votre bébé prenne 1/2 à 3/4 de litre de lait de suite par jour, plus 30 g (3 à 4 cuillères à café) de fromage blanc ou 1/2 yaourt ou 5-7 g de fromage (une grosse pincée de gruyère râpé par exemple).

➤ Les légumes

L'introduction de ces aliments vecteurs de nouveaux goûts a été évoquée page 288. Ils contiennent essentiellement de l'eau, un peu de fibres, des minéraux et des vitamines. Nous en reparlerons aussi dans les chapitres suivants (p. 357).

« Et les crudités ? Quand commence-t-on à en donner ? »

On a l'habitude d'appeler « crudités » les légumes crus consommés en début de repas. Mais les fruits crus pris en dessert sont aussi des crudités.

L'intérêt nutritionnel des crudités, lorsqu'elles seront consommées plus tard en plus grandes quantités, est le fait que l'aliment n'a pas subi les modifications occasionnées par le chauffage : changement de goût, destruction et pertes partielles des vitamines et des minéraux.

Vous pouvez en proposer à votre bébé à l'âge où il commence à essayer d'utiliser la cuillère, c'est souvent vers la fin de la première année. Donner mixés en début de repas du concombre, de la carotte, des tomates épluchées et épépinées, de l'avocat familiarisera bébé à une nouvelle présentation.

Les quelques cuillères à café (deux ou trois) qu'il acceptera n'ont évidemment pas d'intérêt nutritionnel pour le moment. Mais on prépare l'avenir, car il a ainsi plus de chances d'être un jour un enfant qui apprécie les hors-d'œuvre faits à base de légumes, à condition que cela fasse partie des habitudes familiales.

Plus tard, quand il acceptera les morceaux, on lui donnera, en attendant le repas, un quartier de tomate épluchée et épépinée ou un bâtonnet de concombre.

➤ *Les matières grasses*

Elles existent dans l'alimentation du nourrisson sous forme de graisses de constitution provenant essentiellement du lait de suite, celles des 10-15 g de viande ne comptent pas dans le cas qui nous occupe. La moitié de la ration énergétique d'un enfant au sein est apportée par les matières grasses. Vers sept-huit mois, la quantité de lait de suite diminuant, l'enfant reçoit moins de matières grasses essentielles. Il convient donc d'ajouter à chacun des deux repas sans lait de suite une à deux cuillères à café de beurre ou, mieux, d'huile. Les huiles de colza ou de soja ont la préférence des scientifiques, mais il est bon de varier et d'employer aussi les huiles de maïs, de tournesol, d'olive, les mélanges d'huiles à objectif nutritionnel préparés par l'industrie.

Il y a autant de matières grasses (3 à 4 g de lipides) saturées dans :
— une noisette (≈5 g) de beurre normal,
— trois cuillères à café (≈15 g) de crème fraîche,
— une demi-part (10 à 15 g) de fromage ayant 60 à 70 % de matières grasses,
— une cuillère à café d'huile (≈3 g) ; mais celle-ci a l'intérêt d'être riche en acides gras mono- et polyinsaturés.

« Peut-il exister un excès de matières grasses ? »

On a longtemps pensé que le nouveau-né ne pouvait digérer les matières grasses, car, lorsqu'il était nourri au lait de vache non transformé, il avait des selles diarrhéiques luisantes de graisses (voir « L'adaptation du lait de vache », p. 272). En revanche, ce phénomène n'existait pas chez le nourrisson allaité au lait maternel. En fait, la différence de structure des lipides du lait de vache par rapport à celle du lait de femme empêche la lipase (une enzyme qui permet la digestion) d'effectuer son travail : les graisses non transformées se retrouvent dans les selles.

Les laits pour nourrissons n'ont pas les inconvénients du lait de vache non transformé : leurs graisses sont bien digérées. Quand le bébé a six ou huit mois, il faut compenser la diminution de la quantité de matières grasses liée à la diminution du lait infantile par l'adjonction d'huile et/ou de beurre (voir ci-dessus).

La diversification de l'alimentation : à retenir

On peut proposer, en plus du lait de suite[a] qui demeure l'aliment de base et doit correspondre à au moins un demi-litre par jour :
— des croûtes de pain et autres sources d'amidon telles que les biscuits,
— de la viande, du poisson, des œufs,
— d'autres produits laitiers tels que les fromages blancs ou les petits-suisses et les laits fermentés comme les yaourts, tout en maintenant le lait de suite *prioritaire*,
— des légumes cuits en purée avec pommes de terre,
— des fruits crus et cuits,
— des matières grasses ajoutées aux légumes.

a. Le demi-litre de lait de suite apporte 12 à 16 g de protéines qui couvrent les apports recommandés.

➤ *La boisson : c'est l'eau*

L'eau est la seule boisson indispensable. Nous avons vu dans un chapitre précédent l'usage limité du jus de fruits comme source de vitamine C.

> Notre avis :
> Quand un enfant a soif, il boit de l'eau. S'il la refuse, c'est qu'il n'a pas soif.

En effet son alimentation, qui contient environ 85 % d'eau, lui apporte des quantités d'eau telles qu'il peut ne pas avoir soif en période d'équilibre, c'est-à-dire sans fièvre, ni diarrhée, ni vomissements. Les risques de déshydratation n'existent que lors des grandes chaleurs.

Par ailleurs, si le biberon suçoté sans interruption est « l'objet transitionnel » de l'enfant, il ne doit être rempli que d'eau pure, et non de jus de fruits comme c'est souvent le cas, ni d'eau sucrée.

« Un bébé peut-il boire autant qu'il veut ? »

Il peut boire de l'eau pure autant qu'il veut si cela ne l'empêche pas de prendre ses biberons de lait.

« À partir de quel âge peut-il boire dans une timbale ? »
À l'âge où bébé commence à vouloir s'alimenter seul, c'est-à-dire vers la fin de la première année, il veut aussi essayer de boire au verre ou, mieux, au gobelet spécial. Mais c'est seulement vers quinze mois qu'il aura la capacité de le faire tout seul.

Notez que, si votre enfant refuse de boire de l'eau au biberon, vous pouvez essayer de lui proposer de l'eau dans une petite cuillère.

➤ *Et le sucre, tant apprécié mais si décrié ?*

L'attirance pour la saveur sucrée correspond, chez le nouveau-né, à une réaction innée (qui, nous le verrons plus loin, n'est pas encore le goût), source de plaisir universelle. Que ce soit du sucre blanc ou roux, qu'il s'agisse de miel ou des produits qui contiennent du sucre : confiserie, confiture, chocolat, boissons, sodas, sirop, etc., leur consommation est à moduler, voire à contrôler, car ils peuvent facilement prendre la place des aliments dont nous venons de parler.

Le mieux est d'habituer l'enfant, dans la première année de vie, à consommer des produits qui en contiennent peu ou pas (les fruits ne sont pas concernés par cette restriction). Il faudra persister dans cette attitude. À la page 347, on indique les quantités de sucre présent dans différents produits.

Souvent, en voulant diversifier, on se laisse tenter par les produits dont on fait la publicité et qui sont bien sucrés. Bébé les adore et ne veut plus autre chose ; il serait dommage de céder à cette pression promotionnelle.

Il n'est cependant pas question de supprimer le sucre ni les aliments sucrés. Il s'agit seulement d'en modérer la consommation et de préparer l'enfant à savourer des préparations peu sucrées, à se désaltérer avec de l'eau pure.

Par ailleurs, il est souhaitable que le gâteau ou la friandise ne devienne pas un enjeu de récompense ni de consolation. C'est tout au début de la relation parents-enfant qu'il faut réfléchir au comportement à adopter face à cette tentation spontanée, pour que votre attitude soit cohérente et stable même quand l'enfant sera grand.

« Certains médecins américains interdisent le miel avant un an car il peut contenir du *clostridium botulinum* et entraîner le botulisme. Que penser de cela ? »
À notre connaissance, ce phénomène n'a pas été décrit en France[1], mais seulement dans la région ouest des États-Unis dans les années 1970-1980.

---

1. P. Carlier, *Botulisme, maladies infectieuses*, E.M.C. 8038H50, 4-1987, 8.

« Le sucre roux est-il préférable au sucre blanc ? »
Que le sucre soit blanc ou roux, qu'il soit de canne ou de betterave, il a la même valeur nutritionnelle : un apport d'énergie de 4 calories par gramme, pas de vitamines ni de minéraux. Le sucre roux tient sa couleur d'un raffinement moins poussé.

➤ Le matériel pour le passage à l'alimentation diversifiée

— le mixeur. Il en existe des petits spéciaux pour bébé qui permettent de bien récupérer sur les parois et le fond les préparations mixées ;
— un bavoir ;
— une assiette à potage normale ou spéciale pour bébé. Il en existe à double paroi qui permet la conservation de la chaleur ;
— un ramequin pour le dessert ;
— une cuillère à café de petite taille ou une cuillère à moka.

On vend des cuillères en plastique spéciales pour bébé, et certaines sont dites fonctionnelles car elles s'adaptent aux gestes de l'enfant quand il essaie de manger seul.

D'autres sont dites anatomiques, avec un manche plastifié dont la forme permet à l'enfant d'avoir une bonne prise en main.

> **Notre avis**
> Les cuillères à café normales peuvent tout à fait convenir quand l'enfant a l'envie et le plaisir de manger à la petite cuillère.

■ *Questions sur la diversification* ■

« Si bébé a encore une tétée le matin ou le soir, faut-il lui donner en plus un aliment solide (féculent) ou un dessert ? »
La réponse à cette question a été longuement traitée aux pages 190 à 192.

« Mon bébé n'est jamais rassasié quand il mange des yaourts aromatisés et des petits-suisses aux fruits. Puis-je lui en donner autant qu'il veut ? »
Ces sont des produits qui excitent la gourmandise, et votre bébé en mange au-delà de sa faim, parce qu'il les aime beaucoup. Certes ces produits apportent du calcium, mais ils augmentent les apports en protéines et en calories au-delà de ses besoins ; de plus, ils habituent bébé à des saveurs très sucrées.

> **Notre conseil**
> Pour votre bébé qui a moins d'un an, il serait préférable de lui proposer des yaourts, ou du fromage blanc, ou des petits-suisses enrichis en fer et en acides gras essentiels, à un ou deux desserts et au goûter, à la place du lait de suite, en tenant compte des conseils indiqués page 309.
> Afin qu'il s'habitue à une saveur légèrement sucrée ou parfumée, ajoutez dans les produits nature une petite cuillerée à café de miel ou de gelée de fruits, ou de confiture, ou de coulis de fruits ou, pourquoi pas, de sucre. Ce sera votre dessert et non plus celui de la marque...

« Comment faire pour que mon bébé ne pleure pas quand je ne veux plus lui donner d'autres biscuits au goûter ? »
Grignoter un biscuit est un suprême plaisir. Votre bébé mange tout seul, il est indépendant et il se régale.

Si vous pensez que le nombre de gâteaux déjà consommés est suffisant, votre bébé peut trouver très agréable de trouver dans son assiette de fines lamelles de fruits très mûrs.

Vous pouvez aussi lui proposer à la place un jeu qui l'intéresse, un câlin.

> ## Notre conseil
> Utilisez plutôt des croûtes de pain à la place des gâteaux. Votre bébé sera satisfait, et vous serez rassurée car il n'y aura pas la connotation « sucre-gourmandise » qui modifie la sensation de satiété du bébé, et vous ne vous sentirez pas obligée de la restreindre.

« Mon bébé peut-il prendre ses repas dans le désordre ? »

L'ordre dans lequel nous prenons nos repas est conventionnel et inhérent à notre culture. Physiologiquement, il n'y a pas de raison particulière pour justifier cet ordre ou un autre. Des observations faites dans les crèches, avec des distributions de repas où tous les plats sont présents, montrent qu'au début la plupart des enfants sachant manger seuls prennent les plats dans le désordre total. Ils commencent par le fruit, puis un peu de légumes, puis du fromage, puis l'entrée, ou la viande, etc. Insensiblement, en imitant les plus grands, à table avec eux, ils intègrent l'ordre habituel.

L'important est qu'à partir d'un certain moment l'enfant puisse imiter les aînés. Cela peut se faire facilement à la crèche, chez l'assistante maternelle ou au restaurant scolaire. À la maison, quand il sera à table avec vous, il fera comme vous, et sans heurts il s'intégrera dans les rites familiaux.

« Faut-il toujours faire réchauffer le repas de bébé ou peut-il le consommer à température ambiante ? »

Nous avons vu page 259 les précautions qu'il fallait prendre pour donner un biberon à température ambiante. Nos habitudes alimentaires font que nous mangeons les légumes, les pâtes, le riz, etc. chauds, sauf quand ils sont présentés en salade. Il serait plus normal que l'enfant acquière l'habitude de manger chaud plutôt qu'à température ambiante, afin de s'habituer à ce que vous lui proposerez plus tard quand il mangera avec vous.

« Peut-on donner régulièrement à bébé son plat préféré ? »

Faire plaisir, quoi de plus normal quand on aime. Vous faites plaisir à votre bébé en lui chantant une comptine qu'il adore, comme vous lui faites plaisir en lui donnant son plat préféré. La comptine peut devenir exclusive, ce sera monotone pour vous, mais pas grave, alors que, si c'est le plat préféré qui devient exclusif, l'alimentation ne sera plus variée. Cela pourrait à plus ou moins long terme être néfaste pour bébé.

> ### Notre conseil
> Faites-lui plaisir, bien sûr, mais pensez à découvrir et à satisfaire ses autres plaisirs, pas nécessairement alimentaires.

« Les horaires des repas doivent-ils être fixes ? »

Tant que votre bébé n'a pas trouvé son rythme, les horaires des repas devraient se moduler sur sa sensation de faim.

Habituellement, vers quatre-cinq mois, parfois plus tôt ou plus tard, les rythmes biologiques sont à peu près établis, que ce soit pour les repas ou pour le sommeil.

S'il vous arrive de décaler ses horaires, votre bébé peut attendre patiemment. Mais il peut tout aussi bien se montrer râleur, impatient. Dans ce cas, vous lui donnez une croûte de pain à sucer afin qu'il attende assez tranquillement. Si votre bébé s'endort, laissez-le dormir. Il prendra son repas ou celui qui est prévu en fonction de l'heure de son réveil. Ne pensez pas qu'il « saute » un repas. Il mangera sans doute plus aux autres repas ou les jours suivants.

> ### Notre conseil
> En suivant les réactions de votre bébé, les horaires seront plus ou moins réguliers. Son bien-être et son confort sont prioritaires.

« Quand bébé pourra-t-il prendre ses repas dans son transat ? »

Vous sentirez que votre bébé, habituellement sur vos genoux, dans vos bras, a envie d'être libre de ses mouvements. Il apprécie son transat. Pourquoi ne pas essayer ? Mais pensez aussi à votre confort.

« Comment s'installer ? »

Si le transat est par terre, vous aussi vous serez assise par terre ou à genoux, et cela risque de devenir douloureux. Vous pouvez avoir des crampes.

Si vous vous asseyez sur une chaise ou un tabouret normal, vous serez pliée en deux pour être à sa hauteur, ce qui sera désagréable et inconfortable pour le dos.

Vous pouvez installer le transat de bébé à hauteur sur une table stable avec votre siège à la bonne hauteur pour que vos bras ne soient pas trop hauts et que vous n'ayez pas besoin de lever vos épaules pendant le repas. Ce qui à la longue donne aussi des crampes.

Si vous restez debout, l'enfant peut avoir l'impression que vous n'avez pas le temps et que vous voulez partir.

> ## Notre avis
> Il n'y a pas un conseil meilleur que l'autre ; c'est vous qui trouverez ce qui est le plus agréable pour vous deux afin que le repas soit un moment de détente et d'échanges.

« À partir de quand peut-on installer bébé dans une chaise haute ? »

Quand bébé tiendra bien assis, vous pouvez lui donner à manger en l'installant dans une grande chaise, mais sans oublier de l'attacher.

« Est-il préférable de me mettre face à mon bébé ou sur le côté ? »

C'est une question de confort. Pour que ce soit pratique à quelques centimètres près, la tablette de la chaise haute doit être à la hauteur de votre table.

Vous pouvez vous installer sur le côté de la table. À droite de bébé, si vous êtes droitière, ou face à lui, un peu décalée sur la gauche si vous êtes droitière afin que votre bras ait des mouvements libres. Évidemment, vous prendrez des positions inverses si vous êtes gauchère.

« Faut-il ajouter du sel dans la cuisine de bébé ? »

Nous avons vu page 168 que le bébé à la naissance était un être inachevé ; ainsi, l'immaturité du rein nécessite que l'alimentation du bébé soit peu salée.

> ## Notre conseil
> Quand vous goûtez ses plats, vous penserez peut-être : « Ça manque de sel. » Pourtant, cela lui convient en fait très bien.

« Peut-on mettre des épices dans la cuisine de bébé ? »

Peut-être pas des épices (voir p. 297) au début, mais des fines herbes, certainement. Ce n'est pas parce que ses plats sont peu salés qu'ils doivent être fades. Les fines herbes participent à la saveur d'un plat, et le bébé peut tout à fait les apprécier, surtout si cela fait partie de vos habitudes culinaires.

Mais qu'est-ce que le goût ?

Claude Fischler, dans *L'Homnivore*[1], nous indique que le « mot goût a connu une expansion considérable : de la simple perception des saveurs ou de la saveur des mets elle-même, puis de l'ensemble des préférences et des aversions alimentaires d'un individu, elle s'est étendue au désir en général (avoir du goût pour), aux inclinations, d'abord alimentaires mais aussi amoureuses, aux préférences et aux jugements esthétiques dans leur ensemble ».

➤ *À quoi sert le goût ?*

Le goût nous renseigne sur ce que nous allons nous approprier totalement : la nourriture. Le bébé qui fait son apprentissage du monde extérieur porte tout à sa bouche : il explore à la fois l'odeur, la forme, la consistance et la saveur de l'objet (de l'aliment) ou son absence de saveur. Le goût et tout l'espace sensoriel qui lui est relié sont générateurs de plaisir. Ce que l'on goûte semble agréable ou désagréable, on aime ou on n'aime pas.

La sensation gustative a une fonctionnalité précoce, c'est une modalité sensorielle dite archaïque qui, dans notre espèce, est présente très tôt, dès le quatrième mois de la vie intra-utérine. Donc, dès notre naissance, le goût est un moyen de renseignement sur notre environnement.

➤ *Les différences de goût*

On constate des différences de sensibilité très grandes dans la finesse perceptive d'un individu à l'autre. Les enfants très sensibles à une perception sont dits hypergueusiques et les peu sensibles hypogueusiques. Les caractéristiques individuelles se mettent en place très tôt, dès six mois, et seraient définitives à un an (M. Chiva).

Il existe, dès le début et en dehors de tout apprentissage, des préférences et des rejets à l'égard des différentes qualités sapides. Des nouveau-nés, avant même toute expérience alimentaire, répondent de façon totalement prévisible stéréotypée à la présentation sur la langue de quelques gouttes de liquide sucré, acide ou amer (pour plus de détails on consultera les travaux de J.E. Steiner et M. Chiva[2]). Le sucre est accepté, parfois avec un sourire, l'acide provoque une grimace particulière, alors que l'amer est violemment rejeté. Les réactions au sucré et à l'amer sont innées, elles se retrouvent chez les bébés de toutes les cultures.

---

1. Claude Fischler, *L'Homnivore*, Odile Jacob, Paris, 1990.
2. J.E. Steiner et M. Chiva, *Le Doux et l'amer*, PUF, Paris, 1985.

Ces préférences et ces rejets se rencontrent dans la plupart des espèces animales. Ces réponses sommaires du nouveau-né ne sont pas des goûts alimentaires, au sens propre du terme, et elles ne sont pas provoquées par de vrais aliments. Les goûts vont apparaître à partir de ces attitudes innées et vont évoluer pendant l'enfance et l'âge adulte.

➤ Découvertes et émotions

Avec le goût, l'émotion participe aux découvertes du bébé. C'est elle qui gère l'appétit et la satiété du petit enfant. Ainsi, l'intervalle entre les repas et leur volume ne dépendent pas exclusivement de la faim.

Cette émotion dépend de votre regard, de votre sourire qui favorisera la construction de l'identité culturelle de l'enfant.

« Comment peut-on éveiller et développer le goût de son bébé ? »

Éveiller, c'est faire connaître dans la confiance, la joie. La rencontre avec quelque chose d'inconnu, pour être réussie, ne doit pas être liée à la crainte. Dans un climat de méfiance ou de contrainte, l'expérience échouera. On propose un aliment nouveau une fois, bébé n'aime pas, on n'insiste pas ; le goût l'a surpris et lui a été désagréable. Vous recommencerez un autre jour, la réaction sera peut-être encore le refus, mais enfin, une autre fois, votre bébé reconnaîtra une saveur, une odeur déjà rencontrées et acceptera d'avaler sans grimace.

Développer le goût, c'est augmenter le champ des expériences gustatives de votre bébé en procédant comme il a été dit plus haut, et en gardant une grande patience, sans tension aucune. Si vous êtes pressée ce jour-là, ne tentez pas de nouveaux essais alimentaires.

L'éducation du goût ne passe pas par l'utilisation excessive de condiments et/ou d'aromates et encore moins de sel.

« Le fait de donner tout le temps des petits pots ne risque-t-il pas de gâcher le goût de bébé ? »

Les petits pots composés d'un seul légume ou bien de plusieurs sont un moyen d'initier son bébé à d'autres goûts que ceux liés aux purées que vous avez préparées. Étant donné la différence de saveur entre un produit frais et un produit conservé, il serait souhaitable de donner tantôt des légumes frais épluchés, cuits et mixés à la maison, et tantôt des conserves spéciales pour bébé. À propos de la formation du goût, on a déjà dit qu'il valait mieux introduire chaque goût nouveau séparément pour que l'enfant ait des repères. Pour ce faire, il peut être plus commode, au début, d'utiliser un produit tout préparé en petit conditionnement.

Évolution et mise en place des structures des repas au cours du second semestre de vie, les menus de bébé

Au fur et à mesure que la quantité de légumes augmente, l'enfant consomme moins de lait. Cela se passe vers six-sept mois quand le repas du soir devient progressivement un potage de légumes plus ou moins épaissi et pris à la petite cuillère, et suivi d'un dessert.

Parallèlement à cette progression, le nombre de repas coïncide avec nos habitudes, l'enfant acceptant quatre repas par jour.

Il existe des repères, présentés dans le tableau page 280, entre les acquisitions neuromusculaires et la capacité du petit enfant à accepter des modifications de consistance.

Même si les aliments sont encore très spécifiques pendant la première année, les structures de l'alimentation complètement diversifiées s'installent et correspondent au schéma suivant.

STRUCTURE DES REPAS LORSQUE BÉBÉ SE TIENT ASSIS

Petit déjeuner	Biberon de lait de suite + céréales infantiles (farines)
Déjeuner	Initiation aux crudités Purée de légumes + lait de suite ajouter 1 cuillère à café de beurre ou d'huile Viande, poisson, œuf (2 cuillères à café) Fruits mixés
Goûter	Biberon de lait de suite Grignotage de croûtes de pain et/ou de biscuits
Dîner	Biberon de lait de suite + céréales infantiles aux légumes éventuellement Fruits mixés OU Purée de légumes avec beurre ou huile Dessert lacté enrichi en fer et en acides gras essentiels
Boisson	Eau

Voir menus page 333.

Voici l'application pratique de la structure de repas indiquée ci-dessus sous forme de suggestions de menus hebdomadaires :

➤ *Exemple de menus pour une semaine pour un bébé de huit mois à un an*

— La répartition est la même que précédemment.

— Les quantités varient en fonction de l'appétit de l'enfant pour les produits d'origine végétale mais devraient rester proches des quantités conseillées pour les produits d'origine animale (voir p. 319).

— Essayer de faire apprécier quelques cuillères à café de légumes crus ou cuits mixés.

— Prévoir à un des repas principaux une initiation au fromage étalé sur une croûte de pain que l'enfant grignotera selon son plaisir.

Petit déjeuner

Toujours un biberon de lait de suite avec des céréales (farine infantile). Si l'enfant préfère manger à la petite cuillère, ajoutez plus de céréales afin que le repas soit plus épais.

Déjeuner

MENUS POUR UN BÉBÉ DE 8 MOIS À 1 AN

	Composants				
	Initiation aux entrées légumes mixés	Purée de légumes [a] + matières grasses	Plat protidique	Dessert	Boisson
Lundi	Tomate	Purée de courgettes	Rôti porc	Banane, fraise (fraîche ou surgelée) mixées	
Mardi		Purée de brocolis	Poulet	Pomme, ananas (frais ou au sirop) mixés	
Mercredi	Concombre	Jardinière mixée	Gruyère	Compote de pêches	
Jeudi		Purée d'épinards	Filet de daurade	Yaourt [b]	Eau
Vendredi	Avocat	Purée de carotte-céleri	1/2 œuf	Pomme, framboise (fraîche ou surgelée) mixées	
Samedi	Betteraves rouges	Purée haricots verts champignons	Foie d'agneau	Banane, poire mixées	
Dimanche		Purée à la tomate	Cabillaud	Pomme râpée	

a. Purée avec base de pommes de terre.
b. Si possible, utilisez des yaourts et du fromage blanc type « croissance » enrichis en fer et acides gras essentiels.

Goûter

Toujours un biberon de lait de suite suivi d'un petit grignotage de croûte de pain ou de gâteaux secs ; si l'enfant refuse le biberon, épaissir le lait de suite avec des céréales pour que le repas soit pris à la petite cuillère.

Le lait de suite peut aussi être remplacé par les fromages blancs et yaourts enrichis en fer et acides gras essentiels. Si deux fromages blancs de 50 g sont proposés à la place d'un biberon de plus de 200 ml, il faudra ajouter des fruits mixés crus ou cuits et laisser bébé grignoter des croûtes de pain ou des biscuits, puis lui faire boire de l'eau.

Dîner

MENUS POUR UN BÉBÉ DE 8 MOIS À 1 AN *(suite)*

	Composants		
	Purée ou potage + matière grasse	Dessert	Boisson
Lundi	Potage de légumes épaissi à la semoule	Yaourt[a] à la gelée de framboise	Eau
Mardi	Petites pâtes cuites dans du lait de suite	Pomme, poire	
Mercredi	Potage de légumes	Fromage[a] blanc à la crème de marron	
Jeudi	Semoule au lait de suite	Compote de pommes	
Vendredi	Velouté au potiron	Yaourt[a]	
Samedi	Purée de chou-fleur au gruyère	Pomme, kiwi, mixés	
Dimanche	Potage quatre saisons	Petits-suisses[a]	

a. Si possible, choisissez des yaourts et du fromage blanc type « croissance » enrichis en fer et acides gras essentiels.

Un peu d'histoire de la diversification

En 1922, le Pr Terrien indique les fréquences hebdomadaires des produits d'origine animale. Il recommande, à dix-huit mois, l'œuf trois fois par semaine, la sole deux fois par semaine, et rien les autres jours, seulement du lait entre les repas. Pendant la troisième année, l'enfant peut consommer de l'escalope de veau, du blanc de poulet, plus tard de la côtelette de mouton, et ensuite du bœuf. La viande rouge est considérée comme « énervante ».

En 1947, il était recommandé de donner des viandes blanches (comme auparavant) et de la cervelle. Cette dernière a longtemps été considérée comme un aliment favorisant le développement cérébral par sa richesse en phosphore. En fait, à l'époque où elle était prescrite, les familles ne possédaient pas de mixeur, et, moulinée avec des légumes, la cervelle donnait des mélanges sans grumeaux, que les nourrissons (qui pouvaient avoir trois mois) acceptaient facilement au biberon. On conseillait également les produits roses (le jambon, le foie de veau), c'est ce que Frazer a appelé « la magie de sympathie », c'est-à-dire le rapprochement qui s'opérait implicitement entre ces produits et le nacré rose de la peau du nourrisson. L'introduction des aliments d'origine animale se faisait avec une grande lenteur et une extrême prudence.

Après la dernière guerre, tout s'est accéléré : l'âge où il fallait commencer et ce que devait consommer le nourrisson. Plus l'alimentation lactée était arrêtée précocement, plus les autres aliments étaient introduits rapidement. C'était ce que certains auteurs ont appelé « le snobisme de la diversification précoce » (H. Lestradet, G. Vermeil).

Depuis, l'âge d'introduction des viandes suscite beaucoup de conseils discordants. En 1950, on voudrait que l'enfant ait quatorze ou quinze mois, mais dans les années soixante, il doit avoir cinq mois, et dans les années soixante-dix, trois mois.

L'enfant de un à trois ans

L'enfant de un à trois ans

L'enfant de un à trois ans

*L'enfant
de un
à trois ans*

L'enfant
de un
à trois ans

Mise en place
des habitudes alimentaires

*L'enfant
de un
à trois ans*

L'enfant de un à trois ans

Mise en place des habitudes alimentaires

Bébé se transforme, ses besoins évoluent

Forme, croissance et plaisir :
bien manger au quotidien

Petits et grands problèmes
liés à la nourriture : faire face

Bébé se transforme, ses besoins évoluent

À la fin de la première année, l'enfant a triplé son poids de naissance, et sa taille est aux environs de 73-75 cm. C'est l'âge où, de façon tout à fait normale, la proportion de la graisse dans son corps est maximale ; il est naturel qu'un enfant de un an soit rond. Son indice de masse corporelle (voir pp. 444-447) est à son maximum et va *constamment* diminuer jusque vers l'âge de six ans : entre ces deux âges (un an et six ans), l'enfant grandit plus qu'il ne grossit. Il s'affine progressivement. Autant il est habituel et souhaitable qu'un bébé ait des bourrelets en fin de première année, autant il est aussi habituel qu'il soit « maigre » vers six ans. Dans les deux cas, il ne faut pas s'en inquiéter mais plutôt s'en réjouir.

Un an marque, dans le *développement* habituel des enfants, une étape décisive : votre enfant peut se tenir debout et en général esquisse ses premiers pas ; il comprend de mieux en mieux ce que vous lui dites, il balbutie ses premiers mots. Il a bien acquis la technique de la « pince », c'est-à-dire l'opposition entre le pouce et l'index qui lui ouvre toutes les possibilités pour un usage de plus en plus précis de sa main.

Ces acquisitions s'accompagnent de deux phénomènes très importants sur le plan nutritionnel :

▪ l'équipement dentaire (huit incisives et quatre molaires de lait) lui permet de mâcher des aliments de consistance ferme sans être durs ;

▪ la maturation intestinale est telle qu'elle permet à l'enfant de consommer les mêmes aliments que les adultes (à l'exception de certaines fibres dont nous parlerons à propos des légumes).

Au total, le bébé est apte à manger de tout, selon une texture adaptée, mais encore faut-il que ce qu'on lui présente participe à un bon équilibre alimentaire. Les bases de l'alimentation variée sont les mêmes pour tous, seules les quantités changent. Respecter les grands principes de l'alimentation variée est fondamental car elle seule permet de répondre aux multiples besoins de l'organisme.

En ce qui concerne les besoins, comme pour le nourrisson, les valeurs qui vous sont proposées concernent un enfant de référence âgé de un à trois ans, ce qui est « théorique ». Les *apports nutritionnels* recommandés sont censés assurer croissance et activité optimales pour la grande majorité des enfants. Ils ont été établis par des experts à partir de l'évaluation des besoins minimaux (pour le nourrisson et l'enfant cela équivaut à la quantité la plus faible d'un nutriment capable d'assurer une croissance satisfaisante) majorés d'un pourcentage de sécurité. Par conséquent, ces apports recommandés (voir p. 611) sont supérieurs aux besoins réels du plus grand nombre ; ils varient considérablement d'un enfant à l'autre en fonction du métabolisme de chacun et il est tout à fait normal que les enfants ne mangent pas tous de la même façon car leurs besoins ne sont pas strictement identiques.

Forme, croissance et plaisir : bien manger au quotidien

Pour gérer facilement les principes de l'alimentation variée, la notion de « familles d'aliments » est essentielle. Chaque famille rassemble des aliments ayant en commun certaines caractéristiques nutritionnelles qui les rendent, de ce fait, relativement interchangeables.

Les familles d'aliments

Les produits laitiers

Bien qu'issu du lait, le beurre n'est pas inclus dans cette famille car il apporte surtout des matières grasses (voir p. 362), mais ni calcium ni protéines.

➤ Qu'est-ce qu'un produit laitier ?

Les produits laitiers comprennent les laits, les laitages et les fromages.

Les laits

Il existe plusieurs types de laits dans le commerce. Pour vous aider à vous y retrouver, voici quelques éléments d'information.

■ Les laits pour enfant en bas âge. Très utiles entre un et trois ans, ils sont souvent appelés laits « de croissance ». Nous en parlons longuement pages 349 à 350.

■ Les laits classiques, utilisables à partir de un an ou, mieux, de trois ans.

■ Les laits aromatisés et sucrés. Ce sont les laits au chocolat ou à tout autre arôme.

À retenir

Quel que soit son mode de conservation (pasteurisé, stérilisé ou UHT), la valeur nutritionnelle du lait est la même. Vous choisirez donc sur d'autres critères, comme le goût, le prix, l'aspect pratique, le stockage.

Les laitages

■ Les laits fermentés. Ils existent depuis des milliers d'années et dans de nombreuses civilisations. Grâce aux différentes espèces de ferments lactiques qui sont ajoutées au lait, on obtient des saveurs plus ou moins acides et des consistances plus ou moins onctueuses.

Les yaourts ou yoghourts sont des laits fermentés, mais les ferments lactiques sont précisés par la loi. Il s'agit du *lactobacillus bulgaris* et *streptococcus bacillus*. Ils peuvent être fermes, brassés, veloutés, au goût bulgare, à boire. Les différences proviennent du système de fabrication. Ils peuvent être sucrés, aromatisés avec adjonction de fruits et parfois de céréales.

Tous les emballages vous semblent peut-être identiques ; ils sont de couleurs plus ou moins attrayantes, de capacités très différentes. En fait, tous ces aliments sont conformes à la législation des produits laitiers frais. En lisant les étiquettes, vous ferez la différence entre un yaourt conforme à la législation du yaourt et les laits fermentés dont la nature des ferments varie selon le produit.

■ Les fromages blancs ou frais, aux taux de matières grasses variés, sont conditionnés au kilo, par 500 g ou en portions individuelles de 100 g. Ils peuvent être aromatisés avec des fruits et sucrés.

Qu'est-ce qu'un petit-suisse ?

Les petits-suisses sont des fromages blancs correspondant à une législation précise ; ils pèsent 30 ou 60 g avec 40 ou 60 % de matières grasses ; leur présentation est particulière, ils sont conditionnés en petits cylindres enveloppés dans du papier et emballés dans des boîtes cannelées. Ils sont plus onctueux et plus gras que le fromage blanc.

Les petits-suisses sont souvent confondus avec des fromages blancs à 20 ou 30 % de matières grasses, conditionnés en petits pots de 45, 50 ou 60 g. Proches, par leur forme, des vrais petits-suisses, ils sont vendus par plaques de six avec des noms où figurent le mot PETIT suivi de différents qualificatifs, ou le nom de la marque. Ils se présentent nature, sucrés, aromatisés ou avec des fruits en compote, séparés ou mélangés.

■ Les crèmes desserts avec ou sans mousse, ou gélifiés.

■ Les flans.

Les fromages

Les fromages se présentent également sous des formes très variées.

■ Les fromages frais demi-sel.

■ La grande famille des fromages fermentés. Leurs caractéristiques (arôme, saveur, consistance) varient en fonction du déroulement et de l'importance relative des différentes étapes de fabrication. Ces étapes sont :

— le caillage, qui peut être chauffé dans le cas des pâtes cuites,

— le moulage suivi ou non de pression,

— l'égouttage plus ou moins long selon la pression exercée. S'il n'y a pas de pression on dit que l'égouttage est spontané,

— le salage,

— l'affinage, dont la durée varie de quelques semaines à plusieurs mois. C'est pendant l'affinage que les fromages tels que les bleus et les roqueforts sont percés de trous avec de fines aiguilles introduisant un pénicillium qui s'y développe, créant ainsi des marbrures bleues et donnant une saveur spécifique.

■ Les fromages fondus. Ils résultent de la fonte de fromages à pâte cuite ou non d'un seul ou plusieurs types. Ils peuvent être additionnés de lait, de crème (définissant le taux de matières grasses) ou d'aromates.

■ Les fromages de chèvre, frais, tendres, demi-secs ou durs ; suivant la durée de l'affinage la croûte peut être cendrée, saupoudrée d'aromates...

■ Les fromages de brebis. Leurs techniques de fabrication sont les mêmes que celles des fromages au lait de vache. Les fromages de chèvre et de brebis ont les qualités et les défauts nutritionnels et sanitaires des laits dont ils proviennent.

CLASSIFICATION DES FROMAGES

Fromages frais	suisse, demi-sel, fromages de campagne...
Fromages à pâte molle	brie, camembert, Carré de l'Est, coulommiers, livarot, maroilles, munsters, pont-l'évêque, saint-marcellin...
Fromages à pâte non cuite	cantal, hollande, Port-Salut, reblochon, saint-paulin, saint-nectaire, tomme de Savoie...
Fromages à pâte cuite	comté, emmenthal, gruyère...
Fromages fondus	fromages divers broyés et fondus constituant une pâte homogène contenant moins de 50 % de matière sèche.

➤ *Ce qu'apportent les produits laitiers*

Les produits laitiers fournissent plusieurs éléments indispensables à l'organisme.

Des protéines

Les principales s'appellent la caséine et la lactalbumine.

Elles sont d'aussi bonne qualité que celles apportées par d'autres produits d'origine animale comme le poisson, la viande ou les œufs.

Du calcium

Le calcium des produits laitiers leur confère une place importante dans l'alimentation. Pour les fromages, la teneur en calcium dépend du procédé de fabrication au moment de l'égouttage.

▪ Si l'égouttage est spontané, le caillé s'appauvrit en sels minéraux, donc en calcium. C'est le cas :

— des fromages frais (fromages blancs, fromages demi-sel…),

— des fromages à pâte molle (camembert, coulommiers, brie, Carré de l'Est, chaource, époisses, livarot, pont-l'évêque).

▪ Si l'égouttage se fait par pression, cela permet au caillé de rester riche en calcium. C'est le cas des pâtes pressées cuites ou non (cantal, saint-nectaire, tommes, morbier, Pyrénées, beaufort, comté, fromage de Hollande, Port-Salut, etc.

Ainsi, la teneur en calcium peut varier de 80 mg pour 100 g de fromage frais (fromage blanc) à 1 200 mg pour 100 g tel que emmenthal, cantal, beaufort, etc. (voir p. 347).

La méthode la plus pratique pour comparer l'intérêt nutritionnel de divers laitages consiste à proposer des portions à la fois conformes aux volumes usuellement consommés par l'enfant et apportant chacune une quantité de protéines assez proche. Il reste ensuite à considérer la quantité de calcium contenue dans chacune de ces portions.

Le tableau ci-contre vous montre ainsi que, pour des portions moyennes dont chacune contient à peu près autant de protéines, les apports en calcium varient de 50 à 250 mg.

Influencés par la publicité, on propose souvent aux enfants des fromages en portion individuelle qui s'étalent, moelleux et onctueux, particulièrement doux et ayant plus de 60 % de matières grasses. C'est la quantité importante de graisses qui procure cette consistance moelleuse mais c'est également elle qui les rend pauvres en calcium et trop gras. Une portion d'un de ces fromages n'apporte pas plus de calcium que deux cuillères à soupe de lait. On ne peut donc pas les considérer comme source de calcium.

APPORTS EN CALCIUM DE DIFFÉRENTES PORTIONS[a] DE PRODUITS LAITIERS

Aliments	Quantités	Teneur en calcium
Lait de croissance	200 ml = 200 g (fer : 1,9-2,4 mg)	180 mg
Lait de vache	150 ml = 1 petit bol ou 1 verre	190 mg
Yaourt	130 g = 125 ml = 1 pot	200 mg
Crème dessert, flan	100-125 g = 1 pot	100-120 mg
Fromages blancs	50-60 g = 2 cuillères à soupe bombées	50-80 mg
Fromages blancs de croissance	100 g = 2 unités de 50 g (fer : 0,9-1,3 mg)	140-180 mg
Petits-suisses 40 % MG	60 g = 1 ou 2 unités	56 mg
Demi-sel	40-50 g = 2 mini-portions	50 mg
Gruyère (râpé) [b]	20-30 g = 7 cuillières à soupe	240 mg
Camembert [c]	un huitième de camembert	54-100 mg
Crème de gruyère	20-30 g = 1 portion	125-140 mg
Saint-nectaire [d]	20-30 g = 1 portion	250 mg
Bleus [e]	20-30 g = 1 portion	250 mg

a. Portions apportant environ 4 à 6 g de protéines.
b. Et autres fromages à pâte cuite.
c. Et autres fromages à pâte molle.
d. Et autres fromages à pâte pressée.
e. Et autres fromages à moisissures, à pâte persillée.

Ils sont donc à consommer rarement ; il est préférable d'éveiller le petit enfant aux *goûts variés de tous les fromages* (cantal, bleu, emmenthal, camembert, etc.). Contrairement à ce que l'on pourrait croire, l'enfant apprécie souvent ces saveurs un peu marquées, et ce d'autant plus qu'il vous verra les apprécier.

Des matières grasses

Leur pourcentage conditionne la teneur en vitamine A. Suivant la réglementation, un lait est dit entier quand il contient 36 g par litre de matières grasses, demi-écrémé entre 16 et 18 g par litre et totalement écrémé avec moins de 3 g par litre.

Enlever les matières grasses du lait ne modifie pas sa composition en protéines et en calcium ; seule la vitamine A et bien sûr les graisses sont diminuées. Quant aux autres laitages, leur teneur en matières grasses varie, des fromages – les plus riches – aux yaourts et fromages blancs – les plus pauvres.

Rappelons que tous les fromages doivent indiquer le pourcentage de matières grasses. Il définit la quantité de graisses contenues dans 100 g d'extrait sec (soit protéines + lipides + sels minéraux) de fromage. Pour un même pourcentage de matières grasses, c'est le fromage le plus sec qui est donc le plus gras.

Un camembert à 45 % de matières grasses, plus hydraté qu'un comté à 45 % de matières grasses, contient donc moins de graisses :

— 100 g de camembert à 45 % de matières grasses apportent 24 g de lipides,
— 100 g de comté à 45 % de matières grasses apportent 30 g de lipides.

Cette manière d'exprimer la composition est bien compliquée pour le consommateur ; c'est pourquoi une nouvelle législation se met en place. Elle est simple : sur l'emballage sera indiquée la teneur en matières grasses du fromage tel qu'on le consomme et non plus sur l'extrait sec, ce qui était un langage incompréhensible.

Des vitamines

La vitamine A est principalement apportée par les produits laitiers. Elle intervient dans les mécanismes de croissance, dans celui de la vision et dans ceux de l'immunité (voir p. 615).

Le lait de vache et les produits qui en dérivent sont de bonnes sources de vitamine B2. Les fromages à moisissures, que ce soit les pâtes persillées (roquefort, bleu d'Auvergne, etc.) ou la croûte des fromages à pâte molle (camembert, brie, etc.), ont une teneur intéressante en la plupart des vitamines du groupe B.

À retenir

— Sans produit laitier, il est impossible d'assurer les apports conseillés en calcium de l'enfant. Il est souhaitable de consommer un produit laitier à chaque repas.

— Plus on varie les sources de produits laitiers, plus les apports en calcium ont des chances d'être satisfaisants.

— Évitez les fromages ayant plus de 60 % de matières grasses. Ils sont pauvres en calcium, surtout quand ils s'étalent facilement. Réservez-les pour les jours de fête.

— Un produit laitier contenant des fruits ne correspond pas à une consommation de fruits, mais à celle d'un produit laitier.

➤ *Produits laitiers : mode d'emploi*

Pour satisfaire ses besoins en calcium, il convient d'habituer l'enfant à consommer du lait, ou des yaourts, ou des fromages à chaque repas.

On a vu, pendant la période de diversification, qu'un des deux desserts terminant le déjeuner ou le dîner devrait être à base de fromage blanc ou de yaourt, ou remplacé par quelques lamelles de fromage, l'autre dessert étant à base de fruits. Tâchons maintenant de répondre plus précisément à vos questions.

« Les crèmes desserts, les flans et les mousses ont-ils les mêmes apports nutritionnels que les autres produits laitiers ? »

Ils participent à l'équivalence protidique indiquée page 347 avec un apport en calcium proportionnel à la quantité de lait. Dans un pot de crème dessert, ou de flan, ou de mousse, il y a en moyenne 75 à 80 % de lait. Mais leur différence repose sur la quantité de sucre qui en fait une véritable gourmandise.

De plus, ils sont souvent donnés comme dessert après le fromage, ou le yaourt, ou le fromage blanc, ce qui fait double emploi. Si au goûter l'enfant boit du lait, parfumé ou non, accompagné de biscuits ou de tartines, les petits-suisses, le yaourt ou le fromage blanc ne sont pas nécessaires. Nos réticences ne concernent pas un excès de calcium, mais bien de protéines ; le petit enfant a besoin de protéines, mais un excès déséquilibre la ration et pourrait favoriser l'excès de poids quelques années plus tard ou à l'adolescence.

> ### Notre conseil
> Si vous donnez une crème lactée, elle sera le produit laitier et le dessert en même temps ; mais rien n'empêche de finir le repas avec un fruit.

Au fur et à mesure que l'enfant acceptera les morceaux, il aimera de plus en plus des lamelles de fromages accompagnées de pain. Insensiblement, ces petits morceaux deviendront la part de fromage, plus petite que celle des grands et issue du même fromage.

> ### Notre conseil
> Il est souhaitable de proposer à l'enfant des choix et des saveurs variés afin qu'il s'habitue aux goûts spécifiques de chacun d'entre eux. Il est bien évident qu'il montrera ses préférences ; il faut les respecter tout en sachant qu'elles évolueront au fil des années.

« Doit-on continuer à donner du lait de suite ou peut-on donner le lait que boit la famille ? »

Après un an, le lait de suite est moins nécessaire, et l'enfant peut consommer du lait entier ou demi-écrémé suivant les habitudes de la famille. Mais, dans la mesure de votre budget, il vaudrait mieux donner votre préférence aux *laits de croissance*, dont le nom plus officiel est *laits recommandés pour les enfants en bas âge*, c'est-à-dire de un à trois ans.

Ces laits ont été mis au point à la suite d'études qui ont montré, ces dernières années, que 25 à 30 % des enfants entre un et trois ans présentaient une anémie par manque de fer. Cela s'explique par le mode d'alimentation de certains bébés qui, au cours du deuxième semestre de vie, reçoivent du lait de vache demi-écrémé et non du lait de suite qui est enrichi en fer. Les apports conseillés en fer sont estimés à 10 mg par jour. Un demi-litre de lait de vache apporte moins de 1 mg de fer alors qu'un demi-litre de lait de croissance en fournit 4 à 7 mg.

Comme on l'a vu, ces laits de croissance destinés aux enfants de un à trois ans sont conformes à la législation des préparations (ou laits) de suite. Ils ont pour caractéristiques d'être enrichis en fer, en vitamine E et acides gras essentiels (les acides gras jouent un rôle dans le développement du cerveau qui se poursuit jusqu'à l'âge de cinq-six ans) ; ces laits contiennent aussi moins de protéines que le lait de vache, ce qui présente aussi un intérêt. Ils sont ainsi un excellent complément d'une alimentation diversifiée.

La même idée d'enrichissement a conduit à la réalisation de *fromages blancs enrichis* en fer, en vitamine E, en acides gras essentiels. Les trois ajouts ne sont pas toujours présents dans chacun de ces produits, c'est à vous de lire attentivement les étiquettes.

« Peut-on préparer des desserts avec du lait 2ᵉ âge ou du lait de croissance ? »

En utilisant les briques de lait liquide, vous pouvez réaliser tous les desserts qui se font habituellement avec du lait normal. Sur certains emballages, il est écrit qu'il ne doit pas être bouilli. C'est vrai, si ce lait est l'aliment exclusif du bébé. En effet, l'ébullition diminue la teneur en certaines vitamines, ce qui altère sa valeur nutritionnelle. Quand l'enfant a une alimentation bien diversifiée avec du lait, de la viande, du poisson, des légumes, des fruits, des féculents, comme celle qu'il prend depuis qu'il a six ou sept mois, l'ébullition du lait pour un dessert de temps en temps n'altérera pas son équilibre nutritionnel. Au contraire, la préparation de desserts avec du lait de suite ou de croissance augmentera ses apports en fer et en acides gras essentiels.

« Faut-il donner du lait UHT ou peut-on donner du lait pasteurisé ou du lait cru ? »

Il n'y a que d'infimes différences dans les apports nutritionnels ; vous choisirez donc surtout en fonction des différences de saveur que vous appréciez. Une fois cela précisé, le choix peut se faire en fonction de vos problèmes de stockage et de la fréquence de vos approvisionnements.

— Le lait UHT a subi une stérilisation à ultra-haute température (chauffage à 140-150 ° pendant quatre secondes) sous pression. Il peut être conservé, emballage fermé, à température ambiante, en respectant la date de péremption. S'il est ouvert, vous le conservez au réfrigérateur durant trois jours ;

— le lait pasteurisé doit être conservé au réfrigérateur, et sa date limite de consommation correspond à sept jours après son conditionnement. La pasteurisation consiste à chauffer le lait à 72-75° pendant quinze secondes ;
— le lait cru n'a subi aucun traitement de conservation autre que la réfrigération à la ferme. Il doit être porté à ébullition, conservé au froid, et consommé dans les quarante-huit heures.
Certains distributeurs proposent du lait cru vendu à température ambiante. Il y a rupture de la chaîne du froid, et les microbes vont se multiplier. Le premier inconvénient est que le lait « va tourner ».

« Peut-on donner du lait en poudre ou du lait concentré ? L'apport nutritionnel est-il le même ? »

Hormis les laits en poudre spéciaux pour bébé, les laits en poudre, une fois l'eau ajoutée dans les proportions indiquées sur l'emballage, sont identiques au lait d'origine.
— Si la poudre de lait contient 0 % de matières grasses, les apports nutritionnels de ce lait reconstitué seront identiques à ceux du lait écrémé liquide que vous achetez habituellement.

> ### Notre avis
> Il n'y a aucune raison qui justifie l'emploi de lait écrémé pour des enfants, sauf, bien évidemment, une éventuelle prescription médicale.

Le raisonnement est le même si la poudre est issue d'un lait entier.
— Il existe deux catégories de lait concentré :
• Le lait concentré sucré vendu en berlingot, en tube ou en boîte. En ajoutant un volume égal d'eau, on reconstitue un lait de vache entier et sucré à 15 %, soit trois morceaux de sucre pour 100 ml de lait.

> ### Notre conseil
> Sous forme de berlingot ou en tube, le lait concentré a l'avantage de fournir un bon apport énergétique sous un petit volume. Cela peut être nécessaire pendant des randonnées ou des pratiques sportives d'endurance. À réserver, donc, quand votre enfant sera plus grand et vous accompagnera.

• Le lait concentré non sucré qui se reconstitue comme le précédent.

> ### Notre conseil
> Dans des circonstances particulières (par exemple si vous faites du camping), le stockage de ce type de lait prend peu de place ; toutefois, sachez qu'il n'est pas adapté au nourrisson.

« Quelles quantités de produits laitiers donner à un enfant âgé de un à trois ans ? »

Trois à quatre portions de produits laitiers par jour sont une mesure raisonnable. Ces suggestions de limitation en quantités ont pour but de ne pas trop augmenter la consommation protéique qui est généralement trop importante dans nos pays à cette période de la vie.

Nous indiquons ci-dessous à quoi correspond une portion de produit laitier.

Ce qu'est une portion de produit laitier

Portions de produits laitiers ayant le même contenu en protéines (4 à 6 g) :
— 200 ml de lait de suite,
— 200 à 250 ml de lait pour enfants en bas âge ou lait « de croissance »,
— 100 g de fromage blanc enrichi en fer et en vitamine E (soit environ 4 cuillères à soupe),
— 150 ml de lait (1 verre),
— 1 yaourt nature,
— 1 petit-suisse de 60 g,
— 60-70 g de fromage blanc classique (soit 2 à 3 cuillerées à soupe bombées),
— 20-30 g de fromage fermenté.

La teneur en calcium de ces différentes portions peut aller de 50 à 250 mg, il faut donc varier les sources des différents produits au cours de la journée. Rappelons que les fromages double crème apportent peu de calcium.

Comme on l'a déjà vu, ce n'est pas le moment non plus de satisfaire l'appétit de bébé avec deux desserts lactés à chaque repas. Le produit laitier de choix est le lait de croissance ainsi que les fromages ou entremets faits avec ce lait. Durant cette période, on continue l'initiation aux fromages fermentés qui ne tiennent pas encore une large place dans l'alimentation.

Les menus des pages 375 à 377 vous donnent une idée de la diversité que les produits laitiers peuvent apporter à l'alimentation de l'enfant.

« Est-il vrai que les yaourts décalcifient ? »

Les acides du yaourt sont des acides organiques qui sont détruits dans l'organisme et n'ont aucun effet déminéralisant ; au contraire, ils facilitent plutôt l'utilisation du calcium entrant dans la composition du yaourt.

La même réponse peut être faite à propos du citron : ce dernier ne décalcifie pas plus que les yaourts !

« Est-il bon de donner des yaourts pendant un traitement aux antibiotiques ? »

Les laits fermentés (donc les yaourts) participent à la reconstitution de la flore intestinale que les antibiotiques ont appauvrie. Pendant son traitement, l'enfant peut en consommer à chaque repas.

Les viandes, les poissons, les œufs et les abats

➤ *Leur intérêt*

Si au moment de la diversification, la viande, les abats, l'œuf, les poissons étaient intéressants surtout par leur participation à l'éveil du goût et à la découverte d'une autre consistance, après l'âge de un an, ils jouent un rôle intéressant dans l'équilibre nutritionnel de l'enfant en raison de leurs multiples composants.

Les protéines

Elles constituent 16 à 20 % du poids de la viande, en considérant la viande pesée crue et débarrassée de ses déchets. Seule la partie comestible, c'est-à-dire les muscles pour les viandes et les poissons, les abats, c'est-à-dire les foies, les rognons, la langue débarrassés du gras et de leur peau, et le cœur apportent des protéines dont la valeur nutritionnelle est équivalente à celle des produits laitiers. L'œuf de poule (jaune plus blanc) est également une source de protéines d'excellente qualité.

À retenir

Les protéines sont trop souvent exclusivement synonymes de viande. Sachez qu'un œuf de taille moyenne est l'équivalent protidique de 50 g de viande, de poisson, ou d'abats.

Pendant la cuisson, les viandes et les poissons perdent de l'eau, qui constitue ainsi le jus. Les morceaux deviennent plus petits, mais leur apport protidique est resté le même. Ainsi, une escalope crue de 100 g pèsera 75 à 80 g une fois cuite, mais il y aura la même quantité de protéines. Le raisonnement est identique pour tous les types de cuisson.

Les matières grasses

Elles constituent, selon les produits, entre 1 à 30 % du poids des viandes, des poissons, ou de l'œuf.

Les poissons gras (sardine, maquereau, hareng, saumon et truite), sont riches en acides gras essentiels spécifiques et utiles pour bébé (voir p. 362 et p. 363). Les autres poissons sont, avec les volailles sans la peau, les plus pauvres en matières grasses.

Sachez que les matières grasses de l'œuf sont totalement concentrées dans le jaune.

MATIÈRES GRASSES DES VIANDES-POISSONS-ŒUFS
(chaque portion indiquée apporte 8 à 10 g de protéines)

50 g mouton	15 g
50 g bœuf à braiser	11 g
50 g agneau – entrecôte	6-7,5 g
1 œuf 50 g sardine-maquereau	5,5 g
50 g veau, porc (filet)	3,5 g
40 g thon	2,5 g
50 g poulet, bœuf à rôtir foie, rognons, viande hachée (MG [a] 5 %), truite, hareng	2,5 g
50 g dinde sans peau, dindonneau	1,2 g
50 g cheval Les poissons non cités plus haut	moins de 1 g

a. MG = matières grasses

Le fer

Les viandes, les foies, les poissons et, à un degré moindre, le jaune d'œuf, sont les seuls aliments qui apportent du fer bien utilisé par l'organisme, alors que le fer d'origine végétale est mal assimilé.

Les viandes en contiennent de 1 à 5,5 mg pour 100 g, et le poisson 1,2 mg.

Le foie est riche en fer : 8 à 18 mg pour 100 g ; le foie d'agneau est avec le foie de porc le plus riche en oligo-éléments.

Il est à remarquer que ces aliments ne contiennent pas de calcium, mais du phosphore et du potassium.

Les vitamines

Les viandes, poissons et œufs contiennent des vitamines du groupe B (y compris PP pour les viandes). Le porc est nettement plus riche en vitamine B1. Le foie l'est particulièrement en vitamine B12 ainsi qu'en vitamine A. Les vitamines A et D sont présentes à des degrés divers dans les foies de poisson et le jaune d'œuf.

➤ *Quelles quantités ?*

L'apport en protéines de très bonne qualité (haute valeur biologique) chez le jeune enfant comme chez l'enfant plus âgé devrait provenir principalement du lait et des produits laitiers. La viande, le poisson et les œufs viennent en complément. Les quantités conseillées sont indiquées dans le tableau ci-dessous.

QUANTITÉS DE VIANDE, DE POISSON ET D'ŒUF À DONNER PAR JOUR ENTRE 1 ET 3 ANS

De 1 a 2 ans	De 2 a 3 ans
— 25-30 g de viande moulinée ou coupée en morceaux[a] (1/2 tasse à café)	— 30-40 g de viande moulinée ou coupée en morceaux[a]
ou	ou
— 25-30 g de poisson[a] émietté	— 30-40 g de poisson[a] émietté
ou	ou
— un demi-œuf	— un œuf

a. Il s'agit d'aliment pesé cru.

« Compte tenu de la perte d'eau à la cuisson, comment évaluer les quantités à donner ? »

Il ne s'agit pas de prendre une balance ou de faire des calculs savants.

Quand vous achetez un filet de poisson, vous connaissez son poids ; dans la mesure où l'enfant en mange une fraction, vous pouvez évaluer la quantité qu'il consomme.

Par exemple : le filet cru pèse 150 g. L'enfant entre un et deux ans en consommera le cinquième et, quelques années plus tard, un quart.

Le raisonnement est le même pour un morceau de viande acheté à l'unité. Les volumes seront les mêmes à partir du morceau prélevé sur le plat familial.

« Pourquoi insister sur les quantités de viande, de poisson ou d'œuf ? »

La raison n'est pas que, de manière générale, les petits enfants, dans les pays occidentaux, manquent de viande, de poisson ou d'œuf, mais bien plutôt que les parents dépassent facilement les quantités indiquées ci-dessus.

Or un excès de protéines, qu'elles proviennent des produits laitiers ou de la viande et de ses équivalents, semble défavorable à la santé future de l'enfant. Des travaux scientifiques ont montré que les enfants qui avaient mangé les quantités les plus importantes de protéines avant trois ans avaient le plus grand risque de présenter une obésité quelques années plus tard. Même si ces données demandent confirmation, elles doivent nous amener à modérer les apports en protéines chez l'enfant.

« Comment équilibrer l'alimentation par rapport aux protéines apportées par les produits laitiers ? »

Les quantités de viande, de poisson et d'œuf conseillées tiennent compte des protéines des produits laitiers pris par l'enfant quatre fois par jour selon les quantités indiquées page 371. Mais, si votre enfant consomme beaucoup de produits laitiers, il peut manger moins de viande, de poissons ou d'œufs. Cependant, à long terme, sachez qu'il risque de manquer de fer (ce manque peut être pallié par le lait de croissance).
À l'inverse, un enfant ne prenant pas du tout de produits laitiers peut manger plus de viande, de poisson ou d'œufs pour remplacer les protéines des produits laitiers. Cependant, il manquera de calcium et le médecin sera probablement amené à lui en donner sous forme de comprimés.

« Peut-on donner de la charcuterie à un enfant entre deux et trois ans ? »

Mis à part le jambon, la charcuterie est une source importante de matières grasses, de protéines et de sel. Elle peut occasionnellement figurer au menu, en remplacement de la viande, du poisson ou des œufs.

« Les œufs peuvent-ils remplacer la viande ? »

L'œuf participe aux apports de protéines au même titre que la viande ou le poisson. Il est donc à donner à *la place* mais pas *en plus* (sauf s'il participe en petites quantités à la réalisation des crèmes ou des gâteaux).

« Comment faut-il cuisiner la viande, le poisson et l'œuf ? »

Toute recette comportant des matières grasses en petite quantité et n'ayant pas brûlé convient à l'enfant à partir du moment où elle lui plaît. Il commence ainsi à participer aux habitudes alimentaires de la famille. Il est bon de savoir qu'une sauce à base de vin, si elle a été portée à ébullition, ne contient plus d'alcool et ne présente pas de risque pour l'enfant.

Les légumes et les fruits, crus et cuits

➤ *Ce qu'apportent les légumes et les fruits*

Leur intérêt pour la santé est réel. Ils apportent en effet plusieurs éléments.

L'eau

Les fruits, comme les légumes, en sont riches : de 80 à 95 %.

Les sels minéraux

Des sels minéraux tels que le potassium, le phosphore, le magnésium, les oligo-éléments se trouvent en quantité importante dans les légumes et les fruits ; seul le calcium est peu présent (les choux sont une exception).

Le fer des végétaux est absorbé au niveau intestinal dans la proportion de 2 à 3 %. Ainsi, le fer des épinards de ce cher Popeye est mal assimilé par l'organisme à cause de la présence d'acide oxalique.

Les glucides

Fruits et légumes apportent des glucides ; cela est plus particulièrement vrai pour les fruits. La pomme de terre comme les légumes secs sont bien sûr des légumes, mais ils sont classés à la rubrique féculents-céréales au plan diététique parce que leur glucide est l'amidon.

La banane, du fait de sa composition, est assez proche des pommes de terre.

Les fibres

Les fruits et légumes constituent la plus importante source de fibres ; celles-ci accélèrent le transit intestinal, préviennent la constipation et calment bien l'appétit.

Les vitamines

Les fruits sont riches en *vitamines* :

— la vitamine C ou acide ascorbique se trouve particulièrement dans les fruits acides,

— la provitamine A (carotène) dans les légumes et fruits colorés (carotte, abricot, tomate, melon, potiron...), mais aussi dans les feuilles vertes riches en chlorophylle (épinards, salades, bettes...),

— la vitamine PP est présente notamment dans le raisin,

— les légumes à feuilles vertes apportent aussi de la vitamine B9 (acide folique).

Les fruits secs ont la composition des fruits dont ils proviennent, à l'exception de l'eau et de la vitamine C qui ont disparu.

Quant aux fruits oléagineux, comme les olives, les noix, les noisettes, les amandes, ils sont très énergétiques, riches en protéines, en matières grasses, en sels minéraux (mais pas en calcium) et en vitamines, à l'exception de la vitamine C.

➤ *Fruits et légumes : mode d'emploi*

Au fur et à mesure que votre enfant mange moins de purées ou de potages de légumes, il s'initie à l'alimentation des grands. Il le fait à son rythme et en fonction des menus qu'il partage avec les aînés. Ainsi, progressivement, l'alternance entre un plat de légumes à un repas et un plat de féculents à l'autre repas s'installe. Ou mieux, si vous en avez le temps, proposez-lui des féculents et des légumes à chaque repas : ces deux familles d'aliments sont complémentaires.

« Quelle place donner aux légumes et aux fruits ? »

Si le plat de légumes du jour ne suscite pas d'enthousiasme, vous proposerez à votre enfant plus de fruits, et l'équilibre alimentaire sera préservé. L'expérience montre que beaucoup de légumes peu appréciés cuits le deviennent s'ils sont crus (quand cela rentre dans les habitudes familiales) ou proposés en salade.

À retenir :

Il est souhaitable de consommer des légumes et/ou des fruits crus au moins deux fois par jour, soit en entrée, soit en dessert, soit en jus, soit en complément du petit déjeuner, soit encore lors d'une collation ou d'un goûter.

« Quel est type de cuisson à privilégier ? »

Plus le temps de cuisson est court, plus la vitamine C est préservée. Donc, la cuisson à la vapeur sous pression (Cocotte-Minute) donne de meilleurs résultats. Si on utilise l'eau de cuisson pour faire un bouillon de légumes par exemple, les sels minéraux ayant diffusé dans l'eau ne sont pas perdus.

« Quelles quantités ? »

Il est difficile de répondre, car les envies sont très variables d'un enfant à l'autre et, chez un même enfant, d'un jour à l'autre. Il serait souhaitable de prévoir à chaque repas au moins un légume (en potage, en salade, en accompagnement du plat principal ou en crudité), et chaque jour, un (ou si possible deux) fruits, frais ou en compote (voir encadré p. 371).

Les féculents : les céréales et dérivés, les pommes de terre et les légumes secs

Tous ces produits ont en commun leur richesse en *amidon,* un glucide lentement dégradé et assimilé au cours de la digestion sous forme de glucose. Ce sont des aliments énergétiques.

Il a été traité un peu plus haut des céréales infantiles ; à partir des céréales, il existe une infinité de produits. Tout ce qui en dérive sous forme de farine, semoule, flocons, et donc le pain, les pâtes, la biscuiterie (également riche en matières grasses et sucre) fait partie du même groupe.

➤ *Ce qu'apportent les féculents*

La pomme de terre est une source d'amidon, mais elle contient peu de vitamines (à part la vitamine C) et peu de sels minéraux à l'exception du potassium.

En plus de l'amidon, les légumes secs comme les céréales apportent :

— Des *protéines* : elles sont en quantités non négligeables, mais de moins bonne qualité pour la croissance que dans les produits d'origine animale.

— Des sels minéraux, du fer, du magnésium, du potassium.

— Des *vitamines du groupe B* (particulièrement B1).

— Des *fibres* : c'est le son des céréales complètes qui correspond à l'enveloppe des grains, ce sont aussi les enveloppes des légumes secs. Les fibres des céréales complètes sont mal dégradées par la flore intestinale des jeunes enfants et peuvent être à l'origine de colite plus ou moins durable. Elles ne sont donc pas indiquées dans l'alimentation infantile.

> **Notre conseil**
> Les légumes secs réduits en purée ne peuvent être proposés qu'à partir de quinze ou dix-huit mois.

➤ *Féculents : mode d'emploi*

Vous vous demandez quelle est la place des féculents dans l'alimentation variée, c'est-à-dire que vous souhaitez savoir quels féculents peuvent être donnés et à quel moment.

■ Les *céréales* sous forme de farines infantiles, de pain, de biscottes, ou de céréales instantanées dites de petit déjeuner doivent entrer dans la composition du premier repas de la journée pour compenser le jeûne nocturne et fournir à l'organisme l'énergie nécessaire aux activités du matin, qu'elles soient physiques ou intellectuelles.

■ Les *pains,* ou les biscottes, ou leurs variantes sont les compagnons de tous les repas et celui, incontournable, du fromage.

■ Les *biscuits,* les *viennoiseries,* la *pâtisserie,* peuvent se substituer au pain pour les goûters, mais ils ont l'inconvénient d'être riches en sucre et/ou en matières grasses.

> ## Notre conseil
> Il est plus sage de proposer pour le goûter du pain et du chocolat (ou une autre pâte à tartiner), ou encore du pain avec un peu de beurre et de confiture, avec un verre de lait (parfumé ou non), plutôt qu'un petit pain au chocolat ou une boîte de gâteaux secs.

■ Les *pommes de terre,* les pâtes, le riz, les légumes secs, la semoule sont l'alternative quotidienne au plat de légumes cuits (dans la structure traditionnelle des menus).

➤ *Quelles quantités ?*

Comme pour les légumes et les fruits, il n'est pas raisonnable de quantifier, car, grâce aux féculents pris pendant les repas, votre enfant contrôle son appétit. Vous pouvez donc le laisser manger des féculents selon sa faim.

« Les féculents risquent-ils de faire grossir mon enfant ? »

Tout d'abord, une précision : il est normal qu'un enfant grandisse et grossisse. Ensuite, une mise au point : pendant de nombreuses années, on a accusé les féculents d'être à l'origine des surcharges pondérales. On sait maintenant que ces aliments participent en fait de façon primordiale au contrôle de l'appétit et du poids, et qu'ils ne font pas grossir s'ils sont consommés avec peu de matières grasses.

Si vous privez votre enfant de féculents, il ira puiser l'énergie dont il a besoin pour bouger et grandir dans des aliments gras et/ou sucrés beaucoup plus susceptibles, eux, de faire grossir.

De plus, la digestion de l'amidon des féculents étant lente, l'enfant n'aura pas de fringales. Celles-ci sont en revanche souvent provoquées par des produits sucrés qui, eux, apportent de l'énergie trop vite assimilée pour satisfaire à long terme les besoins de l'enfant. Il en résulte une succession de grignotages. C'est ainsi qu'une surcharge pondérale peut survenir.

« Les biscottes font-elles moins grossir que le pain ? »

À poids égal, les biscottes étant sans eau, elles apportent plus de calories que le pain qui contient 35 % d'eau.

Si elles font partie souvent des régimes amaigrissants, c'est que, devant être mâchées plus longtemps que le pain, elles donnent à certaines personnes l'impression d'être rassasiées plus vite.

Pour les enfants, elles font partie des féculents qui participent aux petits déjeuners ou aux goûters et sont une excellente source, comme le pain, de plaisir, quand elles sont consommées avec de la confiture, du miel, de la pâte à tartiner chocolatée, etc. Votre enfant pourra choisir selon ses goûts.

« Le pain complet ou les pâtes complètes sont-ils préférables au pain blanc ou aux pâtes ordinaires ? »

Les fibres apportées par le son contenu dans les farines servant à faire le pain complet ou les pâtes complètes sont mal dégradées dans l'intestin du petit enfant.

Cependant, à partir de deux ans, si ces produits font partie de vos habitudes alimentaires, vous pouvez en proposer à l'enfant, mais à doses « homéopathiques », tout au moins au début.

Par exemple une tranche de pain complet au petit déjeuner de temps en temps. Si l'enfant n'a pas mal au ventre, s'il n'a pas de ballonnements ni de gaz, vous pouvez en donner plus souvent.

De toute façon, il n'est pas souhaitable d'utiliser uniquement des céréales complètes sous forme de pain ou de pâtes, car les fibres entraînent avec elles dans les selles des minéraux de première importance comme le fer et le calcium, ce qui risque de créer une certaine déficience en ces minéraux.

> ### Notre conseil
> Si les fibres de son sont bien tolérées, les pains et céréales complètes participent, au même titre que les autres produits, à la variété.

« À partir de quel âge peut-on donner des frites à un enfant ? »

Dès que l'enfant peut croquer, mâcher et avaler sans s'étrangler, il peut consommer des frites.

> ### Notre conseil
> Quel que soit l'âge, il n'est pas souhaitable que les frites ou les pommes de terre sautées ou rissolées figurent au menu plus d'une ou deux fois par semaine (voir p. 366).

Les matières grasses

◼

➤ *Les différents types de matières grasses et leurs apports*

Elles existent sous forme invisible (graisses contenues dans les viandes, la charcuterie, les produits laitiers, la pâtisserie) et sous forme visible (graisses ajoutées pour la préparation des plats et pour l'assaisonnement).

Le beurre et la crème fraîche

Le beurre (84 % de matières grasses) et la crème fraîche (30 % de matières grasses) apportent de la *vitamine A* proportionnellement à la teneur en matières grasses.

Technologiquement, ce sont des produits laitiers, mais, nutritionnellement, ils ne le sont pas, car ils ne contiennent pas de calcium. Le calcium est lié à la caséine du lait ; la crème est formée de globules gras en émulsion dans de l'eau, et, lors du barattage, c'est l'eau qui est en émulsion dans les matières grasses. Les protéines sont en quantités négligeables, sauf s'il s'agit d'un régime d'intolérance aux protéines du lait de vache.

Les margarines

Elles apportent 80 % de matières grasses et sont enrichies en vitamine A. Les margarines classiques (emballage en papier) faites de graisses animales et végétales sont utilisées pour la cuisson et la pâtisserie. Les margarines, souvent dites molles (en barquette), sont employées pour tartiner ou pour cuire.

Les pâtes à tartiner et à cuire ne peuvent s'appeler légalement « margarines » parce qu'elles ne contiennent que 70 % de matières grasses.

« Comment puis-je connaître le pourcentage de matières grasses d'un produit ? »

Le seul moyen consiste tout simplement à lire les informations notées sur les emballages. La quantité de matières grasses indiquée est pour 100 g de produit tel qu'il est vendu.

Les huiles

Toutes les huiles, quelle que soit leur origine, apportent 100 % de matières grasses. Ce sont des mélanges en proportions plus ou moins importantes d'acides gras essentiels, d'acides gras mono- et polyinsaturés (voir p. 619).

La nature de l'huile dépend des graines à partir desquelles elle est extraite (olives, noix, graines de tournesol, etc.). Elles contiennent de la *vitamine E.*

➤ *Matières grasses : mode d'emploi*

Pour les enfants qui mangent encore mixé, continuez à ajouter une grosse noisette de beurre dans les légumes, la purée, les potages.

Mais pensez aussi à la remplacer souvent par une cuillère à café d'huile.

> ### Une bonne habitude
> Dès que l'enfant ne consomme plus de lait de suite ni de lait de croissance, pensez à utiliser chaque jour de l'huile pour apporter les acides gras essentiels.

Si votre enfant mange des plats différents des vôtres, ajoutez dans ses légumes ou dans ses féculents, dont la cuisson ne nécessite pas d'ajout de matières grasses, une noix de beurre qui pourra être remplacée par deux petites cuillères à café d'huile. Continuez à assaisonner ses entrées comme vous le feriez pour vous, cela l'initiera aux habitudes de la famille.

Faites cuire ses viandes, que ce soit spécifiquement pour lui ou pour la famille, dans un peu de matière grasse selon le tableau d'utilisation page suivante.

« Quelles matières grasses utiliser pour la cuisson ? »

Suivant la composition et la nature des acides gras, les matières grasses sont plus ou moins modifiées par la chaleur. Les huiles, le saindoux, la Végétaline et diverses margarines supportent des températures plus élevées que le beurre et les margarines à tartiner, elles sont donc mieux adaptées à la cuisson.

Toutes les huiles peuvent être chauffées à 180-200 °, température de la friture, *à l'exception de l'huile de colza et de l'huile de soja*. Ces deux dernières portent sur leur emballage la mention : « pour assaisonnement », et on les réserve aux mets servis froids. En effet, si on les chauffe, elles dégagent une odeur déplaisante.

« Que se passe-t-il quand le beurre devient trop chaud ? »

Quelle que soit la matière grasse et son origine, quand elle brûle, on la voit fumer et dégager une odeur désagréable, elle devient impropre à la consommation. Les corps gras brûlés sont dégradés et non digestibles. On ne peut à l'heure actuelle définir à quel point ils sont nocifs pour la santé. C'est la résistance à la chaleur qui doit guider le choix de la matière grasse. Une friture demande une température élevée.

LA COMPOSITION EN LIPIDES ET L'UTILISATION DES MATIÈRES GRASSES

Noms		Pourcentage de lipides	Conseils d'utilisation	Températures à ne pas dépasser
huiles (liquides à température ambiante)	tournesol, maïs	100 %	salades et cuisson	180-200°
	pépins de raisins	100 %	idem	idem
	soja	100 %	pour assaisonnement	pas de cuisson
	arachide	100 %	chaleur élevée (friture)	180-200°
	composées	100 %	cuisson assez élevée	idem
	olive	100 %	cuisson assez élevée	idem
	colza	100 %	pour assaisonnement	pas de cuisson
	mélange spécial : tournesol-arachide	100 %	friture, ne fume pas	180-200°
huiles solides (à température ambiante)	végétaline	100 %	friture	180-200°
saindoux	graisse de porc	84 %	cuisson, friture	180-200°
beurre		84 %	cru ou fondu	
crème fraîche	épaisse	30 %	idem	≈ 100°
crème fraîche	liquide ou allégée	15 à 20 %	idem ne s'emploient que crues	idem
margarines végétales	tournesol et maïs, autres	80 %	à tartiner et à cuire	140°
margarines animales et végétales		80 %	cuisson	140°
margarines allégées		60 à 70 %	cuisson	100°
pâtes à tartiner	allégées	40 à 70 %	à tartiner et à cuire	≈ 100°
sauce	mayonnaise	65 %	crue	

« Comment savoir si l'huile de friture a atteint la juste température, ni trop ni pas assez ? »

Il y a un moyen bien simple de vérifier la température du bain de friture : mettez un petit morceau de pain dans l'huile chaude ; lorsque la température atteint 180-200 °, le morceau remonte à la surface et l'huile crépite autour du pain. C'est le moment de plonger dans le bain les aliments que vous désirez frire.

« Quelles sont les précautions à prendre lorsqu'on fait des fritures ? »

Après chaque usage du bain de friture, il faut filtrer l'huile afin d'enlever les petits restes d'aliments qui, s'ils sont frits une deuxième fois, se décomposent. Les parois de la friteuse ne doivent pas être noircies, donc vous les lavez.

De toute façon, au bout de dix utilisations du bain de friture, il faut le jeter, car l'huile, après plusieurs chauffages, se dénature.

« Parmi toutes les huiles qui sont en vente laquelle choisir ? »

Variez les types. Leur intérêt nutritionnel est différent suivant leur origine : olive, arachide, tournesol, soja, colza, maïs, noix. Les huiles de colza, de soja et de noix sont particulièrement intéressantes car elles contiennent des acides gras utiles pour les neurones de l'enfant et absents des autres huiles. Si vous ne souhaitez pas stocker plusieurs bouteilles d'huile et vous en servir alternativement, vous pouvez acheter celle qui est faite avec un mélange d'huiles d'intérêt nutritionnel complémentaire. Ainsi, avec une seule bouteille, tous les jours, une à deux petites cuillères à café mélangées aux aliments apporteront les acides gras essentiels.

« Beurre ou huile, qu'est-ce qui est le meilleur pour la santé ? »

Les habitudes régionales sont très enracinées : les grands mangeurs de beurre et de crème fraîche ne doivent pas oublier d'utiliser l'huile pour faire la vinaigrette. Sachez que, lorsqu'on utilise largement le beurre et la crème, parallèlement, il vaut mieux choisir du lait demi-écrémé : son taux, plus faible en matières grasses, compensera la consommation peut-être un peu trop importante de beurre et de crème.

Si, au contraire, vous n'utilisez que de l'huile (le plus souvent il s'agit de l'huile d'olive), il ne faut pas oublier le beurre qui apporte la vitamine A, à moins que, parallèlement, vous consommiez du fromage et du lait entier (c'est en quelque sorte l'inverse du cas précédent).

« Lorsqu'on cuit des aliments avec des matières grasses, lesquelles vaut-il mieux utiliser ? »

Comme on l'a vu, la cuisson des viandes et des œufs peut se faire avec un peu de matières grasses. Les huiles (ou à la rigueur la margarine), supportant une température plus élevée que le beurre, sont mieux adaptées. L'huile d'arachide convient particulièrement à la cuisson.

« Peut-on donner de la mayonnaise à un petit enfant ? »

La mayonnaise est un mélange non chauffé d'huile, de jaune d'œuf, d'un peu de vinaigre ou de citron, de sel, de poivre, additionné ou non de moutarde ; elle est donc beaucoup plus riche en calories qu'une simple vinaigrette. Quand les repas sont déjà riches en graisses invisibles (charcuterie, certaines pâtisseries), il vaut mieux, dans la journée, éviter les graisses visibles (mayonnaise, fritures, sauces grasses). C'est aussi vrai pour les enfants que pour les parents.

« Que faut-il penser des frites ? »

Les frites, les chips et autres types de fritures sont particulièrement appréciées par les enfants. Mais il faut se rappeler que 50 g de chips apportent autant de graisses que deux cuillerées à soupe d'huile. En manger plus d'une fois par semaine augmenterait trop la consommation de matières grasses.

« Les tartines à la margarine sont-elles meilleures pour la santé que les tartines au beurre ? »

Maintenant que les margarines sont enrichies en vitamine A, on pourrait penser qu'elles sont équivalentes au beurre.

Cependant, certains spécialistes émettent quelques doutes sur le devenir biologique, à long terme, des acides gras des huiles que l'on doit transformer afin d'obtenir un produit solide : la margarine. Pour l'instant, on peut juste dire que, dans le cadre d'une alimentation normale variée, elles ne sont pas meilleures que le beurre.

« On parle beaucoup des bienfaits de l'huile d'olive. Pour les enfants, est-elle préférable aux autres huiles ? »

La saveur de l'huile d'olive, comme celle de l'huile de noix, est irremplaçable. Sa composition en acides gras essentiels est intéressante.

Si l'huile d'olive fait partie de vos habitudes alimentaires, votre enfant peut en profiter et la déguster.

Les produits sucrés

Dans ce groupe sont rassemblés les produits qui ne sont pas indispensables à l'équilibre nutritionnel. Il s'agit :
— de sucre sous toutes ses formes (blanc, raffiné, roux),
— des confiseries,
— du miel, de la confiture, de la gelée,
— de produits qui en contiennent (chocolat, pâtisserie, biscuiterie, boissons aux fruits, sirops parfumés, sodas, desserts lactés, glaces, laitages parfumés avec des fruits ou aromatisés).

Mais l'alimentation ne se résume pas exclusivement à l'équilibre nutritionnel, et l'on sait que la saveur sucrée dont on a parlé à propos de la mise en place des goûts correspond à une attirance innée chez l'enfant (voir p. 330). Le sucre est donc aussi une source universelle de plaisir qu'on ne peut purement et simplement exclure des habitudes alimentaires.

« Pourquoi le sucre a-t-il mauvaise réputation ? »

Le sucre, dont le nom scientifique est saccharose, apporte exclusivement des glucides d'absorption très rapide, aucuns sels minéraux ni vitamines. Ce sont des calories vides mais de l'énergie très utile dans la pratique des sports d'entraînement et d'endurance.

La mauvaise réputation du sucre est justifiée quand il est consommé entre les repas sous forme de confiseries, de sodas, de chocolat, etc. Le principal inconvénient est qu'il participe à la formation des caries. En effet, il est rare que l'on puisse se laver les dents après avoir mangé du sucre dans la journée, en dehors des repas. Le sucre favorise la formation de la plaque dentaire qui attaque l'émail des dents en se combinant avec les bactéries, hôtes habituels de la cavité buccale. Mais, si le sucre est ajouté raisonnablement dans les desserts qui finissent un repas après lequel on se lave les dents, le risque de carie diminue.

Par ailleurs, une consommation importante de sucre risque de prendre la place des nutriments indispensables (voir p. 324) et de conduire ainsi à une alimentation déséquilibrée. Trop de sucre, surajouté à la consommation des autres aliments, favorise aussi l'excès de poids.

Notre conseil

Habituez l'enfant à des saveurs légèrement sucrées.
Modulez l'usage des sucreries, mais ne l'interdisez pas, car chacun sait combien l'interdit est désirable !
Reportez-vous au tableau page suivante qui vous indique les quantités de sucre qui se trouvent dans divers produits sucrés.

COMBIEN DE SUCRE CACHÉ ?

Aliments	Quantités g ou ml	Mesures ménagères approximatives	Équivalents morceaux de sucre
Morceau de sucre n° 4	5 g		1
Sucre en poudre	5 g	1 cuil. à café	1
	15 g	1 cuil. à soupe	3
Sirop de fruits	15 ml	1 cuil. à soupe	2
Soda fruité, etc.	150 ml	1 verre	3 à 4
Confiture, miel	15 g	1 cuil. à soupe	2 à 3
Bouillie préparée avec des farines infantiles sucrées	100 g	2/3 tasse à thé	1
Carré de chocolat	3 à 5 g		1/2
Barre chocolatée	50 g		6
Poudre chocolatée	15 g	1 cuil. à soupe	1
Biscuit	5 à 10 g	1 unité	1
Compote, petits pots	100-130 g	1 pot	3
Crème dessert	130 g	1 pot	4
Yaourt, suisse, fromage blanc aux fruits ou parfumés	125-150 g	1 unité	2 à 3
Glace	125 ml	1 unité	3
Sorbet	100-125 ml	1 unité	4

« Peut-on donner des produits dits "sans sucre" à un petit enfant ? »

Il faut distinguer les produits « sans sucre ajouté » et ceux qui contiennent des édulcorants. Dans les premiers (comme certains jus de fruits ou compotes), le goût originel de l'aliment est respecté, et ce sont donc d'excellents produits tout à fait adaptés à l'enfant.

Les seconds sont très différents. On peut être tenté de proposer à son enfant des produits sans sucre ou « light » (allégés). Les produits « light » sont sucrés avec des faux sucres (édulcorants de synthèse) ; ils entretiennent l'attachement à la saveur sucrée, mais sans provoquer de carie et sans apporter de calories. Ils sont à réserver aux enfants qui ont des problèmes de poids.

Les confiseries étiquetées « sans sucre » contiennent des « presque sucres » (polyols) qui ont l'intérêt de ne pas favoriser la formation de carie, mais, pris en grandes quantités, ils provoquent la diarrhée.

Notre conseil
Que le sucre soit vrai, faux, ou presque vrai, la modération est souhaitée.

« Quelle quantité de sucre un enfant peut-il consommer dans une journée ? »

Comme on l'a vu, il est raisonnable d'admettre, au cours des repas, que certains aliments soient légèrement sucrés, sans que cela masque leur saveur originelle. Mais il est préférable de déconseiller fortement la consommation de sucreries (boissons, confiseries) *entre* les repas.

Il n'y a donc pas de quantité à conseiller ; cela peut être pas du tout, ce qui est excessif, ou modérément, en fonction de la demande de l'enfant (qui apprécie probablement cette saveur...), de vos achats et de votre propre attitude par rapport aux produits sucrés.

« Le sucre moins raffiné, ou sucre roux, est-il supérieur au sucre blanc ? »

Les inconvénients du sucre, qu'il soit roux ou blanc, issu de la canne à sucre ou de la betterave, sont les mêmes.

Mais si l'on préfère le goût du sucre roux à celui du sucre blanc, rien ne s'y oppose ; en revanche, si vous croyez y trouver des principes indispensables dont serait privé le sucre blanc, vous vous trompez.

« Le miel est-il préférable au sucre ? »

Les arguments sont les mêmes que pour le sucre roux. Il est vrai qu'en compulsant une table de composition des aliments on peut trouver des quantités intéressantes de vitamines et de sels minéraux dans un kilo de miel. Mais il est bien évident qu'on ne peut en consommer de telles quantités. Rapportés à la cuillère à café ou même à la cuillère à soupe, ces apports sont négligeables.

« Un trop grande quantité de sucre peut-elle entraîner des risques de diabète ? »

Pas chez des enfants bien portants, mais dans une famille de diabétiques et d'obèses, la question peut se poser : parlez-en à votre pédiatre.

« Faut-il complètement supprimer les bonbons ? »

Sûrement pas, mais il ne faut pas qu'ils deviennent une habitude ou un enjeu éducatif, affectif, ou encore un marchandage pour bonne conduite (voir p. 324).

Les boissons

Comme nous avons déjà eu l'occasion de le dire, l'eau est la seule boisson nécessaire à tous les âges.

Quand l'enfant ne prend plus de lait de suite et si, l'hiver, il ne consomme pas d'agrumes en entrée ou en dessert, le jus de fruits, frais ou surgelé, peut être une source intéressante de vitamine C. En dehors de ce moment-là, et des « extra » pour une fête, la consommation d'eau sans adjonction d'aucune sorte est à encourager dès le début de la vie.

« Peut-on donner de l'eau du robinet ou faut-il acheter de l'eau minérale, ou de l'eau de source ? »

L'eau du robinet est partout potable, sauf avis spécial de la mairie. L'eau doit être de qualité bactériologique parfaite, sans présence de résidus de pesticides et avec moins de 50 mg par litre de nitrates.

Si vous trouvez que l'eau a un goût un peu chloré, préparez une carafe d'eau du robinet que vous laissez à l'air. Au bout d'une heure, le goût aura disparu. Mais si vraiment vous n'appréciez pas du tout sa saveur, vous pouvez utiliser les eaux en bouteille. Attention aux eaux fluorées comme Badoit, Carola, Nessel qui contiennent 1 à 1,6 mg de fluor par litre, car leur fluor additionné à celui que votre enfant prend régulièrement peut provoquer une surcharge en fluor et induire une fluorose. Parlez-en à votre dentiste ou à votre médecin.

« Mon enfant boit très peu au cours de la journée. Dois-je le forcer ? »

Proposez-lui de l'eau au cours des repas et dans la journée mais ne le forcez pas. Il boit en fonction de sa soif. D'ailleurs, savez-vous que l'alimentation d'un enfant telle qu'elle est proposée dans les menus des pages 375 à 377 apporte presque un litre d'eau, celle qui est contenue dans les aliments ? À cet âge, en période d'équilibre, c'est-à-dire lorsque votre enfant est sans diarrhée, sans vomissement, ni fièvre, ni transpiration, cela peut lui suffire.

> **Notre conseil**
> Ne le forcez surtout pas à boire en mettant dans son verre d'eau du jus de fruits, du sirop ou du sucre. Il boirait par gourmandise et non par soif.

« Mon enfant boit énormément, cela risque-t-il de lui dilater l'estomac ? »

Bien sûr que non, vous dira le pédiatre ! Certains enfants sont très assoiffés. S'ils boivent de l'eau, cela ne peut être que bénéfique.

« Faut-il boire entre ou pendant les repas ? »

Quand il s'agit d'eau, l'enfant peut boire n'importe quand, dès qu'il a soif. S'il s'agit de jus de fruits, sucrés ou non, il vaut mieux que cela soit avant ou après un repas. Avant, le jus de fruits sert d'« apéritif ». Après, il complète le dessert. Mais ne donnez pas de jus de fruits pendant le repas proprement dit. Pour l'enfant, l'eau devrait être la seule boisson à table.

> **Notre conseil**
> Habituez l'enfant à boire de l'eau pendant les repas.

Comment s'organise et évolue l'alimentation variée entre un et trois ans

Maintenant que vous connaissez les familles ou groupes d'aliments, vous pouvez faire en sorte qu'ils soient représentés dans la journée afin d'apporter tous les éléments nécessaires au bien-être et à la croissance de votre enfant. Cette organisation est valable pour tous les âges, après la période de la mise en place de la diversification, que ce soit en famille ou à la crèche.

Ce que doit manger un enfant entre un et trois ans

Les *familles* (ou *groupes*) d'aliments au cours de la journée des un-trois ans se répartissent de la manière suivante :

— lait, fromage, yaourt : trois à quatre fois par jour (voir p. 348) ;
— viande, poisson, œuf : dans les quantités indiquées pour chaque âge (voir p. 355) ;
— légumes ou/et fruits crus : au moins deux fois par jour ;
— légumes et/ou fruits cuits : en fonction de l'appétit, en alternance avec les plats de féculents ;
— féculents (céréales et dérivés, pommes de terre, légumes secs) : sous différentes formes à tous les repas, en fonction de l'appétit ;
— matières grasses ajoutées (huiles, beurre, crème, margarines) : en quantités raisonnables en variant leurs origines ;
— produits sucrés : en fonction d'une politique du minimum ;
— eau : pure, eau du robinet ou embouteillée, à volonté.

L'organisation des repas en famille

Voyons maintenant, étape par étape, comment évolue chacun des repas de la journée.

➤ *Le petit déjeuner*

Le petit déjeuner devrait être un moment de partage et d'échanges en famille intervenant après une longue séparation nocturne. Il permet à chacun de vivre une bonne journée.

L'enfant boit du lait avec des céréales au biberon ou à la petite cuillère.

Puis, un jour, il prendra des tartines avec du beurre et une pellicule de confiture ou de miel (éventuellement), et une tasse de lait.

Une autre fois, il demandera peut-être un sandwich au fromage.

> **Notre conseil**
> Dans tous les cas de figure, votre enfant aura mangé un produit laitier et du pain ou des céréales, ce qui est le minimum pour « rompre le jeûne ».

« Mon enfant n'a en général pas faim le matin au réveil. Dois-je l'obliger à prendre un petit déjeuner ? »

L'obliger, probablement pas. L'inviter à prendre exemple sur vous, plus sûrement. Réfléchissez aussi aux conditions dans lesquelles se déroule le petit déjeuner : l'enfant qui n'a pas faim au réveil est souvent réveillé trop tard et, dans la précipitation, il va à la crèche ou chez l'assistante maternelle.

S'il reste à la maison avec vous, commencez par lui donner un verre d'eau ou de jus de fruits, puis, plus tard, après la toilette, après avoir joué avec lui, partagez votre petit déjeuner.

➤ *Le déjeuner*

Votre enfant continue à s'initier aux crudités avec un peu de vinaigrette s'il l'apprécie. Il consomme encore de la purée de légumes : il s'agit d'un mélange légumes-féculents. L'alternative classique entre légumes cuits et féculents n'est pas encore à l'ordre du jour, mais plus le petit enfant s'habituera aux morceaux, plus on pourra donner des légumes ou des féculents et ainsi jouer l'alternative.

Son déjeuner peut comporter de la viande, ou du poisson, ou un œuf dans les quantités indiquées page 355, ou en partie seulement, le reste étant consommé le soir – la totalité peut aussi être prise au repas du soir.

Bébé peut ensuite s'initier au fromage ou prendre un laitage. Le fromage peut aussi entrer dans la composition des plats de légumes ou de féculents, à condition que ce ne soit pas qu'un saupoudrage.

Le dessert est à base de fruits crus ou cuits.

➤ *Le goûter*

La base du goûter repose sur le même principe que le petit déjeuner : un produit laitier et un aliment riche en amidon, ou un fruit. Il existe de nombreuses possibilités. Ainsi, on peut associer :
— d'une part, un produit laitier :
  • du lait chaud ou froid parfumé ou non,
  • ou des laitages, crèmes, entremets,
  • ou du fromage à croquer ou à tartiner,
  • ou des yaourts, du fromage blanc, du lait fermenté ;
— d'autre part, des sources d'amidon :
  • toutes sortes de pain-beurre et/ou produits sucrés (confiture, miel, gelée, chocolat, pâtes à tartiner chocolatées...),
  • ou des gâteaux, une viennoiserie, des biscuits,
  • ou de la banane,
  • ou des « céréales petit déjeuner ».
Les possibilités du goûter peuvent être aussi celles du petit déjeuner.

➤ *Le dîner*

On prépare le dîner en inscrivant au menu de l'enfant ce qui n'a pas été donné au cours des précédents repas :

— il faut au moins deux fois un fruit ou un légume cru : si l'enfant en a eu un à midi, il doit en manger un autre au dîner, à moins qu'il en ait eu déjà au goûter. Cependant, il n'y a pas d'inconvénient à consommer plus de deux fruits ;

— si le repas a eu une dominante légumes à midi, on lui donnera une dominante féculents le soir, et inversement ;

— toujours un produit laitier.

Au-delà de ces plats obligatoires et complémentaires des autres repas de la journée, et en fonction de votre approvisionnement et du temps dont vous disposez, il est évidemment possible d'augmenter le nombre de plats en proposant des légumes ou des fruits crus ou cuits.

Entre un et trois ans, l'enfant a souvent encore un repas spécifique, mais celui-ci peut dériver de celui qui est prévu pour la famille.

Comment le repas familial peut inspirer le repas de bébé

Pour la famille	*Pour le petit*
Salade de concombre	Concombre en bâtonnets
Spaghettis à la bolognaise	Spaghettis coupés très fin
Yaourt ou fromage	Yaourt sucré avec un morceau
Pomme au four	de la pomme au four

« L'enfant peut-il manger en même temps que le reste de la famille ? »

Insensiblement, l'enfant va s'initier aux rites familiaux. Il peut goûter à tout ce qui se présente sur la table familiale. Mais il faut, cependant, veiller à ce que le « picorage » ne se substitue pas à ses repas. Il pourrait induire un déséquilibre nutritionnel. En effet, cinq frites et quelques miettes de camembert avec une croûte de pain ne peuvent remplacer le repas habituel.

Par contre, après son repas, il peut venir « picorer » ; il élargira ainsi ses expériences gustatives, et c'est aussi une bonne façon pour lui d'accepter les morceaux et de se servir progressivement des couverts. L'enfant voulant s'intégrer au groupe a besoin de modèles à imiter. Mais ce ne sera pas suffisant pour lui faire modifier ses goûts. Il peut voir les adultes manger des haricots verts et les détester, puis, un jour, il aura envie d'en prendre un dans la main, de le croquer, et peut-être découvrira-t-il un nouveau plaisir.

« Faut-il l'obliger à manger ce qu'il n'aime pas ? »

Il est souhaitable de ne pas forcer, de ne pas trop essayer de convaincre, mais de conserver la confiance de l'enfant en lui laissant le droit de ne pas aimer ce qu'il a goûté.

➤ *Exemples de menus pour une semaine pour des enfants de un à trois ans et au-delà*

Vers un an, l'enfant peut commencer à accepter les morceaux d'aliments faciles à mâcher.

- Il suffit :
  — d'écraser à la fourchette les légumes proposés,
  — de mixer grossièrement les viandes,
  — d'émietter le poisson,

— de choisir des fromages qui peuvent s'étaler ou de les présenter en fines lamelles, puis en cubes toujours avec du pain,

— de présenter les fruits mûrs en lamelles (attention à la pomme qui ne s'écrase pas et penser à éplucher les grains du raisin).

Petit déjeuner

— Il est à base de lait normal ou enrichi en fer, parfumé ou non, pris au biberon, au bol ou à la tasse. On peut proposer d'autres produits laitiers.

— On le complète obligatoirement avec des céréales spéciales bébé ou d'un autre type, ou par du pain, des biscottes, ou par d'autres sources d'amidon.

— Prévoir de l'eau ou éventuellement un jus de fruits s'il n'y a pas de lait pour apporter du liquide.

	Composants	
	Produits laitiers	**Source de glucides**
Lundi	Lait parfumé	Céréales
Mardi	Yaourt	Brioche, jus de fruits
Mercredi	Lait parfumé	Biscottes, confiture
Jeudi	Lait chocolaté	Toasts au miel
Vendredi	Fromage blanc	Biscuits, jus de pomme
Samedi	Lait parfumé	Pain beurré
Dimanche	Crème de gruyère	Pain, jus de fruits

Déjeuner

Il est composé :

— d'une initiation à une entrée de légumes cuits ou crus légèrement assaisonnés,

— de féculents, ou de légumes, ou d'un mélange des deux avec une noisette de beurre ou une cuillère à café d'huile (varier les origines, voir p. 365),

— de viande, ou de poisson, ou d'œuf (voir pour quantités selon l'âge, p. 355),

— d'un produit laitier,

— d'un fruit de saison,

— de pain pour accompagner les plats, et ce, d'autant plus, que vous n'avez pas prévu de féculent au déjeuner (car votre enfant a besoin d'une source d'amidon à chaque repas),

— d'eau pour la boisson.

Composants				
Entrée	**Plat protidique**	**Légumes féculents**	**Produit laitier**	**Dessert**

	Entrée	Plat protidique	Légumes féculents	Produit laitier	Dessert
Lundi	Avocat tomate	Filet merlan sauce aurore	Pommes anglaises	Cantal	Pommes au four
Mardi	Betteraves rouges mimosa	Blanquette de veau	Riz	Camembert	Fruit de saison
Mercredi	Concombre au yaourt	Omelette aux fines herbes	Haricots verts	Entremets à la semoule	
Jeudi	Carotte râpée	Rosbif	Petits pois extra-fins	Pyrénées	Fruits de saison
Vendredi	Tomate concombre	Poulet rôti	Pommes de terre sautées	Comté	Pêches au sirop
Samedi	Pamplemousse	Filet de lieu au citron	Épinards béchamel	Petits-suisses	Banane
Dimanche	Champignons persillés	Gigot	Jardinière de légumes	Chèvre	Tarte aux prunes

Goûter

Le principe est le même que pour le petit déjeuner.

Penser à proposer des fruits en cas de grande faim plutôt que des biscuits ou gâteaux.

	Composants	
	Produits laitiers	**Source de glucides**
Lundi	Yaourt	Pain de mie à la gelée de framboise
Mardi	Lait nature	Gâteau marbré
Mercredi	Bleu d'Auvergne	Pain, jus de fruits
Jeudi	Crème à la vanille	Gaufrettes
Vendredi	Yaourt à boire	Pain d'épice
Samedi	Gouda	Pain, fruit
Dimanche	Fromage blanc	Pain viennois à la confiture d'abricot

Dîner

Il est le complément du déjeuner.

— Il comprend des fruits ou des légumes crus à donner de telle sorte qu'il y en ait au moins deux fois dans la journée.

— Si la quantité de viande ou de poisson proposée à midi est inférieure à celle indiquée page 355, il est possible d'en préparer le soir (ces exemples de menu n'envisagent pas cette situation).

— On joue l'alternance légumes-féculents.

— Il y a toujours un produit laitier et du pain.

	Composants		
	Légumes/féculents	Produits laitiers	Dessert
Lundi	Potage de légumes	Carré frais	Salade de fruits fraises
Mardi	Courgettes béchamel	Édam	Fruit de saison
Mercredi	Purée de pommes de terre au gruyère		Fruit de saison
Jeudi	Pâtes à la sauce tomate	Yaourt	
Vendredi	Potage de légumes	Fromage blanc	Fruit de saison
Samedi	Gnocchis de semoule à la romaine		Fruit de saison
Dimanche	Salade de tomate Gratin dauphinois	Entremets au chocolat	

Coordonner les repas pris à l'extérieur et les repas pris en famille

Lorsque l'enfant prend tous ses repas à la maison, il est facile de savoir ce qu'il a mangé et de contrôler ses menus. En revanche, c'est plus difficile lorsqu'il est gardé à l'extérieur et qu'il ne prend donc pas son repas de midi à la maison.

« Comment faire si bébé est à la crèche ou chez l'assistante maternelle ? »

Tant que l'enfant ne mange pas à table avec ses parents, l'organisation de l'alimentation variée ne présente pas trop de difficultés. Bébé a son propre repas, et vous pouvez adapter son menu du soir en fonction de ce qu'a été son déjeuner, en suivant les indications données ci-après.

➤ *Votre enfant mange à la crèche*

À partir des menus affichés à la crèche ou à l'école, vous pouvez déduire ce que vous proposerez à votre enfant pour le dîner : par exemple une dominante de légumes s'il a mangé des féculents, ou, autre exemple, des crudités (légumes ou fruits) de telle sorte qu'il en ait deux fois dans la journée. De toute façon, il n'y a pas d'inconvénient à consommer plus de deux crudités par jour.

Ne pas oublier le produit laitier qui doit toujours faire partie des repas.

➤ *Votre enfant mange chez une assistante maternelle*

Si votre bébé est chez une assistante maternelle, vous pouvez demander à cette dernière ce que bébé a mangé pour le déjeuner. À partir de là, vous compléterez le soir de la même manière que cité plus haut.

➤ *Les autres cas*

Les menus deviennent plus compliqués quand les membres de la famille déjeunent un peu partout (restaurants scolaires, d'entreprises...). Essayer de faire une synthèse valable pour tous peut vous conduire à vous transformer en restaurant à la carte !

Rappelons que les bases des menus des restaurants scolaires sont strictes et doivent se conformer à une circulaire ministérielle. Celle en vigueur, datée du 9 juin 1971, va changer prochainement. Elle recommande jusqu'à présent un déjeuner composé :

— d'une crudité (légumes crus râpés, salade ou fruit en dessert),

— de protéines animales dont une partie sous forme de lait ou de fromage (nature ou en préparation),

— de légumes frais cuits, deux fois par semaine,

— de pommes de terre, pâtes, riz ou légumes secs, les autres jours.

De toute façon, vous pouvez prévoir un dîner dans lequel il y aura toujours un légume ou un fruit et un produit laitier, et donner des légumes cuits et des féculents en alternance un jour sur deux.

Il est probable que le jour où vous aurez prévu du riz, quelqu'un en aura déjà mangé à midi ; cela sera une compensation au jour où il aura eu chou-fleur à midi et haricots verts le soir.

Le problème délicat est celui de la viande, du poisson et des œufs. La crèche, l'assistante maternelle, le restaurant scolaire de la maternelle proposent à l'enfant les quantités nécessaires pour la journée. Il n'y a donc pas lieu d'en proposer le soir. Cependant, on ne peut pas dire au plus petit : « Toi, tu n'as pas le droit de manger du jambon » (par exemple). Sachez alors qu'un tout petit morceau de viande n'a pas de conséquence sur son équilibre alimentaire quotidien. Il est même souhaitable que « le petit » sache qu'à son âge on mange moins que le grand frère de dix ans qui, du fait de sa croissance et de sa taille, a des besoins supérieurs.

Tout savoir sur l'alimentation en crèche

La puéricultrice, directrice de la crèche, est une spécialiste de la petite enfance. À ce titre, elle est responsable de l'organisation alimentaire, de l'hygiène et des choix. Elle sait apprécier les moments où l'alimentation du nourrisson peut évoluer quantitativement et se diversifier.

La crèche doit proposer le nombre de repas correspondant à l'amplitude horaire (le plus souvent 7 heures-19 heures).

Les plus jeunes (dix semaines) peuvent avoir trois ou quatre biberons ; la quantité, les horaires, la fréquence des repas sont variables et dépendent du rythme de l'enfant.

À partir de quatre-six mois, et jusqu'à trois ans, les enfants prennent deux repas à la crèche, voire trois : le déjeuner et le goûter, et souvent une collation le matin pour ceux qui arrivent de bonne heure.

Les apports nutritionnels à la crèche

▪ Pour les enfants de plus de cinq-six mois, la quantité d'énergie apportée par les repas pris en crèche est de l'ordre de 50 % des apports quotidiens recommandés (voir p. 611), dont environ 10 % proviennent de protéines d'origine animale. L'apport en calcium représente en moyenne 50 % de l'apport recommandé.

▪ Pour les plus jeunes, n'ayant pas encore le rythme de quatre repas par jour (dont deux en crèche), les apports nutritionnels sont liés au nombre de biberons pris à la crèche et peuvent atteindre 60 % des apports quotidiens.

La crèche doit proposer une alimentation saine et variée, correspondant aux besoins de l'enfant pendant son séjour, et participant à son développement neuro-sensoriel. Elle doit favoriser l'installation d'habitudes chez l'enfant, lui permettant d'adopter (autant que possible) un comportement alimentaire qui pourrait diminuer, à long terme, les risques des maladies dites de civilisation, car elle est un lieu de prévention.

Les structures des repas

■

➤ *À partir de trois-quatre mois*

Le bébé boit trois ou quatre biberons de préparation pour nourrissons, dont un avec une introduction progressive de légumes et desserts sous forme de fruits en jus, en compote, ou crus et mixés.

➤ *Vers cinq-six mois*

Le biberon de lait de suite est souvent donné au goûter.

Si l'enfant a du plaisir à consommer à la petite cuillère son déjeuner, il prendra un repas varié comprenant une purée de légumes avec un peu de viande, ou de poisson, ou d'œuf, ou d'équivalent protidique en produit laitier et un dessert qui est à base de fruits. Sinon, on lui propose un peu de son repas à la petite cuillère et on le complète avec le biberon qu'il apprécie.

➤ *À partir de sept-huit mois*

■ Le déjeuner comprend :

— une « mini-entrée » de légumes crus ou cuits mixés, avec ou sans assaisonnement,

— des légumes en purée, additionnés de pommes de terre, de semoule ou de pâtes fines, avec un peu de beurre et de lait de suite, pour obtenir l'épaisseur désirée,

— une préparation de viande, ou de poisson, ou d'œuf, moulinée,

— des fruits très mûrs épluchés, et mixés ou écrasés, ou cuits,

— de l'eau pour la boisson.

■ Le goûter est à base de lait de suite, additionné ou non de produits céréaliers de l'enfance, suivant les préférences de l'enfant : le biberon ou la petite cuillère.

➤ *À partir de un an*

La répartition des repas au cours de la journée est voisine de celle proposée aux enfants de moins de un an. Les quantités de fruits, de légumes et de féculents évoluent avec l'appétit, celles de viande, de poisson et d'œuf sont indiquées page 355. Enfin, un produit laitier (voir p. 352) est prévu à chaque repas : les fromages autres que les fromages frais sont là en tant qu'initiation.

Si l'enfant est prêt à s'habituer aux morceaux, on lui propose quelques cuillerées des préparations prévues pour les grands qui ont plus de dix-huit mois-deux ans.

➤ *À partir de dix-huit mois-deux ans*

▪ Le plan alimentaire (voir « Restauration scolaire », p. 497) du déjeuner est semblable à celui des enfants d'âge scolaire.

▪ En crèche s'ajoute le goûter qui doit se composer obligatoirement d'un produit laitier et d'un complément glucidique tel que du pain accompagné, suivant le menu, de chocolat, de miel, de confiture ou bien des céréales variées, des entremets, des gâteaux, des biscuits, et éventuellement des fruits pour compléter.

Remarque : En hiver, si le fruit de la journée n'est pas une source importante de vitamine C, il est recommandé de donner du jus d'orange ou d'un autre agrume.

En été, le choix des fruits étant plus vaste, le jus d'orange comme source de vitamine C n'a pas un caractère obligatoire.

La préparation des repas

Les biberons sont préparés par une auxiliaire puis stockés au réfrigérateur et réchauffés au moment de la consommation.

La réalisation des préparations de l'alimentation diversifiée est faite par une cuisinière le matin pour le déjeuner et l'après-midi pour le goûter.

Comment sont donnés les repas

➤ *Aux bébés*

Il n'est pas question d'instituer des horaires. Chaque nourrisson a son rythme de sommeil, de repas. Il est respecté. Au fur et à mesure de sa maturation neurologique, le nombre des repas diminue et il coïncide avec les horaires des plus grands.

Parallèlement, le repas principal (le déjeuner) est consommé de plus en plus à la petite cuillère. Mais le plaisir de téter est maintenu au goûter aussi longtemps que le bébé le désire. L'enfant est dans les bras de l'auxiliaire ou dans un Baby Relax ; suivant son confort.

Quand le bébé tient assis sans fatigue, il peut, si cela lui convient, être installé à table et il ébauche son envie de manger seul avec l'aide d'une auxiliaire. Si, au moment du repas, l'enfant dort, son repas est mis en attente au réfrigérateur et sera réchauffé au four à micro-ondes le moment venu.

➤ Aux plus grands

Suivant la conception des locaux, les plats sont acheminés par chariots ou sur des plateaux ou monte-charge. Les enfants sont installés autour de petites tables par groupes de six à huit, avec une auxiliaire pour les aider.

En fonction de leur habileté, les enfants se servent seuls à partir d'un plat commun, ou l'auxiliaire les sert.

Il est également fréquent qu'une « bande de distribution » soit installée : c'est un self-service où le choix est limité. Il existe, la plupart du temps, pour les hors-d'œuvre, les fromages et les fruits. Les plats ne sont pas préparés par assiette individuelle ; l'enfant se sert à partir d'un plat commun, dans un plateau alvéolé. Il est, naturellement, obligé de partager équitablement.

On constate que l'enfant qui a son repas entier sur le plateau mange au début dans le désordre, mais que, progressivement, il consomme les plats dans l'ordre traditionnel. On est surpris de l'habileté avec laquelle les enfants portent leur plateau : les catastrophes sont rares.

Souvent, les enfants ont sur la table des petites bouteilles d'eau et se servent à boire.

Ils mangent avec une petite cuillère, parfois avec des petites fourchettes.

En conclusion, il faut noter que la crèche est un lieu où le développement de chaque enfant est privilégié ; on préserve son individualité, son rythme, tout en le préparant à la vie de groupe. Rappelons pour mémoire que, pour des groupes de vingt enfants, il doit y avoir en moyenne quatre adultes (auxiliaires de puéricul-ture), en particulier pendant la plage horaire située en milieu de journée. En début et en fin de journée, la proportion d'adultes est plus faible.

Petits et grands problèmes liés à la nourriture : faire face

■

Comprendre les aversions (ou dégoûts) de l'enfant

Les aversions alimentaires sont un gros problème pour parents et éducateurs. Lorsqu'on évoque la mise en place des goûts, c'est aussi celle des dégoûts. Les aliments dont l'ingestion est suivie, même fortuitement, d'un malaise gastro-intestinal, de nausées, ne seront plus acceptés. Certaines aversions alimentaires se modifient en fonction de l'âge, de l'environnement.

Les enfants qui n'ont pas de problèmes alimentaires, qui mangent de tout, appartiennent à la catégorie des hypogueusiques, c'est-à-dire qu'ils ont une sensibilité gustative faible. À l'opposé, les hypergueusiques, qui perçoivent les goûts plus finement que les autres enfants, manifestent plus souvent des refus ou des choix électifs souvent appelés « caprices » par l'entourage, et cela dès l'âge de un an.

L'attitude des parents

■

Les parents, voulant bien faire, essaient de forcer l'enfant à manger tel ou tel aliment qu'il n'aime pas et proposent en récompense un autre aliment, pour sa part très apprécié. Les observations des chercheurs ont montré que l'aliment donné comme récompense devient de plus en plus apprécié, alors que diminue le goût pour l'aliment imposé de force.

La contrainte aboutit à créer des aversions plus qu'elle n'induit de préférences. Les célèbres haricots verts ou épinards que l'enfant ne mange que pour obtenir la chère crème glacée continueront plus que jamais à être détestés !...

Du côté de l'enfant

Le comportement alimentaire inclut des phénomènes fort complexes qui se mettent en place dans l'enfance.

Ce que le sens commun nomme goût est une combinaison d'informations :

— l'ensemble de la perception saveur/arôme constitue la « flaveur » des aliments,

— les stimulations gustatives et olfactives sont complétées par celles venant de la vue, du toucher et aussi de l'ouïe (la biscotte et les céréales craquent, les bulles pétillent). Avant de porter un aliment à la bouche, un enfant l'examine soigneusement, surtout s'il n'est pas familier, et même, éventuellement, il le flaire.

Qu'est-ce que la néophobie ?

Après la saveur sucrée, le second facteur qui influence l'acceptation des nouveaux aliments est la familiarité avec les aliments proposés. Cette familiarité doit s'entendre comme élément de connaissance ou de réassurance avant que l'enfant accepte d'aborder et de goûter l'« inconnu ». Le jeune enfant est conservateur, il aime se sentir en sécurité, spécialement en matière alimentaire : spontanément, il évite ce qui est nouveau, c'est la néophobie.

De quoi s'agit-il ? L'enfant semble manifester une sorte de méfiance à l'encontre de tous les aliments qui ne font pas partie d'un répertoire extrêmement restreint d'aliments familiers, bien identifiés, repérés et consommés très régulièrement.

Cette méfiance se manifeste de différentes manières. L'enfant examine très attentivement l'aliment, le soulève, l'observe sous toutes les coutures, trie dans l'assiette, sépare, etc.

Tous ces comportements entraînent souvent des conflits violents avec les parents. Il a été avancé, peut-être de manière finaliste, que ce comportement de méfiance pourrait protéger l'enfant contre l'ingestion de substances toxiques.

Cette phase de *néophobie, tout à fait normale* dans le cours du développement de l'enfant, est plus ou moins longue. L'âge du comportement néophobique est celui de la période d'opposition qui commence vers deux-trois ans. Auparavant, le très jeune enfant est, au contraire, prêt à goûter la nouveauté. Cette néophobie comporte des variations individuelles importantes, et dure de une à plusieurs années.

On constate combien la situation n'est pas simple et combien différents comportements opposés peuvent s'observer simultanément. Ainsi le comportement bien connu des enfants qui portent tout à la bouche à une certaine période peut-il coexister avec l'attitude néophobique. En général, ces deux types de comportement se succèdent au cours du développement, mais ne sont pas concomitants.

Faire face aux aversions alimentaires

Il est important de ne pas contrarier l'enfant faisant preuve d'aversions alimentaires, mais bien plutôt d'essayer de contourner le comportement. On peut proposer quelques moyens en utilisant les effets de répétition et d'imitation.

L'effet de répétition

La familiarité qui résulte de la présentation répétée d'un aliment est le meilleur antidote à la néophobie chez le très jeune enfant. En effet, un aliment qui a été présenté cinq à dix, voire vingt fois au minimum, est mieux accepté par l'enfant. C'est donc une erreur de ne plus présenter un aliment après deux ou trois refus de l'enfant. Il a même été montré (Birch, Sullivan) que la familiarité, ou somme d'expériences, de rencontres avec un aliment peut même arriver à inverser des goûts préexistants.

L'effet d'imitation

Qu'advient-il de ce comportement néophobique des premières années de vie ? Une partie des aspects néophobiques du comportement alimentaire enfantin va être contournée ou atténuée par l'imitation et l'influence des pairs, c'est-à-dire de l'entourage le plus identique.

Chez les animaux, l'effet d'imitation est l'un des modes d'apprentissage les plus efficaces qui puissent être observés. La néophobie pourrait donc s'atténuer progressivement au fur et à mesure de l'intégration du sujet dans le groupe des pairs, puis dans le monde des adultes, au cours de la socialisation. Des populations entières acquièrent des goûts caractéristiques pour des plats très épicés, pour la cuisine à l'huile, ou encore pour des insectes, des serpents.

La notion qu'un objet est « dégoûtant » dans une culture donnée est acquise par les enfants avant l'âge de trente mois, alors que la notion qu'un aliment est « inapproprié » à la consommation se manifeste pleinement après cinq ans. C'est ainsi que le chercheur américain Rozin a observé que des enfants de cinq ans peuvent encore accepter des biscuits pour chien. Le même auteur a montré que, quelle que soit la culture concernée, la catégorie « dégoûtant » s'applique toujours à des produits animaux (abats, peau de lait, escargots...). L'enfant apprend peu à peu les catégories d'aliments reconnues bonnes dans sa culture et il s'y conforme spontanément. Au fur et à mesure qu'il grandit, il sait quels aliments se consomment plutôt au petit déjeuner ou plutôt aux repas principaux. L'environnement culturel demeure déterminant.

> ### Notre avis
> Ne vous acharnez pas à faire avaler à votre enfant les légumes qu'il n'aime pas, en lui promettant toutes sortes de sucreries pour arriver à vos fins ! Il les détestera davantage et appréciera d'autant plus l'aliment-récompense.
> Vous, parents, qui voudriez tant que votre enfant connaisse tous les aliments et participe au plus vite à tous les rites des adultes, commencez d'abord par vous armer d'une longue patience, laissez faire le temps.

Prendre de bonnes habitudes pour avoir de belles dents

Les dents sont des organes vivants, durs, implantés dans les os maxillaires. Les dents interviennent dans la mastication, la production de la voix et l'esthétique du visage.

Les premières dents sont les dents de lait au nombre de vingt qui apparaissent entre six mois environ et trois ans. Entre sept et onze ans elles sont remplacées par les dents adultes qui sont au nombre de vingt-huit, complétées vers l'âge de dix-huit ans par quatre molaires.

« Qu'est-ce que la carie dentaire ? »

C'est une maladie bactérienne non spécifique qui a pour résultat la destruction partielle ou totale de la dent. Cette maladie est due à des micro-organismes ; ils sont les hôtes normaux de la cavité buccale et se trouvent sur la surface dentaire : c'est ce qu'on appelle « la plaque dentaire ».
Lorsque ces micro-organismes sont en contact avec du sucre, ils transforment ce sucre en acides qui attaquent l'émail dentaire, milieu le plus minéralisé de notre organisme, véritable barrière contre la carie. Sous l'émail il y a la dentine (ou ivoire) ; elle est creusée de nombreux canaux par lesquels pénè-

trent alors les bactéries, préalable à la destruction des dents. Ainsi, on peut voir très tôt des caries des incisives chez les enfants qui tètent un biberon de lait ou d'eau sucrée pour s'endormir.

« Que faut-il faire pour prévenir la carie dentaire ? »

Plusieurs moyens sont à votre disposition : l'alimentation, la prise de fluor, le brossage des dents, la visite dentaire.

— L'alimentation :

• Supprimez les prises de sucreries (en particulier celles qui collent aux dents) non suivies de brossage des dents, en particulier le soir après le brossage.

• Lorsque la diversification est terminée, donnez l'occasion aux dents de mâcher du dur, afin de les faire travailler.

— La prise de fluor :

Le fluor administré dès la naissance, sous forme de comprimé ou d'eau, s'incorpore à l'émail des dents de lait et des dents de la seconde dentition, et augmente ainsi la résistance à la carie. Les quantités conseillées sont : 0,25 mg de fluor métal avant deux ans, 0,5 mg de deux à trois ans (la forme fluorure de sodium est conseillée). Cela dans le cas où l'eau donnée au bébé n'est pas fluorée (voir p. 254).

Le fluor pris durant la grossesse a, semble-t-il, peu d'intérêt pour bébé. Par contre, le fluor que vous prenez lorsque vous allaitez passe en partie dans votre lait, mais les avis des scientifiques divergent sur son utilité.

Sachez que le fluor composant le dentifrice agit à la surface de l'émail.

> Notre avis
> Lors de la prescription de fluor, le médecin prend en compte :
> — la teneur en fluor de l'eau (si elle est inférieure à 3 mg par litre, on peut supplémenter),
> — l'utilisation ou non d'un sel de table enrichi en fluor.

— Le brossage :

Deux fois par jour au moins, ou, mieux, après chaque repas, brossez-vous soigneusement les dents. Il n'est pas toujours facile d'inculquer de bonnes pratiques aux petits et aux grands. Ainsi, on se brosse les dents au lever avant le petit déjeuner, pour avoir l'haleine fraîche, alors qu'il faudrait les brosser après le petit déjeuner pour enlever les résidus de confiture.

Le soir, il faut se brosser les dents avant de se coucher, et ne plus rien manger ensuite, surtout pas de produits sucrés (sirop, bonbons…). Concernant les sirops médicamenteux, il vaut mieux donner du sirop à l'enfant avant le repas du soir, ou, sinon, lui faire brosser les dents après la prise médicamenteuse.

— Enfin, dernier élément, il ne faut pas oublier de consulter le dentiste.

L'intérêt de la prévention de la carie est grand, même chez le jeune enfant. Il semble qu'à partir de l'âge de deux ans et demi il est possible d'obtenir suffisamment de coopération de la part de l'enfant.

Rappelez-vous que 32 % des enfants de six ans sont totalement indemnes de caries ; à quinze ans, ils ne sont plus que 15 % : à partir de six ans les risques de caries augmentent.

« À quel âge mon bébé peut-il avoir les dents brossées, et avec quelle brosse ? »

Lorsque votre bébé a atteint l'âge de six-douze mois, vous pouvez lui brosser les dents avec une très petite brosse, comme celle qu'on trouve, par exemple, en pharmacie pour les bébés.

Vers quatre ou cinq ans, votre enfant se débrouillera seul, mais il faudra lui donner une brosse adaptée à son âge : la tête de la brosse doit être petite et avoir un manche suffisamment long pour permettre à l'enfant de tenir les mains en dehors du visage, quand il se brosse les faces internes des dents. Les poils sont en nylon et choisis de telle sorte qu'ils n'écorchent pas la gencive.

La brosse électrique est très bien acceptée par les enfants et a l'avantage d'éviter en grande partie les mouvements horizontaux, elle est en effet animée d'un mouvement vertical qui favorise le nettoyage des espaces interdentaires.

L'hydropulseur est une douche filiforme avec une canule que l'on promène en bouche et que l'on dirige vers des endroits bien précis. Son emploi est complémentaire de celui de la brosse à dents.

« Comment se brosser les dents ? »

L'idéal est de se brosser les dents pendant deux à trois minutes, à condition, bien sûr, de ne pas les brosser trois minutes au même endroit : il n'y a pas que la face antérieure qui soit importante, le brossage des faces postérieures est tout aussi indispensable, et il faut parfois un peu écarter les joues pour atteindre les faces cachées.

Les dents sont brossées dans le sens vertical : de la gencive vers la dent (on dit aux enfants : du rose vers le blanc) et aussi horizontalement pour les parties servant à la mastication.

« Quel dentifrice choisir ? »

Le dentifrice exerce une action de nettoyage ; en cela, la plupart des dentifrices ont une efficacité similaire. Il peut aussi avoir une action de prévention s'il contient des dérivés fluorés, des sels minéraux ou des oligo-éléments. Consultez les emballages pour repérer et choisir ceux qui contiennent ces éléments.

L'enfant

et vos

préoccupations

L'enfant

et vos

préoccupations

L'enfant

et vos

préoccupations

L'enfant
et vos
préoccupations

*L'enfant
et vos
préoccupations*

L'enfant et vos préoccupations

La vie quotidienne, les modes et les traditions

■

L'enfant entre ses goûts et ses besoins

■

Les troubles alimentaires :
vrais et faux problèmes

■

L'enfant trop gros

■

Quelques exemples de maladies
relevant d'une diététique spécialisée

La vie quotidienne, les modes et les traditions

◼

Beaucoup de préjugés circulent sur les règles d'une bonne alimentation. Les nécessités de la vie quotidienne, le poids des traditions et l'influence des modes vous troublent souvent, et vous ne savez plus que penser.

Habitudes et interdits

Petit déjeuner et collation

◼

« Faut-il que les enfants boivent une boisson chaude le matin ? » Boire une boisson chaude, l'hiver, procure une sensation de réconfort : on a l'impression que cette chaleur va se disperser dans notre corps et nous permettre d'affronter les frimas. Mais cette sensation n'est pas nécessairement agréable pour tout le monde, et le désir d'une boisson chaude le matin n'est pas universellement partagé. La question n'est pas tellement la boisson que votre enfant a envie de consommer ; le plus important, c'est qu'un petit déjeuner est indispensable au bon déroulement de sa journée. Si votre enfant ne boit pas de lait, il préfère peut-être un yaourt avec des fruits ou des céréales ; n'oubliez pas de lui proposer de l'eau ou un jus de fruits. Et s'il ne prend pas du tout de produits laitiers le matin, vous veillerez à ce qu'il en mange un peu plus aux autres repas.

Le petit déjeuner de référence

— un produit laitier,
— du pain ou des céréales,
— un fruit ou un jus de fruits,
— une petite gourmandise : beurre, miel, confiture.

Pour plus de détails sur le petit déjeuner, voir pages 372 et 375.

« Est-il souhaitable que les enfants prennent une collation vers 10 heures du matin ? »

10 heures, c'est bien tard si le déjeuner est à 11 h 30, c'est-à-dire une heure et demie plus tard. En tout état de cause, la collation de 10 heures ne se justifie que si le petit déjeuner est consommé avant 7 heures ou s'il est très léger.

En outre, la collation doit avoir une durée limitée pour ne pas se transformer en grignotage pendant toute la matinée. Proposez à votre enfant un fruit ou un jus de fruits, ou une rondelle d'un pain classique ou fantaisie.

Si le petit déjeuner est complet, c'est-à-dire s'il inclut du pain ou des céréales et un produit laitier, la collation n'est pas utile, mais pensez que votre enfant peut avoir soif.

Le dîner

« Est-il vrai qu'on ne doit pas manger de viande le soir ? »

Rappelez-vous que : viande = poisson = œuf.

L'enfant de moins de six ans déjeunant souvent en collectivité (crèche, école maternelle…) a dans son assiette la portion de viande ou de jambon, ou de poisson, ou d'œuf recommandée pour son équilibre nutritionnel quotidien. Il n'est donc pas utile de donner systématiquement de la viande à votre enfant le soir.

Cela dit, pendant le week-end, vous pouvez très bien lui proposer les 60-80 g quotidiens (voir quantités conseillées p. 355 et p. 468) soit en deux fois, soit rien à midi et tout le soir : la viande n'est pas particulièrement difficile à digérer. Cela dépend en fait du type de menu dans lequel elle est insérée, de son mode de cuisson, et de la sauce l'accompagnant – qui, elle, peut effectivement être difficile à digérer si elle est très grasse…

« Luc ne veut plus de sa soupe le soir, quel dîner lui proposer ? C'est pourtant bon une soupe. »

C'est bon, très certainement, mais tous les jours, depuis si longtemps… Une purée de légumes à midi depuis que bébé a cinq mois et une soupe le soir depuis qu'il en a sept… Même si les légumes de la préparation changent, c'est un peu monotone.

Si le dîner est à base de légumes, et si Luc peut les mâcher, pourquoi ne pas lui proposer des plats de « grands » en les préparant avec une béchamel, en salade, en tourte ou en tarte… et en soignant la présentation.

La forme « soupe » n'est pas une nécessité incontournable. Et puis, contrairement à ce qu'on répète, la soupe « ne fait pas grandir ». Il est vrai qu'autrefois la soupe était constituée de légumes secs, de lard, quelquefois de légumes et qu'elle constituait le plat unique du repas, et parfois même de la journée. Dans ces conditions, si elle n'était pas mangée, une malnutrition s'installait avec, inévitablement, des retards de croissance. Aujourd'hui, la soupe n'a plus dans nos pays ce caractère unique et indispensable.

Laits et matières grasses

« Est-ce qu'il vaut mieux utiliser du beurre ou de l'huile pour faire la cuisine ? »

Suivant la région où l'on a été élevé, les habitudes culinaires changent. On utilise du beurre, du saindoux, de l'huile. En fait, cela dépend du type de cuisson. Page 364, vous trouverez le tableau qui vous indique les températures à partir desquelles les corps gras brûlent ; ils fument, ils sont dénaturés. Une règle générale : il vaut mieux avoir la main légère ! Et un autre conseil, jouez la variété : un peu de beurre cru sur les légumes, un peu d'huile de tournesol dans la poêle, d'huile d'arachide dans la friteuse... Pour les salades et les crudités, jouez aussi la carte de la saveur : huile d'olive, mais aussi de maïs, de germes de blé, de noisettes ou de noix, de colza, de soja, ou bien encore utilisez une huile de mélange nutritionnel.

« Le lait de vache cru est-il meilleur (parce que plus naturel) pour les enfants ? »

D'abord, tout dépend de l'âge de l'enfant. Durant la première année de vie, le lait de vache n'est absolument pas fait pour le petit de l'homme : il l'est pour le jeune veau. Ensuite, de un à trois ans, on recommande un lait pour enfant en bas âge, ou lait de croissance, qui a l'avantage d'être enrichi en fer et en acides gras indispensables (voir p. 350 pour plus de détails sur le lait de croissance).

Pour les enfants de plus de trois ans, on considère en France que la consommation de lait cru ne présente pas de danger, mais seulement si des conditions très spécifiques de production sont respectées. Le lait cru doit provenir d'animaux en bonne santé, être produit dans des conditions strictes d'hygiène, conditionné à la ferme en récipient à usage unique de petits volumes (briques, berlingots...) et bien réfrigéré. Le producteur qui satisfait à ces exigences se voit délivrer une patente sanitaire.

La durée de consommation du lait cru est relativement courte (deux jours), et ses qualités restent intactes si la chaîne du froid n'est pas interrompue. Le lait cru ainsi distribué dans les magasins, en ville, au « rayon frais » est régulièrement contrôlé sur le plan bactériologique.

Évidemment, nous sommes loin de la traite en plein champ ou, mieux, dans une étable où les mouches volent autour du fumier pour venir échouer dans les seaux de lait...

« Si l'on achète directement du lait à la ferme, que faut-il faire ? »

Il faut le faire bouillir, en mettant un anti-monte-lait. L'ébullition doit durer une vingtaine de minutes afin de tuer tous les germes pathogènes qui peuvent s'y trouver.

Il faut ensuite le conserver au froid.

« Si l'on fait bouillir le lait cru de la ferme, se conservera-t-il plus longtemps ? »

S'il est maintenu au frais (3 °C), il peut se conserver pendant plusieurs jours comme un lait pasteurisé (voir p. 351).

« Le lait cru de la ferme a-t-il la même valeur nutritionnelle que le lait UHT ? »

La composition nutritionnelle du lait cru de la ferme est identique à celle du lait UHT, sauf en ce qui concerne les matières grasses et donc la vitamine A. En effet, le lait de vache au moment de la traite contient en moyenne 45 g de graisses par litre. Alors que le lait entier vendu en brique ou en bouteille en contient (par décret législatif) 35 g par litre. C'est parce qu'il contient plus de matières grasses et qu'il n'est pas homogénéisé que l'on obtient une grosse couche de crème après ébullition.

Alimentation de petit ou de grand ?

« On dit qu'il vaut mieux servir les crudités, pour les enfants, assaisonnées avec du citron plutôt qu'avec une vinaigrette normale. »

Pendant longtemps, on a, en effet, recommandé d'utiliser du citron, parce qu'il contient de la vitamine C, plutôt que du vinaigre qui apporte de l'alcool. Mais il faut savoir que la quantité de vitamine C contenue dans quelques gouttes de citron est négligeable, de même que la quantité d'alcool apportée par le vinaigre est sans importance.

Les crudités servies à bébé peuvent être proposées nature, ou assaisonnées légèrement (avec du vinaigre ou du citron) comme vous le faites pour vous, y compris avec de la moutarde. L'enfant, insensiblement, suivant son plaisir, adoptera plus ou moins vite vos habitudes.

« Manger beaucoup d'aliments acides peut-il être dangereux pour l'estomac d'un enfant ? »

Certains enfants manifestent précocement un goût vif pour les assaisonnements au vinaigre ou au citron, pour la moutarde, les cornichons et autres produits « relevés ». Cela correspond souvent à une acidité gastrique insuffisante, parfois responsable de petits troubles digestifs qui sont remarquablement améliorés par l'introduction d'un peu de vinaigre ou de moutarde dans l'assaisonnement des aliments.

Vous pouvez avoir l'impression que vous lui faites plus plaisir avec un cornichon qu'avec un bonbon. Il n'y a pas d'inquiétude à avoir pour son estomac qui fabrique lui-même un peu d'acidité fort utile pour la digestion et y est habitué.

« Le poivre ou les autres épices peuvent-ils être mauvais pour l'estomac de l'enfant ? »

Avant de considérer que le poivre est mauvais pour l'estomac, il faut savoir si votre enfant a du plaisir à en sentir le goût dans sa bouche. Si l'enfant mange vos plats épicés et qu'il les apprécie, il n'aura pas plus mal à l'estomac que vous.

Pensez aux petits Indiens qui, avant de naître, sont familiarisés avec le goût du cari. Le placenta de la maman en est imprégné comme son lait.

« À quel âge un enfant peut-il manger de la charcuterie ? »

Sous le nom de charcuterie, on regroupe une multitude de produits.

Il faut cependant établir des distinctions. D'un point de vue nutritionnel, le jambon cuit est un morceau de muscle du porc préparé selon des traditions précises. À poids égal, il est l'équivalent d'une tranche cuite de rôti de porc prise dans le filet.

En dehors du jambon, la charcuterie est un mélange de viande (de porc la plupart du temps) et de matières grasses, préparé avec art et tradition. Sa richesse en lipides peut varier de 30 à 50 g pour 100 g selon qu'il s'agit de rillettes, de salami, de saucisson ou de pâté.

De plus, la charcuterie apporte des quantités de protéines équivalentes et souvent supérieures à celles de la viande ou du poisson. L'apport protidique de la journée est augmenté quand l'entrée est à base de charcuterie et qu'ensuite, au menu, il y a un plat de viande, ou de poisson, ou d'œuf.

Pour toutes ces raisons, il n'est pas recommandé d'en consommer souvent. Toutefois, l'enfant participant aux repas familiaux peut goûter – quand cela lui fait envie, s'il est capable de mâcher – la tranche de saucisson ou le pâté, accompagnés d'un morceau de pain.

Quand la charcuterie est au menu en entrée ou en plat principal, il faut penser à « alléger » les autres repas de la journée en graisses et en aliments riches en protéines (viande, poisson, œuf). Cette règle est tout aussi valable pour vous !

« Quand un enfant peut-il consommer un plat en sauce ? »

Tout dépend de la sauce et de la recette. Pour une béchamel ou une sauce blanche, faite avec de l'eau de cuisson de la blanquette ou du poisson, la sauce prévue pour les grands peut lui convenir.

Les sauces des plats mijotés, si elles sont faites avec des matières grasses qui n'ont pas brûlé, peuvent convenir en petites quantités à l'enfant qui participe au repas familial. Suivant le goût dominant de la sauce (ail, tomates, champignons, moutarde, oseille, vinaigre, oignons, échalotes, citron, fines herbes...), l'enfant apprécie et se régale.

Quant aux sauces faites avec du vin ou d'autres types d'alcool, il est habituel de les supprimer du menu des enfants. Mais, au risque de surprendre, l'alcool brûle à 70 ° ; si la sauce avec l'alcool a été portée à ébullition, il n'y a donc plus d'alcool. Seul le goût peut déplaire à l'enfant, mais il ne sera pas intoxiqué par l'alcool.

« Quand peut-on donner des fritures à un enfant ? »

Il faut qu'il puisse les croquer et les mâcher sans s'étrangler. Ce n'est pas comme un gâteau qui fond dans la bouche.

De plus, le danger des fritures peut venir d'une température excessive du bain de friture provoquant la dénaturation de l'huile. L'usage des friteuses électriques, dont la température est contrôlée, assure une bonne sécurité. L'huile de la friteuse est à changer au moins tous les dix bains. Pensez à bien égoutter les fritures sur un papier absorbant. Pour plus de détails sur les frites, vous vous reportez aux pages 361, 364 et 366.

« Les légumes secs seraient indigestes pour les enfants ; est-ce vrai ? »

Indigeste signifie difficile à digérer, et donc mal assimilable. En fait, ce qui n'est pas assimilé, ce sont les peaux des légumes secs : leurs fibres sont dures et peuvent irriter le côlon et provoquer des gaz. Les légumes secs cuits et passés au mixeur ont des fibres finement broyées qui sont moins, voire pas du tout irritantes pour le côlon. Mais même extrêmement fines, elles diminuent l'absorption de l'amidon, des protéines, des sels minéraux et des vitamines que les légumes secs contiennent (voir p. 359).

C'est donc mixés, à partir de quinze-dix-huit mois, que vous pouvez donner des légumes secs.

« À la maison, nous utilisons beaucoup de produits allégés. Lucile (deux ans) peut-elle en manger ? »

Les besoins énergétiques des enfants sont importants tout au long de leur croissance. Tous les nutriments sont indispensables pour eux, et il n'est donc pas question, sauf recommandation du médecin, de les mettre « au régime ».

Le chocolat

« Le chocolat est mauvais pour le foie : vrai ou faux ? »

Non, le chocolat ne fait pas mal au foie. Pris en excès, il peut provoquer une indigestion que nous appelons, dans notre Hexagone, « une crise de foie ». Il y a, dans cette méfiance à l'égard du chocolat, une touche de sadisme : les enfants aiment le chocolat, cela doit être mauvais pour eux ; ils détestent les endives, cela veut certainement dire que c'est bon pour leur santé !

L'excès de consommation de chocolat peut provoquer des maux tels que la constipation, plus rarement des migraines et des boutons. Les cas d'allergie sont rares.

« Quelle est la valeur nutritionnelle du chocolat ? »

Le chocolat est un mélange en proportions précises et réglementaires de cacao, de beurre de cacao et de sucre.

Une tablette de chocolat noir de 100 g apporte :

— l'équivalent lipidique de 3 cuillères à soupe d'huile,

— l'équivalent de 12 morceaux de sucre n° 4.

Ce qui représente en moyenne 500 calories.

Les équivalents pour le chocolat au lait sont sensiblement identiques.

Le chocolat contient aussi du *magnésium*. En mangeant une tablette de 100 g, vous consommez le tiers de la quantité de magnésium nécessaire à l'organisme de l'adulte.

Les excitants tels que la théobromine et la caféine font partie des composants du chocolat.

« Qu'apportent les poudres de cacao pour le petit déjeuner ? »

Outre le cacao et des ingrédients tels que noisettes, noix de coco, malt... qui fournissent des saveurs différentes, l'élément dominant est le sucre. Dans une cuillerée à soupe non bombée de poudre cacaotée, il y a en moyenne un morceau de sucre de 5 g (n° 4).

> **Notre conseil**
> Commencez à habituer l'enfant à apprécier des saveurs peu cacaotées et peu sucrées.

« On dit que le cacao est riche en sels minéraux et en vitamines. Est-ce juste ? »

Dans une cuillerée à soupe de cacao mélangée au lait du petit déjeuner ou du goûter, il y a en moyenne 10 mg de magnésium. Un enfant de moins de trois ans devrait en consommer de 80 à 120 mg chaque jour. Si l'alimentation est bien variée, elle évite les carences, qu'il y ait ou non du chocolat.

Quant aux vitamines, leur présence est négligeable.

Si le produit est garanti ou enrichi en vitamines ou en sels minéraux, compte tenu des quantités conseillées (une cuillerée à soupe dans un bol de lait), les vitamines et les minéraux apportés par cette cuillère à soupe de cacao apportent un petit « plus » mais ne suffisent pas à compenser les insuffisances dues à une alimentation peu variée.

« À partir de quel âge peut-on donner du chocolat aux enfants ? »

Vers six à sept mois, quand vous préparez des bouillies chocolatées, le bébé découvre cette nouvelle saveur.

Un peu plus tard, s'il commence à faire la grimace avec le lait 2e âge, ou le lait de croissance, ou le lait familial, vous parfumez le lait avec des poudres cacaotées qui sont sucrées et donnent un bon goût.

> **Notre conseil**
> Il vaut mieux que vous mettiez un peu de poudre chocolatée dans le lait de telle sorte que votre enfant aime le boire, plutôt que vous refusiez d'en mettre, ce qui aura pour conséquence que votre enfant ne boira pas de lait.

« Vaut-il mieux donner des produits à base de chocolat ou de cacao dégraissé ? »

Le mot dégraissé, habituellement utilisé dans la description de la composition des produits pour enfants, indique qu'il y a moins de graisse de cacao.

En effet, les fèves de cacaoyer, après avoir été torréfiées et décortiquées, contiennent 50 à 55 % de matières grasses (beurre de cacao). Elles forment alors une pâte qui, par divers procédés mécaniques, devient du cacao en poudre dans lequel il reste 20 % de beurre de cacao.

Le chocolat peut s'intituler maigre ou dégraissé s'il contient 8 % de cacao calculé à partir du poids de la matière sèche.

Notre avis

En fait, ce ne sont pas les matières grasses du chocolat qu'il faut prendre en compte si vous souhaitez contrôler la consommation de vos enfants, mais la quantité de sucre.

« Vaut-il mieux proposer à l'enfant du chocolat noir ou au lait ? »

Comme leurs valeurs nutritionnelles sont très proches ainsi que leurs avantages et leurs inconvénients, le choix se fait en fonction du goût et du plaisir apporté par chacun des chocolats.

Les enfants et les boissons

La soif correspond à un besoin d'eau et doit être apaisée avec de l'eau ; c'est la première règle à retenir (voir p. 323).

« Les enfants peuvent-ils boire des eaux gazeuses ? »

Les eaux gazeuses peuvent être consommées par les enfants, si cette sensation et le goût de ces eaux leur plaisent, et cela dès l'âge de trois ans. Mais il faut être attentif aux conséquences.

En effet, les eaux gazeuses peuvent provoquer des ballonnements dus au dégagement de gaz carbonique dans l'estomac et dans les intestins. L'enfant a mal au ventre et peut avoir des renvois gastriques plus ou moins importants suivant la quantité d'air accumulée.

Notre conseil

Si l'enfant boit régulièrement des eaux riches en fluor comme St-Yorre, Vichy Célestins, Badoit, Quezac, prévenir le dentiste ou le médecin afin d'ajuster la quantité de fluor prise en médicament journalier.

« Que penser de l'eau parfumée avec des sirops ? »

Si vous versez dans le verre une cuillerée à soupe de sirop de fruits, ou de menthe, ou de grenadine, vous aurez déjà mis l'équivalent de deux morceaux de sucre n° 4 (voir p. 368). Donc l'enfant boit de l'eau sucrée ; de plus, si cette eau sucrée est bue entre les repas, elle favorisera l'apparition des caries (voir p. 386).

Évidemment, lors de réunions familiales, d'anniversaires, etc., ce type de boisson fait partie de la fête. Dans la mesure où c'est exceptionnel, cela n'a aucune conséquence.

« Que penser des boissons sucrées avec des édulcorants de synthèse ? »

Habituer l'enfant à boire des eaux sucrées avec un faux sucre ne le prépare pas à aimer se désaltérer avec de l'eau. Il est alors tenté de boire parce que c'est sucré (même si c'est un faux sucre) et non parce qu'il a soif (pour les problèmes liés aux édulcorants de synthèse, voir pages 95, 96, 368 et 450).

« Boire du jus de fruits sans adjonction de sucre fait-il grossir ? »

Cela dépend, bien entendu, de la quantité de jus bue. On parle souvent, à juste titre, de la quantité importante de sucre ajoutée dans les sodas (voir p. 368). Le jus 100 % pur jus de fruits à base de concentré, ou non, sans sucre ajouté, contient tout de même le sucre du fruit mais accompagné des sels minéraux et des vitamines du fruit, ce qui est un avantage.

Comparons la quantité de calories issues du sucre de différentes boissons :

— 1 litre de soda, fruité ou non,
avec ou sans cola   480 à 550 calories
— 1 litre de pur jus de pomme
ou d'orange à base de concentré ou non   460 calories
— 1 litre de jus d'ananas   570 calories
— 1 litre de jus de raisin   710 calories

> **Notre avis**
> Dans un objectif de contrôle de la prise de poids, il est préférable de manger un ou deux fruits plutôt que de boire un verre de 20 cl de jus de fruits ; l'apport énergétique sera le même, mais l'appétit sera mieux calmé.

« Que penser des jus de fruits ? »

Le jus de fruits, préparé à la maison avec des agrumes ou d'autres fruits (en utilisant une centrifugeuse et en réduisant au maximum le temps écoulé entre la préparation et la consommation), offre un intérêt nutritionnel équivalent aux fruits avec lesquels le jus a été préparé, mais les fibres en moins. C'est une façon de consommer du cru (voir p. 321).

Les jus de fruits vendus en bouteille ou en brique, 100 % pur jus, ont pratiquement le même intérêt nutritionnel que ceux réalisés à la maison. Il peut y avoir cependant un peu moins de vitamine C. La différence est surtout relative au goût.

« Faut-il limiter la consommation d'eau pour éviter que l'enfant ne manque d'appétit ? »

L'enfant sait régler son appétit en fonction des apports énergétiques de ses repas.

L'eau est sans apport énergétique et n'intervient pas dans l'appétit. Si l'enfant a beaucoup bu pendant ou avant le repas, sa sensation de satiété sera peut-être un peu perturbée, et il est possible qu'il mange un peu moins que d'habitude. Ne vous inquiétez pas, aux autres repas, il se rattrapera.

« Est-il vrai qu'il n'est pas bon de boire pendant le repas ? »

On peut tout à fait boire à table. L'eau ne devrait pas être un moyen de chantage pour finir un plat. On entend souvent : « Finis ton assiette et tu boiras ensuite. » Alors qu'un peu d'eau peut faire « glisser » et permet d'attaquer la fin de ce qui est dans l'assiette.

On peut aussi sans inconvénient : boire avant de manger, boire froid quand on a chaud ou qu'on transpire, boire après la soupe si l'on a soif, boire au dessert, boire juste après avoir fait du sport.

C'est aussi vrai pour les adultes que pour les enfants.

L'idée qu'il ne faut pas boire pendant les repas est donc un préjugé sans fondement.

« Faut-il interdire les boissons à base de cola ? »

Interdire, probablement pas, limiter sans doute.

Pourquoi ? Parce qu'elles contiennent du sucre, vrai ou faux, qui ne prépare pas l'enfant à se désaltérer avec de l'eau.

De plus, certaines contiennent de la caféine qui renforce le goût.

Quelques comparaisons :

— Dans une canette (33 cl) de Coca-Cola, il y a : 36 mg de caféine
— Dans une tasse (15 cl) de café, il y a : 65 à 115 mg de caféine
— Dans une tasse (15 cl) de thé, il y a : 60 mg de caféine

Donc ces boissons ont des caractéristiques excitantes ; celles sans caféine paraissent plus adaptées à l'enfant.

« Et que penser d'un peu d'alcool ? »
L'alcool est interdit aux enfants sous toutes ses formes, c'est probablement le seul vrai interdit dans leur alimentation.

Pour une alimentation saine

Les précautions en été

« En été, l'alimentation des tout-petits nécessite-t-elle des précautions particulières ? »
Comme on l'a déjà dit, le premier impératif auquel on doit penser en été concerne la nécessité de boire ! Aux âges extrêmes de la vie, les bébés comme les personnes âgées sont très sensibles à la déshydratation due à la chaleur. Attention aux trajets en voiture : les arrêts réguliers pour boire sont encore plus nécessaires avec de jeunes enfants.
Vers l'âge de cinq-six mois, lorsque la diversification se met en place, l'été peut favoriser l'introduction dans les menus de fruits bien mûrs donnés sous forme de boissons (jus). Fraises, cerises, abricots, pêches pelées, melons bien à maturité, lavés (pour les débarrasser des traces de pesticides ou autres produits), épluchés, dénoyautés, mixés ou passés à la centrifugeuse, allongés d'eau pour les présenter sous forme de jus. Attention toutefois à ne pas conserver longtemps ces boissons, qui doivent être préparées pour une consommation immédiate.

« À la belle saison, les cornets de glace sont bien tentants ; qu'en penser ? »
Les glaces achetées au coin de la rue ou à la plage font partie des plaisirs de vacances des petits et des grands. Pourtant, vous devez savoir qu'elles ne sont pas sans présenter quelques risques. D'un point de vue de la contamination microbienne, la glace la plus dangereuse est celle que le marchand met lui-même dans un cornet avec une cuillère spéciale qu'il laisse tremper dans un verre d'eau vite trouble... Il vaut mieux porter votre choix sur les glaces délivrées par une machine à pression ou bien sur les cornets industriels ou encore les esquimaux conservés dans un congélateur ambulant.

Le pique-nique

« Il fait beau : on part en pique-nique. Y a-t-il des précautions particulières à prendre ? »

Vous allez pique-niquer, un certain nombre de précautions s'imposent. Tout d'abord, attention à la chaleur pendant le trajet en voiture. Ensuite, choisissez bien votre emplacement : même avec un chapeau, ne laissez pas votre bébé au soleil. Préférez les espaces ombragés et aérés. Prévoyez pour tous de *l'eau en grande quantité*.

■ Les très jeunes enfants :

— Si vous allaitez : aucun problème, bébé a faim ou soif, vous lui donnez le sein. Si vous devez prévoir des biberons, vous emportez la boîte de lait, l'eau tiède dans une Thermos et vous faites les biberons au moment où bébé aura faim. Rappelez-vous qu'il ne faut pas emporter des biberons tout préparés (voir p. 259). Si bébé est nourri avec un lait prêt à l'emploi, c'est tout simple, vous emportez la ou les briquettes nécessaires. Dans tous les cas, n'oubliez pas de lui proposer également un biberon d'eau fraîche pour étancher sa soif.

— Bébé mange à la petite cuillère : le plus pratique est de prévoir des petits pots prêts à l'emploi. Si vous avez la possibilité de les réchauffer, c'est parfait, car, s'ils étaient consommés à température ambiante, ils risqueraient de ne pas lui plaire. Si c'est le cas, choisissez des desserts à base de fruits qui remplaceront les légumes, et s'il n'a pas eu de la viande ou du poisson à midi, vous en prévoirez au dîner. Si vous préparez avant de partir sa purée de midi, elle devra être transportée dans une glacière.

■ Les enfants plus grands :

— Il est essentiel, quel que soit l'âge de l'enfant, que les plats soient transportés en glacière, tout particulièrement ceux contenant des produits d'origine animale : charcuterie, viande, poisson, œufs, lait, fromage, etc. Tous ces aliments supportent mal la chaleur. Même avec une bonne apparence et un bon goût, ils peuvent être contaminés par une multiplication microbienne accélérée par la chaleur, et provoquer une intoxication alimentaire.

— Ne faites pas de mayonnaise. Le jaune d'œuf n'est pas cuit, et il n'est pas certain que la température de votre glacière soit assez basse pour un transport en toute sécurité. Si votre pique-nique a besoin de mayonnaise, il est plus prudent de l'acheter en tube ou en pot. Le traitement qu'elle a subi lui permet de se conserver à température ambiante. Elle vous paraîtra sans doute moins bonne, mais c'est beaucoup plus sûr. Sinon, utilisez des vinaigrettes à saveurs variées ou des moutardes.

— Toujours à propos d'hygiène, si vous avez prévu du melon (ou d'autres fruits à éplucher), pensez à les laver avant de partir. La peau du melon est un repaire de microbes provenant du sol, puis des nombreuses mains qui l'ont palpé à l'étal du marchand.

— Prévoir un gobelet pour chacun n'est pas un luxe, il n'y a rien de tel que le goulot de la bouteille pour transmettre les microbes du buveur précédent.

— Si vous avez choisi d'emporter des boissons gazeuses et que le trajet en voiture est un peu long, n'oubliez pas de les transporter au frais dans une glacière. À la chaleur, les gaz se dilatent, et les bouteilles de verre risqueraient d'éclater en blessant parfois gravement les passagers.

— Avant d'ouvrir le panier à pique-nique, proposez aux enfants de se laver les mains dans l'eau de la mer, de la rivière ou de l'étang et veillez à ce qu'elles soient soigneusement essuyées, ou bien, si vous ne disposez pas d'eau, utilisez des lingettes nettoyantes. En effet, le sable ou l'herbe où les enfants ont joué contiennent des germes provenant des humains ou des animaux. Installez les enfants sur une natte ou sur une grande serviette.

— Au retour, si cela n'est déjà fait, vous jetez les restes à l'exception du pain et des fruits peu mûrs. Car la durée du pique-nique aura été tout à fait propice au développement des microbes dans les aliments sortis de la glacière.

Les enfants qui se lèvent tard

« L'été, notre fille se lève tard et n'a pas faim. Peut-elle se passer de petit déjeuner ? »

Même si votre fille n'a pas faim, elle a sans doute soif. Elle peut se contenter de boire du lait, parfumé ou non, chaud ou froid comme elle l'aime, en attendant le déjeuner. Si elle n'aime pas le lait, elle peut boire du jus de fruits et bien sûr de l'eau.

Si son réveil est vraiment très proche de votre heure de déjeuner, elle peut effectivement se passer de petit déjeuner, mais veillez cependant à ce qu'elle consomme, au cours des autres repas, un peu plus de produits laitiers pour compenser ce qu'elle n'a pas eu le matin.

Les saisons et l'alimentation

« En hiver, y a-t-il des règles alimentaires particulières ? »

Ce ne sont pas des règles, ce sont des habitudes qui définissent des plats comme étant d'hiver ou d'été. On prépare plus facilement des salades composées l'été que l'hiver. On mange plus spontanément des glaces l'été que l'hiver, d'autant que les marchands de glaces des rues sont fermés l'hiver. On a envie de boire chaud l'hiver et moins l'été. Pourtant, dans les pays chauds (en Inde par exemple) comme dans le Grand Nord, on se désaltère avec des thés brûlants.

En hiver, pour lutter contre le froid, on dépense des calories, et, en été, pour lutter contre le chaud, on transpire, ce qui utilise aussi des calories.

En hiver, on a besoin de se sentir bien rempli, avec une alimentation dense de couleur souvent sombre et qui « tient au corps ». De la même façon, on porte beaucoup de vêtements qui font écran au froid. À l'inverse, en été, on se déshabille, on a besoin de se sentir léger, on aura donc envie de manger des fruits et des légumes dont le choix est plus large, plus coloré, plus gai. Tout cela est issu des habitudes de vie rurale de nos ancêtres : les légumes secs se conservaient bien l'hiver, et, l'été, le jardin était plein d'autres légumes et de fruits.

Dans tous les cas, l'alimentation doit rester variée et apporter, selon les saisons, l'énergie nécessaire aux différentes situations.

L'enfant entre ses goûts et ses besoins

■

Les refus

« Antoine refuse de manger de la viande, quelle attitude avoir ? »

C'est peut-être un caprice, mais les bébés ont aussi le droit d'avoir des goûts particuliers. Antoine refuse de manger de la viande tout simplement parce qu'il n'en apprécie ni la saveur ni peut-être la consistance. Durant les deux premières années de la vie, la viande n'est pas la principale source de protéines dans l'alimentation de l'enfant. En effet, si Antoine boit un bol de lait au petit déjeuner, mange du yaourt et divers fromages dans la journée – soit l'équivalent de trois quarts de litre de lait par jour –, il reçoit un peu plus de 20 g de protéines d'origine animale auxquelles s'ajoutent celles des œufs et peut-être celles du poisson s'il l'aime. Les apports recommandés à cet âge doivent se situer entre 16 et 30 g de protéines par jour.

Vous pourrez aussi remplacer la viande non appréciée par une petite quantité de purée de légumineuses (lentilles, haricots, pois cassés et pois chiches). Pour avoir plus de détails, consultez le chapitre consacré au végétarisme.

« Mon bébé n'aime pas ou n'aime plus le lait, que faire ? »

Le lait pour nourrisson, le lait de suite ou les produits laitiers en général sont respectivement, pour chaque âge, des aliments prioritaires.

■ Si votre bébé a moins de quatre mois et s'il est nourri au sein, vous êtes peut-être en train de cesser de l'allaiter. Pensez-vous que c'est le lait ou le fait de le prendre au biberon qui ne lui plaît pas ? Votre bébé va devoir s'habituer à la tétine dont le contact est très différent de celui du sein. Essayez de choisir le repas où il a très faim, et, insensiblement, il s'habituera au biberon et au goût de cet autre lait. Pour que le sevrage se fasse dans les meilleures conditions, il ne faut pas être pressée, bien qu'il existe des situations où le manque de lait apparaît brutalement. Prenez votre bébé tout contre vous afin qu'il vous sente, parlez-lui de cette nouvelle situation, et, quand il aura bien faim, il acceptera le biberon. Le désir de vie d'un bébé est tout à fait remarquable, et on peut lui faire confiance.

Si votre bébé de trois-quatre mois prend sans problème, depuis sa naissance, un biberon, et s'il le refuse plusieurs fois, c'est peut-être parce qu'il est ennuyé par le goût uniforme du lait et qu'il manifeste son envie de découvrir de nouvelles saveurs – du moins s'il n'est pas malade. Ajoutez alors au lait une à deux cuillerées à café de purée de légumes ou de fruits homogénéisés. Ce changement de goût peut le séduire (voir p. 294).

■ S'il a entre six mois et un an, vous pouvez vous demander si c'est le lait de suite qu'il n'aime pas ou si c'est le biberon qu'il n'a pas envie de téter. Vous pouvez trouver la réponse en parfumant le lait de suite avec de l'extrait de vanille ou de chicorée, ou de la poudre chocolatée. Vous pouvez aussi modifier le goût et la consistance en ajoutant des céréales spéciales bébé. Si bébé accepte cela dans le biberon, vous saurez qu'il aime toujours téter. Dernière solution : essayez de lui proposer son lait avec une timbale spéciale bébé.

Mais votre bébé refuse toutes les solutions proposées parce qu'il est plus intéressé par le repas pris à la cuillère. Dans ce cas, le matin, il faudra prendre le temps de lui donner à la petite cuillère une préparation plus épaisse avec des céréales bébé (ou farines infantiles). Il s'habituera ainsi, *avec vous*, au petit déjeuner. Cela reste valable pour plus tard. Au goûter, il est recommandé de continuer à donner du lait de suite. Il sera épaissi comme celui du matin. Si ces différentes solutions ne lui conviennent pas, il pourra, à la place du lait de suite, manger des fromages blancs ou des laits fermentés spéciaux pour enfants en bas âge, enrichis en fer et en acides gras essentiels. Précisons que les yaourts sont une sorte de lait fermenté.

■ Si votre bébé a plus d'un an, les produits laitiers dans leur ensemble sont prioritaires. S'il n'aime plus le lait, même légèrement parfumé, il peut consommer à la place des yaourts et autres laits fermentés, des fromages blancs, ou des fromages, quels qu'ils soient. Le lait du matin est une grande tradition qui peut être bousculée (voir menus pour enfants de plus de un an, p. 375).

« Clément ne boit jamais, que faire ? »

Il n'a probablement pas soif. Mais rassurez-vous, dans son alimentation quotidienne, il y a beaucoup d'eau : le lait, les yaourts, les fruits, les légumes, le riz cuit ou les pâtes cuites peuvent lui apporter, à eux seuls, au moins un litre d'eau. S'il ne se trouve pas dans une période particulière, par exemple de fortes chaleurs, de grande activité, s'il n'a pas de fièvre ni de diarrhée, il peut ne pas avoir soif. Si votre enfant refuse l'eau que vous lui proposez, cela ne veut pas dire qu'il n'aime pas l'eau... Il n'a pas soif, tout simplement.

L'eau est la seule boisson indispensable. N'oubliez pas, quand vous partez l'été en voyage (en voiture, en train ou en avion...), d'emporter une réserve d'eau pour les enfants. Pour plus de détails, voir page 408.

« Comment faire le soir pour que Louis dîne ? Il ne veut rien manger. »

Il est vrai qu'il est déplaisant d'avoir préparé un bon repas qui se solde par un refus. Plusieurs raisons peuvent expliquer ce refus :

— Après une journée de crèche ou d'école et de jeux, votre enfant peut être particulièrement fatigué et avoir plus envie d'un dodo ou d'un câlin que d'un bon dîner.

— Il est possible également que les quantités consommées dans la journée aient été suffisantes pour satisfaire son appétit. (Qu'a-t-il mangé au goûter ?) Il faut faire confiance à l'enfant qui ressent généralement mieux que nous les quantités dont il a besoin pour satisfaire ses dépenses et ses besoins en calories. Présentez-lui une mini-portion (et non une grosse, parce que, selon vous, il en aurait besoin). S'il n'en veut pas, n'insistez pas.

Et puis détendez-vous et apprenez « à perdre du temps » en faisant du repas un vrai moment d'échange avec votre enfant.

« Que faire : Julien et Amélie refusent de manger des légumes verts ? »

Une alimentation variée doit comporter des végétaux, mais il n'est pas obligatoire qu'ils soient fournis sous forme de légumes cuits. Les enfants ont une préférence marquée pour les pâtes, le riz, les pommes de terre ; il ne s'agit pas de céder à toutes leurs exigences, mais il n'y a pas non plus de raison de leur imposer quotidiennement des épinards ou des haricots verts. Les légumes verts seront mieux appréciés après la puberté : souvenez-vous de votre enfance !

Souvent, les enfants consomment volontiers crus les légumes qu'il refusent de manger cuits. Pensez à des présentations originales, par exemple des crudités juste épluchées et lavées, coupées en grosses lamelles, que les enfants trempent dans une sauce au yaourt.

Sachez aussi que les fruits crus ou cuits peuvent, sans inconvénient, constituer la source exclusive de végétaux nécessaires à l'équilibre de l'alimentation.

Dans tous les cas, *ne forcez jamais vos enfants à manger*.

Les lubies et les envies

« Pauline, deux ans, mange avec nous le soir, il est difficile de ne pas lui donner du plat de viande qui est sur la table. »
C'est vrai qu'il n'est pas nécessaire de donner à votre fille de la viande, du poisson ou de l'œuf au dîner si elle en a consommé à midi, mais un tout petit morceau n'a pas de conséquence sur son équilibre alimentaire quotidien. Il est même souhaitable qu'elle sache qu'à deux ans, on mange moins que le grand frère de dix ans qui, du fait de sa croissance et de sa taille, a des besoins très supérieurs.

« Simon boit beaucoup de lait : chacun de ses repas se termine par un biberon, est-ce trop ? »
Le lait et ses dérivés (yaourts, fromages) sont des aliments de base pour apporter du calcium et d'autres éléments essentiels au bon développement de l'enfant. On ne peut pas dire que « le biberon de lait est de trop » sans savoir de quoi est constitué le reste de l'alimentation. Les produits laitiers apportent des éléments nutritionnels qu'on n'a pas besoin d'aller chercher ailleurs (par exemple, des protéines animales, qu'il n'est pas nécessaire de consommer en trop grande quantité) et peuvent donc se substituer à ceux apportés par la viande, le poisson ou les œufs.
En buvant du lait ou en mangeant un yaourt au lait entier, Simon consomme également en quantité suffisante la vitamine A liée aux matières grasses lactiques.
Mais il sera néanmoins toujours nécessaire de consommer des féculents, des légumes et/ou des fruits qui sont les compléments parfaits des produits laitiers.

« Jusqu'à quel âge peut-on laisser un enfant au biberon ? Je voudrais bien que Laure perde l'habitude de ne jamais se coucher sans avoir pris son biberon de lait. Elle a trois ans, comment faire ? »
Le biberon est un plaisir. Téter peut constituer un réconfort et aider Laure à mieux s'endormir ensuite. Le seul souci que vous puissiez avoir est celui du brossage des dents avant le coucher, si le lait est sucré ou parfumé. Ce biberon peut être un moment d'échange entre Laure et vous : restez près d'elle.
Si vous trouvez Laure trop attachée à son biberon, offrez-lui une jolie timbale dans laquelle elle pourra boire comme une grande.

« Mon enfant ne mange pas. Dois-je le forcer ou vaut-il mieux céder ? »

Pour une mère, le refus de la nourriture est une épreuve cruelle, contre nature. Il heurte le plus profond des sentiments maternels, le plus instinctif, le plus primitif.

Si votre enfant est un nourrisson, et que sa courbe de poids n'est pas satis-faisante, il faut sans tarder consulter le médecin. Par contre, si sa courbe de poids est régulièrement ascendante, cela signifie qu'il se contente de peu. Il mange moins que les quantités habituellement prévues, mais il consomme les nutriments dont son organisme a besoin pour assurer sa croissance.

Si votre enfant a plus de sept ou huit mois, il va découvrir qu'il peut vous contrarier en refusant de manger, en crachant, en détournant la tête, en n'avalant pas, ou en manifestant toute autre attitude faisant preuve de son autonomie. Il est probable que, si vous essayez à tout prix de le faire manger, en le forçant, en le prenant par surprise, en le faisant jouer ou encore en le grondant, il acceptera son repas, et la bataille sera apparemment gagnée ; mais le conflit demeurera.

Il se peut aussi que votre bébé refuse le repas proposé, alors qu'il accepte le biberon ou le dessert. Il n'est évidemment pas question de céder à ses caprices, mais de comprendre le message : « Pour que j'existe, il faut que je m'oppose à toi. » Vous, l'aimant, voulez qu'il consomme ce que vous avez préparé. En le refusant, c'est comme s'il niait votre fonction, votre rôle de mère nourricière. Il y a donc incompréhension, mais, avec douceur et patience, vous pouvez trouver un terrain d'échanges dont le repas ne sera plus l'enjeu.

Les mesures à prendre consistent à ne pas forcer l'enfant à manger, à surtout ne pas le supplier ni le remercier : l'enfant mange pour sa propre satisfac-tion, pas pour celle de son entourage. Le repas doit être agréable, fait de petites portions consommées de la manière qui plaît à l'enfant : que le dessert soit pris avant les légumes ou le fromage, peu importe ! L'enfant peut être heureux de manger certains aliments en morceaux avec ses doigts, cela l'encourage à être indépendant et à développer sa dextérité, mais, doucement, intéressez-le aux habitudes alimentaires familiales. La durée du repas est limitée à une demi-heure. Ce laps de temps passé, on considère la période du repas terminée, on enlève l'assiette sans manifester aucun mécontentement et on ne propose rien (en dehors de l'eau).

Autre cas de figure, votre enfant refuse vraiment ses repas, et vous vous inquiétez car il ne mange rien. Entre les repas, il a faim et réclame, si bien que vous acceptez de lui donner des friandises, des biscuits… et, bien entendu, il n'a pas faim aux repas suivants. Il faut vous armer de courage et refuser le grignotage entre les repas. Éventuellement, décalez un peu vos horaires. Vous passerez tous les deux des moments difficiles, mais si, par chance, il a véritablement faim, il ne l'oubliera pas et fera désormais en sorte de ne plus éprouver cette sensation. Quand il acceptera son repas, ne le remerciez pas, ne le félicitez pas. Ne le récompensez pas. C'est normal.

« Mon bébé mange lentement. Est-ce normal ? Que faire ? »

La durée d'un repas dépend du temps que l'on s'accorde. Il n'y a pas de durée standard.

Si votre bébé est un nouveau-né et si sa succion est un peu énergique, il sera important de vérifier sa courbe de poids et d'en parler avec le médecin. S'il tète lentement avec quelques interruptions, le temps d'un rot (souvent nécessaire quand le bébé est nourri au biberon), et que ses courbes de croissance sont satisfaisantes, il n'y a pas lieu de s'inquiéter. Il a peut-être besoin de boire des petites quantités, mais souvent.

S'il s'endort profondément au bout de dix à quinze minutes sans avoir fini son biberon, il est inutile de l'empêcher de dormir. Vous jetez le reste du contenu du biberon et vous attendez qu'il se réveille avec des pleurs signalant qu'il a faim. Le nombre de biberons sera momentanément supérieur à six ou sept par vingt-quatre heures.

Si votre bébé prend ses repas mixés à la petite cuillère et que les cuillerées restent un temps qui semble infini dans sa bouche, s'il avale enfin ou, pire, s'il recrache, c'est sans doute sa façon de vous contrarier en s'opposant à votre désir. Ou peut-être n'a-t-il pas faim. Demandez-vous alors s'il n'a pas pris une collation copieuse et trop rapprochée du repas, ou grignoté un morceau de pain pendant les courses. Vous n'insistez pas et vous lui donnez son dessert normalement.

Dans le cas où votre bébé mange seul en dégustant lentement chaque bouchée, ne soyez pas agacée. Il savoure sa nourriture, comme un « grand gourmet », ou il n'a pas faim.

Il arrive parfois que les enfants gardent dans le coin de leur joue des aliments malaxés. Il s'agit souvent de viande. Que faire ? Vérifiez d'abord que les quantités que vous lui proposez sont proches de celles conseillées (p. 371). Peut-être en prévoyez-vous trop ? Vous aurez sans doute la surprise de constater que votre enfant consomme bien les quantités normales pour son âge et qu'il ne fait que refuser le « surplus ». Peut-être n'a-t-il pas envie de mâcher correctement ? Alors petit retour à la moulinette ou au mixeur. De toute façon, vous devez lui faire cracher cette boule et, bien sûr, ne pas la lui redonner.

Les pleurs

« Ma fille pleure à la fin de tous ses repas. Est-ce parce qu'elle a toujours faim ? Que faire ? »

Votre fille a sans doute compris qu'à la fin de son repas, un plaisir était interrompu. Elle sait que les échanges que vous avez eus avec elle peuvent être d'un autre ordre. Il faut compenser ce plaisir interrompu. Il faudra trouver un moyen de rester près d'elle, de jouer avec elle, de la câliner, de parler, afin qu'elle apprécie le plaisir d'être repue non seulement de nourriture mais d'amour.

Cependant, un bébé qui finit entièrement ses biberons et qui réclame rapidement après « n'a pas son content », et on peut augmenter les quantités en mettant 30 g d'eau supplémentaire et une mesurette de lait en poudre en plus.

Il arrive souvent, surtout chez les enfants qui « font leur nuit », que l'appétit du matin soit plus vif que celui du soir. Le nourrisson peut avoir besoin de recevoir dans la matinée des biberons plus importants et plus rapprochés que durant l'après-midi et la soirée. Il est utile de se rappeler que les biberons de la journée ne doivent pas obligatoirement être égaux et uniformément répartis.

Si votre fille est grande et qu'elle mange à la petite cuillère, proposez-lui, en restant près d'elle, une petite croûte de pain qu'elle sucera. Son plaisir de déguster sera satisfait parallèlement à celui de vous garder pour elle seule. Cela peut être compliqué à organiser, mais, insensiblement, elle saura profiter au mieux du temps que vous lui consacrerez et elle sentira que les adultes sont à son écoute.

En dernier lieu, votre fille peut avoir soif : de l'eau, à tout âge, est la bienvenue.

« Tous les soirs, mon bébé pleure. Que faire ? »

Presque tous les bébés pleurent le soir, au coucher du soleil, pendant une ou deux semaines, parfois jusqu'à l'âge de deux ou trois mois. Ils semblent inconsolables. Ils n'ont ni faim ni soif. Ils sont propres. Ils n'ont ni trop chaud ni froid. Ils devraient être sereins. Mais ils pleurent avec des cris stridents et opiniâtres.

On évoque alors les « coliques du nourrisson ». Il est possible qu'il y ait en effet un problème en relation avec l'alimentation. Mais, le plus souvent, il s'agit d'une envie irrésistible de compagnie, d'être dans les bras, d'être en contact avec des mains qui vont le caresser, lui masser le ventre, lui faire faire doucement des mouvements d'élongation des jambes et des bras pour le décontracter. Les bébés africains (entre autres), toujours en contact avec leur mère, qui bénéficient en outre d'une belle tradition de massage, ne pleurent pas ainsi.

Si vos occupations ne vous permettent pas de garder votre bébé dans vos bras ou allongé sur le ventre, posé sur vos cuisses ou sur vous, en position semi-couchée, pensez à utiliser votre « poche porte-bébé » (kangourou). De cette manière, bébé sera près de vous, et vos mouvements tiendront lieu de massage.

Mais sachez qu'un bébé qui pleure ainsi en fin de journée ne fait pas de caprice, et qu'il ne prend pas de « mauvaises habitudes » s'il est pris dans les bras pour être réconforté et pour recevoir la sécurité affective dont il a besoin à ce moment-là.

Les troubles alimentaires : vrais et faux problèmes

■

Les dodus et les maigrichons

« Mon bébé de un an est très dodu. Est-ce un problème et dois-je faire quelque chose de particulier ? »

Le bébé joufflu n'a plus la faveur des parents ! Il n'y a pas si longtemps encore, le bébé potelé était signe de bonne santé et faisait honneur à la famille. Maintenant, on redoute bourrelets et bonnes joues ; certains parents ont en mémoire le bébé hypotonique, qui souffrait de dyspepsie aux farineux (symptôme lié à l'alimentation lacto-farineuse en vogue avant 1970). Cette image est en contradiction avec le désir d'un bébé dégourdi, éveillé, habile qui domine aujourd'hui.

Lorsque l'affirmation « il est trop gros » tombe comme un couperet, tout un cortège d'attitudes restrictives s'ensuivent et elles ne servent à rien. On a fait référence au nombre et à la taille des cellules graisseuses (adipocytes), justifiant partiellement l'adage « gros bébé » devient « gros adulte ». En fait, on a trop souvent fait un amalgame entre les obésités et le léger surpoids. Il est nécessaire de revenir sur des affirmations que l'on avait trop rapidement acceptées comme des vérités premières... Quand on analyse avec un peu plus d'attention les statistiques, on s'aperçoit que les problèmes liés aux excès de poids importants (voir p. 437) ne se manifestent pas par une surcharge légère.

Alors que dire des bourrelets inévitables pendant la première année : ils sont le reflet normal de la composition de l'organisme à cet âge. En effet, les graisses représentent 11 % du poids du bébé à la naissance et 24 % douze mois plus tard ! À un an, un bébé a un indice de masse corporelle (voir p. 446 et 447) à son maximum, et c'est normal : c'est le moment des gros plis au niveau des cuisses.

« Que faut-il donc faire avec un gros bébé ? »

D'abord, ne pas utiliser cet adjectif qui a une consonance péjorative. Ensuite, ne pas décréter une alimentation restrictive : un an ou deux ans n'est pas l'âge de l'initiation au régime amaigrissant. Pourquoi supprimer les farines infantiles, les pommes de terre, alors que l'on ne pense pas aux desserts en petits pots, aux desserts lactés et aux gâteaux ? Il faut savoir qu'un régime restreint en farine/pain et en graisses est en général très riche en protéines, ce qui pourrait favoriser un surpoids à l'adolescence ou plus tard. Si le petit enfant a un surpoids par rapport à sa taille (voir p. 446 et 447) et qu'il est issu d'une mère et/ou d'un père souffrant d'embonpoint, l'objectif n'est pas de le faire maigrir mais de ralentir la prise de poids.

Concrètement, que devez-vous faire ? Sûrement oublier les normes et les moyennes, ramener un peu de bon sens dans les habitudes familiales. Par exemple :

— On peut trouver d'autres moyens d'apaiser les pleurs de bébé qu'en lui offrant des gâteaux, des bonbons ou des boissons sucrées.

— On recommande de donner une alimentation normale, c'est-à-dire comprenant chaque jour des légumes et des féculents, des fruits frais sans sucre au lieu de desserts sucrés à base de fruits, des yaourts ou des fromages blancs nature ou légèrement sucrés, du pain à la place des gâteaux et des viennoiseries, des poissons pochés et non panés, de boire de l'eau sans adjonction de sucre ou de parfum. L'enfant continuera à boire du lait comme d'habitude avec seulement une cuillerée à café de chocolat si vraiment il n'aime pas le lait pur.

— Si l'enfant est en crèche, il n'est pas souhaitable de l'exclure du groupe au moment des repas en lui présentant des plats hypocaloriques riches en légumes qui peuvent provoquer des colites. Il commencerait à subir le « racisme antigros », et la nourriture deviendrait un fantasme dont les répercussions pourraient plus tard être néfastes.

Mais que faire avec l'enfant qui trépigne, fait sa colère parce que vous lui refusez maintenant ce que vous acceptiez avant ? Il n'y a (hélas) pas de recette. Certains enfants se calmeront avec des moments de tendresse ou une nouvelle activité, d'autres en consommant un morceau de fruit (de préférence pas de banane), ou de légumes crus (tomate ou concombre, selon leurs possibilités de mastiquer), ou un petit morceau de fromage à 45 % de matières grasses (tout cela étant préférable à la confiserie ou à la biscuiterie).

C'est à vous, en fonction du moment et du lieu, de trouver les moyens de calmer votre enfant et, insensiblement, de créer d'autres habitudes, de nouvelles attitudes et toujours sans « craquer » devant les exigences du petit tyran.

Soumettre le jeune enfant à des restrictions alimentaires risque de perturber à plus ou moins long terme son comportement alimentaire.

En conclusion, on ne fait pas maigrir un petit enfant, on essaie de changer les habitudes alimentaires familiales.

« Notre enfant est maigrichon et a un appétit d'oiseau. Que faire ? »

Si le bébé dodu préoccupe, à l'inverse, celui qui est maigre inquiète. Vous vous dites « il a la peau sur les os : s'il lui arrive quelque chose, il n'a aucune réserve ». Il va bien, il dort bien, il joue bien, mais il mange moins que son cousin du même âge.

Chaque enfant est unique : pour une même taille, toutes les corpulences sont possibles. Ce qui est important, c'est que le bébé continue à grossir à son rythme. Avec le médecin, vous vérifierez l'harmonie de la courbe de poids et de taille. La croissance de votre enfant est moins rapide que celle de son cousin, et c'est pour cela qu'il mange moins. Ce qui compte, c'est que l'enfant ait un poids proportionnel à sa taille. Pour le savoir, il suffit de consulter les courbes indiquées aux annexes 5 et 6 pages 612 et 613. Rassurez-vous, car il grandit normalement. Si ce n'était pas le cas, votre médecin ferait le nécessaire pour analyser la situation.

Concrètement, on ne peut pas dire qu'il existe des aliments plus nourrissants que d'autres.

— Donnez-lui donc à manger normalement, aux heures habituelles, en fonction de son appétit, sans le forcer ni le supplier, dans une ambiance détendue et agréable.

— S'il mange à la petite cuillère, il vaut mieux avoir le plaisir de le resservir que d'avoir à faire le clown pour qu'il finisse, ou à jeter ce qu'il n'aura pas voulu. Commencez par mettre des petites quantités dans son assiette.

— Laissez-le choisir l'ordre des mets.

— Ne prétextez pas qu'il mange peu pour lui proposer entre les repas des gâteaux, vous rentreriez dans le cercle infernal du grignotage coupant l'appétit aux repas principaux.

Constipation et diarrhée

« Comment peut-on résoudre les problèmes de constipation chez un nourrisson ? »

Il faut d'abord être certain qu'il y a bien un problème de constipation. Si bébé pousse, devient tout rouge puis que la selle est normale, ce n'est pas une constipation. On parle de constipation lorsque le nourrisson a moins d'une selle par jour, sèche et difficile à émettre, avec un abdomen ballonné et douloureux. Durant les deux premiers mois de vie, cette constipation peut être simplement la conséquence d'un retard de la maturation des mécanismes de l'émission des selles. Si le médecin n'a pas décelé d'anomalie particulière, il vous prescrira des suppositoires à base de glycérine.

La constipation est plus rare chez le bébé allaité, mais le cas peut se présenter. Il s'agit le plus souvent d'une fausse constipation : c'est le signe que le bébé utilise pour sa croissance tout ce qu'il consomme et qu'il y a peu ou pas de déchets. L'abdomen n'est ni tendu ni douloureux. Vous, la maman qui allaitez, pouvez augmenter votre consommation de fruits ou de crudités, le transit intestinal du bébé peut s'en trouver amélioré.

— La première démarche consiste à donner plus d'eau au bébé en lui présentant plus souvent le sein (si vous allaitez) ou de l'eau à boire. S'il est au biberon, vous lui proposerez un petit biberon d'eau (1 à 3 cuillères à soupe d'eau riche en sulfate de magnésium, telle que l'eau Hépar®) entre les biberons de lait.

— On peut aussi préparer les biberons en utilisant pour moitié de l'eau Hépar®.

— Le médecin pourra prescrire un lait dont le seul glucide est le lactose et non pas un mélange de dextrines et de lactose.

— Un autre petit moyen consiste à ajouter dans chaque biberon une cuillère à café de lactose (s'achète en pharmacie).

— Si l'enfant a plus de trois mois, on peut aussi lui donner 2 à 3 cuillerées à soupe de jus de pruneaux ou d'autres fruits, additionnées d'eau. Quand l'alimentation est diversifiée, on insiste plus sur les fruits et les légumes ; en effet, une consommation élevée de biscuits et de sucreries mais faible de légumes favorisent la constipation. Chez les enfants de plus de deux ans, certains proposent de donner des céréales complètes.

— Un petit suppositoire de glycérine peut aider occasionnellement l'enfant. Mais ne donnez pas de laxatif sans l'avis du médecin.

— Laisser pédaler le bébé sans couches et masser l'abdomen trois ou quatre fois est aussi une solution conseillée.

« Que donner à un bébé ou à un enfant qui a la diarrhée ? »

On appelle souvent à tort « diarrhée » des selles dont la consistance est un peu plus molle mais qui ne sont pas plus fréquentes que d'habitude. En fait, des selles molles ne sont pas annonciatrices de la diarrhée et il n'y a pas de raison de modifier l'alimentation de l'enfant, quel que soit son âge. Cependant, si cela se prolonge, contrôlez un peu plus souvent son poids.

— Pour un nourrisson de moins de quatre-cinq mois, pesez-le toutes les semaines.

— Pour un bébé plus grand, toutes les deux semaines.

Si vous constatez que sa courbe de poids n'est pas satisfaisante, consultez votre médecin.

« Comment définir alors la diarrhée ? »

Une diarrhée consiste en des selles liquides plutôt verdâtres, émises en jets (quatre à huit fois par jour), plus ou moins odorantes. Elle peut coïncider avec une poussée dentaire ou un début d'otite ou de rhino-pharyngite. Elle peut être due à un virus qui se niche dans les cellules de l'intestin grêle ou à des bactéries qui se multiplient dans le côlon.

Quelle que soit l'origine ou la cause de la diarrhée, il y a une augmentation des pertes d'eau et de sels minéraux (le sodium et le potassium). Cette perte d'eau, suivant son importance, peut entraîner une déshydratation, ce que l'on appelait autrefois une « toxicose ».

« Comment combattre la déshydratation ? »

Dans le passé, on y remédiait en donnant des pectines qui retiennent l'eau dans l'intestin et « remoulent » les selles : on prescrivait la pomme, la caroube, la carotte, la compote ou la gelée de coing, la banane, le riz. Tout a changé avec la découverte des mécanismes de la diarrhée : l'important est de compenser les pertes en eau et en minéraux.

Compenser les pertes d'eau signifie réhydrater.

À retenir

Dans le cas de diarrhées, la réhydratation est le premier geste d'urgence en attendant l'avis médical. Plus l'enfant est jeune, plus la consultation d'un médecin est indispensable.

« Comment réhydrater ? »

Sauf cas particulier de l'allaitement (voir p. 425), on arrête toute alimentation. L'enfant boit des solutions de réhydratation qui s'achètent chez le pharmacien sans ordonnance. Les produits utilisés aujourd'hui sont Adiaril®, Alhydrate®, GS45®, Hydrigoz®, Lythren® Les solutions de réhydratation se présentent en boîtes de dix ou quinze sachets-doses. Chaque sachet est délayé dans un biberon de 200 ml d'eau (celle utilisée pour préparer le lait). L'enfant boit ce qu'il veut de la quantité proposée : le nourrisson adapte remarquablement sa consommation à son état de déshydratation.

Vous pouvez également préparer la solution à l'avance. Dans un grand pot, vous mélangez un litre d'eau et cinq sachets-doses. Vous la conservez au réfrigérateur. Au fur et à mesure des besoins et de la fréquence des prises, vous la mettez dans un biberon ou dans une timbale suivant l'habitude de l'enfant.

Les conseils d'utilisation en attendant la consultation médicale sont les suivants :

— Pendant six heures, toutes les demi-heures, proposez à votre bébé un biberon de solution. Il est fréquent qu'il soit nécessaire de faire un nouveau biberon à chaque prise, ce qui est souhaitable du point de vue hygiénique (un même biberon ne devant pas rester plus d'une heure à température ambiante pour éviter l'accélération de la multiplication microbienne). Le biberon de solution de réhydratation peut être tiédi avant consommation si l'enfant préfère. En six heures, l'enfant peut boire des volumes équivalents à ce qu'il prend habituellement par vingt-quatre heures. Après les six premières heures, on offre la solution toutes les trois heures.

— Si la diarrhée n'est pas importante : deux ou trois selles liquides par jour, on peut, dès le départ, n'offrir la solution de réhydratation que toutes les trois heures. De toute façon, il faut surveiller et satisfaire complètement l'envie de boire de l'enfant.

« Si l'enfant vomit, que faire ? »

La présence de vomissements n'est pas une contre-indication à l'utilisation des solutions de réhydratation. Dans ce cas, il est prudent de commencer à donner la solution par petites quantités (20 à 50 ml ou g) très fréquemment, tous les quarts d'heure, voire toutes les dix minutes.

« Si l'enfant n'a pas soif et refuse de boire ? »

Il va bien, il est gai, joueur, c'est probablement qu'il n'avait pas une « vraie » diarrhée. Vous continuez son alimentation habituelle.

Attention : danger !

Bébé est apathique, somnolent ; sa fontanelle (le petit espace entre les os du crâne) est creuse ainsi que ses yeux, sa peau reste plissée, sa bouche est sèche. IL EST DÉSHYDRATÉ. IL FAUT L'EMMENER EN URGENCE À L'HÔPITAL.

« Que faire une fois la phase aiguë terminée ? »

L'état de l'enfant est satisfaisant : il joue, il a moins envie de boire et semble avoir faim. Ce qu'il va manger dépend de son âge.

▪ Le bébé de quatre-cinq mois :

— Si vous le nourrissez au biberon, seul le médecin, compte tenu des symptômes et des risques de sensibilisation secondaires, pourra vous prescrire le lait spécial que votre nourrisson consommera ou la façon de réalimenter votre bébé avec le lait qu'il avait avant l'épisode de diarrhée.

— Si vous allaitez votre bébé, sachez d'abord qu'il ne faut pas confondre, chez un nourrisson au sein, la fréquence des selles, leur consistance un peu molle, leur odeur aigrelette avec une diarrhée. S'il s'agit néanmoins d'une diarrhée, la poursuite des tétées alternant avec la solution de réhydratation conduit habituellement à une amélioration de la consistance des selles et de leur nombre. Si, de fait, vous donnez un peu moins le sein, vous devez tirer votre lait et le stocker au congélateur dans un biberon stérile pour éviter l'engorgement, d'une part, et, d'autre part, pour entretenir la lactation pour le lendemain. Tout cela en attendant les conseils de votre médecin, car, là aussi, il est indispensable de consulter.

— Dans le cas où votre bébé est nourri avec un allaitement mixte (sein + biberon), vous procédez comme s'il était allaité exclusivement au sein : vous donnez le sein et des solutions de réhydratation. Quant au choix du lait de complément, comme pour l'enfant au biberon, le médecin seul décidera.

▪ Le bébé de plus de cinq-six mois :

Si votre enfant a plus de cinq-six mois, après ou pendant la réhydratation, s'il a faim, vous pouvez proposer, sans trop tenir compte des horaires habituels des repas :

— des aliments avec pectines, donc capables de retenir l'eau comme la compote de pomme, la pomme crue râpée avec un petit peu de citron, sucrée suivant les habitudes de l'enfant, les petits pots de fruits avec des pommes et/ou des coings et/ou des bananes, de la purée Crécy (mélange de pommes de terre et de carottes) avec une noisette de beurre ;

— des aliments riches en amidon (féculents, pain, etc.) sans fibres (c'est-à-dire sans peau, sans enveloppe, sans son), comme les biscottes, beurrées ou non, avec de la gelée de fruits (mûre, groseille, pomme) ou du miel ; des gâteaux secs ou des biscuits sans fruits (si la composition du produit mentionne la présence de lait, cela est sans importance car la quantité est négligeable) ; du quatre-quarts, de la génoise, du far breton, du pain d'épice, des chouquettes ou autres pâtisseries sans crème ni fruits ; du vermicelle, des pâtes, de la semoule, du riz, du tapioca, des pommes de terre, tous cuits dans du bouillon ou de l'eau, assaisonnés de sel et d'un peu de beurre ;

— de la viande, de la volaille, du poisson, des œufs, servis assaisonnés de matières grasses crues ou peu chauffées, mais pas de friture ;

— des produits laitiers. Tous les fromages, sauf s'ils ont un goût fort, peuvent être consommés par l'enfant qui les apprécie. Vous donnerez fréquemment des yaourts ou des laits fermentés dont la composition permet un renouvellement de la flore intestinale. Quant au lait, le médecin décidera s'il est préférable de prescrire un lait appauvri ou sans lactose.

L'essentiel est que l'enfant boive la solution de réhydratation. Pendant la phase de réhydratation et les deux jours suivants, l'alimentation expliquée ci-dessus est maintenue mais présentée de manière plus organisée, c'est-à-dire sous forme de repas.

ORGANISATION ALIMENTAIRE À PROPOSER À DES ENFANTS DE PLUS DE 5-6 MOIS
PENDANT LA RÉHYDRATATION ET LES DEUX JOURS SUIVANTS
(les quantités ne sont pas indiquées, elles dépendent de l'appétit et des habitudes de l'enfant)

	Enfants de 5-6 mois	Enfants de 7-12 mois	Enfants de plus de 12 mois
Matin	Lait prescrit ou lait habituel + céréales infantiles	*idem*	*idem* et/ou Faire croquer des biscottes + gelée ou miel ou gâteaux secs sans fruits ou pâtisserie sans crème et sans fruit
Midi	Purée de pomme de terre[a] et de carotte + beurre, viande ou poisson ou œuf Fruits avec pectine ou yaourt	*idem*	*idem* ajouter du fromage[b] si l'enfant l'apprécie Dessert à base de yaourt et de fruits avec pectine
Goûter	Lait prescrit ou lait habituel *si grignotage :* croûte de pain ou biscuits sans fruits	*idem* ou yaourt + croûte de pain ou biscuits sans fruits	*idem* ci-contre ou *idem* petit déjeuner
Soir	*idem* matin *si dessert :* comme à midi en alternant fruits avec pectine ou yaourt	*idem* matin ou vermicelle[a], semoule[a], céréales[a], à cuire dans du bouillon parfumé ou avec la purée de carottes + beurre *dessert :* yaourt et fruits avec pectine	Coquillettes[a], pâtes fines[a], riz semoule[a], tapioca[a], etc. avec fond de purée de carottes + beurre ajouter du fromage[b] *dessert :* *idem* midi
Boisson	solution de réhydratation eau *si biberon dans la nuit :* lait prescrit ou habituel	*idem*	*idem*

a. Les pommes de terre ou les autres sources d'amidon peuvent être proposées alternativement au déjeuner et au dîner.
b. Fromage râpé sur les aliments ou à croquer avec du pain.

Ce type d'alimentation ne devrait durer que deux ou trois jours. Suivant l'avis de votre médecin, vous réintroduirez progressivement tous les légumes cuits puis crus, les fruits cuits puis crus, et, en une semaine, l'enfant aura retrouvé son alimentation habituelle.

PROGRESSION DE LA RÉINTRODUCTION DES PRODUITS D'ORIGINE VÉGÉTALE
APRÈS UNE DIARRHÉE
Ce qui était conseillé au tableau précédent reste acquis.

	Légumes	Fruits	Féculents
1re étape : 2 à 3 jours	— Légumes cuits à fibres tendres plus ou moins mixés, sauf choux de Bruxelles, choux rouges, verts, blancs, chinois, artichauts, salsifis, poivrons ; les tomates doivent être épluchées et épépinées — Les petits pots — Les potages traditionnels bien mixés	— Tous les fruits cuits et épluchés, en compote, au sirop — Jus de fruits frais filtré à consommer pendant les repas	Pas de légumes secs Pas de céréales complètes
2e étape : 2 à 3 jours	— Tous les légumes suivant les habitudes antérieures — Crudités assaisonnées normalement — Continuez à éviter les choux à feuilles qui peuvent provoquer des gaz	Fruits frais bien mûrs, épluchés	— Pommes de terre cuisinées suivant les habitudes — Légumes secs, en purée de préférence pour commencer — Attendre pour réintroduction des céréales complètes

« Mon bébé est en poussée dentaire, et ses selles sont molles et un peu glaireuses. Que dois-je faire ? »
Vous ne changez rien à l'alimentation de votre bébé, ce n'est pas de la diarrhée. Votre enfant mange comme d'habitude : les mêmes aliments, en mêmes quantités et aux mêmes heures.

Régurgitations, vomissements, reflux

Si votre bébé régurgite souvent, vous êtes peut-être inquiète. Cependant, ces manifestations peuvent correspondre à plusieurs types de situations et il faut que vous sachiez différencier les régurgitations ou rejets, les vomissements et le reflux pathologique.

Les régurgitations

Un nourrisson couché horizontalement renvoie facilement une petite partie de son alimentation, du fait de l'absence de musculation au niveau du diaphragme et de l'œsophage. Il est donc normal que vous trouviez des traces de lait sur les draps de votre bébé.

Ces régurgitations accompagnent souvent le rot : c'est une façon naturelle de se débarrasser du trop-plein de lait pour le bébé qui a trop bu ou bu trop vite. Le nourrisson renvoie sans effort un peu de lait frais, mais sa croissance est normale, sa faim semble assouvie.

Les régurgitations disparaissent vers la fin de la première année, période où l'enfant se tient plus longtemps debout.

Les vomissements

Contrairement à ce qui se passe dans les régurgitations, le bébé qui vomit expulse par la bouche de *grandes* quantités de liquides ou d'aliments, parfois même la totalité de son repas, et c'est habituellement à cause d'une maladie.

Il faut, bien entendu, consulter le médecin.

Le reflux [1]

Le reflux est un phénomène un peu plus complexe, qui est souvent confondu avec un banal « trop-plein », et qui peut ou non s'accompagner de régurgitations. Depuis quelques années, de plus en plus de bébés sont traités pour des problèmes de reflux gastrique.

---

1. Dr V. Abadie, « Le reflux gastro-œsophagien », *Les Métiers de la petite enfance*, Paris, E.S.P., 1995.

« Une amie m'a dit que mon bébé, qui régurgite fréquemment, avait des problèmes de reflux gastrique. De quoi s'agit-il exactement ? »

Il n'est pas toujours facile d'établir une distinction très claire entre régurgitations et reflux.

■ Ce qui est normal

Un reflux physiologique est fait de régurgitations banales survenant pendant la prise des biberons ou lors du rot. Ces régurgitations physiologiques sont de faible abondance ; elles sont indolores et ne surviennent ni très à distance des repas ni pendant le sommeil.

■ Ce qui n'est pas normal

Un reflux pathologique se traduit par des régurgitations anormales :

— soit par leur fréquence,

— soit par leur abondance,

— soit par leur facilité à survenir à n'importe quel moment de la journée ou de la nuit, ou dès que vous changez votre bébé de position et/ou que vous le mettez sur le dos.

« Comment se manifeste plus précisément un vrai reflux ? »

Le reflux pathologique se manifeste de plusieurs façons :

— le contenu de l'estomac remonte facilement jusque dans la bouche, survenant sans effort de vomissement. Cela intervient, comme on l'a vu, sans raison apparente ou dès qu'on change bébé de position ;

— parfois aussi, au moment du rot, le rejet peut être abondant et simuler un réel vomissement.

D'autre part, il faut savoir que certains reflux pathologiques sont de diagnostic plus difficile car la régurgitation ne remonte pas jusqu'à la bouche. Une fois dans l'œsophage, le produit de reflux redescend dans l'estomac. On appelle cela communément un « faux reflux », mais il fait néanmoins autant souffrir l'enfant, qui est « brûlé » par les liquides acides issus de l'estomac qui refluent.

« À quoi est dû un reflux pathologique ? »

C'est un mauvais fonctionnement du bas de l'œsophage, responsable du passage trop fréquent du contenu gastrique vers l'œsophage.

Chez l'enfant de moins de un an, le système anatomique antireflux est immature ; la vidange gastrique est plus lente que chez le grand enfant, l'alimentation plus liquide, la muqueuse œsophagienne plus fragile. Tous ces éléments favorisent chez certains nourrissons le reflux pathologique.

« Quelles en sont les complications ? »

Dans tous les cas, il faut voir un médecin.

— La première complication est une irritation de la muqueuse du bas de l'œsophage, cette dernière n'étant pas faite pour supporter l'acidité de l'estomac. On appelle cela une « œsophagite ». Elle se manifeste par des pleurs dus aux douleurs après le repas ou pendant la nuit, par des tortillements, voire par des refus du biberon.

— Lorsque l'œsophagite est importante, elle risque d'aboutir à un saignement accompagnant le vomissement. Un vomissement sanglant est grave et très impressionnant même si l'abondance du saignement est faible.

— Certains nourrissons, à l'occasion d'un reflux, peuvent avoir un accès de pâleur, un ralentissement cardiaque, voire une perte de connaissance ; cette complication du reflux est importante à connaître. Elle peut être à l'origine de malaises graves et, dans des cas extrêmes, de mort subite.

— Les complications sont parfois bronchiques. En effet, l'irruption du liquide gastrique au niveau du larynx, puis du nez, favorise une inflammation, des bronchites, des otites, ou des rhino-pharyngites.

Ces complications surviennent fréquemment lorsqu'il n'y a pas de réelles régurgitations extériorisées et que le diagnostic est alors plus difficile à poser.

« Y a-t-il certains éléments qui favorisent l'apparition d'un reflux ? »

Le reflux pathologique survient plus volontiers chez des enfants prématurés ou chez ceux atteints de maladies respiratoires.

En outre, il peut être favorisé par :

— certains aliments (jus de fruits),

— certaines positions : demi-assise ou assise qui introduisent un tassement de l'estomac,

— le port de couches ou de vêtements trop serrés qui augmentent la pression abdominale.

« Que faire lorsque le bébé a des signes de reflux pathologique ? »

Il faut impérativement voir le médecin qui vous prescrira un traitement adapté.

« Que faire lorsque le bébé a des signes de reflux dit physiologique ? »

Les signes sont ceux décrits dans ce qui est normal ; vous pouvez d'abord décider de ne rien faire, puisque ce phénomène est physiologique. Cependant, si ces rejets vous dérangent, il y a des petits remèdes :

1) ne donnez pas trop de lait à la fois,

2) ralentissez la prise du biberon en diminuant le débit de la tétine,

3) faites faire un rot au milieu du repas suivant l'appétit du bébé,

4) espacez la prise des repas,

5) épaississez les repas ou utilisez un lait « antireflux » après avoir vu votre médecin,

6) prenez toujours votre bébé dans vos bras à l'heure du biberon et surtout ne le laissez pas boire seul, calé par un coussin,

7) n'allongez pas trop vite votre bébé après son biberon ou sa tétée. Laissez-le dans son transat un moment,

8) changez-le avant le repas, ainsi, vous n'aurez pas à modifier sa position pour le langer.

Reflux et régurgitations : quand consulter ?

Il faut consulter rapidement votre médecin :
— Si bébé régurgite souvent, abondamment (par exemple si vous devez changer ses vêtements plusieurs fois par jour), à n'importe quel moment de la journée ou de la nuit, ou dès que vous le changez de position.
— Si bébé a des vomissements en jets.
— Si ces vomissements sont accompagnés de diarrhée et/ou de fièvre.

Coliques et maux de ventre

On évoquera ici les coliques dites des trois premiers mois, accompagnées de cris stridents, opiniâtres, survenant une quinzaine de jours après la naissance et s'arrêtant naturellement entre deux et trois mois. Plus de la moitié des bébés souffrent de coliques. Elles font partie de la période d'adaptation du bébé à son nouvel environnement. En général, l'enfant est montré au médecin et celui-ci constate que tout va bien.

Que se passe-t-il ? Après son repas, bébé s'endort satisfait, mais se réveille rapidement, pleure, fronce les sourcils, fléchit ses jambes comme s'il poussait pour aller à la selle et hurle un temps plus ou moins long (l'accès peut durer plusieurs minutes). Ses pleurs peuvent se terminer brutalement, l'enfant semble vouloir s'endormir, puis les symptômes recommencent et se répètent plusieurs fois. Le bébé pleure fort, son visage est rouge, ses poings sont fermés et ses cuisses repliées sur son ventre tendu et bombé.

Pendant les pleurs, bébé émet plusieurs rots et de nombreux gaz. Il semble que ces douleurs soient dues au blocage de gaz et d'air dans le tube digestif. Peut-être avale-t-il trop d'air, mal ou pas assez éliminé par les rots ? Peut-être s'agit-il d'une immaturité transitoire puisque ces coliques disparaissent après trois mois ?

« Les bébés nourris au sein ont-ils moins de coliques que les autres ? »

Si votre bébé qui a des coliques est nourri au sein, il peut arriver que ce soit à cause d'une sensibilisation aux protéines de lait de vache présentes dans votre alimentation et donc dans votre lait. Lorsque, dans ce cas, les douleurs sont vraiment persistantes, vous supprimez, pendant quatre ou cinq jours, le lait et les fromages, et vous observez si les coliques disparaissent. Si oui, il faudra en parler au médecin. Rappelez-vous aussi que, si vous devez supprimer les produits laitiers de votre alimentation, il faudra prendre un supplément calcique médicamenteux.

« Que faut-il faire pour soulager bébé ? »

Ces douleurs abdominales que l'on croit en relation avec l'alimentation conduisent souvent à des changements de lait qui n'apportent aucune amélioration.

Il est possible aussi que, si bébé boit du jus de fruits, cela déclenche des coliques, qui sans aller jusqu'à provoquer des selles diarrhéiques, sont accompagnées de bruits intestinaux et donc de douleurs. Les légumes, les fruits et même les céréales ajoutées dans les biberons avant trois mois risquent aussi de favoriser ces troubles. Mais, en dehors d'une diversification trop précoce, il n'y a en général pas de cause alimentaire.

Encore une fois, que faire ? Laisser pleurer le bébé est difficile à supporter. Lui donner à manger ne peut que décaler ses rythmes et le perturber car ce ne sont pas des pleurs de faim. Et pourtant, vous voudriez trouver un moyen de le calmer. Vous pouvez le bercer dans les bras une main sous le ventre, vous pouvez lui masser le ventre. Autre possibilité : l'allonger à plat ventre sur vos genoux comme indiqué dans le schéma ci-après. Tout cela est apaisant, mais vous devez aussi vous armer d'une longue patience, sans anxiété ni sollicitude excessive qui risqueraient d'accentuer ces pleurs douloureux.

Cependant, si les symptômes sont trop fréquents et se répètent d'un repas à l'autre, il est préférable de consulter un médecin qui vérifiera que les coliques ne relèvent pas d'une maladie digestive.

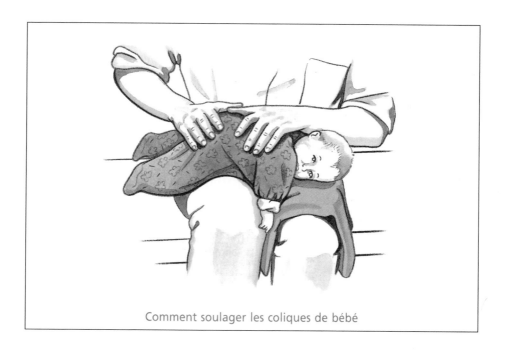

Comment soulager les coliques de bébé

« J'entends des bruits si explosifs dans le ventre de mon bébé que j'ai peur qu'il ait un problème digestif ou que son alimentation ne lui convienne pas. Dois-je m'inquiéter ? »

Si les gaz de votre bébé ne provoquent aucuns pleurs ni de troubles digestifs et n'affectent pas son état général, il n'y a pas de raison de s'inquiéter.

Mais si ces gaz le gênent, votre bébé pleure, se tortille : il faut le soulager. Ces gaz sont probablement dus à une mauvaise adaptation de sa flore intestinale qui reçoit dans le côlon trop de déchets issus de la digestion. La flore est obligée de s'adapter, émet des gaz en grande quantité qui occasionnent des douleurs. On peut le constater chez des nourrissons qui boivent des quantités importantes de lait dont le lactose (sucre du lait) n'est pas totalement assimilé et arrive tel quel dans le côlon où il est alors transformé en gaz. Si c'est le cas, votre médecin prescrira un lait adapté à cette situation.

Si votre bébé est en période d'alimentation diversifiée, et que les mêmes phénomènes surviennent, ils seront alors dus à la présence des fibres finement broyées des légumes et des fruits. Il faut ralentir l'introduction de ces aliments afin que la flore intestinale prenne le temps de s'adapter.

En attendant la consultation chez le médecin, faites faire de la gymnastique à votre bébé, en lui pliant les jambes sur son abdomen et en les détendant. Essayez progressivement et doucement de les plier en les montant jusqu'au menton, en berçant bébé de droite et de gauche sur la table à langer par exemple. C'est la fameuse position fœtale ou en chien de fusil qui est conseillée lorsque nous, adultes, souffrons d'aérophagie.

Allergie, intolérance alimentaire

Tout le monde parle aujourd'hui de l'allergie et de l'intolérance alimentaire. Qu'est-ce que cela signifie exactement ? L'allergie, ou l'intolérance alimentaire, signifie que l'organisme ne tolère pas un aliment ou une partie d'un aliment.

La cause de cette mauvaise tolérance peut être :

— soit une déficience de l'enzyme qui rend normalement l'organisme capable d'utiliser cet aliment ou ce nutriment (comme le lactose),

— soit le rejet par l'organisme de l'aliment consommé ou plutôt le rejet d'un des éléments, le plus souvent une protéine.

Par exemple, lorsqu'on dit qu'un nourrisson ne « supporte » pas le lait, cela peut être une allergie ou une intolérance aux protéines de lait de vache ou encore une intolérance au lactose.

Durant le premier semestre de vie, les enfants ont des systèmes digestif et immunitaire totalement adaptés aux protéines de leur espèce (lait maternel). Mais ces systèmes sont sensibles aux protéines étrangères (vache, soja, chèvre, gluten, arachide...) qui irritent et peuvent causer des réactions plus ou moins violentes de l'organisme. Les intolérances alimentaires sont aussi plus susceptibles d'apparaître chez les bébés qui ont une histoire familiale d'allergies. Certains de ces problèmes, mais pas tous, ont tendance à diminuer avant l'âge scolaire. Chaque cas est du ressort du médecin.

« Comment se manifestent ces intolérances alimentaires ? »

Le passage du lait de mère au lait de vache peut, dans certains cas, déclencher des réactions spectaculaires telles que des vomissements graves, ou bien présenter des manifestations plus discrètes caractérisées par un retard de croissance, entraînant de toute manière un très mauvais état général de l'enfant (déshydratation, amaigrissement...). Ce dernier ne supporte pas les protéines étrangères, et le médecin prescrit soit un lait dont les protéines ont été rendues moins allergisantes, soit un lait à base de soja ; mais certains enfants sont également allergiques au lait de soja.

S'il s'agit d'une intolérance au lactose, l'enfant présente une diarrhée avec des selles acides ; ses cellules intestinales, souvent en raison d'une cause transitoire, ne fabriquent plus la lactase nécessaire à la transformation du lactose du lait. Le médecin prescrit alors, durant un certain temps, un lait sans lactose.

Les réactions de l'organisme dans le cas de l'intolérance au gluten (protéines du blé, de l'orge, de l'avoine, du seigle) sont :
— un retard de croissance,
— des selles volumineuses et graisseuses.

Le bon état de santé de l'enfant sera rétabli par un régime exempt de gluten et adapté à l'état de sa muqueuse intestinale (voir « Intolérance au gluten », p. 456).

La période de la diversification est une occasion d'introduction de nombreux allergènes. L'allergène est l'élément d'un aliment induisant des réactions de rejet de la part de l'organisme ; les aliments le plus souvent en cause sont le poisson, le blanc d'œuf, les légumineuses (arachide, soja) et les infimes traces de protéines de la tomate, du citron, de la fraise, etc. Les manifestations d'intolérance alimentaire peuvent être extra-digestives, l'enfant peut souffrir d'eczéma, de rhinite, d'asthme, de divers troubles du sommeil. Le médecin planifiera peut-être un régime d'exclusion suivi de tests de réintroduction des aliments suspects.

« Quelles sont les précautions à prendre lorsque l'enfant provient d'une famille d'allergiques ? »

Des précautions de prévention peuvent être prises chez un enfant né dans une famille allergique :
— l'allaiter durant plusieurs mois,
— choisir comme relais du lait maternel un lait peu allergisant (voir tableau des laits, p. 239, où sont indiqués les laits hypoallergéniques ou HA),
— enfin repousser l'âge de début de la diversification et l'accomplir « en douceur ».

« Mon bébé a des rhino-pharyngites, et l'homéopathe a prescrit un régime sans aucun produit laitier. Aura-t-il tout ce qu'il faut pour sa croissance ? »

Un régime sans produit laitier est appauvri en protéines et surtout en calcium. Si votre enfant est encore un nourrisson, le médecin lui aura sans doute prescrit un « lait » de soja choisi parmi ceux enrichis en calcium et adaptés au nourrisson (voir tableau des laits, p. 239).

Si votre enfant reçoit une alimentation diversifiée incluant du lait de soja enrichi en calcium (c'est indiqué sur l'emballage), vous pouvez faire des entremets salés ou sucrés avec le lait de soja enrichi. Si vous donnez du lait de soja courant, il faudra demander au médecin un supplément de calcium sous forme de médicament.

L'enfant trop gros

Dans les pays développés ainsi que dans les classes les plus favorisées des pays pauvres, le nombre d'enfants trop gros grimpe dans des proportions alarmantes. Sur dix enfants américains âgés de six à onze ans, trois sont obèses, dont un de façon telle que sa capacité à bouger avec ses camarades et sa santé future sont mises en danger. Le problème devient d'autant plus préoccupant aux États-Unis que le nombre d'enfants trop gros va croissant : la proportion d'enfants très obèses avait doublé des années soixante aux années soixante-dix.

En France, les enfants gros sont plus rares. Mais, dans ce domaine comme dans d'autres, le modèle américain tend à traverser l'Atlantique, même si c'est avec quelques années de retard : en quinze ans, la proportion d'enfants trop ronds a plus que doublé en France. Aujourd'hui, plus de 12 % des enfants sont trop gros, contre 5 % en 1980 et 3 % en 1965 ; plus inquiétant, le nombre d'enfants très obèses a quadruplé en seize ans, pour atteindre un enfant sur cinquante. L'évolution est donc également préoccupante chez nous, même si le nombre total d'enfants obèses reste encore inférieur à celui des États-Unis.

À votre échelon personnel, voyons comment faire maigrir un enfant trop gros ou, mieux, prévenir une prise excessive de poids chez vos enfants.

Qu'est-ce qui fait grossir les enfants ?

Comme l'adulte, l'enfant grossit lorsqu'il mange plus d'aliments que ce que son organisme est capable d'utiliser, le surplus étant alors stocké dans le corps sous forme de graisse. Plusieurs éléments de notre mode de vie expliquent l'inquiétante progression de l'excès de poids chez les enfants.

D'abord, une baisse de l'activité : les enfants marchent de moins en moins pour se rendre à l'école ; ils restent de plus en plus devant un écran (télévision, console de jeux électroniques ou ordinateur) et délaissent parallèlement les jeux plus physiques. Comme ils bougent moins, ils ont tendance à stocker (sous forme de graisse dans leur corps) plus qu'ils ne brûlent (par l'effort musculaire) les calories fournies par la nourriture.

Ensuite, leur façon de manger : les repas traditionnels, source d'équilibre alimentaire, de rassasiement et de juste poids, laissent de plus en plus la place à des repas déstructurés, souvent trop gras, associés à un grignotage, habituellement trop sucré. Il en résulte une perte des repères pour l'organisme et une prise de poids.

« Pour réduire les risques d'obésité, faut-il dès les premiers mois limiter les quantités de lait que bébé doit boire ? »

Non, ce serait néfaste pour votre enfant, car c'est au cours de ses premières années que son organisme va prendre ses repères pour bien contrôler sa nourriture et réguler son poids. La nature est bien faite. L'enfant est capable très tôt d'adapter instinctivement sa nourriture aux besoins de son corps. Dès les premiers mois, il apprend spontanément à associer le goût et le contenu des divers aliments qu'il est amené à manger. Cet apprentissage biologique et inconscient s'avère fondamental pour se nourrir de façon satisfaisante, pour ne manger ni trop ni trop peu. Chez la majorité des enfants, il se déroule de façon efficace.

« L'attitude des parents face à la nourriture influence-t-elle les risques d'obésité chez l'enfant ? »

Selon une optique psychanalytique, une erreur dans l'interprétation des demandes affectives du nourrisson par la mère pourrait empêcher l'organisme de l'enfant d'apprendre instinctivement à manger selon ses besoins. Si, à chaque crise de pleurs, la mère répond sans discrimination par la présentation de nourriture, le nourrisson considère celle-ci comme une manière de répondre à sa demande d'affection ou de résoudre ses conflits ; avec les années, le même comportement a tendance à se perpétuer.

Pour apprendre à son enfant à bien manger, il faut se garder à la fois du laxisme et d'un excès de dirigisme. Lorsque l'alimentation est toujours visible et toujours disponible, l'enfant est plus enclin à manger trop, par gourmandise. Ainsi, un enfant sera d'autant plus enclin à prendre du poids que sa mère lui donne de l'argent de poche destiné à l'achat de sucreries, qu'elle le laisse en consommer à sa guise ou même qu'elle manifeste une méconnaissance de ses goûts et de sa consommation : lorsque l'enfant sent une certaine indifférence maternelle (et/ou paternelle), il a plus de mal à trouver ses repères. Ce constat vaut pour la nourriture comme pour les autres domaines.

À l'opposé, l'enfant ne parviendra pas à « apprendre » le contenu des aliments et à adapter sa nourriture à ses besoins si ses parents déterminent autoritairement ses portions en ne tenant compte ni de sa faim ni de son rassasiement.

« Si on a peur que son enfant prenne trop de poids, faut-il accélérer le remplacement de l'allaitement par le biberon ou le remplacement du lait par le repas à l'assiette ? »

Sûrement pas. On trouve plus d'obèses parmi les enfants qui ont été nourris au biberon que parmi ceux qui l'ont été au sein : pour doser le volume du biberon, la mère risque de s'attacher moins à l'appétit du nourrisson qu'aux « normes » édictées par le pédiatre ou reproduites sur l'emballage du lait en poudre ; en revanche, alimenté au sein, l'enfant « commande » sa quantité de lait en fonction de ses réels besoins. De même, les enfants nourris précocement à la petite cuillère et aux aliments solides ont tendance à être plus gros ; la volonté de la mère (ou du père) de faire « terminer l'assiette » risque de masquer la faim réelle de l'enfant.

« Faut-il remplacer les féculents par plus de viande et plus de laitages ? »

Surtout pas. Pour sa croissance, l'enfant a besoin de protéines, mais il ne faut par forcer sur les quantités : l'excès de laitages ou de viande (riches en protéines) accélère la maturation du nourrisson et favoriserait la survenue ultérieure de l'obésité. Pour leur part, par leur contenu en glucides lents, les féculents calment bien l'appétit et réduisent ainsi le risque de grignotages. Ce serait donc une erreur de remplacer les associations féculents-viandes ou pain-lait (équilibrées en glucides et en protéines) par un repas apportant plus de laitages ou de viande mais ni pain ni féculent (un tel repas serait trop riche en protéines, trop pauvre en glucides).

« Un changement dans la structure familiale peut-il faciliter la survenue d'une obésité ? »

Certains événements déclenchent parfois une prise de poids : déménagement, séparation entre les parents, naissance d'un petit frère ou d'une petite sœur, décès d'un membre de la famille, etc. La nourriture peut alors être vécue comme un ultime réconfort ; par ailleurs, le spleen risque de conduire à une perte d'intérêt pour les jeux actifs : chacune de ces deux attitudes facilite la survenue de l'obésité.

« Dans une même famille, certains enfants ont-ils plus de risques que d'autres de prendre trop de poids ? »

Oui, même avec une éducation identique, chaque enfant n'a pas les mêmes risques. Il y a d'abord l'hérédité : un enfant peut hériter de ses parents un gène qui le fera moins brûler d'énergie, et donc plus grossir, que son frère et sa sœur. Il y a aussi leurs goûts : ceux qui mangent bien aux repas, sans faire l'impasse sur les légumes, auront moins de risque ; de même, l'enfant physiquement actif (sport, jeux, etc.) est moins exposé que celui qui est plus sédentaire. Par ailleurs, le rang de naissance n'est pas anodin : les cadets d'une famille sont souvent plus lourds que leurs aînés, et les enfants uniques plus souvent obèses que ceux issus de familles nombreuses. En effet, les petits derniers ainsi que les enfants uniques sont souvent particulièrement gâtés, en ce qui concerne les cadeaux mais également souvent la nourriture : ce n'est pas le meilleur service qu'on puisse leur rendre que de leur proposer à manger à longueur de journée.

« L'obésité de l'enfant est-elle plus fréquente dans certaines catégories socio-professionnelles ? »

Les enfants issus des classes sociales dites défavorisées sont généralement plus touchés par l'obésité. Ainsi, les enfants issus de parents ouvriers mangent plus et ont quatre fois plus de risques de devenir obèses que ceux des cadres. Plusieurs mécanismes peuvent l'expliquer :
— une survalorisation de l'aliment qui « tient au corps »,
— une difficulté à obtenir des informations adéquates sur l'équilibre alimentaire,
— les limites du budget consacré aux achats de nourriture,
— un plus grand nombre d'heures passées devant la télévision.

« La génétique peut-elle expliquer l'obésité d'un enfant ? »

Sans manger plus que les autres, certains enfants grossissent parce que leur corps brûle relativement peu de calories pour assurer le maintien de leurs fonctions vitales et la poursuite de leur croissance : parce qu'ils sont naturellement « économes », il leur faudra manger moins, ou bouger plus que les autres pour éviter de devenir obèses.

« Comment savoir si mon enfant a des gènes qui font grossir ? »

On ne connaît pas encore assez bien les gènes de l'obésité pour pouvoir faire une analyse de sang à leur recherche. Il vous reste à observer les familles paternelle et maternelle de l'enfant : si beaucoup de parents sont obèses, il est probable que certains gènes « favorisants » sont présents.

« Est-il vraiment important de faire bouger un enfant ? »

Qu'elle concerne la marche sur le chemin de l'école, les jeux dans la cour de récréation ou le sport au stade et à la piscine, l'activité physique joue un rôle important dans la prévention du surpoids. Lorsqu'on observe un groupe d'enfants au cours d'activités sportives, on s'aperçoit souvent que les enfants obèses se déplacent moins que leurs camarades minces. Il n'est donc pas étonnant que l'augmentation du nombre d'enfants obèses dans les pays développés soit en grande partie liée à un mode de vie de plus en plus inactif.

« La télévision fait-elle grossir ? »

Il semble que oui. Plus un enfant passe d'heures devant la télévision (autant d'heures qui auraient pu être consacrées à un jeu physiquement actif), plus il a tendance à être gros.

La baisse de l'activité physique n'est pas seule en cause dans cette relation entre la télévision et la corpulence. S'y mêlent également :

— Les publicités concernant les aliments destinés aux enfants : il s'agit surtout d'aliments gras ou sucrés consommés plus lors des grignotages qu'aux repas.

— L'ennui ressenti par l'enfant face à cet écran qui l'attire comme un aimant (il y a quelque chose d'hypnotisant dans ce phénomène), mais qui ne le satisfait pas pleinement du fait de la passivité qu'entraîne la télévision. Aussi, pour soutenir son attention devant l'écran, l'enfant s'adonne généralement à une activité annexe. Lorsque cette activité est le grignotage (45 % des personnes grignotent devant le petit écran), la prise de poids n'est jamais bien loin.

— Le manque de sommeil intervient également. Les enfants férus de petit écran dorment souvent peu, ce qui n'arrange rien : lorsque le temps de sommeil est inférieur à onze heures, le risque de prise de poids augmente. Cette relation sommeil-corpulence passe par l'hormone de croissance. Comme son nom l'indique, cette hormone favorise la croissance et elle facilite également la fonte du tissu adipeux ; or le cerveau de l'enfant en fabrique essentiellement au cours de son repos nocturne.

Les remarques faites à propos de la télévision s'appliquent également aux enfants qui passent des heures fixés devant des consoles d'ordinateur ou de jeux vidéo.

« Mon enfant est trop rond. Faut-il le priver systématiquement de la télévision et de l'ordinateur ? »

Sûrement pas. Ce serait une démarche à la fois frustrante et inefficace. L'objectif est plutôt de lui apprendre à utiliser chacune de ces sources de plaisir et de connaissance de façon intelligente, de sélectionner les programmes qui l'intéressent réellement, d'éviter de manger devant l'écran et surtout de ne pas allumer la télévision ou l'ordinateur de façon automatique ou par désœuvrement. Cette démarche vous prendra du temps, amènera peut-être certaines remises en question dans le mode de fonctionnement dans la famille, mais elle sera bénéfique pour votre enfant. De plus, c'est probablement toute la famille, et non seulement l'enfant en question, qui en tirera mieux-être et meilleur équilibre.

« Y a-t-il une relation entre réussite scolaire et obésité chez l'enfant ? »

Les enfants ayant des difficultés scolaires au cours de l'enseignement primaire ont un risque accru de devenir obèses à l'âge adulte. Comment expliquer cette relation ? C'est probablement le manque de sommeil et l'excès de télévision qui tous deux favorisent à la fois échec scolaire et prise de poids. Par ailleurs, dans un monde qui érige en vertus cardinales la réussite professionnelle et l'esthétique de la minceur, le fait d'être trop rond risque de conduire à une autodépréciation, source d'échec scolaire, et inversement.

Notre conseil

Beaucoup d'enfants cumulent certains comportements déstabilisants tels l'absence de repas structurés, des grignotages répétés, un manque d'exercice physique, un excès de télévision ou un manque de sommeil. Il en résulte un cercle vicieux, source potentielle d'échec scolaire et de prise de poids. C'est une remise en cause globale du mode de vie de l'enfant qu'il convient alors d'effectuer, cela avec la participation active de l'enfant.

Quels sont les risques pour la santé qu'entraîne l'obésité chez un enfant ?

La santé de l'adulte obèse est souvent compromise par l'excès de poids. Chez l'enfant, les risques immédiats sont plus rares : l'obésité ne provoque une hypertension artérielle que dans 10 à 20 % des cas ; le diabète ou les troubles du cholestérol sont peu fréquents. De plus, ces troubles disparaissent rapidement lors de l'amaigrissement.

En revanche, l'enfant obèse est souvent gêné pour respirer lors de la marche, de la montée des escaliers ou des jeux ; ces pratiques peuvent être rendues encore plus difficiles par des douleurs du genou, du pied ou du dos. La réduction de l'activité physique, qui en est la conséquence, fait entrer l'enfant dans un cercle vicieux : physiquement gêné (parfois, la gêne est aussi psychologique lorsque ses camarades se moquent de lui), l'enfant gros bouge moins et brûle moins de calories, d'où une prise de poids encore plus importante, etc.

« Un enfant obèse a-t-il des risques de rester gros à l'âge adulte ? »

Pour un enfant obèse, le principal risque pour sa santé concerne non le présent, mais le futur : c'est le fait de rester obèse à l'âge adulte. À sept ans, un enfant n'a qu'une « chance » sur dix de se transformer en adulte obèse s'il a un poids normal, mais quatre sur dix s'il est gros ; autrement dit, 40 % des enfants gros à sept ans le resteront à l'âge adulte. Le risque augmente encore pour un préadolescent : 60 % des enfants gros avant la puberté conserveront leur problème vingt ans plus tard. L'excès de poids chez l'enfant n'est donc pas à prendre à la légère.

« Certaines maladies peuvent-elles être responsables de l'excès de poids de mon enfant ? »

Devant un enfant gros, les parents évoquent souvent un trouble des « glandes », un désordre dans la fabrication des hormones. En réalité, ces maladies sont très rares (moins de 3 %) : lorsqu'elles sont en cause, elles entraînent d'autres anomalies que le surpoids, anomalies qui permettront au médecin de penser au diagnostic. Parmi ces anomalies, on trouve souvent une petite taille.

Encore plus rares sont les obésités de l'enfant liées à une maladie congénitale comme la maladie de Prader-Willi ; celle-ci entraîne un retard mental qui se manifeste dès les premières années de la vie ; puis l'enfant développe un appétit féroce vers deux-trois ans, de jour comme de nuit. Le poids augmente de façon démesurée, d'où des complications médicales à l'âge adulte et un décès survenant souvent avant l'âge de quarante ans.

En revanche, lorsqu'il n'y a pas de maladie à l'origine de sa corpulence (c'est-à-dire dans plus de 95 % des cas), l'enfant obèse est grand pour son âge ; il devient également pubère très tôt : chez les filles, cela se traduit par des règles précoces.

Comment savoir si mon enfant est trop gros ou risque de le devenir ?

Pour détecter précocement le risque de surpoids chez l'enfant, il faut interpréter le poids en fonction de l'âge et de la taille. À la naissance, 17 % du poids du nouveau-né correspond à de la graisse. La première année, cette proportion augmente pour atteindre 25 à 30 % : un enfant de un an de poids normal est joufflu. Elle diminue ensuite régulièrement jusqu'à l'âge de six ans : l'enfant paraît alors maigre. Il ne faut donc habituellement s'alarmer ni sur les rondeurs d'un enfant de un an, ni sur la maigreur d'un enfant de six ans.

Dès la septième année, la graisse corporelle augmente progressivement, peu chez les garçons, plus chez les filles chez qui elle constitue 23 % du poids corporel à l'âge de quinze ans.

Il y a donc un cap vers six ans, âge à partir duquel la corpulence, après avoir baissé de un à cinq ans, va augmenter : on parle de « rebond » de l'adiposité, comme si la quantité de graisse corporelle « rebondissait » après être descendue au plus bas.

« Comment puis-je savoir si mon enfant est trop gros, trop maigre ou juste comme il faut ? »

Les parents ont souvent des difficultés à définir la corpulence de leur enfant, à reconnaître s'il est trop gros, trop maigre ou « juste bien » ; pour y parvenir, l'indice de masse corporelle est utile. Comme chez l'adulte (voir p. 41), il est égal au poids (en kg) divisé deux fois par la taille (en m) ; ainsi, un enfant pesant 14 kg et mesurant 91 cm a un indice de masse corporelle égal à :

$$\frac{14}{(0,91) \times (0,91)} = 16,9 \; kg/m^2$$

En fonction de l'âge, la proportion de graisse corporelle change, comme nous l'avons vu ; ces modifications sont reflétées par des variations dans l'indice de masse corporelle. Sur les figures qui suivent, la ligne du milieu représente l'indice de masse corporelle moyen en fonction de l'âge : il est maximal à un an (entre 17 et 18 kg/m^2), diminue ensuite progressivement pour atteindre un minimum vers six ans (15 kg/m^2) ; ensuite, il s'élève à nouveau : c'est le « rebond ».

Pour évaluer si votre enfant est corpulent ou non, il vous faut donc d'abord calculer son indice de masse corporelle, soit à l'aide d'une machine à calculer, soit à l'aide du schéma page 42. Ensuite, reportez la valeur que vous avez trouvée sur la figure située page suivante.

Ne croyez pas que, pour qu'un enfant ait un poids « normal », son indice de masse corporelle doive se situer juste sur la ligne du milieu. Certains enfants sont un peu plus ronds, d'autres un peu plus minces, sans que cela constitue un quelconque problème. En fait, si l'indice de masse corporelle d'un enfant se situe entre les lignes « minimum souhaitable » et « maximum souhaitable », il n'y a pas lieu de s'inquiéter : sa corpulence reste dans les limites habituelles. Les choses se compliquent si l'indice s'écarte de cette zone ; situé au-dessous, cela signifie que l'enfant figure parmi les 10 % des enfants les plus maigres du même âge ; au-dessus, il fait partie des 10 % les plus gros. Par exemple, un garçon de deux ans pesant 13 kg pour une taille de 84 cm a un indice de masse corporelle égal à 19 kg/m². Lorsqu'on se reporte à la figure page 447, on situe l'enfant parmi les garçons les plus gros du même âge. Il faut alors le surveiller en calculant tous les six mois son indice de masse corporelle.

« Mon enfant a deux ans et il est beaucoup trop rond. Y a-t-il quelque chose à faire pour lui éviter d'être un enfant obèse ? »

Chez un enfant gros à deux ans, les choses vont souvent s'arranger d'elles-mêmes ; l'âge auquel l'enfant cesse de maigrir et s'arrondit est habituellement tardif chez les enfants qui étaient gros dans la petite enfance : il survient vers sept-huit ans (au lieu des six ans habituels) comme si la graisse corporelle perdait alors l'avance qu'elle avait prise durant les premières semaines. Mais ces propos optimistes ne doivent pas vous empêcher d'être attentive, en suivant les conseils des pages qui suivent.

« Quand doit-on s'inquiéter ? »

Suivre régulièrement la corpulence de son enfant par l'indice de masse corporelle est prudent ; deux situations doivent particulièrement faire craindre un risque de surpoids se maintenant à l'adolescence puis à l'âge adulte : celle du petit enfant gros qui a un rebond d'adiposité survenant avant l'âge de six ans ; et celle du petit enfant (gros ou mince) dont le rebond survient avant l'âge de cinq ans : la détection d'un rebond trop précoce évoque un risque d'obésité chez un enfant encore maigre.

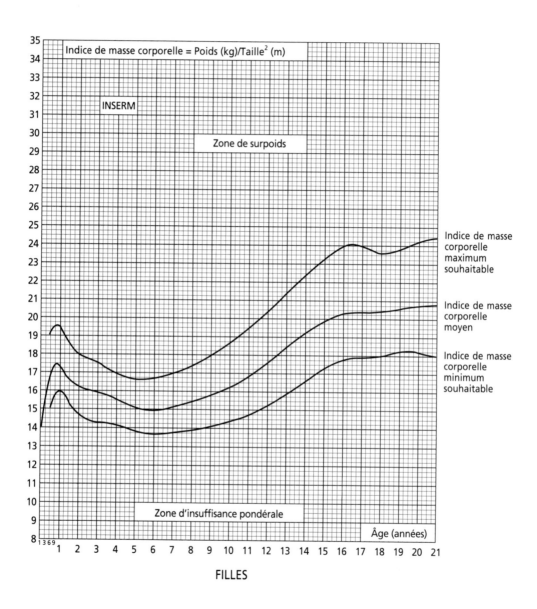

Évolution de la corpulence au cours de la croissance
(d'après M.-F. Rolland-Cachera)

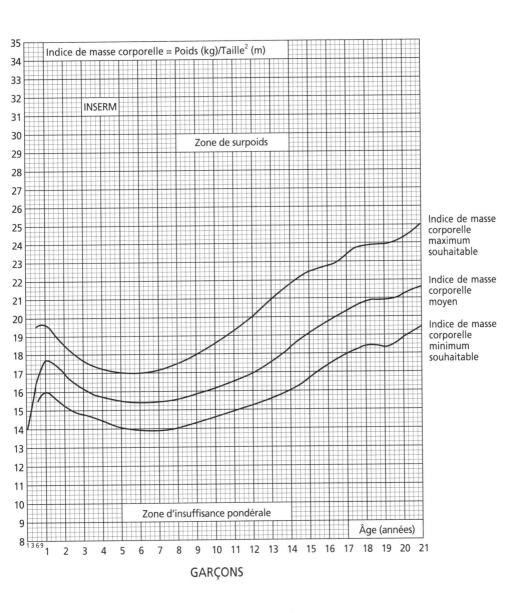

Évolution de la corpulence au cours de la croissance
(d'après M.-F. Rolland-Cachera)

« L'obésité a-t-elle la même signification chez la petite fille et chez le petit garçon ? »

On a tendance à mieux accepter une obésité chez un petit garçon que chez une petite fille. Or les parents devraient être au contraire plus vigilants lorsque leur enfant trop gros est de sexe masculin. En effet, l'excès de poids des premières années se prolonge au cours de l'adolescence et de l'âge adulte plus fréquemment chez les jeunes garçons que chez les jeunes filles. Chez ces dernières, les modifications de la silhouette liées à la puberté ont tendance à remettre les compteurs à zéro : une petite fille obèse peut devenir une adolescente de poids normal, et inversement pour une petite fille mince.

Autre raison pour se préoccuper de l'excès de poids d'un garçon, les complications à l'âge adulte : la présence d'un surpoids pendant l'adolescence élève les risques de décès précoce et de certaines maladies (notamment cancer de l'intestin, infarctus, attaque cérébrale à l'âge adulte), et ce même lorsque le poids est redevenu normal.

Comment faire maigrir un enfant trop gros ?

Avant six ans

Les régimes restrictifs sont vivement déconseillés avant l'âge de six ans, car ils sont nuisibles pour le développement physique et psychique de l'enfant. Il vaut mieux choisir les aliments de votre enfant que d'en limiter les quantités.

Les enfants gros mangent généralement moins d'aliments riches en glucides (féculents, pain, fruits) que les enfants minces, mais plus d'aliments gras (beurre, huiles, plats gras, frites, chips, biscuits, fromages, viandes ou charcuteries grasses).

Comme pour l'adulte, les aliments gras sont les plus susceptibles de faire grossir un enfant, et ce sont donc surtout eux qu'il faut surveiller. Vous vous efforcerez également d'éviter que votre enfant ne grignote (en particulier des aliments sucrés) entre les repas et ne boive des boissons sucrées, deux habitudes souvent responsables de prise de poids à cet âge.

En revanche, vous pourrez généralement laisser l'enfant manger à sa faim les féculents, le pain, les légumes, les fruits, la viande, le poisson. Il faut, par ailleurs, cuisiner avec peu de matières grasses, tout en conservant un peu d'huile, importante pour le développement de votre enfant.

Après six ans

Si votre enfant reste ou devient gros après l'âge de six ans, il conviendrait à la fois d'améliorer sa façon de manger et d'augmenter son activité physique : c'est la meilleure manière pour qu'il s'affine en douceur et reste mince ensuite. Les régimes stricts restent à éviter, car ils seraient mal supportés et dangereux pour sa croissance. En revanche, certains conseils s'avèrent utiles.

■ Le petit déjeuner est important : à défaut, l'enfant mange trop aux repas suivants et risque de grossir plus facilement. L'association d'un laitage demi-écrémé et du pain ou des céréales (peu sucrées) est une bonne solution.

■ Pour les collations, à 10 heures et au goûter, on préférera un laitage et un fruit (banane, pomme), riche en fibres et en fructose, qui calment l'appétit, à une pâtisserie ou à des biscuits, souvent trop gras et trop sucrés pour son objectif minceur.

■ Au déjeuner et au dîner, il faut commencer le repas par des aliments importants pour l'équilibre nutritionnel de l'enfant, le rassasiant bien, mais peu susceptibles de le faire grossir : potage ou crudités, avec du pain s'il le souhaite. L'enfant ayant faim, il les prendra sans faire d'histoires, même s'il les aime modérément. En revanche, on ne servira pas les aliments gras (saucisson, friands, quiches, pizza, etc.) en début de repas, car ils sont tellement appréciés qu'ils seraient consommés en trop grande quantité à un moment où l'enfant a particulièrement faim.

■ L'entrée est facultative, et l'enfant peut fort bien commencer son repas par le plat principal, composé, si possible, à la fois de :

— féculents (pâtes, riz, pommes de terre, semoule, maïs, blé concassé, légumes secs, etc.), riches en glucides pour le rassasier et lui donner de l'énergie pour ses muscles et son activité intellectuelle,

— légumes (carottes, tomates, épinards, haricots verts, champignons, etc.) que votre enfant appréciera mieux si vous les lui proposez, non pas à la place, mais avec des féculents,

— un petit morceau de viande ou de poisson, ou encore un œuf ou du fromage (râpé ou non),

— une petite dose (5 à 10 g) d'huile (soit une à deux cuillères à café) ou de beurre (une à deux noisettes).

■ Le produit laitier n'est pas indispensable à chaque repas si l'enfant en prend trois par ailleurs (petit déjeuner ou collations). Il est souhaitable de privilégier les yaourts nature et le fromage blanc à 20 % de matières grasses plutôt que les crèmes desserts ou les fromages, plus gras.

■ Pour le dessert, proposez-lui le plus souvent un fruit ou une compote. Ne le forcez pas à prendre un fruit entier ; pour un enfant, un quart ou une demi-pomme sont suffisants, ne forcez pas son appétit. Votre enfant peut également ne pas prendre de dessert, ou, à l'inverse, s'octroyer une pâtisserie une fois par semaine.

■ Le pain ne doit pas être prohibé, pour autant que sa consommation reste modérée. Comme les féculents, le pain fournit essentiellement des glucides lents et des protéines végétales. Sa présence au menu de l'enfant est surtout importante quand le repas ne comporte pas de féculents.

■ Pour ce qui est des boissons, une seule est indispensable : l'eau. Les sodas et les jus de fruits sont déconseillés : ils favorisent le stockage de graisse. Il faut les réserver pour certaines occasions (anniversaire, goûter de fête), mais ne pas en avoir en permanence chez soi.

■ Les édulcorants n'augmentent pas la sensation de faim chez l'enfant ; cependant, il est préférable de ne pas en abuser, car ils risquent de perturber l'apprentissage que réalise inconsciemment l'enfant en associant le goût d'un aliment à son contenu réel. Plutôt que de remplacer systématiquement le sucre par un édulcorant, il vaut mieux habituer votre enfant à manger peu sucré et à apprécier d'autres saveurs ; néanmoins, une boisson ou un yaourt sucrés ou édulcorés, de temps en temps, ne portent guère à conséquence (voir aussi p. 367).

« Faut-il interdire les chewing-gums ? »

Les chewing-gums habituent l'enfant à avoir la bouche pleine, conduisant en leur absence à la recherche de nourriture. Mieux vaut donc les éviter.

« Faut-il limiter les quantités ? »

Rappelons que c'est plus sur le choix des aliments que sur leur quantité qu'il faut agir, afin de ne pas frustrer l'enfant : une viande peu grasse et/ou une cuisson à la vapeur sont mieux acceptées que la limitation des cuillerées de pâtes ou des morceaux de pain.

« Faut-il limiter l'accès à la nourriture ? »

Si vous souhaitez que votre enfant perde du poids, il vous faudra bien définir avec lui les moments où il peut avoir accès à la nourriture.

Certains enfants vivent dans un foyer où la nourriture est en permanence visible et accessible (dans le réfrigérateur, les placards), où elle constitue le centre des discussions et où les aînés mangent tout au long de la journée : ces enfants ont tendance à manger plus que ceux qui vivent dans une famille où la nourriture n'est pas au centre des préoccupations, où l'on ne mange qu'aux heures des repas et seulement ce que proposent les parents.

Le premier modèle correspond à ce qui se passe aux États-Unis, où les grignotages et les en-cas pris au fast-food ont remplacé les trois repas habituels ; le second correspond au modèle français et méditerranéen, où les repas sont structurés et à heures fixes, avec peu de grignotages entre les repas. Le nombre d'obèses est supérieur parmi les enfants américains que chez les jeunes Français ; cela illustre bien les effets respectifs de ces modèles alimentaires sur la corpulence des premières années. Il est particulièrement intéressant de noter que les chercheurs américains eux-mêmes conseillent d'éviter la façon de manger en vogue dans leur propre pays. L'avenir dira si les jeunes Français résisteront à l'américanisation de leur nourriture.

Recommandations à faire à un enfant trop gros (et à ses parents)

— Limiter l'apport lipidique (voir p. 56).
— Limiter l'apport d'aliments ou de boissons sucrés, surtout entre les repas.
— Autoriser les desserts sucrés en fin de repas.
— Éviter les boissons sucrées pendant ou entre les repas.
— Privilégier les féculents.
— Assurer un apport protéique (voir p. 52) mixte (animal et végétal).
— Favoriser une alimentation riche en fibres (voir p. 62).
— Instaurer des horaires relativement fixes des repas.
— Éviter les grignotages.
— Proposer fruits et/ou laitages au goûter.
— Commencer les repas par un aliment qui calme bien l'appétit mais fasse peu grossir (pain + crudités, potage ou féculents + légume vert).
— Privilégier le petit déjeuner.
— Manger assis, à table, sans télévision.
— Manger lentement.
— Réduire les heures passées devant la télévision (et autres écrans...).
— Augmenter l'activité physique : marcher pour aller à l'école, jouer plutôt que regarder la télévision, faire du sport, se promener les week-ends, etc.

« Que faire pour les autres membres de la famille ? »
Toute la famille a un rôle à jouer autour de l'enfant qui veut mincir. Pour éviter les tentations, de nombreux aliments (chips, bonbons, biscuits, boissons sucrées) doivent être absents (ou presque) de la maison ; de même tous « profiteront » de l'allégement des préparations culinaires. Aux frères et sœurs, aux parents d'accepter ces contraintes, tout du moins pour les repas pris en commun.

« J'aimerais que mon enfant maigrisse, mais je ne sais pas très bien comment lui présenter les choses. Dois-je me montrer très ferme ? »

L'attitude de la mère est particulièrement importante, puisque c'est elle qui achète, prépare et présente la nourriture ; elle ne doit ni se sentir coupable vis-à-vis du surpoids de son enfant, ni présenter le régime avec un excès d'autorité qui irait à l'encontre du but recherché. Seul un enfant motivé parviendra à mincir. Pour y parvenir, à vous de trouver la subtile association de fermeté et de dialogue qui permettra à votre enfant de comprendre et d'adhérer à vos propositions.

« Bouger plus, est-ce vraiment important pour un enfant qui a besoin de maigrir ? »

L'activité physique tient une place primordiale. Elle permet à l'enfant de brûler des calories et donc ses graisses, de penser à autre chose qu'à la nourriture, d'être mieux dans son corps ; elle peut se dérouler en famille ou en groupe, sur un stade ou en forêt. Le sport est idéal pour remplacer les heures passées devant la télévision ; comme on l'a déjà dit, celle-ci favorise la prise de poids tant par le grignotage provoqué par l'ennui ressenti devant certains programmes que par la sédentarité et la passivité qu'elle suscite.

« Faut-il avoir recours à un psychologue ? »

Dans certains cas, la prise de nourriture constitue pour l'enfant une manière d'exprimer et de soulager temporairement le stress, l'ennui ou encore un défaut de communication avec sa famille ou ses camarades. Discutez-en avec lui, parlez-en avec votre médecin ou au pédiatre : ces deux attitudes sont souvent suffisantes pour arranger les choses. Mais, en cas d'échec des premières tentatives, n'hésitez pas à en parler à un psychologue ; celui-ci, en fonction du problème, pourra proposer une thérapie familiale ou une thérapie comportementale.

La thérapie comportementale cherche à remplacer des attitudes préjudiciables par des comportements plus adéquats ; elle se déroule habituellement par groupes de quatre à huit enfants, animés par un psychologue. Elle est utile chez les enfants qui mangent non par faim mais en réponse au stress ou à l'ennui : en comprenant mieux les raisons de leurs propres attitudes, ils sauront davantage se maîtriser et perdront plus facilement du poids.

« Faut-il voir un médecin ? »

Sûrement. Avant de prendre la décision de faire maigrir votre enfant, parlez-en à votre médecin ou au pédiatre. C'est indispensable pour :
— s'assurer de l'absence de maladie à l'origine de la prise de poids,
— évaluer l'amplitude de l'excès de poids,
— bénéficier de certains conseils plus spécifiquement adaptés au cas précis de votre enfant.
Pour les problèmes spécifiques à l'adolescence, voir page 569.

Les facteurs mis en cause dans la prise de poids chez l'enfant

Habitudes alimentaires
— Réponse systématique de la mère aux besoins affectifs du nourrisson par l'intermédiaire d'une présentation de nourriture
— Diversification précoce (lorsqu'on donne au nourrisson des aliments autres que le lait trop tôt)
— Laxisme ou dirigisme excessif de la part des parents
— Surconsommation calorique globale
— Surconsommation lipidique
— Surconsommation protéique
— Faiblesse des apports glucidiques (notamment des féculents)
— Disparition du petit déjeuner
— Exagération du déjeuner ou du dîner
— Remplacement des trois repas par des épisodes répétés de grignotage

Occupations
— Nombre d'heures passées devant la télévision (et autres écrans)
— Faible activité physique
— Mauvais résultats scolaires
— Réduction du temps de sommeil

Facteurs génétiques
— Excès d'insuline
— Baisse des dépenses énergétiques
— Troubles de l'appétit

Quelques exemples de maladies relevant d'une diététique spécialisée

Toutes les maladies qui sont présentées ici relèvent d'un traitement médical et diététique très précis qui devra être mis en place et suivi par des spécialistes.

Le diabète

Le diabète, plus précisément le diabète sucré, est une maladie due à une déficience du métabolisme des glucides, lié soit à un déficit d'insuline, soit à une résistance anormale de l'organisme à cette hormone. Il y a plusieurs types de diabète, celui dont les enfants sont atteints est le diabète insulinodépendant. Dans ce cas, le pancréas ne fabrique plus, ou presque plus, d'insuline. La conséquence est un excès de glucose dans le sang et les urines, qui conduit à un amaigrissement et à une grande soif.

Le traitement consiste à fournir l'insuline manquante sous forme de piqûre au moins deux fois par jour.

Le régime de l'enfant diabétique doit être celui de l'enfant bien portant, en veillant expressément à ce qu'il comprenne quatre repas et une collation ; le nombre de repas varie avec le type d'insuline. L'alimentation comprend de tout, comme il est indiqué au tableau des familles ou groupes d'aliments (tableau, p. 608 et 609). Elle est de préférence peu grasse, riche en pâtes, riz, pain, céréales et légumes ; les fruits et desserts sucrés ont place en fin de repas mais non entre les repas ou collations. Les sucres purs ne sont pris seuls (sirop, confiture...) que lorsqu'ils jouent le rôle de médicament soignant l'hypoglycémie (l'hypoglycémie est une baisse anormale du glucose dans le sang) ; elle se manifeste habituellement par un malaise.

Le traitement de l'enfant diabétique est un traitement à vie qui nécessite confiance et collaboration entre, d'une part, l'équipe soignante (médecin, diététicien, infirmière) et, d'autre part, l'enfant et sa famille. Le but des soignants est de rendre l'enfant autonome afin qu'il mène une vie proche de celle des bien portants.

Une association peut vous informer :

Aide aux jeunes diabétiques (AJD), 3, rue Gazan, 75014 Paris.

Les intolérances aux protéines de lait de vache

C'est une maladie relativement fréquente chez le nourrisson, mais qui disparaît en général vers l'âge de deux ans. Elle se manifeste de manière spectaculaire ou discrètes : accès de pâleur ou cyanose, éruption cutanée, problèmes respiratoires, vomissements, diarrhée, mauvaise prise de poids.

Ces signes disparaissent avec la suppression des protéines de lait de vache, c'est-à-dire que le bébé ne prendra plus les classiques « préparations pour nourrissons » que propose l'industrie, ni tout produit fait avec du lait ou du fromage. L'idéal est de donner du lait de mère, si cela n'est pas possible, le médecin prescrira des produits de remplacement.

L'usage des laits à base de *soja* est en général déconseillé, car l'enfant peut être en même temps allergique au soja.

Attention, de nombreux aliments infantiles et de grande consommation (farines, potages, desserts, gâteaux...) contiennent des protéines de lait de vache ; cela est indiqué sur l'emballage qu'il faudra donc examiner soigneusement.

L'intolérance au gluten

On l'appelle aussi « maladie cæliaque ». L'enfant n'a pas faim, ne grandit et ne grossit plus régulièrement, ses selles sont abondantes et graisseuses, il a le ventre ballonné. Il faut consulter le médecin. Lorsque celui-ci aura mis en évidence la maladie grâce à des examens spécifiques, il prescrira un régime sans gluten.

« Qu'est-ce que le gluten ? »

Le gluten est une fraction des protéines du blé, de l'orge, de l'avoine et du seigle. L'enfant ne pourra prendre aucune des farines ou plats tout préparés faits avec ces graines, et ils sont très nombreux : céréales diverses, entremets salés ou sucrés, pâtisseries, biscuits secs, etc. Il faut donc très attentivement lire les étiquettes indiquant les éléments entrant dans la composition du produit.

Il existe de nombreux produits sans gluten vendus en magasins spécialisés. La liste peut en être obtenue auprès de l'Association française des intolérants au gluten (AFDIAG), 5, rue du Professeur-Renault, 75013 Paris. Cette association fournit en outre des recettes.

« Que faut-il faire ? »

Les féculents permis à ces enfants sont essentiellement le riz et le maïs, les pommes de terre et les légumes secs utilisés tels quels ou sous forme de farines, de pâtisseries, d'entremets ou de plats salés. Les informations pratiques sont données par les diététiciens des services hospitaliers de pédiatrie.

L'intolérance au lactose

En général, à la suite d'une infection intestinale, l'enfant a une diarrhée qui s'arrête lorsqu'on supprime le lait : c'est la suppression du lactose (glucide ou « sucre » du lait) qui est efficace, car, pour un temps, le lactose ne peut être utilisé par l'organisme.

Le médecin prescrit du lait sans lactose, du lait fermenté, des yaourts et vous demande d'éliminer de l'alimentation de votre enfant tous les produits contenant du lait. En général, tous les fromages, sauf le fromage blanc, sont autorisés, car ils ne contiennent plus que des traces de lactose. Tout cela sera expliqué par le médecin et le diététicien.

La mucoviscidose

Cette maladie, encore appelée « fibrose kystique du pancréas », est caractérisée par un déficit des sécrétions pancréatiques. Ce déficit a pour conséquence une mauvaise digestion-transformation des graisses, des protéines et des glucides et, à long terme, un amaigrissement et un retard de croissance. Il y a aussi une atteinte pulmonaire.

L'enfant doit être suivi dans un service spécialisé. Du point de vue nutritionnel, le traitement que prescrira le médecin est à base d'extraits pancréatiques permettant un régime riche en calories, normal en graisses et en protéines, enrichi en vitamines et minéraux.

La phénylcétonurie

Il s'agit d'une maladie génétique dans laquelle un acide aminé nécessaire à la vie s'accumule dans le sang, puis passe dans les urines. Cet excès est néfaste pour le système nerveux central en cours de maturation. Il est donc impératif de commencer le traitement le plus tôt possible dans la vie afin d'éviter les lésions neurologiques. C'est possible en France, puisque a été mis en place un dépistage systématique durant les premiers jours de la vie : il consiste en une simple petite prise de sang au talon du bébé.

Le traitement, qui est délicat, est mené dans un service spécialisé : il est uniquement diététique. Il sera prescrit au nourrisson un lait dont les protéines sont complètement transformées ; lorsque viendra l'âge de l'introduction des farines, des fruits et des légumes, *des instructions précises vous seront données*. La viande, le poisson, les œufs, les fromages seront bannis.

Si une femme phénylcétonurique désire avoir un enfant, elle devra suivre un régime approprié avant la conception et le continuer pendant la grossesse.

Les maladies rénales

Elles sont diverses : certaines ne relèvent d'aucune diététique spéciale, d'autres nécessitent une restriction des protéines du régime en diminuant les quantités de viande, de poisson, d'œuf, de fromage, de lait, ainsi qu'une baisse des apports en certains minéraux tels que le sodium, le potassium. Tout cela sera précisé par le médecin et le diététicien d'un service spécialisé.

Si l'enfant souffre d'une hypertension (tension sanguine trop élevée) ou bien s'il est traité par certains médicaments à base de corticoïdes, il devra suivre un régime pauvre en sel (le terme « pauvre en sodium » serait plus juste). Ce régime implique la suppression des aliments avec ajout de sel (pain salé, jambon, aliments servis à l'apéritif). Il nécessite le remplacement des plats tout prêts ou des conserves classiques (spéciales bébé ou non) par des produits frais ou surgelés non cuisinés ou des conserves sans sel ajouté.

L'aspect gustatif est amélioré par l'utilisation d'herbes aromatiques et de condiments « sans sel ».

De la petite
enfance
à l'adolescence

De la petite
enfance
à l'adolescence

De la petite

enfance

à l'adolescence

De la petite enfance à l'adolescence

De la petite enfance à l'adolescence

De la petite enfance à l'adolescence

De la petite enfance à l'adolescence

Le corps, ses transformations et ses besoins :
comprendre

■

Croissance et plaisir : bien manger au quotidien

Le corps,
ses transformations
et ses besoins :
comprendre

■

Après la petite enfance et avant l'adolescence, le développement en poids et en taille continue, mais pas au rythme fantastique de la première année de vie. C'est une période plus calme, qui précède la grande accélération de croissance se manifestant vers l'âge de treize ans chez les filles et de quatorze ans chez les garçons, au moment de la puberté.

L'observation du rapport entre le poids et la taille (indice de masse corporelle [IMC], consigné dans les carnets de santé depuis 1996, voir p. 446 et 447), entre quatre et sept ans permet déjà de prévoir quelle sera la corpulence de l'adulte. En effet, celle du bébé, après avoir atteint un maximum à l'âge de neuf mois, diminue régulièrement jusque vers six ans, chez la plupart des enfants français. Ensuite, à partir de six ans, elle augmente à nouveau – c'est ce qu'on appelle le « rebond » –, et se stabilise en fin de croissance. Si la reprise survient nettement avant six ans, c'est un signe de risque de future obésité. De nombreux petits enfants américains ont ce rebond vers cinq ans, et l'on sait combien l'obésité affecte lourdement la population des États-Unis. Rappelons que la question de l'enfant gros est traitée en détails page 437 à 453.

La période de l'enfance qui va de quatre ans à l'adolescence est un moment où les parents sont souvent moins vigilants sur les questions alimentaires, alors qu'il faut continuer à veiller à l'équilibre des enfants qui sont encore en grande partie sous la dépendance de la famille. Mais c'est aussi la période durant laquelle les enfants ont une véritable soif de connaissances, et où ils mémorisent de façon incroyable tout ce qu'on veut bien leur transmettre. Ils font pleinement confiance à leurs éducateurs, et il faudra donc trouver toutes les bonnes occasions, à la maison et à l'école, pour informer l'enfant sur quelques principes nutritionnels de base qui lui serviront toute sa vie durant.

Comme chez le nourrisson et le petit enfant, l'alimentation de l'enfant plus grand doit répondre à plusieurs objectifs :

— assurer la croissance des organes, du squelette et des muscles, le développement du cerveau,

— construire les défenses immunitaires,

— et établir des réserves énergétiques pour l'activité physique.

Le meilleur moyen pour assurer un apport convenable en chacun des nutriments, des sels minéraux et des vitamines, indiqué à l'annexe 4 page 611, est de fournir une alimentation variée. Nous en avons vu les principes. Ils s'appliquent ici encore.

Croissance et plaisir : bien manger au quotidien

■

Les aliments

Les quantités utiles de produits d'origine animale

▪

➤ *Les produits laitiers*

Le principe selon lequel il est souhaitable d'en consommer à chaque repas reste valable, mais soulignons que les apports conseillés en calcium ne sont pas très augmentés. Ils passent de 600 mg pour un enfant de un à trois ans à 700 mg quand il a entre quatre et neuf ans, puis à 1 000 mg.

Il n'est pas nécessaire de faire des calculs savants. Le jour où il y a eu de l'emmenthal, de la béchamel, une crème en plus d'un produit laitier à chaque repas, l'apport en calcium sera élevé et compensera les jours où le choix des produits laitiers sera limité aux fromages frais ou à pâte molle (moins riches en calcium, voir p. 347).

Il est vrai que, si le choix est toujours limité aux fromages frais ou à pâte molle, il est difficile d'apporter la quantité de calcium souhaitée. Que faire ? Trouvez des recettes où l'incorporation du fromage dans les plats, l'utilisation de béchamel permettent d'enrichir le repas en calcium. Pensez au croque-monsieur, au gratin, à cette bonne sauce Mornay (béchamel au gruyère). Il est bien évident que, si un repas ne comporte pas de produits laitiers, ceux-ci peuvent être servis entre les repas, aux autres repas ou encore les jours suivants.

➤ *Les autres produits d'origine animale*

Comme au chapitre précédent, la quantité de viande, de poisson ou d'œuf à consommer complète la part de protéines apportées par les produits laitiers.

L'équivalence suivante peut être utilisée :

À retenir

40-50 g viande/abats = 40-50 g poisson = 1 œuf

Les quantités à proposer, indiquées dans le tableau ci-dessous, vont sans doute paraître petites. Il n'est pas nécessaire d'en donner plus, même s'il est habituel d'en consommer plus.

Quantités journalières de viande, de poisson ou d'œuf de quatre ans à l'adolescence[a]

enfants de 4 à 6 ans : 60-80 g
enfants de 7 à 9 ans : 100-120 g
enfants de 10 à 12 ans : 120-150 g

a. Aliments crus et sans déchets.

« Quels sont les inconvénients à donner plus de viande ou de poisson à un enfant ? »

Manger plus ou beaucoup de viande, de poisson ou d'œuf se fait au détriments d'autres aliments : l'alimentation devient ainsi moins variée. Insensiblement, l'enfant va s'habituer à satisfaire son appétit avec de grosses portions de viande, de poisson, ou d'œuf, et le choix des aliments va se réduire, ce qui participe à l'excès de protéines ou de matières grasses.

« Lorsqu'un enfant mange au restaurant scolaire et qu'on n'est pas sûre des quantités de viande qu'il a consommées, peut-on en prévoir pour le dîner ? »

Votre enfant prend son repas au restaurant scolaire. S'il est à la maternelle, les quantités proposées sont de l'ordre de 60 à 70 g, c'est suffisant pour la journée. S'il est à la « grande école », sa portion de viande varie entre 80 et 100 g. Il est possible de prévoir un complément le soir.

Mais peut-être vous dites-vous : « Je ne suis pas sûre qu'il mange bien sa viande à midi, je vais lui en donner un bon morceau le soir ; ainsi, il aura ce qu'il faut. »

Il est probable que ce sera excessif, et insensiblement l'enfant en consommera trop, aux dépens des autres aliments. Mais il est vrai que nourrir sa famille une fois par jour le soir et ne pas prévoir cet aliment « noble » qu'est la viande ou même, sous une forme réputée « moins noble », le jambon, le poisson ou l'œuf, peut être frustrant. Il faudrait simplement commencer à habituer vos convives à des quantités moins importantes, en surveillant le poids acheté lors de vos courses et en ajustant les parts en fonction de chaque âge.

La présence utile de produits d'origine végétale

➤ *Les féculents, les céréales et le pain*

Commençons par les féculents qui sont souvent mal aimés par les tenants des notions obsolètes du « manger diététique », alors qu'ils sont très appréciés par les enfants. En fait, ce sont les enfants qui ont raison, car ces produits riches en amidon sont d'excellents carburants. Ils sont une réponse aux dépenses d'énergie qui augmentent à mesure que votre enfant grandit. Sous différentes formes, ils doivent être de *tous* les repas.

En réfléchissant, vous constaterez que le pain fait partie de tous les repas, qu'il est le compagnon du fromage et le véhicule des gâteries (confiture, miel, pâte à tartiner aux noisettes, chocolat). Il n'y a pas de raison de le limiter, sauf si la consommation excessive se fait au détriment d'autres aliments ou en dehors des heures de repas.

Quant aux autres sources d'amidon, comme les pommes de terre, les pâtes, le riz, les légumes secs, ils participent alternativement avec les légumes au déjeuner et au dîner. L'enfant peut également en prendre à ces deux repas s'il n'oublie pas pour autant d'y associer un légume au moins une fois par jour.

➤ *Les légumes et les fruits*

Les légumes sont les « trop aimés » des tenants des notions obsolètes du « manger diététique » et les mal aimés des enfants. Si c'est le cas, pensez à leurs jumeaux nutritionnels que sont les fruits. Dans le cycle végétal, le fruit est l'aboutissement de l'évolution. Nous avons pris l'habitude de consommer, dans des recettes salées, des racines, des tiges, des feuilles, des fleurs. Mais nous mangeons des tiges sucrées, la rhubarbe.

Parmi les fruits, tous issus d'une fleur, certains se mangent salés (haricots verts, petits pois, tomates, courgettes...) et d'autres sont des desserts (fraises, pommes, cerises...). Certains fruits sont utilisés comme entrée : le melon, le pamplemousse...

En utilisant du frais et du surgelé, on oublie les saisons, mais on gagne en diversité disponible à tout moment. Les végétaux sont avec les autres aliments la clé de voûte d'une alimentation variée.

Vous trouverez certainement une solution pour que votre enfant croque et déguste, sous n'importe quelle forme, quelques-uns de ces produits. Ce sera d'autant plus facile qu'il en aura pris l'habitude plus jeune et qu'à la maison tout le monde le fait, que ce soit durant le repas, avant ou après, peu importe le moment exact.

« Quelles sont les quantités à consommer quotidiennement ? »

Nous ne voulons pas donner de chiffres précis. En général, les enfants ne mangent jamais de grandes quantités de légumes verts cuits. Un trop gros volume risque, quelques rares fois, d'accélérer le transit intestinal au point d'occasionner une diarrhée. Les fruits, pour leur part, sont plus appréciés, et il peut arriver qu'un enfant mange jusqu'à l'indigestion des cerises ou des fraises.

La seule limite supérieure est que fruits et légumes ne doivent pas prendre totalement et régulièrement la place des produits laitiers et des féculents. Nos conseils porteraient plutôt sur des fréquences minimales à respecter.

> **Notre avis**
> Il est bon que les enfants s'habituent à consommer au moins deux crudités par jour sous forme de légumes ou de fruits, et aussi deux portions de légumes et de fruits cuits.

« Mon enfant ne mange strictement aucun légume vert. Dois-je m'inquiéter ? Risque-t-il de manquer de certaines vitamines ? »

Observez bien durant quelques jours tout ce que mange votre enfant au cours de la journée et le soir : vous constatez qu'il ne prend aucun légume vert cuit. Peut-être imite-t-il tout simplement ce que fait son père ! Ou bien peut-être l'avez-vous trop forcé à en manger de telle sorte qu'il les déteste.

Il faut essayer quelques trucs. Par exemple, il peut arriver que votre enfant aime beaucoup le jus de légumes, servi en apéritif comme font les grands. Ce qui craque sous les dents et a de belles couleurs est amusant à croquer : de jolis radis tout roses, des bâtons de céleri-branche, des lamelles de champignons crus, des feuilles d'endives ou d'épinards crus, des rondelles de poivrons verts et de concombres, des choux râpés, ou bien des petits cubes de tomate, peuvent lui plaire. Peut-être votre enfant n'aime-t-il pas la vinaigrette familiale, alors qu'il préfère des légumes nature, ou apprécie de les tremper lui-même dans une sauce un peu épaisse comme une sauce faite avec du fromage blanc, une petite quantité de moutarde ou de citron et de l'huile d'olive, ou autre.

En observant de près l'alimentation de votre enfant durant plusieurs jours, vous avez peut-être constaté que celui-ci mangeait des fruits ; voilà qui est parfait. Il aura ses fibres, ses minéraux, de la vitamine C et du carotène grâce aux fruits. S'il ne veut pas de fruits en tant que tels, proposez-lui des jus, il serait étonnant qu'aucune variété de jus de fruits ne lui plaise : le jus ne contient pas les fibres mais une bonne partie des vitamines et des minéraux des fruits.

Légumes et fruits se remplacent l'un l'autre, mais si votre enfant ne prenait réellement aucun de ces deux types de végétaux, il faudrait en parler au médecin pour qu'il prescrive les vitamines qui pourraient manquer, en particulier la vitamine C et le carotène (voir p. 614 et 615).

Boissons et desserts sucrés

➤ *Les boissons*

L'eau devrait être la principale boisson de l'enfant et la seule présente à table. Malheureusement, les habitudes ont considérablement changé en quelques décennies.

Une enquête menée auprès de plus de deux cents enfants de sept à neuf ans montre que 61,4 % boivent une boisson type eau avec sirop, ou type soda ou fruité et que 21,3 % en ont fait leur boisson unique. Donc, *un enfant sur cinq ne boit jamais d'eau pure.*

Se réhabituer à boire de l'eau pour se désaltérer est parfois difficile. Si vous vous trouvez confrontée à cette situation, que faire ? Ne plus acheter de boissons sucrées est sans doute efficace, mais que de reproches en perspective ! N'avoir pas commencé à en prendre l'habitude aurait été l'idéal, mais il est trop tard. Il serait certainement plus astucieux d'expliquer pourquoi l'eau est meilleure, et, insensiblement, l'enfant décidera de ses nouveaux choix. Mais c'est beaucoup plus facile à dire qu'à mettre en pratique ! La solution serait alors de proposer un compromis en utilisant de l'eau parfumée sans sucre ; certaines marques d'eaux minérales, parfois pétillantes, en proposent, parfumées au citron, à l'orange ou à la menthe (Volvic, Perrier).

Bien entendu, occasionnellement, lors d'une fête, la boisson sucrée, devenue exceptionnelle, sera bienvenue et aura vraiment un caractère festif.

« Un enfant peut-il de temps en temps boire un peu de vin dans un verre d'eau ? »

Le vin est un liquide très complexe : il contient de l'eau, de l'alcool, des sucres, des acides, des sels minéraux, un tout petit peu de vitamine B ; le vin rouge contient également des tanins.

À propos d'alcool, lorsqu'on dit qu'un vin est à 11° ou 11 %, cela signifie que sa teneur en alcool est de 110 g par litre. L'alcool éthylique du vin est absorbé au niveau de l'estomac et de la partie initiale de l'intestin ; il passe dans le sang et doit être éliminé. Une faible partie est évacuée par les poumons, et la plus grande partie est transformée par le foie aux dépens de substances particulièrement utiles à l'organisme.

Une à deux cuillères à soupe de vin qui rougit occasionnellement l'eau d'un verre d'un repas apporte environ 3 g d'alcool.

> **Notre avis**
> Dans des moments de fête, vous pouvez sans grand risque proposer à un enfant de l'eau parfumée avec du vin ou un fond de verre de champagne pour trinquer avec les adultes, tout au moins si votre enfant apprécie cette pratique.

« Que faut-il penser de la bière sans alcool, du cidre faiblement alcoolisé ? »

Les bières normales contiennent 3 à 6 % d'alcool, celles sans alcool ont moins de 1 % d'alcool (en général 0,8 g pour cent, soit 1,2 g pour un verre de 15 cl). Ces dernières plaisent parfois aux enfants, notamment s'ils vivent dans un milieu où l'on aime boire de la bière.

Le cidre normal, s'il est doux, contient 2 à 3 % d'alcool (soit 3 à 4,5 g pour un verre) ; s'il est sec, il en contient 5 %. Boire de temps en temps un petit verre de bière sans alcool ou de cidre doux ne pose pas de problème particulier pour un enfant.

« Que penser de ces nouvelles boissons type Prémix et Alcopops ? »

Les Prémix sont des sortes de cocktails, mélanges d'alcool et de Coca-Cola, ou de Schweppes, ou d'autres boissons plus ou moins sucrées. Ils sont vendus en canettes de 25 et de 33 cl et contiennent environ 5 % d'alcool : ainsi, une canette de 33 cl apporte 16 g d'alcool, ce qui est nettement trop pour un enfant.

Les Alcopops sont un mélange d'alcool et de sirop vendus en bouteilles. Ils sont aussi dangereux que les précédents.

« Quels sont les inconvénients des boissons au cola ? »

Le cola, ou kola, provient d'une graine d'Afrique tropicale. La noix de cola est le fruit du colatier. Le cola est apprécié pour son action tonique liée à sa teneur en caféine et différents autres excitants. La caféine est un stimulant du cœur, inutile à un enfant bien portant. C'est pourquoi ce type de boisson, sans être interdit, doit être limité.

Dans une boisson mondialement connue, le cola est associé à la coca extraite des feuilles d'une plante poussant au Pérou et en Bolivie. La coca apaisait la fatigue des Indiens, calmait leur faim. Elle est à l'origine de la cocaïne, anesthésique toxique s'il est utilisé hors d'un cadre médical.

« Que penser des boissons au cola sans caféine ? »

Il s'agit d'une boisson sucrée dont le goût est prisé par beaucoup et détesté par quelques-uns. Comme son nom l'indique, elle ne contient pas de caféine donc pas d'excitant.

En revanche, elle apporte environ l'équivalent de trois morceaux de sucre pour un verre, soit 7 à 8 morceaux de sucre par canette de 33 cl, et présente donc les inconvénients liés à tout type de boisson sucrée (voir p. 404).

« Vaut-il mieux donner de l'eau minérale, de l'eau de source ou de l'eau du robinet ? »

L'information donnée pour les enfants plus jeunes demeure valable ici (voir p. 253 et 254). L'eau du robinet est partout potable, sauf avis spécial de la mairie.

Sachez que le goût chloré que l'on peut rencontrer disparaît si on expose à l'air, durant une heure, la bouteille d'eau ouverte ou la carafe.

Si vraiment l'eau du robinet n'est pas appréciée, vous pouvez donner à boire de l'eau en bouteille.

« Que faut-il penser des jus de fruits ? »

Nous avons longuement évoqué le sujet aux pages 295 et suivantes.

➤ *Les desserts*

Autrefois, les desserts se composaient de fruits, de gâteaux, de tartes ou d'entremets. Aujourd'hui, il existe toute une gamme de nouveaux desserts. Le choix est immense, en particulier dans les rayonnages des supermarchés présentant les produits laitiers. Leurs emballages chatoyants, amusants, les jeux ou gadgets qu'ils comportent sont une grande tentation, et ce n'est pas un hasard s'ils sont positionnés à la hauteur des yeux des enfants. Il n'est pas étonnant que l'enquête de consommation citée plus haut ait relevé une nette augmentation de la consommation de ces desserts. Il est vrai que varier l'alimentation est un souci permanent. Avec ces produits, les goûts sont multiples, les plaisirs différents.

Nutritionnellement, ils sont des sources de calcium, de protéines comme les autres produits laitiers. Mais il faut savoir qu'ils apportent, en plus, du sucre en quantités certainement plus grandes que si vous utilisiez des laits fermentés, des yaourts ou des fromages blancs « basiques ».

Si vous optez pour la solution qui consiste à donner à votre enfant des produits lactés peu sophistiqués, vous pourriez prévoir un petit choix de gâteries (miel, gelée, confiture, compote, crème de marron, coulis de fruits, sirop de fruits...) afin que l'enfant choisisse le parfum et la couleur de son dessert qu'il préparera lui-même. Il aura ainsi fabriqué son plat. Il est vrai qu'il peut trouver plus simple d'ouvrir des barquettes de petits-suisses déjà tout prêts que de transvaser dans une coupelle du fromage blanc et d'y ajouter une cuillerée à café de sirop de cassis ou de confiture d'abricots... mais essayez quand même. Cela sera d'autant plus facile que vous l'aurez déjà habitué à ce genre de recettes « faites maison ».

On pourrait aussi suggérer que les desserts industriels soient choisis les jours où un petit ami vient déjeuner. Ce serait la fête. D'autre part, il faut bien souligner que le produit « basique » coûte deux à trois fois moins cher (au kilo) que le produit élaboré, surtout s'il est conditionné en petites barquettes.

> **Notre conseil**
> Essayez d'apprendre aux enfants à apprécier la saveur d'aliments non sophistiqués ou de produits qu'ils auront, en partie, préparés eux-mêmes.

➤ *Les confiseries*

Quand on demande à un enfant de citer les aliments qu'il aime, il évoque les glaces, les frites, le Nutella®, mais pas les bonbons ou la confiserie. Pour l'enfant, ce ne sont pas des aliments. Les caramels, la gomme, la réglisse, les fondants, les pastilles, colorés et savoureux représentent des objets de gourmandise investis d'un poids symbolique et affectif très fort. Les sucreries sont l'enjeu de beaucoup de passions. Elles sont souvent le moyen pour les enfants de se témoigner estime et amitié réciproques. Elles sont la punition ou la récompense. Elles sont enfin synonymes de réconfort, de douceur et de plaisir. Et, comme on l'a vu, elles sont aussi, hélas, vecteurs de caries, si à leur consommation n'est pas associée une bonne hygiène bucco-dentaire. En fonction des quantités consommées, il faut également savoir qu'elles risquent de prendre la place d'aliments vraiment utiles à l'organisme et de favoriser une prise excessive de poids.

« Mon enfant est un véritable « bonbonvore », que faire ? »

Ne le sevrez pas d'un plaisir. Mais peut-être qu'en banalisant la consommation de sucreries vous parviendrez à diminuer sa charge affective. Ainsi, les bonbons ne seront plus l'objet d'un chantage ni la compensation à un petit chagrin. Vous pouvez, par exemple, tous les jours après un repas, proposer une confiserie : ce sera pour l'enfant son « petit plaisir », comme vous prenez le vôtre avec un « petit café ». Puis on se lave les dents.

Une autre idée : un jour de la semaine, en accord avec l'ensemble de la famille, on décide que c'est la journée libre en sucreries de toutes sortes. Et vous aurez la surprise de constater rapidement que, pendant cette journée, les enfants n'en mangent pas tant que cela. En revanche, les autres jours, vous êtes ferme : « On attend samedi. »

Reste le problème de l'argent de poche et des sucreries achetées pour partager avec les amis. Il est fréquent d'associer les sucreries à des usages sociaux fondés sur le don ou les circonstances festives, alors que la consommation solitaire est réprouvée, culpabilisante. L'enfant qui mange seul ses bonbons achetés avec son argent est sans doute un gourmand solitaire qui cherche un réconfort ; lui parler, comprendre ce qui ne va pas et le rassurer suffiront souvent pour réduire ce besoin de sucreries. À l'opposé, se situe l'enfant qui achète des bonbons pour les partager. Avec ce dernier, vous pourriez trouver d'autres choses à partager ou à donner. Il y a actuellement sur le marché tellement de petits objets aux modes passagères et différents selon les âges qu'il est assez facile d'éviter les bonbons.

À retenir

Il ne faut pas interdire les boissons sucrées, les desserts industriels, les confiseries, mais les considérer comme des aliments occasionnels et non quotidiens, en quelque sorte les acteurs de la fête. Comme pour nous lorsque nous sablons le champagne.

Les quatre grands moments de la journée

Les menus indiqués plus loin concernent l'enfant âgé de six ans et plus ; entre quatre et six ans, les quantités de viande, de poisson ou d'œuf sont plus petites (voir p. 468), mais le choix des autres aliments est identique.

Si, pour l'enfant de quatre à six ans, vous prévoyez la totalité de la part de poisson ou d'œuf pour le déjeuner, il n'est pas question, au dîner, de dire au petit : « Tu ne dois pas manger de viande (ou, suivant le cas, de poisson ou d'œuf) », mais plutôt : « Tu as eu un petit morceau parce que tu es plus petit. » Le jour des lasagnes, des crêpes et du flan de courgettes proposés dans les menus ci-après, le petit de quatre-six ans mange en fonction de son appétit, ce qui augmente les apports en protéines. La semaine suivante, vous prévoirez, pour lui, des parts plus petites à midi. Ainsi, sur quinze jours, l'apport en protéines sera respecté.

Il est aussi tout à fait possible que les quantités de viande, de poisson ou d'œuf conseillées page 468 soient réparties sur les deux repas, et chacun prend ainsi l'habitude de consommer et de se satisfaire de morceaux de taille moyenne. Nous savons que ces morceaux paraîtront petits à beaucoup, étant donné les habitudes alimentaires actuelles.

Une série d'exemples de quatre repas de la journée d'un enfant âgé de six ans et plus est donnée au tableau ci-contre.

Le petit déjeuner

Peut-être votre enfant a-t-il encore son cher biberon, et vous êtes rassurée, à juste titre. Mais proposez-lui petit à petit des tartines qui vont devenir une habitude aussi nécessaire que le lait.

Il arrive que certains enfants n'aiment plus le lait chaud du matin. Il n'y a aucun inconvénient à ce qu'ils prennent un jus de fruits à la température qu'ils préfèrent, éventuellement glacé, ou encore un thé très léger ou tout simplement un verre d'eau. Si votre enfant ne boit pas de lait, il faut veiller à ce que ce manque de calcium soit compensé par du fromage, ou un yaourt à ce repas ou à un autre moment de la journée.

EXEMPLES DE MENUS D'UNE SEMAINE POUR UN ENFANT À PARTIR DE 6 ANS.

	Lundi	Mardi	Mercredi	Jeudi	Vendredi	Samedi	Dimanche
Petit déjeuner	Lait chocolaté Brioche confiture	Lait chocolaté Tartines de pain beurrées	Thé Biscottes au fromage fondu	Yaourt aux céréales Fruit de saison	Toast au cantal Jus de fruits	Lait parfumé Croissant	Lait aux céréales Banane
Déjeuner avec pain et, en boisson, de l'eau	Frisée aux lardons Foie d'agneau Purée de pommes de terre Fourme Fruit de saison	Taboulé Bœuf à la mode Carottes vichy Saint-marcellin Fruit de saison	Betteraves vinaigrette Rôti de porc Lentilles Mimolette Fruit de saison	Chou bicolore Rôti de veau Printanière de légumes Édam Fruit de saison	Champignons en salade Saumonette Épinards béchamel Brie Poires au sirop	Carottes râpées Poulet rôti Risotto Flan nappé de caramel	Salade riz et maïs Filet de merlan au fenouil Cantal Fruit de saison
Goûter	Yaourt Cake	Lait parfumé Gâteau au chocolat Fruit de saison	Fromage blanc Banane	Lait parfumé Tartines de pain au miel	Yaourt à boire Pain viennois Chocolat	Pain à la mimolette Fruit de saison	Lait parfumé Pain Chocolat
Dîner avec pain et, en boisson, de l'eau	Salade soja carottes Dindonneau à la printanière île flottante	Salade de tomates Lieu sauce armoricaine Pommes de terre persillées Bleu de Bresse Quetsches au sirop	Potage campagnard Omelette Ratatouille Camembert Fruit de saison	Salade de concombres aux olives Lasagnes Yaourt Compote d'abricots	Potage tomate cerfeuil Crêpes aux fromages et au jambon Morbier Fruit de saison	Radis Flan de courgettes au comté Banane	Salade mâche betterave Steak haché Pâtes tricolores Fromage blanc Fruit de saison

« Mon enfant refuse de manger au petit déjeuner. Je glisse un biscuit dans son sac pour qu'il le mange à l'école. Est-ce suffisant ? »

Si le matin il ne peut pas ou ne veut pas prendre de petit déjeuner, et que vous lui donnez un biscuit qu'il mangera en allant à l'école, sachez que cela ne constitue pas un petit déjeuner satisfaisant. Il est vrai que, tant qu'un enfant va à l'école maternelle, les parents sont rassurés, car, dans la matinée, du lait et souvent des gâteaux sont prévus pour les jeunes élèves. Mais pensez que, lorsqu'il rentrera en cours préparatoire, il risque de ne pas avoir de collation, et donc de rester à jeun toute la matinée.

Les sept règles d'or du petit déjeuner

— Habituer l'enfant à prendre un petit déjeuner à la maison, composé au moins d'un produit laitier et d'un aliment riche en amidon (pain, céréales, biscuits).
— Lui donner le temps de prendre son petit déjeuner.
— Rendre agréable ce premier repas de la journée.
— Le vivre ensemble (certes, il existe des contraintes horaires qui ne facilitent pas la réunion de la famille le matin).
— Se convaincre qu'il vaut mieux dormir vingt minutes de moins et prendre le petit déjeuner.
— Si vous ne prenez pas de petit déjeuner vous-même, habituez-vous à manger avec votre enfant.
— Accepter ses caprices sur la composition du petit déjeuner pour préserver l'envie de manger.

« Faut-il rationner les enfants qui mangent d'énormes petits déjeuners ? »

Si votre enfant dévore le matin, ne le rationnez pas, à condition toutefois qu'il ne se « jette » pas uniquement sur les aliments sucrés.

Si ce petit déjeuner important se passe en fin de matinée, il est probable que l'appétit sera bien faible à l'heure du déjeuner : l'enfant mangera moins. À vous de lui proposer moins que d'habitude, et, s'il se sert seul, de le faire réfléchir aux volumes qu'il se sent apte à consommer. Il vaut mieux qu'il apprenne à gérer son appétit.

Le déjeuner et le dîner

Leurs structures sont les mêmes que celles indiquées aux périodes précédentes. C'est au cours de ces repas que quelques difficultés peuvent se présenter.

➤ *L'enfant qui n'aime plus les légumes*

L'enfant qui mangeait bien ses légumes ne les aime plus. Si vous lui demandez ce qu'il désire, il répondra « des nouilles, des frites ». Pourtant, vous ne souhaitez pas lui en donner tous les jours.

Beaucoup d'enfants, à cet âge-là, n'aiment plus ce qu'ils appréciaient quelques semaines auparavant : ils trient les aliments connus et inconnus, ils les examinent, les goûtent avec grimaces et, parfois, ils les recrachent. Un tel comportement peut transformer le repas en conflit, en séances de chantage. Ce serait dommage ! Il est sans doute préférable de modifier certains jours la structure des repas, en abandonnant les plats de légumes (alternative des féculents) pour une augmentation des rations de fruits. Les principes de l'alimentation variée seront respectés puisque, nutritionnellement, les légumes et les fruits peuvent quasiment se substituer les uns aux autres.

Et puis obliger un enfant à manger des endives cuites qu'on a peut-être aimées seulement à l'âge adulte, c'est un peu oublier sa propre enfance. Ne croyez-vous pas qu'une bonne salade d'endives peut en outre remplacer avantageusement les mêmes endives cuites ?

De toute façon, il vaut mieux momentanément trouver une solution, au prix même de l'abandon de quelques principes, pour que le repas soit un moment de plaisir à être ensemble, de joies à partager, d'échanges, et non l'heure des conflits et tensions.

➤ *L'enfant qui n'aime plus la viande*

L'enfant peut aussi passer par une période « végétarienne ». Il ne veut plus de viande et garde pendant des heures sans l'avaler une bouchée « mâchouillée » dans sa joue. Vous pouvez déjà vous demander si vous ne lui donnez pas trop de viande par rapport aux quantités conseillées. Cette vérification faite, si c'est le refus, ne le forcez pas et optez pour une augmentation du nombre de produits laitiers ou d'œufs, ou encore pour du poisson.

Ces dégoûts ou aversions sont souvent passagers. Il est évident que faire un plat de viande et un autre plat, pour celui qui ne l'aime pas, complique bien les préparations et augmente le temps passé à faire la cuisine. Par ailleurs, la famille pourrait manger moins souvent de la viande et plus de poisson ou de fromage, ou même des préparations à base d'œufs. Le repas est non seulement un partage de plats, mais aussi un échange d'émotions, de tendresse, de complicité.

➤ *L'enfant qui ne mange plus à table*

L'autre difficulté est l'enfant qui ne mange rien à table. À chaque repas, c'est la même comédie : votre fils ou votre fille touche à peine à son assiette. Il est essentiel de prendre conscience de ce que l'enfant mange entre les repas : il se sert peut-être seul dans le réfrigérateur, il engloutit peut-être des barres chocolatées, des sucreries ; savez-vous s'il boit des sodas (dans un verre, il y a l'équivalent de quatre ou cinq morceaux de sucre n° 4), des jus de fruits, grignote des gâteaux... ? Tout cela coupe l'appétit et explique pourquoi l'enfant ne mange pas à table.

Il est donc souhaitable qu'au tout début d'une telle situation (elle peut commencer plus tôt) vous n'acceptiez pas de laisser votre enfant manger ou boire (sauf de l'eau pure) quoi que ce soit, alors qu'il a refusé son repas. Il faut être ferme et lui faire attendre le repas d'après, en avançant peut-être un peu son horaire. Il ne faut pas « craquer » en donnant des friandises. S'il a véritablement faim, il ne l'oubliera jamais et fera désormais en sorte de ne plus se retrouver dans cette situation.

Il arrive que ce grignotage existe même avec des repas pris normalement. C'est en général quand les enfants s'ennuient et passent des heures devant la télévision. On peut penser que, si les repas sont pris sans problème, il n'y a pas lieu de s'inquiéter. C'est en partie vrai, mais l'habitude de grignoter s'installe, et, ultérieurement, une surconsommation peut se développer, porte ouverte à la surcharge pondérale. S'il est vraiment difficile pour votre enfant de s'abstenir, il faudra opter pour le grignotage des crudités nature : on croque une tige de céleri, des bouquets de choux-fleurs, des radis, des concombres... plutôt que des chips, du chocolat, des biscuits.

Le goûter

Le goûter au cours de l'après-midi est utile. C'est l'occasion de manger des produits laitiers, des produits céréaliers et des fruits. C'est aussi l'occasion de se retrouver chez soi et de se faire un petit plaisir après une journée d'école.

➤ L'enfant affamé à la sortie de l'école

Vous allez chercher votre enfant à l'école, et il meurt de faim. En attendant d'arriver à la maison, offrez-lui des fruits à croquer : cela devrait pouvoir supprimer l'envie d'entrer dans une boulangerie pour acheter le traditionnel pain au chocolat, comme le font beaucoup de parents. Votre enfant risque de se sentir différent des autres, alors, prévoyez un détour par la boulangerie seulement de temps en temps.

➤ L'enfant seul à la maison

Comment faire si les enfants sont seuls à la maison ? La solution consiste à mettre à leur disposition ce que vous souhaitez qu'ils consomment. Ne faites pas des stocks de gâteaux, ni de sodas, ou de boissons aux fruits, sauf pour les jours de fête, bien évidemment. On peut espérer que, si vous leur avez donné l'habitude (sans contrainte) de consommer différentes sortes de pain plutôt que des biscuits, de se désaltérer avec de l'eau plutôt qu'avec des boissons aux fruits, vos enfants seront moins tentés par les biscuits et les sodas...

➤ L'enfant qui goûte à l'école

L'enfant doit emporter son goûter parce qu'il reste à l'étude, par exemple. Il faut que ce qu'il emporte puisse être conservé à température ambiante (restant toute la journée dans le cartable).

Afin qu'il ait des produits laitiers, la petite boîte de lait UHT, les portions de fromage préemballé sont une bonne solution. Les fromages au lait pasteurisé étalés sur le pain ou à croquer en sont aussi une. Mais les autres produits laitiers (laits fermentés, yaourts, fromages blancs) devant être maintenus à une température inférieure à 4 °C, sont à éviter.

Ajoutez à cela, de temps en temps, des biscuits, une part de pâtisserie sans crème (s'il y a de la crème, elle doit être conservée au réfrigérateur), mais surtout une base de pain tartiné de beurre, de produits sucrés, etc.

➤ L'enfant qui goûte à la maison en présence d'un adulte

Cet adulte, c'est peut-être vous ou une grand-mère ou une autre personne. Le goûter est souvent classique, comme on l'a décrit plus haut, mais la présence d'un adulte qui aime « gâter » les enfants rend le goûter plus séduisant. Vous faites des tartes, des gaufres, ou vous les faites faire à l'enfant et à ses copains, etc., et vous associez ces pâtisseries maison à du lait nature, fermenté ou parfumé ; c'est du reste un bon goûter.

Apprendre à « bien » manger

Quand apprendre à bien manger

La période qui va de trois ans jusqu'à l'adolescence est le grand moment des acquisitions scolaires, de l'envie d'apprendre, de plaire au maître, aux parents ; les enfants sont prêts à écouter ce que disent les adultes, à les imiter. C'est un des précieux moments de la vie dont il faut profiter pour faire l'éducation de l'enfant. Dans le cadre de ce livre, nous nous limitons bien évidemment à l'éducation nutritionnelle, qui du reste est souvent le reflet des rapports parents-enfants. Dans la mesure où l'éducation de l'enfant passe par ce que disent et font les parents, les maîtres, dans la mesure où, souvent, les mères ont appris à bien se nourrir, elles peuvent être les premières initiatrices des bases de la nutrition, au même titre que les éducateurs de jeunes enfants puis les instituteurs.

Au chapitre précédent ont été évoqués la notion de goût, la mise en place des goûts, les refus de la nouveauté chez l'enfant de un à trois ans (p. 383). À la période qui nous intéresse, l'influence des pairs se fait toujours sentir : l'enfant découvre ses camarades, mais à cette influence s'ajoute celle, très nette, des aînés qu'on admire.

L'avis des enfants sur la question

Que savent les enfants ? Comment se comportent-ils vis-a-vis de l'alimentation ?

Une intéressante étude[1] menée en 1993 et publiée en 1997 vient d'être menée sur presque mille enfants français âgés de neuf à onze ans.

Ce travail portait sur les comportements, les croyances et les connaissances des enfants en matière de nutrition. Voici rapidement ce qui en ressort.

■ Aliments et santé : les enfants savent parfaitement qu'il y a un lien entre aliments et santé. Par ailleurs, ils perçoivent comme essentiels pour la santé les laitages, les fruits et les légumes puis les viandes. Les qualités nutritionnelles des féculents continuent donc à être mal connues.

■ Leurs préférences sont classiques pour leur âge : d'abord et surtout les féculents, les sucreries et les pâtisseries. Les aliments qu'ils préfèrent ne sont pas ceux qu'ils considèrent comme bons pour la santé.

---

1. C. Michaud, « L'enfant et la nutrition : croyances, connaissances et comportements », *Cahiers de nutrition et de diététique*, 32, 1, 1997.

■ Les sources de connaissances des enfants sont les parents, les instituteurs, le médecin et la télévision. Les mères, principales informatrices, associent au mot « nourriture » des notions positives, comme le fait d'être ensemble, de partager, avant de la considérer comme une « nécessité biologique ».

■ Les repas comme rite : à cet âge, les enfants sont sensibles au rituel de la vie familiale : ils sont attachés à la structure classique de quatre repas par jour. 86 % d'entre eux affirment préférer prendre leur repas en famille, et 68 % apprécient moins de manger au restaurant scolaire malgré la présence des copains. L'absence du petit déjeuner est très rare ; la plupart des mères et des enfants ont intégré les messages sur l'importance du premier repas de la journée. Le goûter, moment de liberté après les contraintes de la journée de classe, est le repas préféré des neuf-onze ans. Sa délicieuse anarchie pourra être un terrain d'action pour les éducateurs, comme l'est, depuis plusieurs années, le petit déjeuner.

L'éducation nutritionnelle

L'éducation nutritionnelle est bien souvent uniquement *informative* ; c'est nécessaire, mais pas suffisant chez le jeune enfant, la connaissance par les sens étant primordiale au cours du développement.

➤ *L'éducation par les sens*

Une notion est actuellement plus mise en valeur : c'est le *rôle du plaisir* et de la *découverte*. Cela donne naissance à une action pluridisciplinaire. Chez les quatre-six ans, il faut commencer par le « B.A.BA » : connaître les noms des aliments, les observer, les toucher, les sentir, les goûter. À cet âge, l'enfant engage tout son corps dans ses découvertes : il palpe, il admire les couleurs gaies… La nutrition, ou plus simplement ici l'alimentation, se prête particulièrement à une connaissance par les sens.

C'est l'âge où le maître, ou la maîtresse, ou les parents enmènent l'enfant au marché, à la ferme voir un potager et des animaux, ils lui montrent les différents aliments et expliquent d'où ils viennent. On peut aussi utiliser des aliments en pâte à modeler, miniatures ou non, que l'on a modelés ensemble, ou bien des aliments que l'on a dessinés ensemble ou bien découpés et collés sur du carton : ils initient aux formes et aux couleurs mais pas aux odeurs ni aux saveurs comme le feraient de vrais aliments.

La culture du *goût* s'acquiert dès la naissance, et même avant…

À l'instigation de Jacques Puisais, fondateur de l'Institut du goût à Tours, se mettent en place des écoles du goût offrant des solutions simples et concrètes pour apprendre aux enfants « à jouer en virtuoses du clavier délicat des sensations » et à s'ouvrir à toutes les cultures. Un jour viendra peut-être où parents et éducateurs ne diront plus : « Elle se gave de gâteaux et de sucreries », « Il refuse le poisson ou les légumes », « Il avale un litre de soda », et « Le ketchup-frites est son seul bonheur ! » Reprenons la phrase de Jacques Puisais : « Faire de votre enfant un gastronome ? Pourquoi pas. Mais ne l'oublions jamais : son goût se construit toujours à travers ce que l'adulte offre. »

C'est d'abord avec vous, parents, que votre enfant apprend à manger même lorsqu'il va en classe. Votre petit raconte ce qu'il a mangé à l'école, ce que le maître lui a dit des aliments, et vous, parents, vous êtes attentifs à ce que votre enfant rapporte de l'école. Ainsi, les échanges et les messages éducatifs s'établissent tout naturellement entre vous et l'école.

Les parents doivent être intégrés à l'action des éducateurs. Nous recommandons à cet égard l'excellent livre *Dis-moi et mange*, de D. Arcucci-Ponchet.

➤ *L'éducation nutritionnelle un peu plus « intellectuelle »*

Connaître les aliments et un peu leur rôle

Les enfants commencent à mieux percevoir ce qui est en dehors d'eux, ce avec quoi ils ont moins de perceptions sensorielles directes. Un des livres de référence pour les éducateurs est *Éducation nutritionnelle : équilibres à la carte* de F. Baudier, L. Barthélémy, C. Michaud, L. Legrand, édité par le Comité français d'éducation pour la santé en 1995.

Il faut non seulement faire connaître les aliments aux enfants, mais aussi leur proposer des explications imagées des *rôles spécifiques des aliments* dans leur corps pour que le comportement alimentaire devienne, d'une certaine manière, conscient.

À l'école, l'enfant apprend à classer les aliments selon certains critères, reconnaissables par des couleurs. Les petits, dès l'âge de quatre ou cinq ans environ, sont capables d'assimiler le principe des groupes d'aliments et de jouer avec les couleurs de ces groupes. Ainsi, ils apprennent à reconnaître :

■ Les aliments bâtisseurs

— le groupe bleu rassemble les produits laitiers (à l'exception du beurre) fournisseurs de protéines et de calcium,

— le groupe rouge concerne les autres produits d'origine animale apportant des protéines : viande, volaille, charcuterie, poisson, œuf.

■ Les aliments protecteurs

— le groupe vert correspond aux aliments vecteurs de fibres, vitamines et minéraux, que sont les légumes et fruits crus et cuits.

■ Les aliments énergétiques

— le groupe jaune représente les matières grasses,

— le groupe marron correspond aux féculents : pain, céréales, pommes de terre, légumes secs, pâtes, riz,

— le groupe noir rassemble les produits chéris des enfants mais non indispensables à la vie de notre corps : le sucre, même celui que l'on ne voit pas, et les sucreries.

■ Enfin L'EAU, l'élément le plus nécessaire à la vie.

Une illustration de l'importance des uns par rapport aux autres est donnée page suivante. C'est la pyramide des groupes d'aliments.

Chaque étage de la pyramide représente l'un des groupes d'aliments ; la longueur et l'épaisseur de chaque bande reflètent la proportion qu'il devrait prendre dans l'alimentation d'une journée.

Pourquoi se nourrit-on ? Que devient ce que nous mangeons ?

Il est important de savoir expliquer aux enfants le rôle de l'alimentation, dans un langage qui leur parle. Voici quelques éléments qui peuvent vous aider.

Notre corps se fabrique à partir de ce que nous mangeons. La nourriture a pour notre corps le même rôle que le soleil et l'eau pour les fleurs. Nous mangeons pour vivre. Pour remuer les bras et les jambes, pour voir avec les yeux ou penser avec la tête. Nous avons tous besoin de manger ; la nourriture, pour nous, c'est comme l'essence que l'on met dans une voiture pour la faire rouler (l'image de la voiture plaît aux enfants).

Ce que nous mangeons se transforme dans notre corps. Les aliments réduits en bouillie passent dans l'estomac, puis dans l'intestin. Les morceaux utiles sont devenus si petits qu'ils peuvent passer à travers les parois de l'intestin et entrer dans le sang.

Le sang circule, il fait tout le tour du corps, il apporte beaucoup d'éléments différents. Certains sont utilisés pour faire de l'énergie, d'autres pour construire le corps.

Comment mettre en pratique ce jeune savoir ?

Vers huit-neuf ans, un enfant « nutritionnellement éduqué » peut parfaitement connaître et pratiquer une juste alimentation, c'est-à-dire à chaque repas choisir :

— un aliment parmi les produits laitiers (du bleu),

— un autre parmi les féculents (du marron),

— un autre parmi les fruits et/ou les légumes (du vert),

— ajouter de la viande, du poisson ou de l'œuf à un repas (du rouge),

— le tout accompagné d'huile et de beurre (du jaune).

L'enfant peut juger si le menu d'une journée est équilibré : il colore en bleu, marron, vert, rouge, jaune les aliments qui sont, soit écrits s'il sait lire, soit dessinés s'il lit mal.

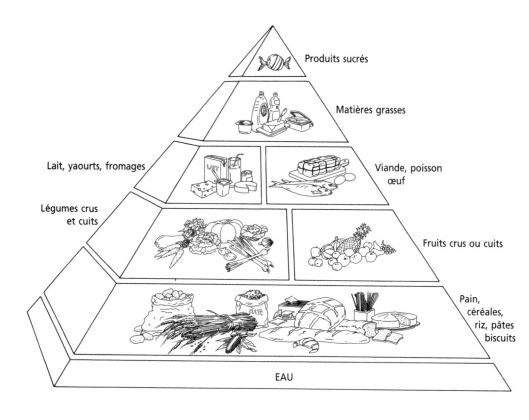

La pyramide alimentaire ou comment se répartissent
les différents groupes d'aliments pour un bon équilibre nutritionnel

Il peut pratiquer avec un éducateur ou un parent des jeux éducatifs spécifiques de l'éveil à la nutrition, tels qu'un jeu des « sept familles », un jeu de l'oie, un jeu de marelle, un jeu de piste, faire son marché avec des aliments miniaturisés, etc. Toutes les informations sont à demander au Comité français d'éducation pour la santé de votre département, le Comité national a pour adresse : CFES, 2, rue Auguste-Comte, 92170 Vanves.

« Et la publicité, comment vivre avec ? »

Elle nous présente un monde beau, plein d'humour, où l'on vit heureux et plein de force. Le jeune s'identifie à cet enfant intelligent, drôle qui déjoue les pièges. Il est très fort, il sort de situations critiques en mettant souvent les rieurs de son côté. Il est séduisant et attire l'admiration.

Pour l'enfant, *ce qu'il voit est vrai*. Il va falloir lui apprendre que le but de la publicité, c'est la vente et non spécifiquement l'enseignement du vrai. Ainsi, une friandise avec un peu de lait et beaucoup de chocolat n'est pas un laitage malgré ce qu'une certaine publicité voudrait faire croire.

Pour résister à l'achat d'un aliment accompagné d'un gadget publicitaire, on peut expliquer à l'enfant que le choix de l'aliment est fait pour lui-même. Quant au gadget, il pourra être acquis dans d'autres circonstances.

Bref, si l'enfant a déjà des connaissances nutritionnelles, il sera plus facile de développer son *esprit critique*. On peut même céder au chant des sirènes publicitaires, mais en étant conscient.

« Notre fils passe son temps à comparer ce qu'on lui donne à manger à ce qui se passe chez son copain préféré. Que faut-il lui répondre ? »

C'est normal qu'il soit influencé par ses pairs, c'est une étape classique de la mise en place de la personnalité, mais, à cet âge, l'enfant est extrêmement marqué par les modèles que proposent les parents et le maître d'école. Il y a un inévitable balancement entre ces deux types d'influence.

Vous pouvez amener à réfléchir votre enfant sur ce que mange son copain et décider ensemble ce qu'il est bon ou non d'imiter.

L'enfant sportif

Votre enfant fait beaucoup de sport ; tous ses loisirs se passent à l'entraînement et à la compétition, aboutissement de tant d'efforts. Bravo ! votre enfant ne passe pas tout son temps devant un écran de télévision ou de jeux. L'exercice physique est un gage de santé, il diminue le risque de surcharge pondérale[1].

Parents, éducateurs et entraîneurs s'inquiètent de l'alimentation avant, pendant et après l'exercice physique.

Les bases de l'alimentation

Les bases de l'alimentation du jeune sportif sont celles dont on a parlé tout au long de ce livre (voir plus spécialement les pages 467 et 471, et les exemples pratiques page 477). Une alimentation d'entraînement est avant tout variée et conforme le plus possible aux principes de l'alimentation normale.

« Que faut-il emporter sur le terrain pendant la demi-journée d'entraînement ? »

De l'eau et des aliments riches en énergie et minéraux, par exemple des dattes, des figues, des pruneaux, des bananes, du pain et du chocolat, des barres céréalières.

« Les jours précédant la compétition, faut-il avoir une alimentation particulière ? »

L'alimentation doit être plutôt riche en féculents (céréales et dérivés, pâtes, pommes de terre, légumes secs), qui vont se transformer en glycogène, le carburant du muscle. Ne prévoyez pas de graisse cuite aux repas et proposez, comme d'habitude, des produits laitiers et des crudités.

« Le jour de la compétition, que faut-il faire ? »

Votre futur champion doit prendre un repas au moins trois heures avant les épreuves, ayant toujours les mêmes caractéristiques. Ce repas doit être riche en nutriments que le muscle utilise aisément, c'est-à-dire en glucides : féculents et fruits, et plutôt pauvre en lipides et en aliments difficiles à digérer par certains, comme les légumes secs, les choux.

---

1. M. Deheeger, M-F. Rolland-Cachera, A.-M. Fontvieille, « Effet bénéfique de l'activité physique et de l'alimentation chez des enfants à l'âge de dix ans. Surveillance à l'âge de douze ans », *L'Information diététique*, 4, 1997.

Si l'activité dure plus d'une demi-heure, comme cela peut être le cas lors d'un match de tennis ou d'une compétition de cyclisme, il peut, au cours de l'effort, consommer quelques fruits secs et il doit certainement boire de l'eau légèrement sucrée avec six morceaux de sucre n° 4 pour un litre, ou mélangée avec un volume équivalent de jus de fruits. Les boissons type sodas sont trop sucrées, et certaines contiennent trop de sels minéraux qui peuvent entraîner des effets néfastes (crampes...). Les boissons « light » sont totalement déconseillées car elles ne contiennent pas de sucre. En raison de leur coût et de leur composition, la plupart des boissons « pour champion » présentent peu d'intérêt.

> Notre conseil
> Il faut boire avant d'avoir soif. Une boisson recommandable : un jus de fruits coupé de moitié d'eau.

« Après une journée de compétition ou d'entraînement, faut-il avoir une alimentation spéciale ? »

Votre jeune athlète revient de sa journée ; il a besoin de *récupérer* en buvant beaucoup d'eau, il se peut qu'il n'ait pas faim du tout pendant douze ou vingt-quatre heures. Son alimentation sera plutôt végétarienne, ce qui lui permettra d'éliminer les toxines.

Si le sport pratiqué est celui proposé à l'école ou au collège, l'alimentation variée que vous lui proposez habituellement convient tout à fait. Il faut seulement le conseiller à propos de ses boissons.

« Que faut-il retenir de la diététique du sport chez un enfant avant l'adolescence ? »

Lorsque l'enfant pratique un sport, ses besoins caloriques sont plus importants. Cependant, ses réserves de base lui permettent d'être parfaitement à l'aise pendant la première heure d'activité. Aussi, pour des efforts non prolongés, n'augmentez pas sa ration : une alimentation variée et équilibrée suffit pour une pratique sportive hebdomadaire et bihebdomadaire.

Si le sport brûle beaucoup d'énergie (natation, ski), vous pouvez augmenter sa ration d'amidon (riz, pâtes, pain, pommes de terre).

« Mon enfant a une pratique intensive car il est entraîné à devenir un futur champion. Que dois-je faire ? »

Ce n'est pas l'entraîneur qui doit avoir le dernier mot. Votre enfant doit être suivi de près par un médecin ; son médecin habituel l'adressera à un médecin du sport, car le sport intense a des effets sur la croissance, la maturation hormonale et osseuse.

Les moments particuliers

Ce sont des moments d'exception où l'on s'autorise un assouplissement par rapport aux principes éducatifs habituels, pour laisser la place à plus de liberté.

Le fast-food

Le bonheur, pour les enfants, c'est d'aller de temps en temps manger au « fast-food », synonyme de fête. On peut y manger avec les mains, on sort du monde des règles des adultes, et, surtout, c'est là que l'on fête son anniversaire avec ses copains. On sait bien que tout y est gras et/ou sucré, mais c'est tellement bon !

Le repas fast-food le plus courant est à base de viande hachée parfumée à la sauce tomate accompagnée de deux rondelles d'oignon et de quelques morceaux de tomate ou de concombre, ou de feuilles de salade entre deux tranches de pain blanc, suivie d'un cornet de frites et d'un grand verre de soda.

« Pourquoi les enfants aiment-ils tant les fast-food ? »

Comme on l'a vu, on transgresse les règles qui régissent habituellement les repas : on mange avec ses doigts, on jette les assiettes et les verres en carton, on boit avec une paille.

Par ailleurs, les chaînes de restauration rapide font tout pour attirer le jeune public : menus enfant présentés dans des boîtes amusantes, cadeaux et gadgets divers, jeux de toboggan, échelles de corde, animations avec clowns et attractions diverses, etc.

Même le fait de manger dans la voiture avec le système de plateau « drive » attire les enfants et certains parents !

➤ *Ce qu'on mange au fast-food*

Au menu spécial enfant, on vous propose :
— un hamburger,
— des frites,
— souvent des croquettes de poulet frites (ou d'autres viandes, ou du poisson),
— parfois du fromage blanc présenté sous forme de bâtonnet,
— ou dessert,
— sodas, milk-shakes en boisson.

Les repas « À la carte »

Là on peut aussi manger :
— des salades,
— des glaces,
— des jus de fruits.

« Que faut-il penser du fast-food ? »

Le repas fast-food ne doit pas être une habitude dans l'alimentation enfantine, mais rester exceptionnel et correspondre à l'inhabituel, à la fête. Le menu du repas suivant ou précédant est prévu en fonction de ce que l'enfant prend au fast-food (voir un peu plus loin).

« Faut-il l'interdire ? »

Ce qui est interdit suscite d'autant plus le désir et la transgression ; c'est pourquoi il vaut mieux contourner, être capable de vivre avec, comme cela est expliqué ici.

➤ *Ce qu'on peut prévoir en complément d'un repas pris au fast-food*

Si les parents prévoient de temps en temps un déjeuner au fast-food, on peut :
— au petit déjeuner, insister sur les produits laitiers et sur les fruits, habituellement absents des fast-foods,
— pour le dîner, prévoir un repas léger en matières grasses et riche en légumes et fruits crus ou cuits (les petites quantités du Mac Do ont bien peu d'intérêt nutritionnel). Donner plutôt du poisson non frit, des produits laitiers, du pain et de l'eau.

Il est à noter que la restauration rapide propose de plus en plus souvent des salades (avec sauce à part) à la place de frites ; mais les enfants choisissent les frites, donc il faut compenser le soir.

Vous trouverez des informations sur la composition des préparations de restauration rapide et des idées de menus complémentant un repas « fast-food » dans les deux tableaux suivants.

COMPOSITION DES PRÉPARATIONS DE RESTAURATION RAPIDE

Groupes aliments	Sandwich jambon-gruyère	Croque-monsieur	Pizza	Hamburger
Produits laitiers	+	+	Peu	Éventuellement
Viande-poisson-œuf	Jambon	Jambon	Anchois jambon-œuf	Viande hachée
Légumes crus	0	0	0	Un peu de légumes crus
Légumes cuits	0	0	Un peu de tomate	0
Féculents	Pain	Pain	Pâte à pain	Pain
Matières grasses	+	+	+	+

Comment compenser à l'autre repas :
— produit laitier : la règle est UN à chaque repas, il faut donc qu'il y en ait obligatoirement un,
— viande-poisson-œuf : suivant l'âge de l'enfant et en fonction des quantités (indiquées p. 468), on prévoit un complément,
— légumes-fruits CRUS : ils sont obligatoires puisqu'il en faut au moins deux par jour,
— légumes cuits : ils sont nécessaires, surtout si on consomme peu de légumes et de fruits CRUS,
— féculents : en accompagnement du fromage et suivant l'appétit,
— matières grasses : éviter de proposer les plats riches en graisses visibles (mayonnaises, fritures, sauces) et en graisses invisibles (charcuterie, certaines pâtisseries et du fromage à plus de 60 % de matières grasses).

EXEMPLES DE MENUS POUR COMPLÉTER UN REPAS « FAST-FOOD »

Repas « fast-food »	Autre repas principal
Sandwich au jambon ou au pâté ou aux rillettes	Pamplemousse Pot-au-feu et ses légumes 2 parts de produits laitiers [a] Fruits de saison
Hamburger Frites	Salade d'endives au gruyère Poulet rôti et haricots verts 1 part de produits laitiers [a]
Pizza	Carottes râpées Escalope à la crème, petits pois 1 part de produits laitiers [a] Fruits de saison

a. Voir tableau page 352.

« Et le sandwich, est-ce diététique ? »

Manger un sandwich, c'est aussi le bonheur, pourquoi le refuser ? En effet, le sandwich, pour beaucoup de parents, « n'est pas diététique », eh bien non, pas d'accord ! Quoi de mieux en matière de bonne nutrition qu'un gros sandwich de pain, complet ou non, et de fromage, accompagné d'une tomate et d'un verre d'eau ou d'un jus de fruits ?

Les moments de fête

➤ Fêtes d'enfants

Les moments de fête signifient qu'on sort de ses habitudes, ce qui est normal puisque c'est la fête. Certains, les gourmands, mangeront beaucoup et n'auront pas faim ensuite, c'est normal. D'autres seront très tentés par les gâteaux au chocolat et auront peut-être une indigestion. D'autres préfèrent jouer. Mais, même avec l'indigestion, ils auront passé un moment merveilleux, inoubliable.

Manger est loin d'être le seul but d'une fête d'enfants. La fête organisée pour les enfants est l'occasion de débrider les imaginations et de faire participer les enfants à l'organisation.

Les invitations

On décore ensemble les cartons d'invitation.

Le repas : c'est bien souvent un goûter

On prépare les boissons (voir p. 471 à 473). On invente des cocktails de fruits (eau-citron-cassis, jus de poire et de grenadine, lait et un peu de sirop de fraise, jus d'orange et de grenadine ou un peu de sirop de cassis) et votre enfant leur donne de jolis noms. On trouve dans le commerce des jus de fruits enrichis en bulles et présentés comme une bouteille de champagne, ils remportent un grand succès.

On peut faire des glaçons très drôles en mettant une cerise ou une fraise, ou une framboise, ou une feuille de menthe fraîche dans chaque case du bac à glaçons, on ajoute de l'eau et on fait faire un petit séjour au congélateur.

Le menu peut consister en amuse-gueules à base de fruits et de légumes mis en brochettes, de canapés, de gâteaux fourrés type quatre-quarts, de sablés au chocolat ou non, de tartes salées, au fromage par exemple, et de tarte aux fruits, de petits fours faits maison salés, tels que les gougères, ou sucrés (vous pouvez vous inspirer des manuels de cuisine pour enfants). Nous savons que les glaces, adorées des enfants, ne seront pas oubliées.

La décoration et l'animation

On décore ensemble les autocollants pour les verres, on assortit nappes, verres, tasses, couverts et serviettes dans une jolie harmonie de couleurs. On fabrique des masques, on prépare des jeux (beaucoup de manuels expliquent tout cela et donnent des idées).

➤ *Les fêtes d'adultes*

Pour les enfants, la fête des adultes est souvent une corvée : les plats succulents pour les grands le sont rarement pour les plus jeunes. Si la fête est familiale (baptême, mariage, fêtes de fin d'année, etc.), les enfants ont la joie de retrouver les cousins et s'amusent bien.

Ils adorent le moment de l'apéritif ; pour ce moment où les enfants ont faim, prévoyez ce qui plaît et nourrit « comme il faut ». Vous offrez, par exemple, des brochettes où se juxtaposent des dés de légumes crus et des petits morceaux de fromages variés, des mini-canapés au fromage, des petits pains garnis de purée de poisson, ou de jambon, ou de fromage blanc aux fines herbes, des pains déguisés. Après ce copieux apéritif, les enfants désertent la table des grands et réapparaissent au dessert pour lequel, bien sûr, ils ont retrouvé de l'appétit : c'est la fête.

Les boissons servies à l'apéritif sont les jus de fruits et de légumes, elles ont été évoquées pages 295 et 472. Ce qui peut arriver pendant la fête des grands, c'est la consommation d'alcool. L'enfant va subrepticement finir les fonds de verre. Les conséquences dépendent de la quantité d'alcool absorbée. Au mieux, l'enfant est malade, vomit et dort. Au pire, cela peut être plus grave et provoquer des troubles nerveux, et parfois le faire tomber dans le coma ou lui donner des convulsions. Dans ce cas, il faut évidemment l'emmener à l'hôpital.

Dans le cadre d'une fête, il y a des boissons alcoolisées pour lesquelles il existe, dans l'opinion de beaucoup, une indulgence ; ce sont le cidre ou la bière. Mais savez-vous qu'un grand verre de 25 cl de cidre ou un « demi » de 25 cl de bière apporte autant d'alcool qu'un verre à bordeaux (10 cl) de vin à 12 ° ou qu'une flûte de 10 cl de champagne ?

Au restaurant avec les parents

La plupart des restaurants proposent maintenant des menus enfant, comprenant bien souvent ce qui plaît, c'est-à-dire des frites ou des pâtes. Pourquoi pas, tant que les frites ne deviennent pas quotidiennes...

La restauration scolaire

Un peu d'histoire

C'est en 1844 à Lannion (Côtes-d'Armor) que, pour la première fois, on s'est occupé de nourrir les enfants à l'école. Ils recevaient, deux fois par jour, une soupe chaude qui remplaçait la gamelle. Cette soupe était à base de graisse et de légumes, et, une à deux fois par semaine, on ajoutait de la viande. Le pain était fourni aux plus indigents, tandis que les élèves plus favorisés l'apportaient. En 1869, une circulaire adressée à tous les préfets conseille la distribution d'aliments chauds aux écoliers. À partir de 1880, des cantines scolaires sont organisées dans les villes pour les enfants nécessiteux.

En 1936, une instruction ministérielle rend obligatoire la construction d'un réfectoire dans toute école nouvelle.

Il y a une cinquantaine d'années, Raymond Paumier, ancien maître d'école, devient le fondateur du premier restaurant d'enfants à Montgeron dans l'Essonne. Il recommande et obtient des autorités compétentes que les locaux soient insonorisés, cloisonnés en petites salles, que les tables soient rondes accueillant six enfants avec des sièges adaptés à leur taille. Avant toute réglementation, il obtient des gestionnaires et des cuisiniers des menus et des plats variés, bien présentés et bien consommés par les enfants. Il motive des animateurs (enseignants ou surveillants, ou personnel de service) qui, insensiblement, feront acquérir aux enfants et aux adolescents des habitudes alimentaires susceptibles de les maintenir en bonne santé. Ce sont les débuts de l'éducation nutritionnelle.

De nos jours

L'évolution de la société, le fait qu'un nombre croissant de femmes ont une activité professionnelle, conduit de plus en plus d'enfants à prendre leur déjeuner en milieu scolaire. Cette prise alimentaire en dehors du milieu familial est souvent imposée par les conditions de travail des parents, l'éloignement du domicile de l'école, mais est aussi parfois désirée par les parents et/ou par les enfants.

L'alimentation scolaire, dans son ensemble, représente aujourd'hui plus d'un milliard de repas par an, soit environ 35 % de la restauration collective. Pour le premier cycle, préélémentaire et élémentaire, ce sont environ trois cent vingt-cinq millions de repas servis par an pour trois millions d'élèves répartis dans vingt mille établissements.

La réglementation

La circulaire interministérielle du 6 mars 1968 définit les moyens à mettre en œuvre pour l'achat, la conservation, la préparation et le déroulement des repas.

Les pouvoirs publics ont la possibilité de contrôler la construction ou l'attribution des locaux à la restauration scolaire. Les conditions de fonctionnement doivent être régulièrement appréciées par l'Inspection sanitaire de la DDASS et les services vétérinaires départementaux.

À côté de ces textes existe un aspect économique. En effet, il n'y a pas d'obligations faites aux écoles d'ouvrir une cantine scolaire. Celles-ci sont créées par la volonté de la municipalité.

D'une ville à l'autre, les budgets varient énormément. Les modes de fonctionnement ainsi que les locaux et le matériel sont, on s'en doute, tributaires du financement.

Les qualités bactériologiques, nutritionnelles, organoleptiques (voir lexique) des repas vont donc aussi dépendre des choix et des possibilités d'investissements offerts par les municipalités, et des possibilités de participation familiale.

La réalisation pratique

Sur un plan général, chaque jour, le responsable de la collectivité doit atteindre trois objectifs :

— nutritionnel : proposer des menus équilibrés qualitativement et quantitativement, variés, adaptés aux différents âges des consommateurs,

— organoleptique (voir lexique) : choisir des produits de bonne qualité, après étude de fiches techniques, et soigner la préparation et la présentation dans un but d'éducation du goût,

— hygiénique : respecter la législation en vigueur pour les produits, la préparation, la distribution. Un outil précieux dans le domaine de l'hygiène est la brochure intitulée « La restauration de nos enfants » éditée en 1992 conjointement par le ministère de la Santé et la direction départementale de l'Action sanitaire et sociale de la Gironde.

Pour aider le gestionnaire dans ses choix, s'agissant d'alimentation d'enfants et d'adolescents, la *circulaire du 9 juin 1971 relative à la nutrition de l'écolier* donne des indications précises sur la composition du repas de midi qu'il est souhaitable de respecter. Elles vont être modifiées prochainement.

Il est conseillé de proposer :

— un plat principal à base de viande, de poisson ou d'œufs,

— un accompagnement de légumes cuits (deux fois par semaine). Les pommes de terre, pâtes, riz, légumes secs étant servis les autres jours,

— une crudité : légume, salade ou fruit,

— un produit laitier sous forme de lait ou de fromage, soit nature, soit inclus dans une préparation salée ou sucrée.

Quantitativement et qualitativement, les apports nutritionnels doivent être basés sur les recommandations actuelles. L'apport calorique du repas de midi doit être de 40 % de la ration recommandée par vingt-quatre heures, avec un taux de protides représentant jusqu'à 50 % des besoins journaliers :

— de 3 à 5 ans : 650 calories et 12 g de protides animales ;

— de 6 à 12 ans : 800 à 1 000 calories et de 14 à 16 g de protides animales ;

— de 13 à 18 ans : 1 200 calories et 20 g de protides animales.

Pour équilibrer les menus, il est indispensable que le responsable ait de bonnes connaissances nutritionnelles (groupe d'aliments, équivalences, grammages). Il peut travailler sur un plan alimentaire (voir p. 497) de plusieurs semaines qu'il transformera en menus (voir p. 498) en fonction des cours des marchés.

Le *plan alimentaire* peut se définir comme un ensemble de structures de menus combinées entre elles de manière à présenter une alimentation chaque jour équilibrée, et variée d'un jour à l'autre.

Matériellement, il se présente sous la forme de tableaux où chaque plat est déterminé par un terme général qui, au stade du menu proprement dit, correspond à une gamme de denrées diverses en relation avec les groupes d'aliments, et cuisinées suivant des recettes adaptées aux âges des enfants.

Voici un exemple de plan alimentaire.

PLAN ALIMENTAIRE CONCERNANT LE DÉJEUNER

	Lundi	Mardi	Mercredi	Jeudi	Vendredi
Entrée	Crudités	Crudités	Légumes cuits	Crudités	Crudités
Plat protidique	Volaille	Poisson	Viande à braiser	Œuf	Viande rôtie
Légumes ou féculents	Légumes verts	Féculents	Féculents	Légumes verts	Légumes verts
Produit laitier	Produit laitier	Produit laitier	Produit laitier	Produit laitier	Produit laitier
Dessert	Fruit cuit		Fruit de saison	Féculents	Fruit de saison
Pain et eau à volonté					

Ce plan alimentaire se traduit en menus dont voici des exemples :

DÉJEUNERS EN RESTAURATION SCOLAIRE
PRINTEMPS-ÉTÉ

	Lundi	Mardi	Mercredi	Jeudi	Vendredi
Entrée	Avocat-tomate	Melon	Salade de betteraves rouges mimosa	Carottes à la martiniquaise	Concombre au yaourt
Plat protidique	Rôti de dinde	Filet de merlan sauce aurore	Blanquette de veau	Omelette aux fines herbes	Rosbif
Légumes ou féculents	Printanière de légumes	Pommes anglaises	Riz	Haricots verts	Salsifis à la grenobloise
Produit laitier	Cantal	Crème au chocolat	Morbier	Gâteau de semoule	Pyrénées
Dessert	Pommes fourrées		Nectarine		Abricots
Pain et eau à volonté					

DÉJEUNERS EN RESTAURATION SCOLAIRE
AUTOMNE-HIVER

	Lundi	Mardi	Mercredi	Jeudi	Vendredi
Entrée	Tomates concombres	Carottes râpées	Artichaut	Salade endives champignons	Pamplemousse en dés
Plat protidique	Poulet	Filet de lieu au citron	Bœuf braisé	Nid d'hirondelles	Steak haché
Légumes ou féculents	Haricots verts	Pommes persillées	Pâtes	Épinards	Chou-fleur béchamel
Produit laitier	Comté	Petits-suisses	Fourme d'Ambert	Yaourt	Saint-nectaire
Dessert	Pêches au sirop		Clémentine	Crème de marron	Poire
Pain et eau à volonté					

Le suivi de la chaîne alimentaire jusqu'au consommateur est absolument nécessaire si l'on veut contrôler à la fois la production et la consommation, et ainsi surveiller le taux de satisfaction. C'est dans la préparation que l'on attend beaucoup de la « créativité » des cuisiniers, pour inventer des recettes adaptées à la fois aux convives, à la collectivité et au mode de distribution.

Satisfaire également sur le plan nutritionnel et organoleptique est délicat. Chaque convive participant au repas collectif avec ses propres habitudes alimentaires, il est impossible de plaire à tous avec un menu unique. Une vigilance sur ces différents aspects s'impose avec plus de force si l'enfant ou l'adolescent se trouve dans une collectivité dite fermée (pensionnat, etc.), avec l'obligation d'y prendre tous ses repas (petit déjeuner, déjeuner, dîner, sans négliger le goûter).

« Est-ce que je peux connaître les menus de l'école ? »

L'affichage des menus de la semaine est obligatoire. Insistez s'il le faut pour qu'il soit effectué de façon très apparente pour tous. Les parents peuvent aussi être informés de l'alimentation qui sera proposée par la publication dans les journaux locaux ou municipaux. Notez ces menus. Étudiez-les. Ils vous permettront de porter un jugement plus éclairé et de mieux choisir les plats du repas du soir.

Mieux encore, le menu de la semaine ou de la quinzaine peut être adressé aux familles, accompagné d'informations sur l'hygiène alimentaire, de conseils pour le petit déjeuner, le goûter ou le dîner.

« Connaître le menu, est-ce que cela suffit ? »

Le menu ne dit pas tout. Attention aux portions servies et aux quantités réellement consommées. Essayez d'obtenir des précisions auprès des intéressés, pas facile ! Produits laitiers, morceaux de viande ou de poisson, fruits et légumes, même annoncés au menu, sont, bien souvent, servis en quantité et en qualité nutritionnelle insuffisantes. Et bien des tables enfantines sont l'objet d'échanges plus ou moins discrets.

« Est-ce que j'ai mon mot à dire ? »

Oui si vous estimez que « ça ne va pas ». Si, par exemple, les mêmes plats reviennent trop souvent, si les légumes verts brillent par leur absence, si les éternels biscuits secs remplacent bien souvent les fruits, ne craignez pas de demander des explications au directeur, à la maîtresse, au responsable du restaurant ou auprès de la municipalité. Parlez-en aux réunions de parents d'élèves. À condition d'élever le débat et de ne pas seulement parler des malheurs de votre Pauline ou de votre Arnaud.

« Comment puis-je prévoir le repas du soir ? »

Utilisez pour cela les menus relevés. Donnez la priorité :

— aux légumes verts à servir en alternance avec les féculents du déjeuner, soit généralement un soir sur deux par exemple,

— aux crudités (légumes et fruits),

— aux produits laitiers. Servez tous les soirs un fromage et prévoyez en outre, un soir sur deux, un plat au lait salé ou sucré.

À propos des fromages, pensez à faire appel aux différentes catégories de ces derniers : à pâte molle, à pâte cuite (voir p. 345).

Quant aux plats au lait salés, utilisez les recettes alliant œufs et fromage ou lait telles que quiches, gratins, soufflés, œufs au lait salé et servis démoulés avec un coulis de tomates, flan de maïs, lait et tomate, etc.

Les préparations à base de lait sucré sont nombreuses. Ce sont les entremets type crème aux œufs, flan, crème renversée, île flottante, gâteau de riz ou de semoule.

Si ces plats sont bien consommés, la viande, ou le poisson, ou la charcuterie à ce repas-là ne sont pas nécessaires, au moins jusqu'à dix-douze ans.

Les façons de servir les repas

Tous les responsables – Éducation nationale, municipalités, associations de parents, sociétés de restauration – sont d'accord pour passer de la « cantine » au « restaurant d'enfants », mais la réalisation pratique reste complexe. En effet, on demande fréquemment au gestionnaire de faire manger le maximum d'enfants en un minimum de temps, pour le coût le plus faible possible : une quadrature du cercle pas toujours facile à réaliser.

On peut proposer le service à table, avec repas imposé, ou le self-service.

Le choix est difficile car chaque solution est attrayante et présente des avantages et des inconvénients. L'âge des enfants, leur nombre, la durée du repas, la formation du personnel, le coût financier en matériel et personnel, la disposition des locaux, interviennent dans la décision. En règle générale, le « service à table » est souvent choisi pour les plus jeunes ; le libre-service est plutôt réservé aux plus grands.

➤ *Le service à table*

Il permet une relation plus étroite avec l'enfant, qui rend possible, quand le personnel est bien formé et sensibilisé, une éducation du goût ; celle-ci devient un moyen pour amener l'enfant à consommer avec plaisir une alimentation la plus variée possible, en tenant compte de son appétit et de son plaisir.

➤ *Le self-service*

Il est souvent choisi pour la grande vitesse de rotation des places, permettant de faire manger un plus grand nombre d'enfants dans un minimum de temps. Mais le grand intérêt du self-service, c'est qu'il correspond au désir d'indépendance des jeunes et facilite leur acquisition d'autonomie.

Pour réussir, il est indispensable que le gestionnaire ait une grande rigueur dans l'élaboration des menus et des choix, afin que l'enfant puisse choisir des mets qui lui plaisent, participant à une alimentation variée.

La qualité nutritionnelle des repas

La ration offerte, appréciée dans diverses enquêtes, est très variable, selon l'école et les jours de la semaine considérés.

Les apports énergétiques sont jugés insuffisants ou trop abondants, les apports protidiques satisfaisants ou excessifs. Toutes ces enquêtes soulignent que l'alimentation proposée traduit généralement les déséquilibres alimentaires de la population française. En fait, on ne mange pas moins bien dans les cantines que chez soi. Même lorsque l'alimentation proposée s'éloigne des apports recommandés, la consommation par enfant reste, sur le plan énergétique, généralement très proche de ses besoins physiologiques ; ses capacités instinctives d'adaptation et de régulation lui permettent de s'adapter aux situations. Quand les restaurants proposent des repas trop riches, l'enfant mange moins, et quand la ration offerte est faible, les enfants augmentent leurs apports énergétiques en consommant davantage de pain.

Cette adaptation des prises spontanées aux besoins physiologiques n'est constatée que sur des données moyennes, appréciées à l'échelon du groupe de consommateurs considérés et sur plusieurs jours.

Mais chaque enfant réagit différemment, et les variations individuelles sont en effet très importantes, en fonction des habitudes propres à l'élève (petit ou gros mangeur) et des menus proposés.

Les restaurants scolaires gérés par des sociétés de restauration collectives bénéficient de la compétence de diététiciens qui veillent aux qualités nutritionnelles et organoleptiques des repas, au respect des règles d'hygiène, à la qualité de service au moment de la distribution. Un certain nombre de municipalités emploient des diététiciens ayant les mêmes objectifs. Mais, dans bien des cas, leur rôle est limité à la proposition de menus assurant la variété et les apports nutritionnels recommandés, et ils n'ont pas la maîtrise de toute la chaîne alimentaire.

Certains menus sont très appréciés, d'autres peu goûtés ou refusés. Il n'est à ce sujet peut-être pas très bon que certains gestionnaires ou chefs de cuisine conçoivent les repas non en fonction de leur valeur nutritionnelle ou de leur diversité, mais plutôt en fonction de la demande consciente ou inconsciente des enfants exprimée par des rations entièrement consommées ou plus ou moins refusées. La consommation complète de tous les plats n'est pas toujours le reflet de l'excellente qualité de l'alimentation offerte mais peut aggraver au contraire certains déséquilibres nutritionnels en répondant aux mauvaises habitudes alimentaires familiales.

Les responsables des restaurants d'enfants devraient donc attacher une très grande importance à l'aspect qualitatif et nutritionnel des menus, tout en proposant des plats soignés pour être appréciés et bien consommés par les enfants

« Est-il vrai que les enfants abandonnent le restaurant scolaire pour manger dans les cafés et les fast-foods ? »
D'après une récente[1] étude, les élèves de sixième et cinquième fréquentent encore les restaurants scolaires, mais en maugréant et en rêvant de manger dehors. La véritable désaffection atteint les enfants de plus de douze ans, période de la vie traitée dans un autre chapitre.

L'éducation nutritionnelle

Les commissions consultatives départementales des restaurants d'enfants sont composées d'administratifs, d'enseignants, d'élus locaux, de personnel de santé, de médecins et de diététiciens (le nombre de ces derniers dans les mairies est très insuffisant). Elles ont pour mission, selon le Conseil national de l'alimentation, de « promouvoir dans les restaurants d'enfants l'éducation nutritionnelle et une éducation du goût ». Cette éducation est trop souvent négligée, alors qu'elle représente un élément important dans la promotion du bien-être et de la santé du futur adulte.

---

1. A. Moutchouris, « Les conduites alimentaires scolaires des jeunes collégiens », *La lettre scientifique de l'Institut français pour la nutrition*, Paris, 1997.

Des affiches, des panneaux d'information, des moyens audiovisuels, des conférences, des jeux, devraient être utilisés pour dynamiser cette approche de la nutrition. La mobilisation de tous ainsi que la formation obligatoire de l'ensemble du personnel (de l'enseignant aux équipes de cuisines, en passant par le personnel de service), sont nécessaires.

Le but de ces informations est de capter l'intérêt de l'enfant et de l'adolescent, mais aussi celui de sa famille, en rappelant le rôle de la nutrition, dans le cadre de la prévention.

L'ensemble de ces objectifs ne pourra être atteint que si les responsables des restaurants d'enfants et d'adolescents s'investissent dans cet effort général en gardant à l'esprit deux idées fortes : alimentation variée et éducation du goût.

L'éducation nutritionnelle ne se limite pas à la prise des repas en milieu scolaire qui garde certes sa valeur éducative. Elle ne pourra réellement jouer son rôle que si elle est intégrée aux programmes scolaires et si l'information est étendue aux parents. Pour être efficace et bien conduite, cette action suppose aussi la mise en place d'une coordination entre les enseignants, les personnes ayant une compétence en nutrition infantile (médecins, diététiciens), les services administratifs, les associations de parents d'élèves.

L'adolescence : de nouveaux besoins

L'adolescence : de nouveaux besoins

*L'adolescence :
de nouveaux
besoins*

L'adolescence : de nouveaux besoins

*L'adolescence :
de nouveaux
besoins*

L'adolescence : de nouveaux besoins

Puberté et croissance :
la réussite passe aussi par la nourriture

■

La psychologie de l'adolescent
face à la nourriture

■

Comment mangent les adolescents

■

Ce que les adolescents devraient manger

■

L'adolescent hors de chez lui

Lorsque l'adolescent vous surprend
par sa façon de manger

■

Boulimie, anorexie : attention, danger

■

Les problèmes de poids à l'adolescence

Au cours de l'adolescence, le corps de l'enfant se transforme pour adopter la conformation qui sera la sienne à l'âge adulte. De nouveaux besoins alimentaires apparaissent, spécifiques de cet âge. Ils concernent certes la biologie, c'est-à-dire le corps de l'enfant, mais également sa psychologie face à la nourriture, ainsi que sa vie sociale.

Puberté et croissance : la réussite passe aussi par la nourriture

En termes biologiques, l'adolescence se caractérise à la fois par une forte croissance et par la puberté.

Proportionnellement, la croissance en taille et en poids de l'enfant est particulièrement rapide dans la première année de sa vie, puis elle ralentit progressivement : le nourrisson, puis le très jeune enfant grandissent vite, l'enfant après deux ans plus lentement. L'adolescence se caractérise par une nouvelle accélération, qui rappelle celle survenant entre la naissance et l'âge de un an. En quelques années, l'adolescent acquiert 15 % de sa taille définitive et 50 % de son poids adulte.

Une nouvelle accélération de la croissance

Le pic de croissance, c'est-à-dire la période où la taille augmente le plus, se situe généralement entre dix et douze ans chez la fille, douze et quatorze chez le garçon. Alors qu'à l'âge adulte l'homme dépasse en moyenne la femme de 15 cm et pèse 15 kg de plus, la fille a généralement, pendant la brève période de la prépuberté, une taille et un poids plus élevés que le garçon du même âge. Mais les variations sont grandes en fonction des enfants, certains commençant plus tôt, d'autres plus tard sans que cela signifie que les uns ou les autres sortent de la normalité : ainsi à quatorze ans, par exemple, on peut estimer qu'un garçon normal peut peser de 33 à 62 kg, une fille de 32 à 58 kg.

La fin de ce pic de croissance coïncide généralement avec la puberté : les seins de la jeune fille se forment, ses hanches se dessinent, ses premières règles surviennent. Chez le garçon, les poils apparaissent sur le visage, sur le pubis et sur l'ensemble du corps, la voix mue, les muscles se développent. Le corps de chacun se transforme et acquiert les qualités nécessaires pour une vie sexuelle, puis procréatrice, active. L'adolescence n'est pas pour autant terminée. La croissance ralentit, mais elle se prolonge encore quelques années. La maturation se poursuit, tandis que souvent l'évolution psychologique perdure encore jusqu'à dix-neuf ans ou plus.

Un besoin accru d'énergie

Comme toute croissance, l'adolescence se caractérise par la construction de nouveaux tissus : les muscles et la graisse se développent, les organes sexuels acquièrent leur maturation, les autres organes atteignent leur taille définitive. Pour construire ces nouveaux tissus, pour ensuite les entretenir et optimiser leurs performances, pour assurer la mise en route puis les conséquences de la maturation sexuelle, l'organisme a besoin de nombreux éléments nutritifs.

Plus d'énergie d'abord : de même que la construction d'un bâtiment requiert l'énergie musculaire d'un maçon ou encore l'énergie électrique ou pétrolifère des grues et des autres machines, de même la croissance, l'« élévation » du corps nécessite plus de calories, donc globalement plus de nourriture. Cette tendance est encore accentuée lorsque l'adolescent pratique, ce qui est fréquent à son âge, de nombreuses activités : marche, jeux, sport, danse, apprentissage d'une profession manuelle, etc.

Mais, plus encore que manger globalement plus qu'il ne le faisait au cours de l'enfance ou qu'il ne le fera à l'âge adulte, l'adolescent a besoin de trouver dans ses aliments une bonne dose de vitamines, de sels minéraux, d'oligo-éléments, de protéines, d'acides gras essentiels, etc. La qualité de la nourriture est, pour lui, encore plus importante que sa quantité.

L'alimentation de l'adolescent : équilibre et bon sens

En équilibrant les repas, on assure la couverture des besoins de son enfant tels que le recommandent les experts (voir p. 611). Il ne faudrait pas, cependant, préparer la nourriture avec, dans une main, une table de composition des aliments, dans l'autre, une balance et une calculette. Ce serait illusoire, fastidieux et inutile. Le respect de certaines recommandations simples (voir p. 521) suffit, sans que l'on tombe dans l'obsession des chiffres. Cette attitude est d'autant plus justifiée que, même si les grandes lignes restent valables pour tous, les besoins précis sont très variables d'un enfant à l'autre. Certains grandissent tôt, d'autres plus tard ; certains à grande vitesse, d'autres plus progressivement ; certains font beaucoup de sport, d'autres sont plus attirés par des activités plus sédentaires.

Ces variations des besoins d'un adolescent à l'autre concernent surtout les calories, c'est-à-dire l'énergie : en période de croissance rapide, en cas d'activité physique soutenue, un adolescent devra se tourner encore plus vers les aliments riches en énergie, et notamment vers ceux qui sont riches en glucides lents tels que le riz, les pâtes, le pain, les pommes de terre, les légumes secs, etc.

Pour leur part, les besoins en vitamines ou en minéraux diffèrent assez peu d'un adolescent à l'autre, sauf quelques cas particuliers (voir p. 532 et 535).

Période de transformation, l'adolescence est donc une période où la qualité nutritionnelle des repas devrait être particulièrement soignée. À cet âge, les conséquences des erreurs ont des répercussions qui se prolongent jusqu'à l'âge adulte. Mais, pour bien conseiller, et bien nourrir, l'adolescent, il convient de prendre en compte les aspects psychologique et social que prend pour lui la nourriture, comme, du reste, pour tout individu.

La psychologie de l'adolescent face à la nourriture

Contrairement à ce que l'on pourrait penser, l'adolescent a souvent conscience qu'il existe des liens entre l'alimentation et sa santé (voir tableau p. 523), même si, comme chez l'adulte, cette connaissance véhicule parfois quelques idées fausses. Les proches de l'adolescent, que ce soient ses parents, un de ses enseignants ou son médecin, disposent là d'un levier dont, théoriquement, ils peuvent se servir pour amener l'adolescent à bien se nourrir.

Cette démarche sera néanmoins contrecarrée par le fait que d'autres facteurs priment sur ses choix alimentaires : certains lui sont intimes, comme ses réactions devant la transformation de son corps, ses rapports psychologiques face à la famille ou aux amis, ses goûts et son plaisir à manger ; d'autres concernent plus son environnement, comme l'influence de la publicité, les contraintes financières, les impératifs horaires, etc. Il ne faudrait néanmoins pas croire que l'adolescence est le seul âge où les relations familiales et sociales ainsi que l'hédonisme influencent plus la façon de se nourrir que les préoccupations concernant la santé : il en est de même chez la plupart des adultes.

Plusieurs traits sont, pour leur part, plus spécifiques de cet âge ; ils s'additionnent quelquefois pour rendre problématique l'équilibre alimentaire de l'adolescent.

Le problème du choix

Plus jeune, l'enfant mange généralement ce qui lui est proposé à la maison ou à la cantine ; à la puberté, il acquiert une autonomie qui lui apporte un espace de liberté mais lui impose de prendre des décisions.

La nécessité de prendre de la distance face à ses parents et à sa famille

L'adolescent a besoin de se différencier pour affirmer sa personnalité. C'est l'âge de la contestation ; celle-ci passe également par une remise en cause des repas en famille, de leurs horaires, etc. Le conflit avec la famille est d'autant plus fréquent à notre époque que la puberté est de plus en plus précoce, tandis que l'adolescent devient financièrement autonome de plus en plus tard : même si elle est source de bénéfices secondaires (ne serait-ce que pour la sécurité matérielle), cette dépendance est souvent mal vécue. Tout en s'écartant des schémas familiaux, l'adolescent cherche à se rapprocher des habitudes de ses camarades : il cherche à s'intégrer à sa génération, à en adopter les codes. Sur le plan psychologique, cette attitude n'a rien de dramatique, elle est même parfaitement normale au cours du passage progressif vers le statut d'adulte. Sur le plan nutritionnel, elle risque néanmoins de conduire à un déséquilibre, en particulier lorsque les grignotages remplacent trop souvent les repas.

Le retour à l'oralité

Face aux nouvelles responsabilités, aux nouveaux défis qui lui sont imposés par les transformations de son corps et par son nouvel espace de liberté, l'adolescent se réfugie parfois dans une attitude régressive. Celle-ci passe volontiers par la nourriture, en particulier dans le plaisir immédiat et facile que procure le grignotage. Cette attitude peut être déclenchée par une déception sentimentale ou par un échec dans un domaine où l'adolescent s'était particulièrement investi, tels que le sport ou les études.

Le souhait de minceur

C'est le plus souvent la jeune fille qui s'attache à surveiller sa ligne, jusqu'à rechercher, et parfois atteindre, un poids trop bas pour son équilibre et sa santé. Le fait de se surveiller constamment, d'alterner divers régimes parfois fantaisistes risque, d'une part, d'entraîner des carences en vitamines, protéines ou autres éléments nutritifs, d'autre part, de précipiter la survenue de troubles du comportement alimentaire tels que l'anorexie ou la boulimie.

L'absence de conséquences immédiatement visibles du déséquilibre alimentaire

Mis à part l'obésité, les caries et l'excès de boissons alcoolisées, c'est surtout à l'âge adulte que se manifesteront les dommages liés à une nourriture qui aurait été mal équilibrée lors de l'adolescence. Et, pour un adolescent, l'âge adulte paraît bien éloigné de ses préoccupations du moment. C'est ce qui rend d'autant plus difficiles l'acquisition et le respect d'habitudes alimentaires saines et équilibrées.

Comment mangent les adolescents

■

En France, des évolutions parfois malheureuses

Avant de prétendre conseiller un adolescent sur sa façon de se nourrir, il convient bien sûr de connaître les besoins liés à cet âge, mais aussi de percevoir ses préférences et ses habitudes. Mais, pour y parvenir, rien ne remplace l'observation de son enfant et le dialogue avec lui, plus utiles que tous les sondages d'opinion, car chaque enfant est unique, avec ses besoins et ses envies propres. Cependant, même si elles ne font que refléter une « moyenne », les enquêtes de consommation réalisées sur un grand nombre de jeunes permettent de se faire une idée sur « l'air du temps » de la gastronomie juvénile, de connaître les grandes tendances au milieu desquelles évolue aujourd'hui le palais des adolescents.

Comment mangent les adolescents	Pourquoi ?	Quelles conséquences ?
Nourriture globalement moins copieuse	Peu d'activité physique ; mode de la minceur	Risque de carence en vitamines et en minéraux
Plus d'aliments raffinés, moins d'aliments complets	Évolution générale des habitudes alimentaires de l'ensemble de la population	Risque de carences en vitamines, en fibres et en minéraux
Plus de viande et de charcuterie	Leurs goûts (pour les garçons), l'évolution générale de l'alimentation	Risque d'excès de graisses saturées, de prise de poids et d'athérosclérose ; poisson trop rarement consommé ; déséquilibre entre protéines d'origine animale (en excès) et d'origine végétale (en manque)
Moins de lait, plus de sodas	Images de boisson réservée à l'enfance pour le lait, de boisson à la mode pour les sodas	Carence en calcium (surtout pour les filles) ; excès de poids

Comment mangent les adolescents	Pourquoi ?	Quelles conséquences ?
Plus de fritures, de chips et de biscuits secs	Leur goût « craquant » ; leur large diffusion dans le fast-food, les restaurants scolaires ou à la maison	Trop de graisses avec risque de prise de poids ; prend la place d'autres aliments énergétiques plus utiles : légumes secs, pâtes, riz, pain, etc.
Plus de sucre, de boissons sucrées et de pâtisseries	Attirance pour le sucré ; facilité d'utilisation ; image « jeune »	Remplace d'autres aliments énergétiques plus intéressants (voir plus haut) ; risque de prise excessive de poids
Plus de grignotages, moins de repas classiques	Vague de fast-food ; moins de disponibilité des parents pour préparer, puis partager un repas	Risque de prise de poids ; remplace des aliments plus intéressants servis aux repas : poisson, riz, légumes secs, pâtes, légumes, fruits, produits laitiers
Moins de légumes secs, de pâtes, de pain, de pommes de terre, de riz, etc.	Fréquence des grignotages, disparition des repas ; vogue des fritures ; volonté de maigrir	Prise paradoxale de poids ; manque de magnésium, de vitamines, etc.
Moins de potage, de légumes verts, de crudités	Fréquence des grignotages, disparition des repas ; vogue des fritures ; simplification des repas avec disparition de l'entrée	Prise excessive de poids ; manque de minéraux et de vitamines ; constipation

Le modèle américain

De façon générale, les Français ont moins de problèmes de santé liés à leur façon de se nourrir que les Américains : nous sommes en effet moins touchés par l'obésité ou par les maladies cardio-vasculaires. Pour les mêmes raisons, les adolescents souffrent plus souvent d'un excès de poids outre-Atlantique qu'en France. Malgré ce constat peu reluisant pour leurs habitudes alimentaires, l'Amérique tend à exporter son modèle alimentaire, de la même façon qu'elle diffuse sa culture. Il n'est donc pas inutile de connaître les habitudes qui y ont cours afin de mieux s'en préserver.

France-Amérique : essai de comparaison

Certains éléments diffèrent peu entre la France et les États-Unis : comme chez nous, l'alimentation des adolescents y est globalement trop grasse et pas assez riche en glucides lents. De plus, comme les jeunes Françaises, les adolescentes américaines ont des apports insuffisants en fer et en calcium.

Sur d'autres points, l'Amérique se singularise. À l'opposé de ce qui se passe en France, les jeunes Américains mangent globalement plus que ne le voudraient les recommandations des experts : 15 à 20 % de plus pour les garçons, et 5 % de plus pour les filles, la différence entre les deux sexes étant probablement liée aux soucis de garder la ligne parmi les adolescentes. Par ailleurs, et contrairement à une idée reçue, le petit déjeuner est négligé : un Américain sur trois part pour l'école le ventre vide, contre un sur dix seulement en France.

Mais, surtout, les adolescents américains consomment trop, beaucoup trop, de protéines. Ils mangent de gros morceaux de viande et, en plus, ils boivent du lait au déjeuner et au dîner, sans oublier les pizzas en entrée et les entremets en dessert, ou encore les hot-dogs à l'heure de la pause. Le déjeuner de midi fournit à lui seul les besoins de vingt-quatre heures ! Et l'ensemble des repas d'une journée apporte deux à trois fois plus de protéines que ce qui serait souhaitable.

Cet excès de protéines a deux inconvénients, l'un certain, l'autre encore hypothétique.

L'inconvénient certain, c'est que, pour se débarrasser de ce surplus, les reins modifient leurs échanges d'une manière telle qu'ils évacuent également plus de calcium (d'où un risque accru de mauvaise minéralisation osseuse, notamment parmi les jeunes filles).

L'inconvénient encore hypothétique découle, pour sa part, de ce que l'on sait du tout jeune enfant : ceux qui consomment le plus de protéines dans leurs deux premières années auront, quelques années après, plus de risques de devenir obèses. Bien que non encore vérifiée, il n'est pas impossible qu'une telle relation existe à l'adolescence, période qui, comme la petite enfance, est caractérisée par une vitesse de croissance rapide. Dans ce cas, la fréquence de l'obésité parmi les adultes américains serait liée, au moins en partie, à la richesse protéique de leurs menus entre dix et vingt ans.

Les recommandations
des nutritionnistes américains

Pour remédier à cette situation (trop de calories, trop de graisses, trop de protéines), les nutritionnistes américains émettent plusieurs recommandations :

— augmenter les portions d'aliments riches en amidon tels que les pâtes, le riz, le pain ou les légumes secs,

— consommer plus souvent des légumes verts et des fruits,

— réduire la part des aliments gras comme les hot-dogs, cheese-burgers, beurre de cacahuète ou pizzas (à la différence des pizzas traditionnelles italiennes, les pizzas à l'américaine comportent trop de viande et de fromage),

— diminuer les portions de viande ou de poisson d'un quart ou de moitié,

— réduire les matières grasses ajoutées dans la cuisine,

— remplacer les fromages gras par les laitages (tels que les yaourts), le lait entier par du lait partiellement écrémé, les pâtisseries par des desserts aux fruits ou des puddings allégés.

Ce que les adolescents devraient manger

■

Vitamines, calcium et oligo-éléments : « peut mieux faire »

Tendances et carences d'aujourd'hui

■

En cette fin de siècle, l'adolescent est plutôt frugal : il mange moins que ne le voudraient les recommandations des experts ; ceux-ci préconisent quotidiennement 2 800 calories pour les garçons, 2 100 pour les filles, alors que les jeunes Français tendent à en consommer 10 à 20 % de moins. On observe cette baisse depuis quelques décennies ; elle n'a rien d'anormal, car elle correspond en fait à une adaptation physiologique. Les adolescents ne marchent plus beaucoup, mais ils prennent les transports en commun ; ils délaissent le vélo pour la moto ou le scooter. Par ailleurs, comme les adultes, ils évoluent dans des milieux chauffés ou climatisés, ce qui rend moins utiles les capacités de l'organisme à brûler de l'énergie pour maintenir le corps à la température adéquate de 37°. Les adolescents brûlent donc moins d'énergie qu'il y a vingt ans et leurs besoins caloriques ont diminué d'autant.

De ce fait, il est finalement heureux qu'ils mangent moins : le corps est bien régulé et il adapte donc globalement la prise de nourriture à ses besoins. Sans cette adaptation, les adolescents mangeraient plus qu'ils ne brûleraient de calories, et prendraient trop de poids.

Cette réduction « naturelle » de la quantité de nourriture se double parfois d'une restriction volontaire, en particulier chez l'adolescente. Les critères esthétiques en vogue privilégient la ligne aux dépens des rondeurs ; pour maigrir ou rester mince, pour approcher la silhouette des top models, il est fréquent que la jeune fille d'aujourd'hui ne mange pas à sa faim. Inversement, l'adaptation naturelle de la nourriture aux besoins n'est pas toujours parfaite, notamment en cas de vie très sédentaire : l'adolescent risque alors de prendre progressivement trop de poids, voire de devenir obèse.

Cette relative frugalité ne porterait pas à conséquence si elle ne s'accompagnait pas d'une baisse parallèle des apports en vitamines, oligo-éléments (comme le fer) et sels minéraux (comme le calcium). En effet, comme l'adolescent mange globalement moins, il va également consommer moins d'aliments riches en ces éléments nutritifs (pourtant essentiels à l'équilibre).

Cette tendance à la carence en vitamines et en minéraux est encore accentuée par l'une des caractéristiques de notre alimentation moderne : nous accueillons plus souvent les versions raffinées des pâtes, du riz ou du pain aux dépens de leurs versions complètes et des légumes secs. De plus, ces aliments, légumes secs et aliments céréaliers complets, sont souvent rejetés par les adolescents, du fait de leur réputation injustifiée de faire grossir. Enfin, la vogue des fast-foods, qui servent des repas généralement mal équilibrés, n'arrange rien.

Les principaux risques : comment y remédier

Quatre nutriments sont plus que d'autres concernés par ce risque de carence : le calcium, le fer, la vitamine B9 et le magnésium. Pour les deux premiers, le calcium et le fer, c'est plus souvent l'adolescente qui est touchée. En cas de carence en fer, l'adolescente risque d'être fatiguée et anémiée (elle manque alors de globules rouges), avec un retentissement fréquent sur ses performances scolaires. Quant à la carence en calcium, elle fragilise les os et favorisera à l'âge adulte la survenue précoce d'une ostéoporose.

Pour éviter ces inconvénients, l'adolescente dispose de deux parades.

■ Soit elle s'efforce de manger globalement plus : cette attitude conduit à une élévation presque automatique de ses apports quotidiens en calcium et en fer ; mais elle risque également de la faire grossir, alors que le plus souvent elle ne le souhaite pas.

■ Soit elle privilégie les aliments riches en fer et en calcium (voir encadré, p. 523), tout en réduisant la part des sodas, des fritures ou des pâtisseries : en choisissant cette seconde solution, l'adolescente restaurera l'équilibre nutritionnel sans pour autant prendre des kilos.

Pour optimiser leur équilibre en vitamines et en minéraux, les adolescents pourront suivre les conseils du tableau ci-après.

Adolescents : comment assurer des apports adéquats

Calcium
• Consommer quotidiennement au moins trois et si possible quatre laitages, par exemple :
— du lait avec le café, le chocolat ou les céréales du matin,
— un morceau de fromage au déjeuner,
— un yaourt au goûter et/ou au dîner.
• Privilégier les fromages les plus riches en calcium (bleus, roquefort, saint-nectaire, reblochon, fromage à pâte dure).
• Prendre plus souvent (deux ou trois fois par semaine) des légumes secs (voir p. 583).
• Boire moins de sodas (plus on en boit, moins on consomme de laitages).
• Boire des eaux riches en calcium, minérales (voir p. 67) ou du robinet (renseignez-vous sur sa composition auprès de votre mairie).

Fer
• Éviter les régimes végétariens.
• Renoncer au régime végétalien.
• Consommer au moins une fois par jour un morceau de viande,
ou de poisson, ou deux œufs et, assez souvent, un plat de lentilles ou d'autres légumes secs.
• Agrémenter ses légumes de quelques gouttes de citron ou terminer son repas par un agrume : la vitamine C améliore la digestion du fer.

Magnésium
• Privilégier les légumes secs, céréales complètes (flocons d'avoine, muesli), pain complet, fruits secs, bananes.
• Ne pas hésiter à craquer de temps en temps pour du chocolat : lui aussi est riche en magnésium.

Vitamine B9
• Au petit déjeuner, préférer les pains complets, les céréales complètes.
• Manger au moins une fois par jour des tomates ou des légumes verts (sous la forme de crudités ou d'accompagnement du plat principal).
• Remplacer une ou deux fois par mois la viande par des abats (foie d'agneau ou de génisse, rognons).

Éloge des légumes verts

Élément encourageant, les adolescents consomment habituellement au moins un légume vert par jour ; l'idéal serait d'en consommer au moins un à chacun des deux repas principaux (déjeuner et dîner), que ce soit sous la forme de crudités, d'un potage, d'une salade composée ou d'accompagnement du plat principal. La présence d'un légume ne devrait pas remplacer, mais au contraire compléter, celle d'un féculent ; source de glucides lents et de protéines végétales, celui-ci est également primordial pour la satisfaction et l'équilibre nutritionnel de l'adolescent.

« Qu'appelle-t-on exactement "légumes verts" ? »

Dans son sens diététique, le terme « légumes verts » désigne les aliments d'origine végétale riches en fibres, en vitamines et en minéraux, mais pauvres en calories, en protéines et en glucides. Ils participent efficacement au contrôle de l'appétit et du transit intestinal, ainsi qu'à l'équilibre nutritionnel et à la prévention de maladies telles que les maladies cardiovasculaires ou certains cancers.

Ils n'ont souvent de vert que le nom. En font partie, par ordre alphabétique, les légumes suivants : aubergine, asperge, bette, betterave, brocoli, carotte, céleri, champignon, chou de Bruxelles, chou rouge, chou vert, chou-fleur, concombre, courgette, cresson, endive, épinard, fenouil, haricot vert, navet, oignon, poivron, potiron, radis, salade, tomate.

« Les légumes secs sont-ils des légumes verts ? »

Non, ce sont deux familles d'aliments différentes.

Comme les légumes verts, les légumes secs sont riches en vitamines, en minéraux et en fibres. Mais les légumes secs sont, en plus, riches en calories, en protéines végétales et en glucides lents. C'est pourquoi on les regroupe plus sous le terme de « féculents » avec les pommes de terre et les aliments d'origine céréalière (pâtes, riz, semoule, maïs, blé concassé, Ebly, etc.). Les principaux légumes secs sont les lentilles, les haricots blancs, les haricots rouges, les flageolets, les pois cassés, les pois chiches.

Matières grasses et féculents : un équilibre à revoir

Une alimentation trop grasse

Comme on l'a déjà dit, les adolescents d'aujourd'hui mangent globalement moins que ne le faisaient au même âge leurs grands-parents puis leurs parents, mais ils mangent plus gras. Précisément, les lipides constituent près de 40 % de leurs apports totaux en énergie, contre 30 % il y a trente ans. Cette nourriture grasse, ils la trouvent ou la choisissent dans les cantines ou les restaurants universitaires, mais également chez eux. Ce phénomène n'est d'ailleurs pas spécifique aux jeunes, il concerne également les adultes.

Dans l'ensemble des pays développés, la nourriture est devenue trop grasse par rapport aux recommandations des experts : ceux-ci préconisent un apport de lipides à hauteur de 30 à 35 % des calories totales, alors que nous consommons environ un tiers de plus. Lorsqu'on y est prédisposé par son hérédité ou son mode de vie, cette surconsommation de graisses favorise prise de poids, obésité et maladies cardio-vasculaires.

Chez les adolescents, cet excès de lipides est moins souvent lié aux graisses « visibles » (crème, beurre, margarine, mayonnaise, et autres corps gras que l'on ajoute sur sa tartine, dans son assiette ou encore en cuisinant) qu'aux graisses « cachées », qui, elles, sont déjà incorporées à l'aliment lorsqu'on l'achète.

Chez les jeunes filles, les pâtisseries sont surtout en cause ; chez les garçons, les viandes et la charcuterie ; pour les deux sexes, le fromage. À propos du fromage, si on en réduit les portions avec l'objectif de manger moins gras, il faudra penser à les remplacer par un autre laitage (lait, yaourt ou fromage blanc) afin de conserver un apport adéquat en calcium. Lorsqu'on demande aux adolescents de classer les laitages par ordre de préférence, ils plébiscitent les yaourts à plus de 50 %. Le fromage blanc ou la glace n'obtiennent que 10 %, et les autres desserts lactés 30 %.

Pas assez de glucides

Comme les adultes, les adolescents mangent souvent trop gras, mais pas assez de glucides. Or, principal carburant du cerveau et des muscles, les glucides sont indispensables pour acquérir une forme optimale. De plus, ils calment bien la faim, et, contrairement à une idée reçue, on maigrit et on reste mince plus facilement lorsqu'on en consomme. Encore faut-il savoir bien les choisir.

Schématiquement, il y a trois grandes sources de glucides dans l'alimentation : les produits sucrés, les féculents et les fruits. Chacune est compatible avec un bon équilibre, mais la part des féculents et des fruits devrait être plus importante que celle des aliments sucrés. Les adolescents tendent à faire le contraire.

« Faut-il complètement supprimer le sucre ? »

Les boissons sucrées, les pâtisseries et les autres produits sucrés prennent souvent une trop grande place dans leur choix. Ainsi, il est courant que les pâtisseries constituent la première source de calories parmi les adolescentes. Le problème tient non au sucre lui-même mais au fait que les pâtisseries sont trop grasses et pas assez riches en protéines, en glucides lents, en fibres, en vitamines et en minéraux (fer, calcium, magnésium, etc.) pour constituer la base d'une alimentation saine. Mais il ne faudrait pas tomber dans l'excès inverse et conseiller à votre enfant de se priver totalement des aliments sucrés : ce serait inutile et frustrant. Conseillez-le plutôt de façon réaliste (voir p. 521 à 535) afin qu'il (elle) puisse satisfaire ses plaisirs gourmands tout en mangeant équilibré.

« Pourquoi faut-il manger des féculents : ne risque-t-on pas de grossir ? »

Les féculents contiennent des glucides lents et des protéines végétales. Ils donnent de l'énergie aux muscles, aux organes et au cerveau, énergie utile pour la croissance et l'activité physique de l'adolescent. De plus, ils ne font pas (ou peu) grossir car l'organisme a du mal à les stocker dans la graisse corporelle, tout du moins lorsqu'ils sont préparés avec peu de matières grasses (beurre, huile, sauces, crème, etc.). Ils ont enfin l'avantage de bien calmer la faim.

« Et les fruits ? »

Les fruits fournissent du fructose (un glucide qui est également utilisé par le muscle, le cerveau et les organes), des fibres et des vitamines. Eux aussi permettent à l'adolescent d'être bien rassasié, d'avoir du punch et un bon équilibre tout en gardant la ligne. Il faudrait chaque jour en consommer au moins deux, et si possible trois.

Les protéines : point trop n'en faut

En ce qui concerne les protéines (voir p. 51), l'alimentation spontanée des adolescents couvre largement leurs besoins, sauf en cas de régime végétarien, et surtout végétalien (voir p. 576). Les adolescents n'ont donc pas intérêt, comme on l'a déjà vu, à augmenter leurs portions de viande et de poisson, ou encore leur consommation d'œufs : doubler la taille des steaks des adolescents aurait plus d'inconvénients que d'avantages, car un excès d'aliments riches en protéines risque, d'une part, d'augmenter les pertes de calcium par le rein dans les urines, d'autre part, de favoriser la prise de poids.

Les laitages, le lait et les fromages apportent du calcium, mais également des protéines. Les féculents apportent des glucides (essentiellement des sucres lents), mais eux aussi contiennent des protéines. De ce fait, une part moyenne de viande ou de poisson (100 g environ) ou deux œufs suffiront largement à l'heure du déjeuner et/ou du dîner.

Le rôle du petit déjeuner

Comme chez l'enfant, le petit déjeuner optimal devrait comporter :
— un laitage, pour le calcium et les protéines,
— du pain ou des céréales, pour les glucides et aussi pour les protéines,
— un fruit, pour les glucides, les fibres et les vitamines.
Seuls 10 % des adolescents suivent ce modèle. La plupart n'ont cependant pas à s'inquiéter puisque plus de la moitié d'entre eux accordent une place à deux de ces trois familles d'aliments, ce qui, pour un petit déjeuner, reste tout à fait correct.

Chez les jeunes, le classique café ou chocolat au lait est à l'honneur, habituellement accompagné de tartines beurrées agrémentées de miel ou de confiture. Ce petit déjeuner à la française est bien équilibré, il correspond bien aux besoins de l'adolescent, et il n'est d'aucune utilité de vouloir faire changer d'habitudes un adolescent qui l'apprécierait. Les céréales ont moins de succès : alors que 40 % des jeunes enfants en sont devenus des adeptes, seul un adolescent sur dix délaisse le pain pour s'y convertir : les corn flakes, rice-krispies et autres céréales soufflées au chocolat ou au miel restent donc, en France tout au moins, l'apanage de la (très) jeune classe.

Certains adolescents, souvent d'origine étrangère, se tournent, eux, vers le thé, les biscuits et les viennoiseries. Quant aux fruits ou aux laitages, tels que les yaourts ou le fromage blanc, ils font quelques apparitions sur la table à ces heures matinales, mais plus souvent chez les filles que chez les garçons et plus souvent à dix-sept ans qu'à douze. Plus rares, l'œuf ou la tranche de viande froide des modèles anglo-saxons.

PETIT DÉJEUNER : COMMENT S'Y PRENDRE ?

Que manger ?	Intérêt pour l'équilibre nutritionnel	Comment ?
Boire un grand verre d'eau au réveil	Cela permet de réhydrater le corps, qui en a bien besoin après une nuit de jeûne.	En son absence, ne surtout pas oublier la boisson du petit déjeuner (lait chocolaté, café ou thé) : au moins un grand bol ou deux tasses.
Le petit déjeuner à la française	La combinaison café au lait (ou chocolat au lait), tartines de pain est bien équilibrée.	Si c'est un nuage de lait dans le café ou le thé, penser à prendre un laitage en plus : fromage sur le pain, yaourt ou fromage blanc.
Les céréales avec du lait	Rapidement prêt.	Les corn flakes ou autres céréales soufflées ne suffisent pas toujours pour tenir jusqu'au déjeuner si la matinée est longue, car ils donnent au corps de l'énergie utilisable rapidement mais sur une courte période. Si vous avez tendance à souffrir de fringale dans la matinée, coupez un fruit frais dans le bol de céréales (les fibres du fruit ralentiront les glucides des céréales) ou bien encore choisissez des flocons d'avoine ou du muesli peu sucré : comme le pain complet, ils calment l'appétit plus longtemps.
Les biscuits : bien les choisir	Comme le pain, les biscuits sont fabriqués à base de blé. Mais ils apportent plus de sucre et de matières grasses : à éviter, donc, au petit déjeuner, si l'adolescent a des problèmes de poids.	Attention aux biscuits chocolatés, trop gras pour être pris régulièrement au petit déjeuner. Préférer les biscuits secs moins gras et plus riches en glucides : petit-beurre, biscuit casse-croûte, biscuit à thé, pain d'épice, etc. Les prendre avec du lait ou un yaourt et si possible un fruit pour que ce petit déjeuner occasionnel soit équilibré.

PETIT DÉJEUNER : COMMENT S'Y PRENDRE ? *(suite)*

Que manger ?	Intérêt pour l'équilibre nutritionnel	Comment ?
Attention aux croissants et aux viennoiseries	C'est si bon… mais si gras.	Les garder pour le week-end (c'est-à-dire une à deux fois par semaine) mais revenir au pain ou aux céréales les autres jours.
Un fruit, pour être parfait	Vitamines, fibres, oligo-éléments : les fruits optimisent l'équilibre du petit déjeuner et calment bien la faim.	Préférer les fruits frais aux compotes ou aux jus de fruits : ils sont plus riches en vitamines et en fibres.
L'œuf ou la tranche de jambon	Ils apportent des protéines animales, comme les laitages, mais peu de calcium.	Pour ceux qui ont vraiment très faim ou qui ne supportent vraiment pas les laitages.
Et si vous n'avez pas le temps, ou pas faim…	Emporter dans sa poche un fruit et du pain ou des biscuits secs pour se remonter à la pause de dix heures.	

« Quelles sont les conséquences d'un petit déjeuner insuffisant ? »

Un adolescent sur dix ne mange pas ou trop peu au petit déjeuner. Cette attitude comporte deux risques :
— fatigue et baisse d'attention en fin de matinée ;
— grignotage au cours de la journée pour compenser avec un risque de prise excessive de poids lorsque ces grignotages sont fréquents et se portent sur les sodas sucrés, bonbons et biscuits.

« Un bon petit déjeuner peut-il améliorer les performances scolaires ? »

Prendre un bon petit déjeuner augmente les capacités de mémorisation : l'enfant aura donc plus de facilité à retenir son cours. Mais, s'il est trop copieux, ce premier repas de la journée diminue la vigilance et les capacités de concentration : votre enfant risque alors de moins bien réussir son devoir sur table ou son interrogation orale. Aussi, ne tombez pas dans l'excès qui consiste à vouloir « gaver » votre enfant le matin.

« Mon enfant ne mange rien le matin. Faut-il lui imposer un petit déjeuner, notamment lors de circonstances particulières comme le matin de son baccalauréat ? »

Surtout pas ! L'organisme a besoin de quelques jours (si possible au moins deux semaines) pour s'habituer à un nouveau rythme alimentaire. Surpris par cette arrivée d'aliments et d'énergie auxquels il n'était pas préparé, le corps et le cerveau de votre enfant seront alors moins « performants ».

Le goûter : plaisir et liberté

Les adolescents apprécient généralement l'heure du goûter et souhaitent en choisir eux-mêmes la composition. Autant un grignotage répété tout au long de la journée favorise vraiment la survenue d'une obésité, autant la prise d'un goûter, même sucré, même à base de biscuits ou de tartines de pain à la confiture, est compatible avec un bon équilibre et un juste poids.

« Que manger au goûter ? »

Pour l'adolescent, l'heure du goûter est l'occasion à la fois de se détendre et de refaire le plein d'énergie après un après-midi à l'école et avant de se mettre à ses devoirs.

Trois familles d'aliments sont à sa disposition :

— les aliments « céréaliers » : le pain, les biscuits et les « céréales » du petit déjeuner ;

— les produits laitiers : lait, fromage, yaourt, fromage blanc ;

— les fruits.

Dans un souci d'équilibre, il serait souhaitable de choisir un aliment dans deux ou trois de ces familles. Par exemple :

- une tartine de fromage,
- un yaourt avec des biscuits,
- un bol de muesli ou de corn flakes avec du lait,
- des fraises et du fromage blanc,
- des tartines de beurre et confiture avec un bol de chocolat chaud,
- du pain d'épice et une orange.

« Que penser des viennoiseries ? »

Le pain au chocolat, les croissants, le chausson aux pommes, le pain au raisin font partie des viennoiseries. Ces aliments sont riches en glucides dont l'adolescent a besoin à l'heure du goûter. Mais ils sont également très gras. Aussi, il est préférable de les considérer comme un plaisir d'exception (une ou deux fois par semaine), et de revenir les autres jours aux tartines, aux céréales ou aux biscuits secs.

« Faut-il boire au goûter ? »

Il est rare d'avoir l'occasion de boire dans l'après-midi à l'école. Aussi, le goûter doit être l'occasion de se réhydrater : un bol ou un verre de lait (nature, chocolaté, au sirop de grenadine, etc.), du thé ou du café, un jus de fruits ou tout simplement de l'eau. À chacun de choisir.

Les sodas devraient rester l'exception : une ou deux fois par semaine au maximum. Comme toute boisson trop sucrée, ils favorisent l'excès de poids et n'apportent pas d'élément intéressant pour l'équilibre nutritionnel.

« Que prendre au goûter si on a des soucis avec son poids ? »

L'objectif sera de choisir un goûter qui soit à la fois riche en glucides lents, en fibres et éventuellement en protéines, pour calmer l'appétit, mais pauvre en lipides et en glucides rapides qui favorisent la prise de poids.

Ainsi, il sera préférable de choisir :
— un fruit plutôt qu'un jus de fruits ou qu'un fruit pressé,
— un bol de flocons d'avoine ou de muesli non sucré plutôt qu'un bol de céréales soufflées comme les corn flakes,
— des biscuits secs (petit-beurre, pain d'épice, biscuits à thé, « casse-croûte »), relativement peu gras, plutôt que des sablés, des cookies ou des biscuits au chocolat,
— du pain complet finement tartiné de beurre et de miel ou de confiture plutôt que de la baguette recouverte d'une grosse couche de beurre ou de Nutella.

« Mon enfant n'a pas faim à l'heure du goûter. Faut-il insister pour qu'il mange quelque chose ? »

Certains mangent copieusement au déjeuner ou dînent tôt ; d'autres ont un métabolisme qui s'accorde bien avec le respect d'un long intervalle entre chaque repas. Pour ces diverses raisons, il arrive que l'adolescent n'éprouve ni le besoin ni l'envie de goûter. Il est alors préférable de respecter ce choix. Mais, même s'il ne mange rien, conseillez à votre enfant de boire en milieu d'après-midi, ne serait-ce qu'un grand verre d'eau.

« Où prendre le goûter ? »

Comme chacun des repas, le goûter devrait avoir lieu à la cuisine ou à la salle à manger, mais pas ailleurs, et surtout pas devant la télévision ou dans la chambre. Ce serait favoriser un grignotage de sucreries avalées « sans s'en rendre compte », avec prise de poids et déséquilibre nutritionnel à la clé. Il faut prendre le temps de goûter assis, à la cuisine ou à la salle à manger, puis changer de pièce et passer à une autre activité.

L'adolescent sportif

Les motivations qui président à la pratique régulière d'un sport sont diverses selon les jeunes :
— l'ambition en compétitions officielles,
— la réussite sociale (lorsque le projet est de devenir professionnel),
— le simple plaisir du jeu,
— la satisfaction de l'effort accompli,
— la maîtrise de son corps,
— le partage de moments intenses avec des amis,
— maigrir ou mincir.

Quels que soient le sport pratiqué et l'objectif de votre enfant, la pratique intense (plus de quatre heures par semaine) d'un sport augmente les besoins en minéraux et en vitamines. Si l'adolescent mange à sa faim (3 000 calories ou plus) pour subvenir aux dépenses d'énergie liées à sa pratique sportive, il n'aura généralement aucun mal à satisfaire cet accroissement. En revanche, si le sport lui ouvre peu l'appétit et/ou s'il cherche conjointement à maigrir en se restreignant, il lui faudra faire plus attention pour trouver l'équilibre. Deux solutions sont théoriquement à sa disposition : sélectionner des aliments riches en minéraux et en vitamines ; prendre des compléments médicamenteux.

■ La première solution reste la meilleure, car les aliments riches en vitamines ou en minéraux apportent d'autres éléments utiles pour l'organisme. Avec un solide petit déjeuner (voir p. 527), un déjeuner et un dîner qui lui apportent chacun à la fois un féculent, un légume vert (potage, crudités ou accompagnement du plat principal), un produit laitier et un fruit, un morceau de viande ou de poisson (ou encore deux œufs), votre enfant aura ce qu'il lui faut même s'il est très sportif.

■ L'adolescent peut aussi associer une alimentation équilibrée avec de petites doses de médicaments apportant vitamines ou minéraux. Pour choisir le supplément qui convient et éviter le risque d'excès, il est nécessaire de prendre au préalable l'avis de son médecin.

Cette conjonction des deux approches sera particulièrement utile s'il cherche à perdre du poids ou à maintenir un poids plus bas que son poids « spontané », soit pour des raisons esthétiques (notamment chez la jeune fille), soit pour une contrainte de poids liée au sport lui-même ; cela concerne notamment les adolescents qui pratiquent la danse, la gymnastique, le judo, la boxe ou encore les concours hippiques.

« Que faut-il penser des médicaments et des produits miracles proposés aux sportifs ? »

À la frontière entre les aliments et les médicaments, certains produits sont présentés au sportif comme parés de vertus magiques, destinées à améliorer sa performance. Du fait de sa jeunesse et de sa volonté de bien faire, l'adolescent est, plus que d'autres, prêt à s'enthousiasmer pour ces promesses.

La plupart de ces produits sont plus inutiles et coûteux que dangereux (voir encadré ci-dessous) ; mais ils conduisent parfois l'adolescent à négliger son alimentation s'il espère trouver la forme et l'énergie en prenant une simple « pilule ». D'autres mettent vraiment en jeu la santé du jeune sportif. C'est notamment le cas des anabolisants stéroïdes, utilisés pour augmenter le volume des muscles et censés donc donner plus de force. Ces produits sont interdits par les comités sportifs nationaux et olympiques, ce qui n'empêchera pas certains entraîneurs ou certains « gourous » de les proposer aux jeunes athlètes. Leurs effets néfastes sont multiples : arrêt de la croissance ; perturbations de la maturation sexuelle ; fractures osseuses ; sensibilité aux infections, etc.

Notre conseil

En cas de doute sur une substance consommée par votre enfant, il ne faut pas hésiter à en parler très vite à votre médecin. Lui seul pourra vous dire si le produit en cause est dangereux ou non.

Produits couramment proposés aux sportifs et n'ayant pas démontré leur intérêt réel

Carnitine
Germe de blé
Pollen d'abeilles
Miel
Vitamine B15 (pangamate de calcium)
Phosphore

Lécithine
Aspartame
Ginseng
Acides aminés
Inosine
Succinate

ADOLESCENCE ET SITUATIONS À RISQUE DE DÉSÉQUILIBRE ALIMENTAIRE

Situation	Cause du déséquilibre	Solutions envisageables
Difficultés socio-économiques	Le manque de connaissances nutritionnelles ainsi que les problèmes financiers se conjuguent pour rendre problématique l'équilibre : le problème est rendu plus aigu par le chômage des jeunes.	Des solutions existent pour bien manger tout en limitant le budget consacré aux achats de nourriture (voir p. 53).
Minorités sociales ou ethniques	L'exclusion de certaines classes d'aliments du fait de coutumes ancestrales conduit à un déséquilibre lorsque, en même temps, l'aliment traditionnel est absent ou difficile à trouver dans le nouveau milieu de vie.	Le rôle de l'assistante sociale auprès des parents et celui des instituteurs auprès des enfants peut faire accepter de nouvelles habitudes ou faciliter la mise au point d'un modèle alimentaire de remplacement.
Problèmes chroniques de santé	La persistance d'une maladie augmente les besoins du corps et, souvent, les pertes de nutriments par l'organisme.	Une consultation avec un médecin et/ou un diététicien est souhaitable pour rétablir l'équilibre par le choix des aliments ou par la prise de suppléments (vitamines, etc.) médicamenteux.
Régime particulier trop rigoriste	Certains régimes, choisis par l'adolescent lui-même ou par ses parents, exposent au risque de carence (crudivorisme, végétalien, etc.).	Deux solutions : soit arrêter ce régime et manger « normalement » ; soit le prolonger mais apprendre comment choisir ses aliments pour limiter les dégâts.
Absence des parents aux heures des repas ; repas trop souvent pris au fast-food	Double risque : une carence en vitamines, fer, calcium, etc. ; une prise de poids excessive.	Pour équilibrer sa nourriture sans changer sa façon de vivre : se servir de certaines astuces (voir p. 490 et p. 541).
Régime à visée amaigrissante	De nombreux régimes amaigrissants sont carencés ou frustrants pour l'adolescent, d'où un risque de : — trouble de la croissance, — reprise de poids rapide à l'arrêt, — fatigue physique et intellectuelle, — troubles graves du comportement alimentaire : anorexie ou boulimie.	Ne pas chercher à atteindre un poids irréaliste par rapport à sa constitution. Si on choisit de maigrir avant dix-huit ans, le faire avec un suivi médical.

Les besoins alimentaires liés à la pilule

En modifiant le métabolisme de certaines vitamines ou en changeant le sens du goût, la contraception orale, ou pilule, augmente les risques de carence en vitamines A, B, B6, B9, B12 et C. Il faut le savoir, afin de pouvoir rétablir l'équilibre en privilégiant les aliments riches en ces mêmes vitamines. Pour y parvenir, suivez les recommandations suivantes.

Pilule et vitamines : l'amour sans les carences

— Mangez des poissons gras (thon, hareng, sardine, truite, maquereau, saumon, etc.), du foie, des œufs, des produits laitiers : pour les vitamines A, B, B9 et B12.

— Mangez des légumes verts (crus ou cuits) : pour les vitamines B6, B9 et C.

— Mangez des céréales complètes et des amandes, des noix, des noisettes : pour les vitamines B1 et B9.

— Mangez des fruits (en particulier les fraises, les kiwis, les agrumes) : pour la vitamine C.

— Sauvegardez la valeur vitaminique des aliments : des moyens simples concernant le stockage et la préparation des aliments vous aideront à conserver l'essentiel.

— Prenez des aliments (céréales, biscuits, laitages, etc.) enrichis en vitamines, surtout utiles si l'alimentation « classique » est monotone ou exclut une des familles d'aliments citées plus haut dans le tableau.

— Prenez un comprimé de polyvitamines. Même remarque que pour les aliments enrichis. Parlez-en avant à votre médecin. Choisissez des comprimés ne vous apportant pas plus de 100 % des apports quotidiens recommandés pour éviter un surdosage qui peut être nuisible.

L'adolescent
hors de chez lui

■

L'adolescent à la cantine

Un nombre élevé d'adolescents prend son déjeuner à la cantine. Ce phénomène mérite qu'on s'y attache, et ce d'autant plus que le déjeuner constitue habituellement leur principal repas de la journée.

Que faut-il penser des menus proposés à la cantine ?

Il est toujours plus facile de montrer du doigt les défauts des autres plutôt que de faire son autocritique. Les parents ne s'en privent pas et « pestent » souvent contre les menus proposés par les cantines sans toujours se soucier de ce qu'ils servent eux-mêmes à leurs enfants. En fait, les repas ne sont globalement ni mieux ni moins équilibrés à la cantine qu'à la maison. Il y a souvent trop de source de graisses : mayonnaise ou charcuterie en entrée ; fritures ou plats en sauce ensuite ; fromage double crème ou style Boursin, Tartare, etc. ; pâtisseries en dessert. Lorsqu'un de ces aliments gras est présent, cela agrémente le repas et ne pose aucun problème. Mais lorsque trois ou quatre sont réunis dans un même repas, celui-ci sera trop riche en lipides et, parallèlement, trop pauvre en glucides, fibres et vitamines.

À l'inverse, les laitages (yaourts ou fromage blanc) ne sont présents qu'une fois sur deux, alors qu'à l'adolescence il serait préférable qu'ils le soient deux jours sur trois et que les fromages à pâte pressée (les plus riches en calcium) soient présents les autres jours. Quant aux crudités ou aux fruits, c'est en général correct, avec au moins l'une de ces deux familles à chaque repas.

Ce que les cantines devraient savoir sur les adolescents

Les adolescents manquent souvent de temps pour leur déjeuner ; plutôt que de leur faire avaler à la hâte un menu à rallonge, il serait préférable de leur proposer un seul plat, mais complété par un laitage et/ou un fruit. Dans l'idéal, ce plat apporterait à la fois un féculent, des légumes verts et une portion de viande, de poisson ou d'œuf. L'adolescent serait sans doute prêt à l'apprécier puisque ses plats préférés sont du type couscous ou paella ; et si les légumes verts accompagnent agréablement les féculents mais sans les remplacer, il saura les apprécier.

Un autre problème est lié à la loi du moindre effort : comme l'enfant (et comme l'adulte ?), l'adolescent n'aime ni trier les arêtes de son poisson ni éplucher une orange. Si l'on souhaite qu'il consomme les aliments qu'on lui propose, il vaudrait mieux que la personne en charge des menus prenne en compte cette « paresse » dans ses choix. Malgré ces remarques, rappelons que l'équilibre des repas proposés à la cantine reste généralement correct, même s'il n'est pas parfait. Mais si, dans son école, les repas proposés à votre enfant ne vous satisfont pas, d'autres solutions sont envisageables.

ADOLESCENTS ET REPAS DE MIDI : Y A-T-IL UNE SOLUTION ?

Solution envisageable	Comment s'y prendre	Remarques
Rééquilibrer l'alimentation sur la journée	Soigner le petit déjeuner, le goûter et le dîner en offrant à l'adolescent ce qui lui manque au déjeuner.	Encore faut-il en parler avec son (grand) enfant.
Remplacer la cantine scolaire par le fast-food	L'équilibre alimentaire n'y gagnerait que si l'on prend plusieurs précautions (voir p. 490 et 541).	Le repas fast-food habituel est généralement de moindre valeur nutritionnelle que celui proposé par les cantines.
Emmener avec soi un repas tout prêt	Salade mixte, sandwich, tomates, yaourt, fruits... Exemples de repas facile à emporter : — salade de maïs + tomates + thon + emmenthal, avec du pain et un fruit — sandwich au jambon et crudités avec un yaourt.	Mais le jeune dispose-t-il d'un lieu correct pour déjeuner avec ce qu'il apporte et ne risque-t-il pas de s'isoler ? Par ailleurs, les conditions de conservation n'étant pas idéales, il vaut mieux éviter certains produits comme la mayonnaise (voir p. 407 pour les autres précautions).

Fast-food : comment garder l'équilibre

Sous toutes les latitudes, les jeunes apprécient la restauration rapide à l'américaine qui correspond à leur goût pour tout ce qui vient des États-Unis. C'est ce qu'ils désignent communément par le terme anglo-saxon de « fast-food ».

À toute heure et pour un prix peu élevé, les jeunes peuvent combler une petite ou une grande faim, et partager avec leurs copains un moment de détente. Ce sont surtout eux qui font le succès de ces restaurants, notamment dans les grandes villes : à Paris, 80 % des consommateurs de fast-foods ont entre dix-huit et vingt-quatre ans. Les restau U sont souvent délaissés au profit des Mac Donald, Burger King et autres enseignes à la mode de la restauration rapide.

« Qu'est-ce qui séduit les adolescents dans le fast-food ? »

Trois éléments : la liberté, le goût et la mode.

— La liberté tient à la facilité de son accès (ouvert du matin au soir), à la possibilité laissée à chacun de choisir son menu, à la relative modération du coût, à la rapidité du service.

— Le goût est attirant car les aliments sont faciles à mâcher et plutôt gras, et généralement fortement salés ou sucrés : ces caractéristiques font accepter plus facilement une certaine monotonie des saveurs.

— La mode tient à l'image « USA » du fast-food, ainsi qu'au fait qu'on s'y retrouve entre « ados » avec une façon de manger nettement différente de celle proposée à la maison par les parents.

La plupart des spécialistes de la nutrition se désolent de ce phénomène. Effectivement, la nourriture servie dans les fast-foods est loin d'être équilibrée. Cela ne pose guère de problèmes pour ceux qui ne fréquentent pas ces restaurants plus de deux fois par semaine. Mais pour les accros du hamburger, ce mode de nourriture présente plusieurs inconvénients.

FAST-FOOD : POURQUOI VAUT-IL MIEUX NE PAS ABUSER ?

Caractéristiques des repas habituellement consommés	Aliment et modes de préparation en cause	Risques sur la santé si fréquentation quotidienne
Aliments trop gras et trop concentrés en calories	Frites et morceaux de poulet frits, la quasi-totalité des hamburgers et des desserts, les sauces.	Prise de poids et excès de cholestérol dans le sang.
Manque de fibres	Peu ou pas de légumes ; petits pains trop raffinés.	Constipation ; prise de poids.
Excès de glucides rapides	Boissons sucrées ; petits pains raffinés et desserts.	Prise de poids ; fringales deux-trois heures après le repas.
Carence en calcium	Absence, ou rareté, des laitages.	Réduction de la calcification des os ; nervosité, fatigue.
Excès de sel	Pains, sauces et frites souvent très salées.	Rétention d'eau ; hypertension artérielle ; pertes de calcium dans les urines.
Manque de vitamines (notamment A, D et C)	Absence de légumes et de fruits ; aliments très raffinés.	Fatigue ; réduction de la calcification des os ; sensibilité aux infections.
Manque de glucides lents	Absence de féculents au profit d'un petit pain trop raffiné.	Fatigue intellectuelle et/ou physique ; prise de poids paradoxale.
Manque de magnésium	Absence de légumes ou de fruits ; aliments très raffinés.	Nervosité ; fatigabilité.

À la lecture des imperfections que recèlent les repas servis dans les fast-foods, il peut paraître paradoxal d'avancer des arguments pour les défendre. Néanmoins, on peut se réjouir que les adolescents et les « post-ados » socialisent ainsi leur repas, que celui-ci soit pour eux un moment de détente, de convivialité ou de plaisir. Sans oublier que, s'ils n'existaient pas, les jeunes se tourneraient vers les distributeurs automatiques de confiseries dont la valeur nutritionnelle répond encore plus mal aux besoins de l'adolescent, et qui ne leur fourniraient même pas un endroit pour partager leur repas.

Afin que les accros des hamburgers continuent à associer leur passion tout en gardant la ligne et la forme, afin que les parents ne s'inquiètent pas de l'équilibre alimentaire de leurs grands enfants, les conseils qui suivent seront, peut-être, de quelque utilité : en choisissant bien ses aliments lors des repas pris aux fast-foods, ainsi que ceux lors des repas pris à la maison, il est possible d'établir un bon équilibre nutritionnel sur une journée entière.

VOUS MANGEZ SOUVENT AU FAST-FOOD ? COMMENT CONSERVER L'ÉQUILIBRE

	Le choix optimal	Pourquoi ?	Notre conseil
AU FAST-FOOD	Choisir le hamburger le plus simple	C'est le seul équilibré ; les « big », « maxi » et autres « super » sont trop gras.	Si vous avez très faim, prenez-en deux « simples » plutôt qu'un seul « big ».
	Plutôt qu'une grosse part de frites, choisir une salade	Vitamines, fibres, minéraux, minceur : vous avez tout à y gagner.	Et pourquoi pas une petite frite + une salade ?
	Délaisser les sodas sucrés	Afin d'éviter caries, prise de poids et fringales dans l'après-midi.	Choisissez plutôt un verre d'eau (l'idéal), de lait (pour le calcium) ou un soda « light » (pour la saveur sucrée sans le sucre).
	Desserts : remplacer la crème glacée ou le milk-shake par une salade de fruits	Moins de gras, plus de minéraux, de vitamines et de fibres.	Et pourquoi pas emporter une pomme dans la poche et la croquer au dessert ?
AUX AUTRES REPAS	Un petit déjeuner optimal	Vous compenserez ainsi les manques du repas pris au fast-food.	Des tartines (pain complet ou pain de seigle, ou encore céréales complètes pour les fibres), un produit laitier (lait, yaourt) et un fruit frais à croquer.
	Pour se rattraper, un goûter intelligent	Vous commencerez ainsi à rééquilibrer votre journée tout en vous permettant de tenir jusqu'au soir.	Un fruit et un yaourt : pour les fibres, le calcium et les vitamines.
	Un repas équilibré et complet à domicile	Vous compenserez ainsi les manques du repas pris au fast-food.	Un féculent (ou du pain complet), un légume vert (ou une salade ou un potage), un yaourt (ou du fromage), un fruit. Pas de friture, peu de beurre, un filet d'huile (non cuite si possible). Du poisson, des œufs ou une volaille ; ne pas forcer sur la viande rouge.

Alcool et adolescence : un flirt dangereux

Lorsque les jeunes donnent leur avis sur les aliments à risque pour la santé, ils désignent avant tout l'alcool. 80 % d'entre eux savent que le vin, la bière ou les alcools forts peuvent être néfastes. Cela ne les empêche pas de boire de plus en plus tôt et de plus en plus fréquemment. Cela contraste avec la baisse de consommation d'alcool et surtout de vin chez les adultes que l'on constate en France depuis quelques années.

Qui boit quoi ?

L'alcoolisme des jeunes touche non seulement les milieux défavorisés, mais également les jeunes issus de familles aisées. Sa signification psychologique s'apparente à celle d'une toxicomanie. Pour un adolescent, l'alcool est une drogue d'accès facile, en « vente libre » et non (ou peu) répréhensible par la loi. L'alcool permet au jeune de s'évader, ou encore de se sentir plus sûr de lui, moins inhibé lors des soirées entre copains. Il associe plaisir de la convivialité (l'alcoolisme solitaire est plus rare), transgression des interdits édictés par les adultes (alors même que les adultes eux-mêmes montrent souvent... le mauvais exemple) et rite initiatique pour « rentrer dans la bande ».

Les jeunes boudent généralement le vin. Ils lui préfèrent la bière, ou encore les alcools forts. Du fait des habitudes du groupe qu'ils cherchent à intégrer, ou du fait de leur goût et de leur personnalité, certains consomment une boisson alcoolisée quotidiennement aux repas, à l'heure de la pause ou en fin d'après-midi. Pour d'autres, c'est le week-end qui constitue la période critique : soirées du samedi autour d'un whisky, après-midi du dimanche autour d'une ou de plusieurs bières, etc.

« Quels sont les dangers de l'alcool pour les adolescents ? »

Une consommation modérée d'alcool n'est pas forcément dangereuse ; les risques sont minimes pour l'adolescent s'il ne dépasse pas 30 g d'alcool pur par semaine, soit trois verres de vin, ou trois demis de bière, ou trois « doigts » de whisky, ou trois coupes de champagne. Encore faut-il que cette consommation soit étalée dans la semaine (la même dose bue en une soirée conduirait à une ivresse avec ses conséquences parfois graves) et qu'elle ne dérive pas progressivement vers une fréquence et des doses plus importantes : il y aurait alors un risque d'alcoolo-dépendance et d'alcoolisme.

« Y a-t-il des statistiques sur la consommation d'alcool des ados ? »

Près d'un adolescent sur trois consomme chaque semaine environ deux fois les quantités maximales proposées plus haut, soit plus de 50 g d'alcool pur ; un sur quatre boit au moins un alcool fort par semaine. Les garçons sont plus souvent concernés que les filles. Mais, certains soirs, celles-ci boivent autant que leurs copains, allant parfois jusqu'à l'ivresse. Parmi les filles de seize à dix-huit ans, une sur trois indique avoir été dans un état d'ivresse au moins une fois au cours des six mois antérieurs.

Alcool : comprendre et prévenir

Les risques liés à l'alcoolisme existent à tout âge : chez l'adolescent, ils sont plus importants car son organisme n'a pas encore terminé sa croissance et que les incidents de parcours risquent vraiment de mettre à mal sa maturation psychologique. Le tableau ci-dessous résume les dangers.

Dangers liés à l'alcool

Ivresse aiguë
— Perturbations neurologiques et métaboliques.
— Accident, acte de violence, acte irréfléchi (relation sexuelle, drogue, etc.).

Alcoolisme chronique
— Réduction de l'appétit avec consommation insuffisante de la nourriture habituelle.
— Perturbation du métabolisme des minéraux (zinc, magnésium) ou des vitamines (A, B, B6, B9).
— Prise de poids.

Conséquences sociales
— Perturbation de la scolarité.
— Marginalisation.
— Passage à une « vraie drogue ».
— Prolongation et accentuation de l'alcoolisme à l'âge adulte.

Comme pour la drogue, les parents ont beau s'ingénier à faire « tout ce qu'il faut » pour l'éducation de leur enfant, ils ne seront jamais sûrs de parvenir à lui éviter de pâtir de l'alcoolisme dans cette période souvent difficile à vivre qu'est l'adolescence. Mais par leur attitude, ils peuvent réduire les risques de survenue d'une telle dérive.

Alcool et adolescence
Comment prévenir les risques

Donner l'exemple
— Même si l'on boit régulièrement à table ou à l'apéritif, s'abstenir de toute boisson alcoolisée pendant un ou plusieurs jours pour montrer à son enfant que l'on peut s'en passer.
— Savoir jusqu'où on peut aller : s'arrêter avant de perdre son self-control.
— Ne pas boire (ou très peu) avant de conduire : rappeler ainsi à son enfant les dangers de l'alcool au volant.

Respecter la réserve ou les goûts de l'adolescent
— Ne pas le pousser à boire en famille s'il ne le souhaite pas.

Enseigner comment domestiquer l'alcool
— Apprendre à son enfant comment choisir et apprécier un bon vin à table.
— Partager avec lui une coupe de champagne dans les grandes occasions.
— À l'heure de l'apéritif, proposer (rarement et à petite dose) un whisky ou un pastis, etc., mais également (plus souvent) un jus de tomate, une eau gazeuse, etc.

Ne pas s'opposer systématiquement à toute prise d'alcool entre jeunes
— Ce serait illusoire et contre-productif.
— Le laisser boire un ou deux whiskys à une soirée, ou partager une bière une ou deux fois par semaine avec ses copains. Le danger est lié à la fréquence de consommation et au nombre de verres, non à l'acte lui-même de boire.

Garder le contact
— Le refuge dans l'alcool est parfois lié à un manque de communication avec la famille.
— Parler des dangers liés à l'excès d'alcool.

En cas de consommation déjà importante
— Renouer le dialogue pour en mettre en évidence les causes et rechercher une solution.
— En parler à son médecin et, si nécessaire, à un spécialiste en alcoologie.

Lorsque l'adolescent vous surprend par sa façon de manger

Dans de nombreuses situations, l'adolescent se sert volontiers de son alimentation et de son corps. L'objectif, pour lui, peut être de :

— marquer son indépendance,

— exprimer ses difficultés,

— établir une relation avec ses proches,

— matérialiser son opposition à l'autorité ou au mode de vie parental,

— se soustraire au désir de l'autre, que ce soit par la maigreur ou par l'obésité,

— provoquer une réactivation puis une fixation de son évolution affective au stade oral afin de garder sous l'éteignoir ses propres pulsions génitales qui se mettent au jour à l'adolescence,

— répondre par un remplissage de l'estomac (*via* l'alimentation) à une sensation de vide affectif ou à un état dépressif.

Lorsque ces conduites aboutissent à l'obésité, à la boulimie ou à l'anorexie, elles mettent en jeu la santé physique et/ou psychique de l'adolescent. Mais, plus souvent, elles portent peu à conséquence et disparaissent au bout de quelques mois. Il ne faut donc généralement pas s'inquiéter outre mesure.

Le grignotage

Grignoter, c'est manger des petites quantités de nourriture en dehors des repas, que ce soit dans la matinée, l'après-midi ou la nuit. En général, les repas classiques persistent. Parfois, les épisodes de grignotage se répètent tout au long de la journée, d'où une disparition des repas habituels. Les jeunes qui grignotent le font souvent dans des circonstances bien particulières ; selon les individus, ce peut être en regardant la télévision, en lisant, en travaillant, etc.

Il n'est pas rare que la jeune fille anorexique use du grignotage comme seule manière de se sustenter, ou que la boulimique alterne accès boulimiques et épisodes de grignotage ; dans les deux cas, c'est le repas traditionnel qui est

« sacrifié ». Parfois, le grignotage préside au déclenchement de la boulimie, une prise alimentaire minime dégénérant en compulsion irrésistible. Mais, le plus souvent, les grignoteurs ne sont, ou ne deviennent, ni boulimiques, ni anorexiques.

L'adolescent qui grignote peut être un garçon aussi bien qu'une fille ; il consomme des aliments qu'il aime, à la différence de la boulimique qui ne mange pas pour le plaisir mais pour se remplir. Le grignotage est souvent une réponse « orale » à un stress ou à une sensation de vide, d'ennui ou d'inactivité. Qu'il corresponde à la barre chocolatée prise à l'école en milieu de matinée, au fromage consommé sur le pouce en fin d'après-midi ou au paquet de biscuits vidé le soir devant la télévision, le grignotage fait partie du paysage alimentaire quotidien. La consommation de sodas et autres boissons sucrées ou alcoolisées est, elle aussi, une forme de grignotage.

En général, le grignotage n'est pas provoqué par la faim, mais par le besoin d'un retour attentionné sur soi-même : la prise d'aliments savoureux permet, temporairement, de remplir une période d'ennui ou un vide affectif, elle permet aussi d'échapper à un stress ou à une pensée dérangeante.

■ Questions sur le grignotage ■

« Quels sont les inconvénients du grignotage ? »

Limités à une fois par mois ou par semaine, la tablette de chocolat avalée dans l'après-midi ou le paquet de biscuits terminé sur le chemin de l'école ne porteront pas à conséquence. Par contre, répétés plusieurs fois par semaine ou par jour, les grignotages déstabilisent l'équilibre nutritionnel. En effet, les aliments faisant l'ordinaire des grignotages sont par nature à la fois facilement disponibles — on ne grignote pas des spaghettis bolognaise mais un morceau de fromage, des chips ou un biscuit — et agréables — le chocolat est préféré aux épinards dans ces moments-là...

Or de tels aliments sont presque toujours gras et/ou sucrés, et, surtout, le fait qu'ils soient consommés en dehors des repas et pour des raisons plus affectives ou gourmandes que par une sensation de faim explique qu'ils participent mal au contrôle de l'appétit et qu'ils favorisent une prise excessive de poids : les obésités de l'enfant ou de l'adolescent sont souvent liées à un grignotage intempestif. La disparition des repas au profit d'un grignotage gras, salé ou sucré a favorisé le développement de l'obésité aux États-Unis ces vingt dernières années et risque d'avoir les mêmes conséquences en Europe.

Par ailleurs, les grignotages tendent à perturber la consommation, à l'heure des repas, d'aliments plus utiles tels les légumes, les féculents, la viande ou le poisson, les produits laitiers, les fruits. Il en résulte un déséquilibre nutritionnel avec un manque de vitamines, de calcium, d'oligo-éléments et de fibres.

« Comment éviter que mon enfant grignote toute la journée ? »
L'attitude des parents favorise parfois la survenue des grignotages : lorsque, croyant bien faire, on met son enfant au régime « steak-haricots verts », on provoque dans l'organisme une sensation de manque énergétique difficile à supporter étant donné les besoins de l'adolescent liés d'une part à la croissance, d'autre part à l'activité physique. Alors le jeune grignote entre les repas des aliments qu'il trouve chez lui, qu'il achète à la boulangerie ou encore qu'il échange avec les copains à la récréation. En calmant son appétit, la réintroduction de féculents aux repas permet habituellement de réduire ou de faire disparaître ces grignotages.

« Mon enfant continue à grignoter le soir avant le dîner. Comment réagir ? »
Devant cette « médecine douce » du blues, il faut d'abord ne pas dramatiser, ne pas considérer le grignotage comme une aberration psychosensorielle ou un danger immédiat. Ensuite, vous devez bien évaluer l'étendue du grignotage et ses conséquences.
Si le grignotage est rare ou minime, le mieux est sans doute de ne rien faire, surtout si votre enfant mange par ailleurs bien aux repas et s'il n'a pas de problème de poids.
Dans le cas inverse, conseillez à votre enfant de prendre un goûter équilibré et copieux (voir p. 530) : cela devrait réduire ses besoins de grignoter. Et si, vraiment, il continue à grignoter, proposez-lui de choisir des aliments riches en fibres, en protéines, en glucides ou en vitamines, mais pauvres en calories et en graisses, par exemple un yaourt ou un fruit. Ainsi, il pourra manger entre les repas sans (trop) prendre de poids, tout en gardant un bon équilibre alimentaire.

Les fringales

Plus de la moitié des Américains sont sujets aux fringales ; en France, les statistiques sont moins précises, mais nombreuses sont les personnes qui s'en plaignent, que ce soit à l'adolescence ou à une autre période de la vie. La fringale est une sensation de faim impérieuse qui se manifeste par des sensations telles que des sueurs, des tremblements, une anxiété, un flageolement des jambes, des difficultés à se concentrer, voire un évanouissement. Elle est provoquée par une baisse du glucose dans les cellules, notamment dans celles du cerveau. Le glucose est habituellement la seule source d'énergie pour le cerveau.

Lorsque la glycémie descend trop bas, on parle d'hypoglycémie. Le cerveau est alors en manque de sucre, et la fringale se manifeste ; ces manifestations sont utiles puisqu'elles nous incitent à manger rapidement, donc à « nourrir » le cerveau qui est en état de manque.

■ *Questions sur les fringales* ■

« La façon de se nourrir influence-t-elle la survenue des fringales ? »

La fringale est souvent provoquée par une restriction alimentaire — par exemple si vous sautez un repas — ou par certains régimes amaigrissants. Paradoxalement, elle est par ailleurs favorisée par certains aliments. Pour assurer l'assimilation d'un repas, le pancréas sécrète l'insuline ; cette hormone abaisse la glycémie dans l'heure qui suit. Lorsque cette diminution est trop importante, le cerveau est en état de manque, d'où la survenue d'une fringale.

Certains aliments déclenchent plus que d'autres une sécrétion excessive d'insuline ; ce sont surtout ceux qui contiennent des glucides assimilés rapidement par l'organisme : avant tout les boissons sucrées ainsi que les bonbons et les sucreries (en revanche, un dessert sucré est assimilé lentement car sa digestion est ralentie par le reste du repas) ; mais également des aliments tels qu'une purée de pommes de terre sans la présence d'un légume vert au même repas, ou des corn flakes sans un fruit frais (les fibres des légumes et des fruits ralentissent l'assimilation des glucides plutôt rapides présents dans la purée ainsi que dans la plupart des céréales du petit déjeuner). Un cercle vicieux risque de se mettre en place, la consommation de tels aliments entraînant une fringale qui elle-même appelle une nouvelle prise alimentaire, d'où répétition de la fringale... Au bout du compte, l'adolescent prend souvent du poids.

« Les fringales sont-elles toujours provoquées par une alimentation inadéquate ? »

De nombreuses fringales ne sont pas liées à une hypoglycémie : les adolescents un peu trop nerveux, un peu trop « sensibles », y sont également sujets du fait d'une libération excessive d'adrénaline, hormone du stress. Elle aussi déclenche des sueurs, des palpitations ou des tremblements.

« Que faire pour éviter la survenue des fringales ? »

Lorsqu'on est sujet aux fringales, on a intérêt à éviter les aliments et boissons sucrés entre les repas et à privilégier trois repas par jour ainsi qu'une à deux collations, l'une en milieu de matinée, l'autre en milieu d'après-midi. Pour que ces collations préviennent, et ne déclenchent pas les fringales, on conseillera à son enfant de prendre non pas des aliments sucrés, mais plutôt une collation riche en glucides lents, par exemple un yaourt et une banane (ou un autre fruit), ou encore une tartine de fromage.

La pseudo-boulimie

Comme dans la vraie boulimie, les manifestations de pseudo-boulimie sont ressenties comme une nécessité impérieuse et irrésistible de manger en dehors des heures habituelles des repas. Mais alors que la jeune fille boulimique cherche avant tout à se « remplir » sans se soucier du goût des aliments, la compulsion alimentaire est ici sélective, orientée vers le choix d'un aliment ou d'une famille d'aliments bien particulière et très appréciée ; le plaisir procuré est immédat.

À la différence de la boulimie, la faim ne guide pas ce comportement, et le sentiment de culpabilité est très inconstant. Les aliments choisis sont souvent sucrés et décrits comme apaisants et revitalisants. Le chocolat est un des « must », peut-être aussi parce qu'il contient des substances, telle la phényléthylamine, supposées avoir une action antidépressive ; on a là un bel exemple d'automédication du spleen.

Questions sur la pseudo-boulimie

« Faut-il s'en inquiéter ? »

Nombreux sont les adolescents sujets à une pseudo-boulimie. Les quantités consommées sont beaucoup plus faibles que lors des boulimies : une pâtisserie, un chocolat ou un morceau de fromage ne vont pas bouleverser l'équilibre nutritionnel. De plus, même lorsque ces manifestations sont déclenchées par un moment de cafard, il est rare que cette conduite reflète un conflit psychologique grave. Aussi, sauf si votre enfant souffre de problèmes de poids ou néglige les repas habituels, ne vous en inquiétez pas. Vous pouvez, en revanche, analyser avec lui (ou elle) la situation, les tenants et les aboutissants de ces compulsions, afin de l'aider à les maîtriser.

« Mon enfant se lève la nuit pour manger. Que faut-il en penser ? »

Dans certains cas, le désir de manger réveille la nuit et conduit irrésistiblement vers le réfrigérateur. Dans un demi-sommeil, sans bruit pour ne pas réveiller sa famille, l'adolescent se lève, mange, pas toujours beaucoup, puis, apaisé, se recouche. Ces épisodes ont tendance à se reproduire régulièrement. Il n'est pas toujours facile de déceler la motivation : fringale ? pseudo-boulimie ? Un sentiment d'anxiété, consciemment perçu ou non, en est souvent l'origine, par exemple chez un adolescent trouvant difficilement le sommeil du fait de difficultés scolaires ou de soucis sentimentaux. Lui en parler vous permettra peut-être de le rassurer et de lui faire passer des nuits plus calmes.

Les repas trop copieux

Ce n'est pas toujours entre les repas que certains enfants ou adolescents mangent trop. Nous participons tous, et nos enfants avec nous, à des repas très copieux, par exemple lors de réveillons ou de fêtes familiales. La convivialité et l'aspect festif de ces repas sont privilégiés, et l'excès apparaît ici comme bénéfique tant sur le plan de la gourmandise que sur celui du partage social ou familial. Ces repas pantagruéliques ne portent pas à conséquence pour la santé de l'enfant, à condition que leur succession dans l'année se déroule à un rythme raisonnable.

Parfois, ce comportement se reproduit chaque jour. Comme dans la boulimie, l'enfant perd tout contrôle sur lui-même et mange des quantités importantes d'aliments, une fois qu'il a entamé le premier plat. À la différence de la boulimie, le tout se déroule dans un environnement joyeux, en présence des membres de sa famille ou d'un groupe d'amis autour de la table : l'ambiance joue ici un rôle d'entraînement. Les conséquences sont néanmoins parfois néfastes sur le poids, avec un risque d'obésité si ces épisodes se reproduisent plusieurs fois par semaine.

Les régimes bizarres

La puberté rend les jeunes filles plus sensibles à la vogue de minceur. Aussi, il n'est pas rare de les voir se restreindre volontairement ; alors même qu'elles sont minces, elles se jugent trop rondes et se voudraient maigres. Ces adolescentes peuvent également se mettre au régime pour d'autres raisons : par volonté d'ascèse, elles s'obligent à éviter avant tout les aliments qu'elles apprécieraient ; par attachement éthique à un mode alimentaire particulier (végétarisme, macrobiotique, etc.). Ces jeunes filles ne sont pas anorexiques, mais elles investissent une grande part d'elles-mêmes dans leur silhouette et leur façon de manger. Une telle attitude est rare chez le jeune garçon.

Cette mise au régime rapproche quelquefois mère et fille, lorsque la première surveille elle-même précautionneusement sa ligne. Dans d'autres familles, elle engendre au contraire un conflit ; en fait, les parents devraient éviter de s'opposer de façon trop autoritaire à leur fille, car l'« escalade » dans les menaces réciproques risque de favoriser la mise en place d'une anorexie mentale. La solution passe plutôt par le dialogue et par le sourire.

Ces originalités nutritionnelles sont souvent transitoires. Il sera néanmoins utile de demander conseil à un médecin ou à un diététicien, tierce personne à la fois neutre et experte en la matière, afin de s'assurer que l'adolescent ne risque pas, du fait de ses nouvelles habitudes, une carence alimentaire préjudiciable.

Boulimie, anorexie : attention, danger

Ce sont essentiellement les adolescentes qui souffrent de boulimie ou d'anorexie. Ces deux conduites alimentaires extrêmes sont à prendre au sérieux car elles reflètent habituellement une réelle détresse psychologique ainsi qu'une grave perturbation des schémas alimentaires et corporels et qu'elles risquent de mettre à mal la santé et le psychisme de l'adolescent (e).

L'adolescente boulimique

Qu'est-ce que la boulimie ?

L'adolescence constitue la période de prédilection pour la boulimie. Ce comportement alimentaire compulsif touche nettement plus souvent la jeune fille que le jeune homme.

➤ L'accès boulimique

Durant l'accès boulimique, l'adolescente mange rapidement et sans s'arrêter des quantités importantes d'aliments ; ces aliments, elle les choisit essentiellement pour leur richesse calorique et leur caractère bourratif, non pour leurs saveurs. La boulimique n'est pas une gourmande ; parfois, elle sélectionne des aliments précis, sucrés ou salés, mais elle mange surtout ce qui lui tombe sous la main, dans les placards ou dans le réfrigérateur.

Quelquefois, la crise se déroule sur le chemin du retour au domicile, après l'école, la rue offrant un lieu anonyme pour assouvir la crise à l'aide d'aliments achetés quelques minutes auparavant dans une boulangerie ou dans tout autre commerce alimentaire.

Une seule crise peut apporter plus de 10 000 calories et associer des aliments aussi divers que deux baguettes, une plaquette de beurre, un paquet de riz, un tube de mayonnaise, deux tablettes de chocolat, une boîte de raviolis... Le plus souvent, la jeune fille ne cuit ni ne prépare les aliments ; elle ne souhaite pas apprécier les saveurs de la nourriture, mais se « remplir » ; c'est pourquoi aussi elle avale plus les aliments qu'elle ne les mâche.

La crise de boulimie est en général assez stéréotypée, et il n'existe finalement que peu de variations d'une boulimique à l'autre ou d'une crise à l'autre chez une même personne – si ce n'est dans le choix des aliments. Elle est souvent précédée d'une sensation intense de faim, comme l'indique son sens étymologique « faim de bœuf ». L'adolescente boulimique sent « monter » la crise, devient fébrile, tente de résister tout en organisant son « passage à l'acte », pour finalement céder avec la sensation de perdre tout autocontrôle. La crise de boulimie est brutale, impérieuse ; elle a lieu le plus souvent en cachette des parents ou des amis, en dehors des heures de repas, accompagnée d'un fort sentiment de solitude. Déclenchée parfois par une contrariété scolaire, familiale ou sentimentale, elle s'annonce habituellement en fin de journée.

➤ *Après la crise*

Après la crise règne une impression de malaise, de remords, de dégoût de soi. La jeune fille a souvent mal au ventre, tant le tube digestif et le ventre sont distendus par le volume des aliments avalés. Un état de torpeur, voire une sensation de perte de sa personnalité, est habituel, associé à un profond sentiment de culpabilité.

Dans près de la moitié des cas, l'adolescente se fait vomir, afin de ne pas grossir, mais cette attitude ouvre la voie à une deuxième crise boulimique, parfois immédiate. Le total d'une journée peut ainsi atteindre une dizaine d'accès. Chez d'autres, le nombre des crises est limité à une ou deux par semaine.

➤ *Qui sont les boulimiques ?*

La boulimie débute habituellement à la fin de l'adolescence, après avoir parfois été « annoncée » lors de la puberté par certains troubles : refus de manger, prise de poids excessive, grignotage intense, etc. Paradoxalement, la boulimie touche plus particulièrement certains groupes socioculturels très attachés à leur esthétique et à leur silhouette, comme les étudiantes, les mannequins ou les danseuses : le fait de faire très (trop) attention à sa ligne, d'être continuellement frustrée face à la nourriture et à ses désirs alimentaires requiert parfois cette « soupape » qu'est la crise de boulimie.

La période boulimique dure généralement de cinq à dix ans. Parfois, elle persiste jusqu'à un âge adulte avancé ; chez d'autres adolescentes, elle n'est au contraire que passagère et disparaît spontanément en quelques mois.

Nombreuses sont les adolescentes qui se croient boulimiques sans l'être vraiment ; ne confondez pas la boulimie avec d'autres pratiques alimentaires moins problématiques mais elles aussi impulsives et source de culpabilité. Même si elle consomme frites et hamburgers jusqu'à en avoir mal au ventre, si elle grignote toute la journée chips, biscuits et bonbons, si elle a du mal à ne pas terminer la tablette de chocolat après l'avoir entamée, ou si elle mange plusieurs tartines de pain beurré, votre fille n'est pas boulimique pour autant.

Les conséquences de la boulimie

Pour ne pas grossir, l'adolescente utilise souvent une stratégie alimentaire qui la conduit à refuser de participer aux événements sociaux se déroulant autour de la table ; cette attitude induit un sentiment de solitude et un repli sur soi, qui caractérisent déjà le déroulement des crises elles-mêmes. La boulimie devient vite le principal moteur de l'adolescente, limitant l'intérêt porté aux autres activités.

Cependant, la boulimie reste habituellement inapparente pour l'entourage, que ce soit à l'école ou dans la famille ; même les plus intimes ne s'en aperçoivent pas toujours. En fonction des conduites alimentaires qu'elles adoptent après et entre les crises, certaines boulimiques sont obèses, d'autres minces ; mais le plus souvent, la boulimie ne se manifeste ni par les rondeurs de l'obésité ni par la maigreur de l'anorexie. La corpulence de la boulimique ne retient donc que rarement l'attention de ses proches.

« La boulimie peut-elle être dangereuse ? »

Cette absence de retentissement sur le poids ne doit pas faire croire que la boulimie est anodine pour l'adolescente. Même si les crises elles-mêmes ne sont pas perçues par la famille ou les amis, elles n'en ont pas moins un retentissement néfaste aux plans social, familial et scolaire : la jeune fille se désintéresse progressivement de tout ce qui ne concerne pas la nourriture et sa silhouette. Il est difficile de s'investir dans quoi que ce soit lorsque les pensées sont monopolisées par la future crise : « Quand surviendra-t-elle ? Comment faire pour l'éviter ? Si j'y succombe, que manger ? »

De plus, l'adolescente boulimique n'est pas à l'abri de plusieurs problèmes de santé. Certains sont provoqués par les vomissements : pertes de sels minéraux, atteintes du rein, lésions de l'œsophage. Le déchaussement des dents est habituel, ainsi que l'augmentation du volume des parotides, glandes situées derrière les mâchoires et sécrétant la salive. Beaucoup plus rarement survient une dilatation grave – voire une rupture – de l'estomac, tant celui-ci est distendu par le volume des aliments.

Comment s'en sortir ?

Afin d'interrompre le cycle boulimie-vomissements, il est nécessaire que l'adolescente prenne bien conscience des facteurs qui déclenchent les crises : événement de la vie sentimentale, un conflit familial ou un échec scolaire, ou encore une angoisse existentielle ?

Pour ce faire, la tenue d'un carnet alimentaire durant quelques semaines est utile : l'adolescente y note quotidiennement ses prises de nourriture ainsi que son état psychologique. En analysant ce carnet et sa signification avec un thérapeute (médecin, psychologue, psychiatre), voire seule ou avec un proche, il lui devient plus facile de comprendre sa boulimie et de prévenir les crises soit en évitant les circonstances déclenchantes, soit en apprenant à réagir autrement.

> ### Notre conseil
> Une psychothérapie plus approfondie est souvent nécessaire. Dans ce cas, la confiance adolescente-thérapeute est primordiale : ce qu'un thérapeute ne parvient pas à réaliser est parfois possible avec un autre, du simple fait d'un meilleur contact facilitant dialogue et compréhension.

L'anorexie mentale chez l'adolescent

Le terme « anorexie » signifie perte ou diminution de l'appétit ; un jour ou l'autre, nous en avons tous fait l'expérience, que ce soit à l'occasion d'une maladie, grave ou non, de la prise d'un médicament, d'un stress ou d'une activité débordante.

Tout autre est « l'anorexie mentale » : plus qu'une réelle perte d'appétit, c'est un refus de se nourrir, qui se prolonge sur plusieurs mois et souvent sur plusieurs années. Il s'agit d'une attitude volontaire qui est le reflet d'un conflit psychique profond.

Comment reconnaître l'anorexie mentale chez une adolescente

∎

Une jeune fille de treize à vingt ans, dont le passé paraît sans problème, se met à manger moins que d'habitude, puis beaucoup moins, et à maigrir. Le plus souvent, elle n'est pas grosse au départ, et pourtant elle a une peur intense de le devenir. Elle perçoit son corps différemment de ce qu'il est ; elle se sent difforme, gonflée, « pleine », surtout lorsqu'elle mange. Elle ne paraît pas consciente de son amaigrissement, même lorsque celui-ci devient extrême. Une seule voie pour elle : manger peu – ou pas du tout – et maigrir. Pour accélérer ce processus, elle marche beaucoup, multiplie les séances de gymnastique, boit à longueur de journée et peut même aller jusqu'à utiliser des laxatifs et des vomitifs.

➤ *L'ivresse du jeûne*

La boulimique recherchait le trop-plein, l'anorexique mentale est en quête de vide. Pour « tromper » la famille, qui cherche à la faire manger, elle varie les régimes, jette ou cache la nourriture après l'avoir acceptée. Il n'est pas rare que ses parents préparent des repas de plus en plus copieux, de plus en plus agréables pour favoriser la « reprise d'appétit » de leur fille ; paradoxalement, ce sont eux qui vont grossir, alors que leur fille reste insensible à leurs attentions et aux charmes de la table : elle refuse de participer au repas familial. D'autres plaisirs l'attendent : l'ivresse procurée par la résistance à l'entourage et la maîtrise de son corps, l'euphorie qu'apporte le jeûne, le détachement des contingences matérielles au profit de celles de l'esprit.

Cet esprit, l'anorexique cherche le plus possible à le maintenir, ou à le montrer, éveillé et brillant ; elle est volubile, souvent coquette et charmeuse. L'amaigrissement ne paraît pas avoir entamé ses capacités physiques ou intellectuelles. En réalité, celles-ci vont progressivement se détériorer à mesure que la perte pondérale se poursuit, mais l'anorexique n'en est pas, ou ne veut pas en être consciente : elle veille à refléter puissance, maîtrise et hyperactivité, même si cette hyperactivité tourne le plus souvent « à vide », sans créativité ni affectivité. Alors que la boulimique a honte de céder à ses pulsions, l'anorexique est fière de son pouvoir.

➤ *Un corps désincarné*

Cette volonté de conserver ou d'acquérir son indépendance s'exprime d'abord par rapport à sa famille. Par extension, l'adolescente anorexique va également se méfier de tous ses désirs, que ceux-ci soient affectifs (rupture des liens avec ses amis), sexuels (refus de céder au plaisir sexuel ; ce refus est « facilité » par la disparition des formes féminines et du cycle menstruel liés à l'anorexie), matériel (refus du confort) et, bien sûr, alimentaire.

Les conduites ascétiques, si fréquentes chez tout adolescent, deviennent ici caricaturales. Le corps idéalisé, désincarné, devient une abstraction, et l'anorexique peut exercer sur lui son besoin de maîtrise. Elle substitue l'orgasme de la faim à l'orgasme génital, elle se satisfait non de l'assouvissement de sa sensualité (dangereuse car source apparente de dépendance) mais de la non-satisfaction et de la maîtrise de ses désirs. Néanmoins, même si le désintérêt apparent pour la sexualité est constant, les jeunes filles anorexiques ont aujourd'hui plus souvent qu'hier des relations sexuelles du fait de la libéralisation des mœurs dans notre société ; parfois même, elles vivent en ménage.

Quoi qu'il en soit, ce comportement extrême doit être pris au sérieux ; il révèle un réel tourment psychique, et surtout met rapidement en jeu la santé et la vie de l'adolescente.

Qui sont les anorexiques ?

La première description médicale de ce que nous appelons aujourd'hui « l'anorexie mentale » remonte au XVIIIᵉ siècle ; on la doit à Richard Morton. C'est surtout durant le XIXᵉ siècle que s'est individualisée cette maladie, sous l'impulsion des écoles anglaise et française de neurologie. Au début du XXᵉ siècle, les endocrinologues, c'est-à-dire les médecins spécialistes des maladies des glandes et des hormones, considéraient que l'anorexie mentale était provoquée par des désordres hormonaux ; en fait, il est à présent bien établi que ces derniers sont non la cause, mais la conséquence d'un conflit intrapsychique, reconnu désormais comme point de départ de la maladie.

« Y a-t-il plus d'anorexiques aujourd'hui ? »

La coexistence qui règne actuellement entre abondance alimentaire et culte de la minceur crée un conflit de motivation, moteur de l'anorexie comme il l'est d'autres troubles du comportement alimentaire : comment rester ou devenir mince lorsque publicité, convivialité et gourmandise cherchent à séduire le mangeur que nous sommes ? Une réponse possible consiste à résister à toute séduction alimentaire et à ne plus rien manger ou presque.

D'où l'élévation du nombre d'anorexiques depuis vingt ans. Par ailleurs, il n'est pas impossible que l'apparente « épidémie » soit due en partie à une meilleure détection du trouble, le nombre de médecins « anorexologues » ayant lui aussi augmenté.

Il n'existe pas en France de statistiques convaincantes, mais les résultats des études anglo-saxonnes sont relativement alarmants : une adolescente sur deux cents à trois cents présente une anorexie mentale, d'après les enquêtes réalisées dans les écoles. On trouve cinq fois plus d'anorexiques dans les écoles privées (une jeune fille sur cent) que dans les écoles publiques (une jeune fille sur cinq cents). N'en déduisons pas pour autant que les écoles privées favorisent l'éclosion de la maladie par leurs méthodes pédagogiques : en réalité, cette différence entre les écoles s'explique par le fait que l'anorexie mentale se rencontre plus dans les couches moyennes et supérieures de la société que dans les classes sociales défavorisées.

Par ailleurs, les jeunes filles de populations noires sont plus rarement touchées que celles de populations blanches, et cela aussi bien en Afrique qu'en Amérique : des facteurs génétiques, ou une image différente de la nourriture et du corps, sont probablement à l'origine de cette particularité sociale. En revanche, dans les populations jaunes, en Extrême-Orient, l'anorexie mentale diffuse rapidement, parallèlement à l'occidentalisation du mode de vie.

« Certaines activités favorisent-elles la survenue d'une anorexie ? »

L'impact culturel est plus marqué dans certaines professions, comme les danseuses et les mannequins ; pour elles, la minceur, voire la maigreur, n'est-elle pas un impératif professionnel ? Rassurons quand même les parents dont les enfants se destinent aux ballets ou à la haute couture : l'anorexie des danseuses ou des mannequins est certes fréquente, mais elle a généralement une moindre gravité aux plans médical et social que lorsqu'elle survient dans les autres sous-groupes culturels : ses motivations relèvent plus de l'ambition professionnelle que d'un conflit psychique grave ; de ce fait, elles guérissent plus facilement.

« Y a-t-il des garçons anorexiques ? »

L'anorexie se voit de façon prépondérante chez les jeunes filles – plus de neuf fois sur dix – mais survient aussi chez les jeunes adolescents vers quinze-seize ans. Leur amaigrissement est encore plus important, alors que, paradoxalement, un tiers d'entre eux ont été des enfants obèses ; tout se passe comme si, à deux âges et par deux tactiques pondérales différentes, le corps était utilisé comme un outil pour exprimer son désaccord.

Les dangers de l'anorexie

L'anorexie mentale est une maladie grave, mettant rapidement en jeu la vie de l'adolescente. L'arrêt des règles est l'une des premières manifestations physiques ; elle se voit pratiquement chez toutes les jeunes filles anorexiques. Parfois, elle précède même l'amaigrissement. Les règles réapparaissent lors de la guérison et de la reprise de poids ; l'ex-anorexique aura donc une vie amoureuse normale, tout du moins si son conflit psychique est résolu.

Le problème est que d'autres fonctions corporelles vont progressivement pâtir de la sous-nutrition. L'anorexique est rarement jolie, car son apparence est mise à mal : peau sèche, cheveux cassants, ongles striés, jambes paradoxalement lourdes voire déformées par les œdèmes, sans parler de la maigreur excessive. Là aussi, en cas de guérison et de retour à une alimentation normale, l'ex-anorexique retrouve vite un physique séduisant.

Par contre, si le refus de manger se prolonge, c'est le déroulement de la vie de tous les jours qui en est affecté : sensation de fatigue au moindre effort rendant même la marche épuisante, impossibilité de tenir debout plus de quelques minutes, difficulté à rassembler ses idées, pertes de connaissance. Déjà réduite par l'absence de participation aux repas et le repli sur soi, la vie sociale va être dramatiquement limitée par les faiblesses physiques. L'anorexique mentale croyait dominer autrui à travers la maîtrise de ses exigences corporelles, mais son propre corps se rebiffe face à la négligence des besoins nutritionnels et, finalement, trahit son désir de puissance. Parfois, la mort est au bout de la route ; ce sombre « final » n'est pas à prendre à la légère puisque, sur cent anorexiques mentales, elle frappe cinq à dix personnes.

« Devant un proche souffrant d'anorexie mentale, comment prévoir la gravité potentielle de l'évolution ? »
Outre l'importance de l'amaigrissement, certains critères sont peu favorables. Si l'anorexie n'a débuté qu'en fin d'adolescence, si la jeune fille dénie ses troubles et son amaigrissement, si elle continue à se trouver volumineuse, si la sensation de faim disparaît, alors il y a un risque important que la maladie se prolonge et se complique.

Autre facteur de mauvais pronostic : l'association à des crises de boulimie ; celles-ci sont suivies le plus souvent de vomissements afin d'en limiter l'impact sur le poids. Mais rien n'est perdu, la guérison reste possible : au médecin, à l'entourage et à l'anorexique elle-même de s'ingénier à trouver la solution au conflit.

« De quels moyens dispose-t-on pour guérir l'anorexie mentale ? »
L'hospitalisation est toujours nécessaire lorsque la vie est en danger.
L'anorexique hospitalisée est prise en charge tant sur le plan nutritionnel
que sur le plan psychique. La réalimentation est progressive, en tenant
compte des goûts de la jeune femme, sans chercher à faire du « gavage ».
La prise en charge psychologique se fait par le médecin nutritionniste et/ou
un psychiatre ou un psychologue. La psychothérapie devra durer plusieurs
années pour être efficace sur le long terme. Souvent, le médecin s'adresse
également aux parents, tout en gardant confidentiel le dialogue qu'il a
instauré avec la patiente.

La confiance mutuelle entre le médecin et l'anorexique, mais également
entre le médecin et la famille, est indispensable à la réussite de l'entreprise.
Celle-ci aura d'autant plus de succès que la relation entre le médecin et
l'anorexique est durable ; sauf incompatibilité d'humeur, il n'est pas souhaitable pour l'anorexique de changer souvent de médecin.

« Peut-on guérir de l'anorexie ? »
Une fois sur deux, l'adolescente anorexique va guérir : elle se remet à
manger, reprend du poids, et ses règles réapparaissent. Le plus souvent, son
insertion professionnelle sera bonne, mais les difficultés de sa vie intime
persisteront dans plus de deux tiers des cas : ce sont également des difficultés que tentera de résoudre le dialogue « en profondeur » entre le
médecin et l'anorexique (ou l'ex-anorexique).

Que veut nous dire l'adolescente à travers l'anorexie ou la boulimie ?

La boulimie et l'anorexie sont les deux faces d'une même problématique. Pour
l'anorexique, l'abandon dans l'accès boulimique est à la fois une tentation perma-
nente et l'objet de crainte et de dégoût ; par l'autocontrôle qu'elle implique,
l'anorexie est un moyen de défense contre la boulimie.

Les deux troubles ont en commun la difficulté de l'adolescente à résoudre
mentalement les conflits personnels qu'elle peut avoir vis-à-vis d'elle-même ou de
son entourage. L'expression du conflit se traduit par un passage à l'acte, en l'occur-
rence par la crise de la boulimie, ou, à l'inverse, par le refus obstiné de se nourrir.
La boulimie comme l'anorexie surviennent habituellement à l'adolescence, et ce

n'est pas par hasard, car c'est durant cette période que se cristallisent les problèmes affectifs liés aux modifications corporelles, aux relations avec la famille, à la psychologie individuelle et à la pression de la société. De l'interaction entre ces divers éléments va émerger le trouble du comportement alimentaire, mais aucun ne peut, à lui seul, l'expliquer ou le prédire.

Les troubles majeurs du comportement alimentaire, telles la boulimie ou l'anorexie, sont sous-tendus par des mécanismes communs ; il est important de les prendre en compte pour comprendre la place particulière qu'ils occupent dans le psychisme de l'adolescent. Mais cette communauté nosologique ne doit pas occulter la diversité des personnalités et des situations : chaque jeune fille anorexique, chaque jeune fille boulimique est une avec sa problématique, ses conflits et ses espoirs personnels. C'est en tenant compte de ces éléments que la dynamique relationnelle entre la jeune fille, ses proches et le thérapeute aura une chance d'aboutir à une guérison.

L'expression des conflits

L'anorexie et la boulimie sont des réponses extrêmes à des conflits apparemment banals et liés aux changements corporels, psychiques ou sociaux advenant pendant cette période charnière qu'est l'adolescence ; même banal, le conflit occasionne le trouble alimentaire du fait du terrain psychique individuel et de l'environnement familial. Dans un autre contexte, le même conflit aurait occasionné d'autres anomalies du comportement : une toxicomanie, une fugue, un échec scolaire, une tentative de suicide, un alcoolisme, une délinquance...

➤ *L'impossibilité de résoudre les conflits*

Tous ces troubles ont en commun la difficulté pour l'adolescente d'appréhender et de résoudre, à un niveau mental, une situation de tension, que celle-ci soit liée à un problème interne ou externe. Or l'adolescence est par excellence la période des tensions et des conflits. Le corps d'enfant se transforme en un corps de femme, avec de nouveaux pouvoirs mais aussi de nouveaux devoirs. L'adolescente devient capable d'avoir une vie sexuelle mature, de mener certaines activités professionnelles, de se déplacer seule plus aisément, d'exprimer ses désaccords physiquement, et parfois même violemment ; elle va devoir s'autonomiser par rapport à sa famille et, dans le même temps, créer de nouveaux liens affectifs et intellectuels avec ses parents, ses frères et ses sœurs. Lorsque l'adolescente ne parvient pas à résoudre cette problématique, à en prendre conscience puis à la traiter psychiquement et intellectuellement, alors la réponse au conflit s'exprime par le passage à l'acte, c'est-à-dire par un trouble du comportement.

➤ *Une réponse autonome et systématique*

Le problème est d'autant plus grave que l'« acte » anorexique ou boulimique va perdre sa relation avec le premier conflit causal, pour devenir une réponse systématique à tout nouveau conflit. L'adolescente ne cherche plus à résoudre ses problèmes, mais y fait face en répétant un comportement anorexique ou boulimique identique chaque fois.

De plus, les tensions provoquées au sein de l'entourage par ce comportement risquent d'entretenir encore le processus. La jeune fille boulimique ou anorexique est ainsi piégée dans son système, qui limite l'épanouissement de ses potentialités. Elle autodégrade son corps et l'image qu'elle en a. En particulier, le corps sexué, révélé par la puberté, est vécu de façon négative.

Les habits d'une dépression

Tous les adolescents vivent une transition difficile, qui conduit leur corps, leurs désirs et leur statut social de l'enfance vers l'âge adulte. Tous supportent des conflits et des tensions, tant intérieurs qu'extérieurs, mais tous ne deviennent pas boulimiques ou anorexiques.

Les boulimiques et les anorexiques ont en commun ce que l'on appelle un « manque d'autonomie psychique », c'est-à-dire un état de dépendance plus marqué que la population générale. Cette dépendance excessive provient d'un échec relatif des processus d'intériorisation dans les trois premières années de la vie. Durant cette période, le jeune enfant doit développer des capacités de mentalisation pour intérioriser ses relations avec son entourage, en particulier avec sa mère ; il acceptera et supportera son absence temporaire, car il sait que, justement, celle-ci n'est que temporaire : sa mère existe, et pense à lui, même lorsqu'elle n'est pas auprès de lui.

Un exemple d'intériorisation réussie est celui de l'enfant qui, le matin, rejoint avec plaisir la crèche ou la maternelle, sans adieux dramatiques avec sa mère. S'il s'accroche désespérément à celle-ci, cela ne signifie pas forcément un amour démesuré, mais plutôt un échec partiel des processus d'intériorisation.

« **Les relations mère-enfant peuvent-elles être en cause dans la genèse de l'anorexie ?** »
Dans certains cas, les relations précoces mère-enfant sont en cause. Lorsque la mère est hyperprotectrice ou bien utilise l'enfant comme sa propre valorisation narcissique, l'enfant aura du mal à différencier ses besoins personnels de ceux de sa mère. C'est également le cas lorsque les demandes de l'enfant reçoivent des réponses inadaptées, que celles-ci soient chaotiques (face à une même demande, une réponse un jour, une autre opposée

le lendemain), stéréotypées (face à des demandes très différentes, la même réponse proposée de façon systématique, par exemple un bonbon en lieu et place de la tendresse) ou négligentes (lorsqu'une mère débordée ne prend pas le temps de s'occuper de son enfant).

Ce défaut de mentalisation, cette difficulté à percevoir ses propres désirs rendent l'enfant plus dépendant du milieu extérieur, il a besoin plus souvent de preuve et de soutien de la part de son environnement. Cette dépendance est relativement bien vécue durant l'enfance, car elle cadre avec le statut d'« assisté » qu'a l'enfant ; en revanche, elle sera mal supportée à l'adolescence, car elle rend difficile le désir et le « devoir » d'autonomisation affective, issus des transformations corporelles et psychiques liées à cet âge. Puisqu'elle contrôle mal ses relations affectives, l'adolescente anorexique cherche à contrôler à l'excès son appétit, et la boulimique s'y abandonne en l'exagérant ; soumis aux mêmes problèmes, d'autres adolescents se tourneraient vers la drogue, l'isolement ou la délinquance.

Paradoxalement, alors que l'adolescent dépendant requiert plus qu'un autre, et il le sait, la présence et le soutien d'un parent, d'un proche ou d'un médecin, il ne peut accepter de recevoir : comment tolérer un don lorsque celui-ci est impératif et serait ressenti comme une soumission ? Ne risquerait-il pas alors de perdre son identité ?

« Certaines modifications du comportement précèdent-elles la survenue de l'anorexie ou de la boulimie ? »

Le passage à l'acte de la boulimique ou de l'anorexique a généralement lieu en fin d'adolescence, vers dix-sept ans, mais il est parfois précédé, vers douze-treize ans, d'un sentiment de mal-être se manifestant par le rejet brutal de ce que l'enfant adorait. Que ce soit son apparence extérieure, sa réussite scolaire, la pratique d'un sport ou des relations affectives privilégiées, une rupture brutale à cet âge signe habituellement un état de dépendance qui devient mal vécu du fait de la puberté ; ne sachant pas gérer de façon interne (par une modification en douceur de ses liens affectifs avec ses proches ou du rapport à son propre corps) les transformations qu'elle subit, la préadolescente ne peut y répondre qu'en changeant brutalement de direction.

« Comment expliquer la dépression qui caractérise souvent les anorexiques et les boulimiques ? »

La conscience d'être dépendante du milieu extérieur (voir précédemment) entraîne souvent une dépression, notamment en cas de boulimie. L'échec partiel des intériorisations de la petite enfance a pour conséquence un sentiment de dévalorisation ou de vide intérieur.

Malgré des performances scolaires souvent exemplaires et une intégration apparemment réussie au sein de sa famille, la jeune fille susceptible de devenir anorexique ou boulimique a souvent une mauvaise image d'elle-même, de son corps. S'accentuant encore lors des transformations occasionnées par la puberté, cette autodépréciation explique la dépression. Celle-ci est surtout apparente dans les boulimies, car il s'y associe le sentiment de perdre son autocontrôle.

En revanche, comme elle est occupée par sa quête de la maigreur et fière de la maîtrise qu'elle manifeste tant sur son propre corps que sur ses proches, la jeune fille anorexique ressent et exprime moins souvent cet état dépressif. Paradoxalement, la survenue d'une dépression chez l'anorexique se manifeste surtout au moment de la guérison du trouble alimentaire : l'abandon de la lutte replace l'ex-anorexique devant sa dépendance vis-à-vis des autres, d'où un risque d'autodépréciation. C'est pourquoi la famille et le médecin ne doivent pas s'attacher seulement à la disparition du trouble alimentaire, mais réaliser aussi un dialogue plus en profondeur avec l'anorexique.

Le rôle de la famille

➤ *L'histoire de la famille*

L'anorexie et la boulimie trouvant leur origine dans l'échec de l'intériorisation lors de la petite enfance, il est tentant de mettre en avant la responsabilité de la famille, et plus précisément la personnalité de la mère.

La famille de la jeune fille anorexique ou boulimique est apparemment sans histoire ; les parents ont l'impression d'avoir tout fait pour leurs enfants. Le corps, la santé et l'alimentation y sont pourtant sujets de préoccupation et de discussion entre les membres de la famille : on se surveille, on s'entraîne pour rester en bonne santé. Par contre, la colère, la jalousie et les tensions ont du mal à s'y exprimer, si ce n'est lors de rares manifestations explosives (tout du moins dans les familles d'anorexiques ; dans celles de boulimiques, les conflits sont généralement plus ouverts, les attitudes plus impulsives).

La famille est souvent peu ouverte sur l'extérieur et les séparations sont mal vécues. Souvent rigide, la mère satisfait peu aux besoins de tendresse de sa fille ; parfois, elle est plutôt envahissante et empêche sa fille de s'exprimer. Quant au père, il est souvent permissif et effacé par rapport à la mère ; mais son contact est souvent ressenti par l'enfant comme plus chaleureux que ne l'est celui de sa mère.

Dans un quart des cas, le père ou la mère de l'anorexique ont été dépressifs au moins une fois dans leur vie. En outre, dans les familles de boulimique, les ruptures entre les parents sont plus fréquentes : une fois sur deux un divorce a précédé la boulimie, alors que le taux de divorce est deux fois moins fréquent dans le reste de la population. Le traumatisme lié à la séparation des parents et au conflit qui l'a précédée peut augmenter le sentiment de dépendance et le manque de confiance en soi de la future boulimique.

➤ Le rôle de l'hérédité

L'hérédité intervient-elle dans la genèse de l'anorexie ou de la boulimie ? C'est ce que pourrait indiquer la fréquence des psychoses maniaco-dépressives dans les familles d'anorexique ; l'alternance boulimie-anorexie refléterait ainsi l'alternance dépression-excitation présente dans cette psychose.

Il n'est donc pas impossible que des facteurs biologiques agissent au niveau des transmissions nerveuses, dans le cerveau, avec perturbation, selon les individus, des centres de l'humeur ou des centres de la faim. Mais ce ne sont là encore que des hypothèses, et ni l'anorexie ni la boulimie ne peuvent être considérées aujourd'hui comme des maladies génétiques.

> **Notre avis**
> Ces éléments ne doivent pas conduire à surestimer la responsabilité des familles dans les troubles du comportement alimentaire. L'anorexie comme la boulimie peuvent toucher chaque famille, même si celle-ci n'a pas les caractéristiques décrites plus haut. Inversement, la plupart des couples divorcés, des parents dépressifs ou des mères considérées comme rigides, ont des enfants qui ne manifestent aucun trouble du comportement alimentaire à l'adolescence. De même qu'il convient de ne pas enfermer l'adolescent anorexique ou boulimique dans la description de ses troubles, de même sa famille doit être considérée comme une entité individuelle et évolutive, sans qu'une étiquette y soit apposée.

La responsabilité
de la société contemporaine

Les magazines féminins comme les spots publicitaires ou le cinéma véhiculent l'image d'un idéal féminin tout en minceur. Les adolescentes y sont particulièrement sensibles : elles aussi doivent participer au grand jeu de la séduction si elles veulent exprimer leurs potentialités nouvelles dues aux transformations sexuelles liées à la puberté.

Mais l'accès à la minceur devient difficile, lorsque d'autres articles (souvent dans les mêmes magazines), d'autres spots publicitaires et d'autres séquences de films vantent la bonne chère, la convivialité et les plaisirs gustatifs. Du fait de son aspect contradictoire, cette double exigence, comme on l'a vu, favorise l'expression des troubles du comportement alimentaire. Mais ce n'est pas elle qui crée le conflit primaire de l'adolescence, elle se contente d'en favoriser l'expression sous une forme liée à l'alimentation.

Outre cette esthétique de la minceur, il faut souligner la responsabilité d'un idéal de société porté plus vers la maîtrise du corps, dans un objectif de puissance et de conquête, que vers la satisfaction des « petits » plaisirs quotidiens. L'anorexie peut se percevoir également comme le produit d'une société obsédée par la compétitivité.

.

Les problèmes de poids à l'adolescence

■

Ce qui change dans le corps de l'adolescent

À la puberté, la croissance s'accélère dans le corps de l'enfant : il grandit, sa musculature se développe et la graisse de son corps évolue également. Cette évolution n'est pas identique chez la jeune fille et le garçon. Chez ce dernier, le développement de la musculature domine. En revanche, la quantité de graisse corporelle chez la jeune fille dépasse progressivement celle du garçon : à l'âge de quinze ans, elle est même deux fois plus élevée chez elle que chez lui. Cette proportion restera la même jusqu'à la ménopause.

En ce qui concerne la localisation, la graisse corporelle prédomine dans la partie basse du corps jusqu'à la puberté. Ensuite, la jeune fille conserve cette répartition, alors que, chez les garçons, la graisse corporelle diminue dans la moitié inférieure du corps pour se concentrer sur la partie haute.

Ces différences sont liées aux hormones. Les hormones féminines sont la progestérone et les œstrogènes sécrétés par les ovaires, alors que les hormones masculines sont essentiellement représentées par la testostérone, issue, comme son nom l'indique, des testicules. Les hormones sexuelles n'agissent pas de la même façon sur toutes les localisations de la graisse corporelle. Les hormones féminines interviennent de façon déterminante au niveau des cuisses et des hanches : elles y stimulent la multiplication, puis la croissance des cellules.

« Ma fille se plaint de l'apparition d'une culotte de cheval. En quels termes lui parler ? »

Surtout, ne pas dramatiser ni se moquer ; mais répondre sereinement à cette préoccupation qui, pour elle, est bien réelle. Apprenez-lui que ces transformations de son corps sont une étape indispensable de son évolution de l'enfant qu'elle était vers la femme qu'elle est en train de devenir. Cette

« culotte de cheval » est le reflet de sa féminité naissante. Le développement de sa graisse est normal : il est lié à l'action des hormones sexuelles féminines. Dites-lui aussi qu'une femme n'est totalement elle-même qu'avec une certaine quantité de graisse à ce niveau : en son absence, chez les femmes qui maigrissent trop par exemple, les règles ont tendance à disparaître, et la femme devient généralement inféconde. Ainsi, dans quelques années, cette graisse sera d'une grande utilité pour ses futures grossesses.

Qu'elle sache enfin, si elle ne s'en est déjà rendu compte par sa propre expérience, que les garçons apprécient cet arrondi féminin des hanches, même si les photos de mode véhiculent un idéal esthétique androgyne, inaccessible pour la plupart des jeunes filles, parce qu'il les contraindrait à une maigreur excessive.

Enfin, si cette culotte de cheval prend vraiment des proportions trop importantes ou si la gêne persiste pour votre fille, aidez-la à perdre du poids, mais dans de bonnes conditions (voir p. 437 à 452).

Reconnaître si l'adolescent est trop rond, trop maigre ou juste bien

Comme pour l'enfant (voir p. 41), comme pour l'adulte (voir p. 444), l'indice de masse corporelle (IMC) est le meilleur critère d'évaluation de la corpulence d'un adolescent ; pour le calculer, il suffit de connaître le poids et la taille de votre enfant, puis de vous reporter à la figure page 42. Le tableau ci-dessous présente les indices de masse corporelle moyens des adolescents en fonction de l'âge.

INDICE DE MASSE CORPORELLE MOYEN[a] PARMI LES ADOLESCENT(E)S

	14 ans	15 ans	16 ans	17-20 ans
Chez les filles	19	20	20 à 21	20 à 21
Chez les garçons	18	19	20	20 à 21

a. Voir p. 444 pour le calcul de l'IMC de votre enfant.

Sur un plan médical, un enfant est considéré comme trop maigre lorsque son indice de masse corporelle est inférieur de 3 par rapport à la valeur moyenne à son âge (par exemple, 15/16 à l'âge de quatorze ans) ; il est trop rond si son indice de masse corporelle est supérieur à 3 par rapport à cette même valeur moyenne (par exemple, 23 à l'âge de quinze ans).

Si vous ne souhaitez pas passer par le calcul de l'indice de masse corporelle, aidez-vous des tableaux ci-dessous pour connaître le poids habituel des adolescents et adolescentes.

POIDS MOYEN DES ADOLESCENTES EN FONCTION DE L'ÂGE ET DE LA TAILLE

Elle mesure	Son âge		
	14 ans	15 ans	16-20 ans
1,50 m	43	45	45-48
1,55 m	45,5	48	48-51
1,60 m	48,5	51	51-54
1,65 m	51,5	54	54-57
1,70 m	55	58	58-61
1,75 m	58	61	61-64
1,80 m	61	64-65	64-68

POIDS MOYEN DES ADOLESCENTS EN FONCTION DE L'ÂGE ET DE LA TAILLE

Il mesure	Son âge			
	14 ans	15 ans	16	17-20 ans
1,50 m	40	43	45	45-48
1,55 m	43	45-46	48	48-51
1,60 m	46	48-49	51	51-54
1,65 m	49	51-52	54	54-57
1,70 m	52	55	58	58-61
1,75 m	55	58	61	61-64
1,80 m	58	61	64-65	64-68

Il ne faut pas prendre ces valeurs au pied de la lettre, elles n'ont de valeur qu'indicative. Certains enfants ont de « gros os », ils pèseront un peu plus lourd ; d'autres les ont plus fins et seront plus minces. Par ailleurs, il y a aussi des variations en fonction de l'hérédité (le poids des parents et des grands-parents), de la précocité ou de la lenteur de la puberté, des activités sportives et de l'appétit de l'adolescent.

En fait, les problèmes de santé ne risquent de se poser que si le poids de votre enfant est inférieur à plus de cinq kilos du poids moyen proposé par les tableaux (l'enfant est alors trop maigre) ou, à l'inverse, s'il est supérieur de plus de sept kilos (il est alors trop rond).

L'adolescent
qui souhaite maigrir

Comment s'occuper d'un adolescent
qui souhaite maigrir

Il convient d'abord de respecter son souhait. Évitez le ton autoritaire et tentez au contraire d'instaurer un dialogue : après tout, c'est son corps que cela concerne, non le vôtre.

Ensuite, aidez-le à se situer à l'aide des tableaux des pages précédentes : il pourra ainsi évaluer si, médicalement parlant, il est vraiment trop rond.

Mais ne limitez pas le dialogue aux conséquences de son poids sur sa santé. Le poids d'un adolescent concerne également sa forme physique (est-il gêné pour le sport ? pour aller danser ? etc.) ainsi que l'esthétique du corps qu'il souhaite refléter. Ces deux préoccupations (forme, esthétique) doivent également être respectées.

Enfin, lorsque l'adolescent a pris la décision de perdre du poids, vous pouvez le conseiller dans le choix des moyens pour y parvenir.

« Ma fille n'est pas trop grosse d'après les critères médicaux, mais elle souhaite maigrir. Faut-il l'aider à y parvenir ? »
Le mieux est sans doute de respecter son choix, sauf si elle souhaite descendre trop bas – si son objectif est de descendre à un poids inférieur à plus de cinq kilos par rapport au poids moyen pour son âge et sa taille (voir tableau p. 571), par exemple à moins de 53 kg pour une fille âgée de seize ans et mesurant 1,70 m. Par ailleurs, il est préférable d'en parler auparavant à un médecin.

Ensuite, votre rôle consistera avant tout à la mettre en garde contre les régimes dangereux et à l'aider à perdre quelques kilos dans de bonnes conditions.

« Mon enfant veut maigrir. Faut-il auparavant consulter un médecin ? Et lequel ? »
C'est plus prudent. Le médecin s'assure de l'absence de cause médicale à la prise de poids et vérifie l'aspect réaliste ou dangereux de l'objectif de l'adolescent. Ensuite, son rôle consiste à conseiller votre enfant sur un régime qui lui soit adapté.

Consulter un médecin, au moins une fois avant de commencer la perte de poids, est toujours utile, surtout si votre enfant est vraiment gros (plus de sept kilos au-dessus du poids moyen) ou, au contraire, s'il souhaite maigrir alors qu'il est déjà mince.

Si votre pédiatre ou votre médecin généraliste maîtrise bien les problèmes de poids, le mieux est de le consulter. Sinon, vous pouvez vous adresser à un médecin spécialisé en nutrition.

Les régimes amaigrissants destinés à l'adolescent

L'adolescence est une période de croissance, où les erreurs nutritionnelles font plus de dégâts qu'à l'âge adulte. Il faut donc être particulièrement attentif à la qualité du régime que suivra votre enfant.

Les régimes sévères sont à éviter, car ils exposent aux dangers suivants :

— fatigue physique et intellectuelle, avec baisse des résultats scolaires et des performances sportives ;

— carences nutritionnelles avec un risque d'anémie, d'infections répétées (angines, grippe, etc.), de retard de croissance ou de défaut de minéralisation des os, de perte de cheveux ou d'altération de la qualité de la peau ;

— frustrations excessives sources de boulimie ou d'anorexie mentale ultérieure ;

— baisse du métabolisme de l'organisme de l'enfant conduisant ensuite à une reprise de poids à l'arrêt du régime ; il peut en découler, après quelques années, une réelle obésité.

L'idéal serait que le régime respecte au maximum les besoins et les goûts de l'adolescent. Si votre enfant aime aller au fast-food, montrez-lui comment il peut y manger équilibré (voir p. 539) ; respectez aussi l'heure du goûter (voir p. 530).

Les besoins minimaux de l'adolescent sont, finalement, assez proches de ceux de la femme enceinte ; le régime proposé page 150 peut donc convenir à l'adolescent. Il serait dangereux pour lui de manger moins. Par contre, il est probable qu'il puisse maigrir tout en mangeant plus copieusement : l'avis d'un spécialiste, médecin nutritionniste ou diététicien, sera utile pour adapter les principes d'un régime équilibré aux particularités de l'appétit, des goûts et des habitudes de votre enfant.

Comme pour l'enfant plus jeune (voir p. 537), il est également conseillé à l'adolescent qui souhaite maigrir d'être physiquement plus actif (sport, marche, vélo, etc.) et de moins regarder la télévision (voir p. 441). Par ailleurs, si votre enfant grignote de façon importante en réponse au stress ou à l'ennui, n'hésitez pas à consulter un médecin ou un psychologue pour résoudre ce problème.

Quelquefois, en particulier lorsque l'excès de poids est majeur, d'autres méthodes amaigrissantes parmi celles proposées aux adultes[1] sont envisageables chez l'adolescent ; il est indispensable auparavant d'en parler avec un médecin.

L'adolescent trop maigre qui souhaite grossir

Les maigreurs constitutionnelles

Lorsque la maigreur n'a pas de cause précise, elle est dite constitutionnelle. Les maigreurs constitutionnelles apparaissent habituellement au cours de l'enfance ou de l'adolescence, sans qu'il y ait de maladie ou d'anorexie mentale à leur origine. Le poids de la fin de l'adolescence peut alors rester le même pendant toute la vie adulte. Souvent, les parents ou les frères et sœurs sont également maigres. Ces adolescents maigres le restent sans se restreindre et font pâlir d'envie ceux de leurs camarades guettés par les bourrelets et l'excès de poids ; mais eux-mêmes n'apprécient pas toujours leur silhouette efflanquée.

À l'origine de cette maigreur, l'organisme brûle souvent un peu plus de calories que celui d'individus plus ronds, pour des raisons génétiques. D'autres adolescents sont maigres du fait d'une activité physique intense (marche, sport). Par ailleurs, ils consomment généralement de belles assiettes de féculents (pâtes, riz, pommes de terre), mais peu d'aliments gras ; or les glucides des féculents sont en grande partie brûlés dans l'organisme, à la différence des graisses qui, elles, font plus grossir.

Comment prendre du poids

Lorsqu'un adolescent est maigre et cherche à prendre du poids, la solution passe par l'adjonction à sa nourriture habituelle d'aliments gras et/ou sucrés. Il se tournera vers les aliments liquides ou pâteux (crèmes, etc.) afin de ralentir la survenue de la satiété. Il multipliera les collations dans la matinée, les goûters au milieu de l'après-midi, les friandises le soir devant la télévision.

---

1. Voir *Le Nouveau Guide du bien maigrir*, Paris, Odile Jacob, 1996.

En fait, si votre enfant est maigre et veut grossir, il risque d'être déçu ; après quelques jours de ce régime « riche », son appétit diminue : il a bien du mal à conserver cette alimentation abondante et à prendre du poids. De plus, s'il veut garder les kilos éventuellement pris, il devra continuellement forcer son appétit pour manger plus qu'il n'en a envie.

Finalement, s'il a la « chance » d'être un maigre constitutionnel, le plus sage est qu'il accepte son poids, même s'il le juge peu esthétique ; en effet, même si votre enfant parvient à grossir, les rondeurs ne se situeront pas forcément là où il le souhaiterait. En mangeant plus afin de ressembler à Marylin Monroe, l'adolescente risque surtout d'accentuer sa culotte de cheval ; quant à l'adolescent, c'est une petite bedaine qui le guette plutôt qu'une musculature avantageuse.

Un moyen plus sûr pour galber harmonieusement son corps consiste à augmenter sa masse musculaire grâce à des exercices physiques faisant travailler les muscles que l'on souhaite développer ; mais attention, à l'arrêt du sport, les muscles fondent pour retrouver leur volume antérieur.

Végétarisme,
aliments biologiques,
et végétalisme

Végétarisme,
aliments biologiques,
et végétalisme

Végétarisme,
aliments biologiques,
et végétalisme

Végétarisme,
aliments biologiques,
et végétalisme

Végétarisme, aliments biologiques, et végétalisme

Végétarisme,
aliments biologiques
et végétalisme

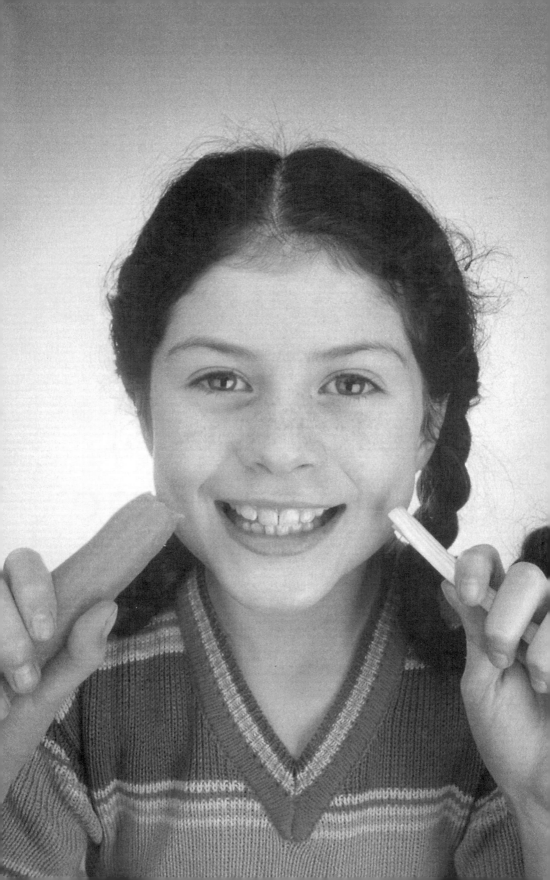

Végétarisme, aliments biologiques, et végétalisme

Le végétarisme

L'alimentation biologique

Le végétalisme

Les différents modes alimentaires sont fonction de l'ethnie, de la culture, des croyances les plus diverses. Le mode le plus répandu dans les civilisations occidentales industrialisées est le régime omnivore (ce qui signifie que l'on mange de tout), avec souvent une forte tendance carnivore. Les aliments d'origine animale (viande, poisson, œufs, lait et dérivés) sont riches en protéines complètes, c'est-à-dire utilisables pleinement pour la croissance et un développement harmonieux. Leur richesse en graisses saturées et leur pauvreté en fibres sont leurs principaux inconvénients, lorsqu'ils sont consommés de façon excessive.

Certaines personnes se tournent vers d'autres modes alimentaires tels que le végétarisme, tout à fait propre à entretenir une excellente santé. Les trois quarts de la population du monde sont d'ailleurs végétariens ! En France, l'expérience la plus connue de la mise en pratique d'une alimentation végétarienne a été réalisée et réussie en restauration collective. C'est ce que relate le livre très intéressant du Dr Jean-Michel Lecerf, *Manger autrement*[1].

Le végétarisme

Qu'est-ce que le végétarisme ?

Si vous avez une alimentation végétarienne, cela veut dire que vous vous abstenez de manger de la chair de tous les animaux morts, quels qu'ils soient, et de tous les dérivés (graisses, bouillons). Le végétarisme autorise généralement la consommation des sous-produits de l'animal vivant, comme le lait et ses dérivés, les œufs.

Les végétariens consomment des légumes et des fruits crus et cuits, des céréales qui sont en général peu raffinées (c'est-à-dire contenant l'assise protéique et une grande partie des enveloppes des grains riches en fibres), des légumineuses, des fruits oléagineux, des graines (voir tableau p. 583), des huiles, des œufs, des laitages.

---

1. Éditions Institut Pasteur de Lille, 1991.

La complémentarité

Les végétariens parlent de complémentarité des aliments ; qu'est-ce que c'est au juste ? Les protéines contenues dans les végétaux sont incomplètes, c'est-à-dire qu'il leur manque un ou plusieurs acides aminés nécessaires à une bonne croissance. Mais il est facile de les rendre complètes en associant dans un même repas des végétaux « complémentaires » ayant des manques différents.

À retenir

Légumineuses + céréales = protéines complètes
Légumineuses + fruits oléagineux et graines = protéines complètes

Ainsi, les légumineuses sont pauvres en méthionine (voir lexique) alors que les céréales en sont riches ; les mêmes céréales sont pauvres en lysine (voir lexique) alors que les légumineuses en sont riches. Ces deux manques et ces deux « richesses » se complètent parfaitement pour fournir un ensemble de protéines de bonne qualité nutritionnelle.

Les fruits oléagineux et les graines sont pauvres en lysine ; on les associe aux légumineuses qui en sont riches. Ces mêmes noix et graines, riches en méthionine, viennent combler le manque de méthionine des légumineuses. Le tout donne une protéine complète valable pour la croissance et pour le bon fonctionnement de l'organisme.

Il y a longtemps déjà, ces théories étaient vulgarisées par Stella et Joël de Rosnay dans *La Malbouffe : comment se nourrir pour mieux vivre*[1].

Le tableau ci-contre présente les trois grandes familles de protéines végétales et vous permet de pratiquer pleinement le jeu de la complémentarité.

« Et le "bifteck" végétal, qu'est-ce que c'est ? »

Actuellement, on met au point des produits industriels appelés MPV (matières protéiques végétales) qui sont obtenus à partir d'oléagineux, de légumineuses par réduction ou élimination des constituants non protéiques, de manière à obtenir une teneur protéique de 40 % à 75 %, ce qui n'existe pas dans le produit d'origine. Les produits sont consommés après avoir été restructurés sous l'aspect de produits traditionnels tels que le « bifteck de soja ». Ils peuvent être incorporés dans les produits de panification (pâtisserie, viennoiserie...), dans les farces ou la charcuterie, le poisson, les sauces, divers plats cuisinés, l'alimentation infantile. Ils sont soumis à une législation précise.

---

1. Éditions Olivier Orban, 1979.

ALIMENTS RICHES EN PROTÉINES VÉGÉTALES

Légumineuses (légumes secs) pauvres en *méthionine*, riches en *lysine*	Céréales pauvres en *lysine*, riches en *méthionine*	Fruits oléagineux. Graines pauvres en *lysine*, riches en *méthionine*
— Fèves — Soja : graines jaunes (tonyu, tofu), graines vertes (germe) — Haricots noirs, rouges, ailés à œil jaune — Lupin — Flageolets — Lentilles — Pois chiches, cassés, secs — Luzerne	— Blé — Avoine — Maïs — Orge — Seigle — Sarrasin — Millet — Riz blanc et brun *Sous-produits* — Germe de blé — Son de blé — Pain de blé entier — Céréales instantanées à grains entiers — Pâtes alimentaires	— Amandes — Arachides — Graines de tournesol — Graines de sésame — Graines de citrouille — Noisettes — Noix de Grenoble, du Brésil, de cajou — Noix pécan — Pignons *Sous-produits* — Beurre d'arachide — Beurre de tournesol — Beurre de sésame (tahimi)
Outre leur contenu en protéines, ces aliments sont riches en amidon et pauvres en graisses	Outre leur contenu en protéines, ces aliments sont riches en amidon et pauvres en graisses	Outre leur contenu en protéines, ces aliments sont riches en graisses

Connaître les aliments riches en protéines végétales

■ Les légumes secs, les céréales peu blutées (ou peu raffinées), les fruits oléagineux et les graines contiennent des protéines, les germes des graines en sont particulièrement riches. À titre d'exemple, consultez le tableau suivant.

IL Y A 5 À 6 g DE PROTÉINES DANS

20 à 30 g de	50 g de	80 g de	150 g de	220 g de
— Amandes — Cacahuètes — Beurre de cacahuète — Graines de sésame — Graines de tournesol	— Diverses noix — Tofu (caillé de soja)	— Haricots rouges cuits, — Lentilles cuites — Pois chiches cuits,	— Pain — Pâtes alimentaires cuites — Tonyu (lait de soja)	— Riz complet cuit

Ces protéines, comme on l'a dit plus haut (p. 582), sont incomplètes, c'est-à-dire que les légumineuses sont riches en lysine et pauvres en méthionine, alors que les céréales, les noix et les graines sont riches en méthionine mais pauvres en lysine. Si elles étaient utilisées comme source unique de protéines dans l'alimentation, cette dernière ne répondrait pas à tous les besoins de la croissance de votre enfant. C'est pourquoi il faut manger plusieurs types de protéines végétales se complémentant (voir p. 582).

■ Les légumes secs, les céréales, sont très riches en glucides complexes (amidon) et ne contiennent pas de graisses.

Rappelons que l'amidon est un glucide qui libère lentement son énergie et évite les fringales.

■ Les légumes secs, les céréales, sont très riches en fibres, nécessaires à la régularisation du transit intestinal, et utiles pour éviter diverses maladies de l'âge adulte.

« Les légumes secs donnent des gaz, que faire ? »

Certains composés des légumes secs peuvent entraîner des flatulences lors de la digestion. Ces composés peuvent être en partie éliminés par la cuisson des légumes secs dans plusieurs eaux successives.

■ Les graines et les fruits oléagineux ont pour caractéristiques d'être riches en lipides et apportent des acides gras intéressants pour la santé (acides gras mono-insaturés).

■ Les légumineuses, les céréales complètes, les fruits oléagineux et les graines sont riches en minéraux tels que le potassium, le magnésium, le fer. Ce dernier est moins bien utilisé par l'organisme que celui des viandes. Par contre, ils ne contiennent pas ou peu de calcium. Si vous utilisez du lait de soja pour votre enfant en bas âge (un-trois ans), pensez à choisir un lait de soja enrichi en calcium et en méthionine (cela est mentionné sur l'emballage).

■ Les légumineuses, les céréales complètes, les noix et les graines apportent des vitamines du groupe B, mais pas de vitamines C et D.

« Les graines germées et fermentées sont-elles intéressantes pour la santé ? »

Elles le sont en proportion de la quantité consommée ; au début de la germination et au cours de la fermentation, les teneurs en vitamine B sont augmentées. La qualité des protéines est améliorée, c'est-à-dire qu'elles sont mieux utilisées par l'organisme. Les composés responsables des flatulences sont détruits pendant la germination.

On peut trouver dans le commerce les graines de soja, de lentilles, de luzerne (alfalfa), de radis et de blé.

L'alimentation végétarienne équilibrée

« Une alimentation associant des légumineuses, des céréales, des graines et des fruits oléagineux est-elle adaptée au bon développement de mon enfant ? »

Non, absolument pas, mais elle le devient si vous ajoutez un peu d'œuf (riche en protéines de très haute qualité et en fer bien utilisable par l'organisme) et des produits laitiers qui, pour leur part, fournissent le calcium indispensable à l'édification du squelette de votre enfant.

« Qu'est-ce qu'une alimentation végétarienne satisfaisante pour la santé de mon enfant ? »

Une alimentation végétarienne bien menée inclut :
— du lait et/ou des fromages,
— de l'œuf,
— des légumineuses, des céréales, des noix ou des amandes et/ou des graines,
— des légumes crus et cuits,
— des fruits crus et cuits,
— du beurre et de l'huile,
— des produits sucrés modulés selon les goûts et les habitudes.

Elle satisfait, à toutes les périodes de la vie, tous les besoins de l'organisme en protéines, lipides, glucides, fibres, vitamines, minéraux, mais à condition que vous vous conformiez aux principes suivants :
— la *variété* dans les choix alimentaires, en suivant le guide alimentaire végétarien indiqué plus loin (voir le tableau intitulé : « Alimentation lacto-végétarienne : quantités d'aliments en fonction de l'âge », page 590 et la figure « Guide alimentaire végétarien à partir de trois ans », page 599) ;
— la connaissance des principes de *complémentarité*. C'est-à-dire que vous devez savoir associer deux ou plusieurs aliments sources de protéines végétales ayant des qualités complémentaires afin d'obtenir des protéines complètes et efficaces ;
— l'utilisation judicieuse des matières grasses et du sucre.

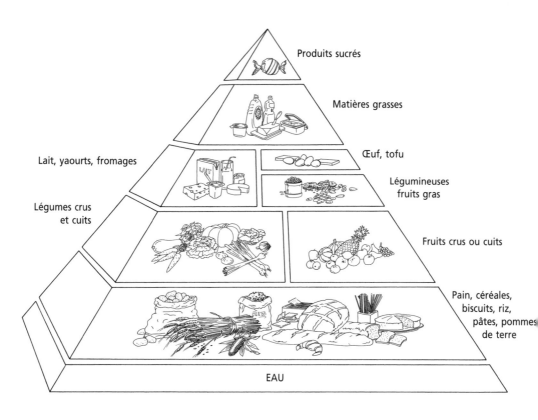

Produits sucrés

Matières grasses

Lait, yaourts, fromages

Œuf, tofu

Légumineuses
fruits gras

Légumes crus
et cuits

Fruits crus ou cuits

Pain, céréales,
biscuits, riz,
pâtes, pommes
de terre

EAU

La pyramide alimentaire végétarienne ou comment se répartissent les différents groupes
d'aliments d'origine végétale pour un bon équilibre nutritionnel

Le cas du très jeune enfant

« Nous sommes végétariens et nous venons d'avoir un bébé. Comment devons-nous le nourrir ? »

Comme tous les bébés. Il suffit de vous reporter aux pages 169 à 334. Lorsqu'on parle de donner quelques grammes de viande ou de poisson au nourrisson, vous n'en donnez pas. Grâce aux quantités de lait conseillées, le bébé reçoit largement, en quantité et en qualité, les protéines nécessaires à son bon développement.

« Vers six mois, la plupart des enfants commencent à manger de la viande. Nous sommes végétariens, comment équilibrer l'alimentation de notre bébé ? »

Comme nous l'expliquons pages 301 à 308, vers six mois le bébé s'ouvre de plus en plus au monde. Par le biais des céréales infantiles, puis des légumes et des fruits, il peut très bien apprendre de nouvelles consistances et de nouveaux goûts sans connaître la viande ou le poisson.

D'un point de vue nutritionnel, il a tout ce qu'il lui faut s'il reçoit chaque jour :
— au moins 3/4 de litre de lait de suite,
— des farines (ou céréales infantiles), des croûtes de pain ou des biscuits,
— d'autres produits laitiers tels que les fromages blancs, petits-suisses, laits fermentés comme les yaourts, tout en maintenant *prioritairement* le lait de suite,
— des légumes cuits en purée avec des pommes de terre,
— des fruits cuits et crus,
— des matières grasses ajoutées aux légumes.

« Mon bébé a neuf mois, comment s'organisent ses repas ? »

Il commence déjà à connaître les céréales infantiles, les légumes et les fruits. Vous trouverez dans les pages qui suivent des exemples de menus pour une semaine :

➤ *Exemples de menus végétariens pour une semaine pour un bébé de huit mois à un an*

Les règles générales de ces menus sont les suivantes :
— Le lait de suite est l'aliment de base donné dans des quantités correspondant environ à 1 litre (tableau p. 590).

— Les quantités de produits d'origine végétale (farines infantiles, légumes, fruits) augmentent en fonction de l'appétit de l'enfant. Les légumes cuits ou crus légèrement assaisonnés (voir détails sur l'introduction des légumes, p. 306) proposés au début du repas commencent l'initiation aux entrées. Les fruits cuits ou crus sont bien mûrs et écrasés.

— On donne chaque jour un produit d'origine animale tel qu'un demi-œuf ou ses équivalents en fromage (voir le tableau des portions références p. 347 et 352). Ainsi, vous prévoyez souvent une initiation au fromage étalé sur une croûte de pain que l'enfant grignotera selon son plaisir.

Petit déjeuner

Toujours un grand biberon de lait de suite avec des céréales pour bébé. Si l'enfant préfère manger à la petite cuillère, ajoutez plus de céréales afin que le repas soit plus épais.

Déjeuner (huit-douze mois)

	Composants				
	Initiation aux entrées légumes mixés	Purée de légumes [a] + matières grasses	Plat protidique	Dessert	Boisson
Lundi	Tomate	Purée de courgettes	Œuf mimosa	Banane, fraise (fraîche ou surgelée) mixées	
Mardi		Purée de brocolis	Fromage blanc	Pomme, ananas (frais ou au sirop) mixés	
Mercredi	Concombre	Jardinière mixée	Yaourt	Compote de pêches	
Jeudi		Purée d'épinards	Petit-suisse	Pomme râpée	Eau
Vendredi	Avocat	Purée de carottes-céleri	Gruyère râpé	Pomme framboise (fraîche ou surgelée) mixées	
Samedi	Betteraves rouges	Purée haricots verts champignons	Œuf	Banane, poire mixées	
Dimanche	Pamplemousse	Purée à la tomate	Yaourt	Biscuits	

a. Toutes les purées sont à base de pommes de terre et de lait de suite.

Goûter

Toujours un grand biberon de lait de suite suivi d'un petit grignotage de croûte de pain ou de gâteaux secs ; si l'enfant refuse le biberon, épaississez le lait de suite avec des céréales infantiles pour que le repas soit pris à la petite cuillère.

Si l'enfant ne désire pas le lait, vous le remplacez par du fromage blanc enrichi en fer et en acides gras essentiels. Vous pourrez augmenter le volume en ajoutant des fruits écrasés. Continuez à lui proposer un petit grignotage de pain ou de biscuit.

Dîner

	Composants		
	Purée[a] ou potage + matière grasse	**Dessert**	**Boisson**
Lundi	Potage de légumes épaissi à la semoule	Yaourt à la gelée de framboise	
Mardi	Petites pâtes cuites dans du lait de suite	Pomme, poire mixées	
Mercredi	Potage de légumes	Fromage blanc à la crème de marron	
Jeudi	Semoule au lait de suite	Compote de pommes	Eau
Vendredi	Velouté au potiron	Lait fermenté à la gelée de fruits	
Samedi	Purée de chou-fleur béchamel gruyère	Pomme, kiwi mixés	
Dimanche	Potage 4 saisons	Crème Maïzena chocolatée au lait de suite	

a. Toutes les purées sont à base de pommes de terre et de lait de suite.

Si votre bébé est très attaché au sein et/ou au biberon et n'accepte rien d'autre, il est souhaitable qu'il consomme 1 litre de lait maternel ou de suite, ou plus suivant son appétit. Dans ce cas, les apports nutritionnels sont satisfaisants pour assurer une croissance normale, mais l'initiation à de nouveaux goûts et à d'autres consistances risque d'être difficile à moins que, participant aux repas de la famille, votre bébé ait envie d'imiter ses aînés.

« Nous mangeons des céréales complètes, est-ce que notre bébé de moins de un an peut les supporter ? »

L'intestin d'un bébé de moins de douze mois n'est pas prêt à tolérer les fibres des céréales complètes. Il risque d'avoir des gaz, des douleurs abdominales, de même qu'avec les légumes secs ; c'est pour cette raison qu'on ne les recommande pas.

À cet âge, l'alimentation lactée et diversifiée apporte tous les éléments nutritionnels nécessaires à une croissance harmonieuse.

ALIMENTATION LACTO-VÉGÉTARIENNE DE 6 MOIS À 6 ANS
QUANTITÉS D'ALIMENTS PAR JOUR

	6-12 mois	1-3 ans	4-6 ans
Nombre de portions [a] de produits laitiers	4 à 6 [b]	4 à 6	6 à 7
Légumineuses		Introduction progressive sous forme de purée ou de tofu [c]	+
Fruits oléagineux (noix, amandes, etc.)	0	Broyés en petites quantités	Broyés ou entiers sous surveillance +
Céréales complètes	0	Peu	+
Pommes de terre, pain, pâtes, semoules riz	En fonction de l'appétit		
Légumes, fruits crus et cuits	En fonction de l'appétit		
Matières grasses ajoutées	D'origine végétale principalement		
Produits sucrés	Comme pour toute alimentation, pas d'excès		

a. Une portion peut être remplacée par un œuf.
b. Produits laitiers enrichis en fer. Voir pages 347 et 352 le tableau des portions références de produits laitiers.
c. 100 g de tofu = 2 œufs.

ALIMENTATION LACTO-VÉGÉTARIENNE DE 7 À 18 ANS
QUANTITÉS D'ALIMENTS PAR JOUR

	7-10 ans	11-15 ans	16-18 ans
Nombre de portions [a] de produits laitiers	7	7 à 8	8 à 9
Légumineuses	+	++	++
Fruits oléagineux (noix, amandes, etc.)	+	+	++
Céréales complètes	+	++	++
Pommes de terre, pain, pâtes, semoule riz	En fonction de l'appétit		
Légumes, fruits crus et cuits	En fonction de l'appétit		
Matières grasses ajoutées	D'origine végétale principalement		
Produits sucrés	Comme pour toute alimentation, pas d'excès		

a. Une portion peut être remplacée par un œuf. Voir pages 347 et 352 le tableau des portions références de produits laitiers.

« Comment remplacer les produits laitiers et les œufs les uns par les autres ? »

En utilisant les équivalences indiquées ci-dessous.

Portions références de produits laitiers et œuf à 5 g de protéines

200 ml de lait de suite apportent autant de protéines que :
— 150 ml de lait de vache (1 verre),
— 1 yaourt nature,
— 1 petit-suisse de 60 g,
— 60-70 g de fromage blanc courant (soit 2 à 3 cuillerées à soupe bombées),
— 100 g de fromage blanc pour enfants en bas âge, 20-30 g de fromages fermentés,
— 1 œuf de calibre moyen = 50 à 60 g de tofu.

« Combien d'œufs par jour puis-je donner ? »

Il n'y a pas de quantités précises ; l'œuf est très intéressant par sa richesse en protéines de haute qualité, en vitamine A et en fer, mais il ne contient pas de calcium.

Une à deux portions de produits laitiers peuvent (voir p. 347), en fonction des menus, être remplacées par un à deux œufs, mais pas plus, sinon l'alimentation de votre enfant manquera de calcium.

« Y a-t-il un nombre minimal de portions de produits laitiers à respecter ? »

Le nombre minimal de portions de produits laitiers pour que l'enfant ait la quantité de calcium nécessaire à sa croissance est de quatre à cinq portions quel que soit l'âge. En vous référant au tableau « Alimentation lacto-végétarienne » (voir p. 590), vous constatez qu'il est souhaitable que le grand enfant en consomme beaucoup plus.

À retenir

Comme pour tous les enfants de moins de trois ans, il est recommandé que les produits laitiers soient enrichis en fer comme le sont la plupart des laits « croissance » (voir p. 349 pour plus de détails).

« Qu'est-ce que le tofu ? »

Le tofu est une sorte de caillé de soja qui a l'aspect et la consistance du fromage blanc mais ne contient pas de calcium.

C'est une façon très digeste d'introduire les légumineuses chez le petit enfant sans provoquer les inconvénients de flatulence. Le tofu contient environ 10 g de protéines pour 100 g de produit frais, c'est-à-dire que deux cuillerées à soupe (50 à 60 g) de tofu apportent autant de protéines qu'un œuf (5 à 6 g), et peuvent, en fonction des menus, le remplacer sans toutefois fournir du fer.

Le cas de l'enfant de plus de un an

« À quel âge puis-je donner des légumineuses, c'est-à-dire des haricots secs, des lentilles, etc. ? »

Les enveloppes (ou peaux) des légumes secs sont très riches en fibres mal dégradées par la flore intestinale des jeunes enfants. Ces fibres mal digérées risquent d'occasionner des gaz accompagnés de douleurs abdominales et d'être à l'origine de colite plus ou moins durable. On évite ces inconvénients en faisant cuire les légumes secs dans plusieurs eaux.

« Nous avons l'habitude de manger du pain de farine intégrale biologique. À quel âge pouvons-nous en proposer à notre enfant ? »

La farine intégrale est la plus riche en fibres car elle n'est pas blutée, elle risque de provoquer des douleurs abdominales et une colite. Elle peut être proposée à très petites doses de temps en temps à partir de deux ans environ.

S'il s'agit de pain plus ou moins bis ou fait avec des farines partiellement complètes, il y a moins de précautions à prendre, et l'enfant vers un an l'appréciera et le tolérera peut-être.

> **Notre conseil**
> Introduisez les légumes secs, comme les céréales plus ou moins complètes, de manière graduelle. On propose vers un an les légumes secs mixés, ensuite sous forme de purée, puis écrasés vers quinze-dix-huit mois. Cela dépend de la capacité à mâcher de l'enfant.
> De toute façon, observez les réactions de votre petit enfant à l'introduction de chaque aliment nouveau.

➤ Exemples de menus végétariens pour une semaine pour des enfants de un à trois ans et jusqu'à cinq ans

Les légumineuses sont mixées après avoir été très bien cuites dans plusieurs eaux et préalablement trempées dans l'eau froide.

On commence par en ajouter une cuillère à café à la purée de légumes et de pommes de terre. Vous jugez alors la tolérance en fonction des douleurs abdominales de votre bébé.

Vers un an, l'enfant peut commencer à accepter les morceaux d'aliments. Il suffit :

— d'écraser à la fourchette les légumes proposés,

— de mixer les légumineuses cuites pour fragmenter finement les enveloppes (peaux) des légumes secs ; on commence par les haricots secs, lentilles, pois cassés, fèves. Vous augmentez progressivement les quantités en fonction de la tolérance de l'intestin vis-à-vis des légumineuses que vous appréciez en observant les éventuelles coliques. Plus tard, quand l'enfant mâche bien, il pourra les consommer comme les parents,

— de choisir des fromages qui peuvent s'étaler ou de les présenter en fines lamelles, toujours avec du pain. S'il n'apprécie pas, donnez-lui des laitages,

— de présenter les fruits mûrs en lamelles (attention à la pomme qui ne s'écrase pas et pensez à éplucher les grains de raisin).

Petit déjeuner

Il est à base de lait enrichi en fer parfumé ou non, pris au biberon, au bol ou à la tasse. On peut proposer d'autres produits laitiers.

On le complète obligatoirement avec des céréales spéciales bébé ou d'un autre type, ou par du pain ou des biscottes, ou par d'autres sources d'amidon. Prévoir un jus de fruits s'il n'y a pas de lait pour apporter du liquide.

	Composants	
	Produits laitiers	Source de glucides
Lundi	Lait parfumé	Céréales
Mardi	Yaourt	Brioche, jus de fruits
Mercredi	Lait parfumé	Biscottes, confiture
Jeudi	Lait chocolaté	Toasts au miel
Vendredi	Fromage blanc	Biscuits, jus de fruits
Samedi	Lait parfumé	Pain beurré
Dimanche	Crème de gruyère	Pain, jus de fruits

Déjeuner végétarien (un-trois ans et même jusqu'à cinq ans)

Il est composé :

- d'une entrée de légumes cuits ou crus légèrement assaisonnés,
- d'un plat protidique sous forme :
  - d'œuf
  - ou de tofu que l'on parfume selon les goûts
  - ou de légumineuses (haricots secs, pois cassés, lentilles, fèves) en purée puis entières suivant la capacité de mastication de l'enfant,
- de légumes ou de féculents (des pâtes, du riz, des pommes de terre...) ou d'un mélange des deux avec une cuillère à café d'huile (varier les origines, voir p. 365),
- d'un produit laitier ; la quantité de produit laitier sera augmentée si dans le menu il n'y a pas de plat protidique (voir ci-dessus et voir le menu du samedi),
- d'un dessert à base de fruit si l'entrée n'est pas constituée d'un légume cru,
- de pain pour accompagner les plats,
- d'eau pour la boisson.

	Composants				
	Entrée	**Plat protidique**	**Légumes féculents**	**Produit laitier**	**Dessert**
Lundi	Carotte râpée	Mixé de lentilles à la crème	Pommes anglaises	Cantal	Pommes au four
Mardi	Betteraves rouges mimosa	Tofu au fenouil et oignons	Riz	Camembert	Fruit de saison
Mercredi	Concombre au yaourt	Omelette aux fines herbes	Haricots verts	Entremets à la semoule	
Jeudi	Avocat	Purée St-Germain (Pois cassés + pommes de terre)		Pyrénées	Fruit de saison
Vendredi	Tomate	Haricots blancs mixés et persil	Carottes vichy	Comté	Pêches au sirop
Samedi	Pamplemousse	Épinards béchamel + emmenthal		Petits-suisses	Banane
Dimanche	Champignons persillés	Œuf à la coque	Jardinière de légumes	Chèvre	Tarte aux prunes

Goûter (un-cinq ans)

Le principe est le même que pour le petit déjeuner.

Pensez à proposer des fruits en cas de grande faim plutôt que des biscuits ou gâteaux.

	Composants	
	Produits laitiers	**Source de glucides**
Lundi	Yaourt	Pain de mie à la gelée de framboise
Mardi	Lait nature	Gâteau marbré
Mercredi	Bleu d'Auvergne	Pain, jus de fruits
Jeudi	Crème à la vanille	Gaufrettes
Vendredi	Yaourt à boire (nature)	Pain d'épice
Samedi	Gouda	Pain, jus de fruits
Dimanche	Fromage blanc	Pain viennois à la confiture d'abricots

Dîner végétarien (un-cinq ans)

Il est le complément du déjeuner :

— sous forme de fruits ou de légumes crus à donner afin qu'il y en ait au moins deux fois dans la journée,

— il y a toujours un produit laitier et du pain.

	Composants		
	Légumes/féculents	**Produits laitiers**	**Dessert**
Lundi	Potage de légumes	Carré frais	Salade de fruits aux fraises
Mardi	Courgettes béchamel	Édam	Fruit de saison
Mercredi	Purée de pommes de terre au gruyère		Fruit de saison
Jeudi	Pâtes à la sauce tomate et parmesan	Yaourt	Pomme au four
Vendredi	Potage de légumes	Fromage blanc	Fruit de saison
Samedi	Gnocchis de semoule à la romaine	Morbier	Fruit de saison
Dimanche	Salade de tomate Gratin dauphinois	Entremets au chocolat	

Au fur et à mesure que l'enfant grandit, il s'intègre dans les rites familiaux et dans les habitudes végétariennes. Nous vous proposons ci-dessous des exemples de menus hebdomadaires pour enfants végétariens de plus de six ans.

« À quel âge pouvons-nous donner des noix et des graines diverses ? »

Vous pouvez donner des amandes, des cacahuètes, des noisettes et les diverses noix et graines (voir p. 583) lorsque votre enfant sait mâcher et avaler parfaitement sans engloutir rapidement. Lorsqu'il atteint l'âge de trois-quatre ans, vous pouvez commencer à lui faire goûter ces aliments en le surveillant de près afin d'éviter qu'il n'avale de travers : c'est ce qu'on appelle la fausse route (voir p. 303). Il faut veiller à ce que l'aliment ne s'engage pas dans la trachée et les poumons au lieu d'aller dans le tube digestif.

Tous ces produits existent sous forme de farines et de pâte qui peuvent s'ajouter aux purées ou se tartiner sur une tranche de pain.

➤ *Exemples de menus végétariens pour une semaine pour enfants de six ans et plus*

Petit déjeuner

	Composants	
	Produits laitiers	**Source de glucides**
Lundi	Lait chocolaté, gruyère	Brioche au miel
Mardi	Lait chocolaté, tomme	Pain beurré
Mercredi	Thé, yaourt, fromage fondu	Biscottes
Jeudi	Yaourt	Céréales, fruit de saison
Vendredi	Lait parfumé, cantal	Toast, jus de fruits
Samedi	Lait parfumé	Croissants
Dimanche	Lait au muesli	Banane

Déjeuner (six ans et plus)

Avec du pain, et, comme boisson, de l'eau.

	Composants				
	Entrée	Plat protidique	Légumes féculents	Produit laitier	Dessert
Lundi	Frisée aux noix	Omelette	Purée de pommes de terre	Fourme	Fruit de saison
Mardi	Concombres haricots rouges en salade	Polenta au fromage		Saint-marcellin	Fruit de saison
Mercredi	Betteraves endives roquefort en salade	Lentilles à la sauce tomate			Flan nappé de caramel
Jeudi	Chou bicolore au pilpil [a]	Tofu printanière de légumes		Édam	Fruit de saison
Vendredi	Boulghour [b] champignons crus en salade aux pignons	Épinards béchamel			Gâteau de riz et crème anglaise
Samedi	Carottes aux croûtons et fromage de chèvre	Couscous aux légumes		Camembert	Poires à la crème pâtissière
Dimanche	Salade de riz, maïs, raisins secs	Millet au gratin de champignons		Cantal	Fruit de saison

a. Pilpil : riz ou blé séché, concassé et précuit.
b. Boulghour : blé germé, séché, concassé et précuit.

Goûter (six ans et plus)

	Composants	
	Produits laitiers	**Source de glucides**
Lundi	Yaourt	Cake
Mardi	Lait parfumé	Gâteau au chocolat
Mercredi	Fromage blanc	Banane, jus de fruits
Jeudi	Lait parfumé	Tartines au beurre d'arachide
Vendredi	Yaourt à boire (nature)	Pain viennois, chocolat
Samedi	Mimolette	Pain, jus de fruits
Dimanche	Lait parfumé	Pain, chocolat

Dîner (six ans et plus)

Avec du pain, et, comme boisson, de l'eau.

	Composants				
	Entrée	**Plat protidique**	**Légumes féculents**	**Produit laitier**	**Dessert**
Lundi	Salade de soja et de carottes	Semoule de blé aux pois chiche à l'italienne			Île flottante
Mardi	Salade de tomates aux olives	Flan de tofu aux oignons	Pommes de terre à l'anglaise	Brie	Quetsches au sirop
Mercredi	Salade de concombre et d'avocat	Soufflé au fromage	Ratatouille Riz complet	Édam	Fruit de saison
Jeudi	Flageolets coco roses aux oignons	Lasagnes à l'aubergine et parmesan		Yaourt	Compote d'abricots
Vendredi	Potage aux lentilles et persil	Crêpes de sarrasin au fromage		Morbier	Fruit de saison
Samedi	Soupe de pois cassés	Flan de courgettes		Chaource	Glace à la banane
Dimanche	Salade de mâche et betteraves aux amandes		Pâtes tricolores au fromage	Bleu de Bresse	Fruit de saison

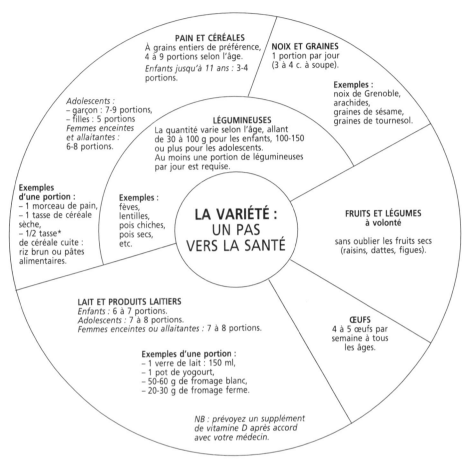

PAIN ET CÉRÉALES
À grains entiers de préférence,
4 à 9 portions selon l'âge.
Enfants jusqu'à 11 ans : 3-4
portions.

Adolescents :
– garçon : 7-9 portions,
– filles : 5 portions
Femmes enceintes
et allaitantes :
6-8 portions.

NOIX ET GRAINES
1 portion par jour
(3 à 4 c. à soupe).

Exemples :
noix de Grenoble,
arachides,
graines de sésame,
graines de tournesol.

LÉGUMINEUSES
La quantité varie selon l'âge, allant
de 30 à 100 g pour les enfants, 100-150
ou plus pour les adolescents.
Au moins une portion de légumineuses
par jour est requise.

Exemples
d'une portion :
– 1 morceau de pain,
– 1 tasse de céréale
sèche,
– 1/2 tasse*
de céréale cuite :
riz brun ou pâtes
alimentaires.

Exemples :
fèves,
lentilles,
pois chiches,
pois secs,
etc.

LA VARIÉTÉ :
UN PAS
VERS LA SANTÉ

FRUITS ET LÉGUMES
à volonté

sans oublier les fruits secs
(raisins, dattes, figues).

LAIT ET PRODUITS LAITIERS
Enfants : 6 à 7 portions.
Adolescents : 7 à 8 portions.
Femmes enceintes ou allaitantes : 7 à 8 portions.

ŒUFS
4 à 5 œufs par
semaine à tous
les âges.

Exemples d'une portion :
– 1 verre de lait : 150 ml,
– 1 pot de yogourt,
– 50-60 g de fromage blanc,
– 20-30 g de fromage ferme.

NB : prévoyez un supplément
de vitamine D après accord
avec votre médecin.

* 1/2 tasse = 125 ml

Les aliments d'une même famille possèdent des caractéristiques communes, et leur contenu en acides aminés se ressemble. Ils possèdent les mêmes forces et les mêmes faiblesses. Ils ne peuvent donc pas se compléter car cela ne ferait que renforcer leurs faiblesses individuelles. C'est donc en combinant des aliments provenant de familles différentes que l'on potentialise l'efficacité protéique.

Guide alimentaire végétarien à partir de 3 ans
(exemple non applicable au nourrisson)
[d'après A. Beaulieu]

Un compromis

En guise de conclusion de ce chapitre sur le végétarisme, critiqué voire rejeté, adulé par d'autres, pourquoi ne pas proposer une troisième voie ?

Ce serait sans doute une solution d'avenir pour la bonne santé des habitants des pays industrialisés. On pourrait instaurer l'alternance entre la nourriture du système végétarien et celle du système carnivore plus répandu actuellement en France. C'est-à-dire que, concrètement, certains déjeuners et dîners de la semaine pourraient être végétariens, sans viande ni poisson, mais riches en céréales complètes et légumes secs, ou que, plus idéalement encore, certains jours (déjeuner et dîner) pourraient être complètement végétariens.

L'alimentation biologique

■

L'alimentation biologique correspond à une demande des consommateurs et constitue actuellement un marché en pleine expansion. Nous sommes de plus en plus nombreux à vouloir manger des aliments sans pesticides ni engrais chimiques. La présence de pesticides est particulièrement inquiétante pour les personnes qui prennent des céréales complètes, et notamment pour les végétariens qui en consomment beaucoup.

Qu'est-ce qu'un produit biologique ?

Les produits « bio » sont soumis à une double législation : celle en vigueur pour l'ensemble des produits alimentaires et celle spécifique à l'agriculture biologique. Cette dernière est très exigeante. Grâce à un cahier des charges extrêmement contraignant, elle oblige agriculteurs, éleveurs et industriels à produire des aliments sans engrais de synthèse, sans pesticides, sans conservateurs, c'est-à-dire sans additifs synthétiques.

En outre, on peut remarquer que l'application bien conduite des techniques de l'agriculture biologique protège l'environnement en diminuant les résidus dans les sols et les nappes phréatiques.

« Comment peut-on être certain que l'aliment acheté correspond aux normes des produits biologiques ? »
C'est simple, le logo officiel AB (agriculture biologique) doit figurer obligatoirement sur le produit issu de l'agriculture biologique. Il est également obligatoire de mentionner le nom de l'organisme certificateur ; il y en a actuellement trois : Ecocert, Qualité France et SO.CO.TEC.

« Comment peut-on conserver des aliments sans utiliser de conservateurs ? »

Les méthodes très anciennes et classiques, sont le salage, la pasteurisation, la stérilisation. La mention sur l'emballage de la date limite de conservation (DLC) est obligatoire, comme pour les produits conventionnels.

Ce qui change est l'interdiction d'utiliser des additifs synthétiques tels que les émulsifiants, les stabilisateurs, les flaveurs (voir lexique) artificielles, les anti-oxydants chimiques. Les conséquences peuvent être un aspect moins appétissant de certains produits « bio » et une date limite de conservation plus courte qu'en conservation traditionnelle.

« Les produits "bio" sont-ils meilleurs pour la santé ? »

Le taux de résidus nocifs est plus bas dans les produits issus de l'agriculture biologique que dans ceux provenant de l'agriculture traditionnelle. Cependant, les preuves absolument tangibles du rôle bénéfique sur la santé des aliments « bio » sont encore peu mises en évidence. Nous n'avons pas encore les résultats d'études scientifiques au très long court qui compareraient l'agriculture biologique à l'agriculture conventionnelle en termes de bénéfices nutritionnels et de sécurité alimentaire.

Actuellement, le prix de revient des aliments « bio » est très supérieur à celui des produits conventionnels du fait du rendement moindre de ce type de culture.

Le végétalisme

La différence entre végétarisme et végétalisme

Végétalisme n'égale pas végétarisme, et on ne doit pas confondre ces deux termes. Remplacer un *r* par un *l* risque d'entraîner des problèmes nutritionnels si le régime n'est pas soigneusement planifié !

Une personne qui pratique l'alimentation végétalienne supprime tout produit ou sous-produit d'origine animale. Dans sa conception la plus classique, le régime végétalien est à base de céréales complètes, de légumineuses, de fruits secs, frais et oléagineux (noix, noisettes, amandes...), de légumes, d'algues et de graisses végétales. À la page 583 est donnée la liste des produits végétaux riches en protéines.

Intérêt du végétalisme

Le régime végétalien a l'*intérêt, pour les adultes*, d'être dépourvu de graisses saturées et d'être riche en fibres, en folates (voir lexique), en vitamine B1.

Les inconvénients

Le végétalisme a l'*inconvénient* d'être riche en oxalates et en phytates qui réduisent l'absorption intestinale des minéraux et en particulier du calcium, lui-même présent en quantités peu importantes dans ce type de régime.

Par ailleurs, l'alimentation végétalienne est pauvre en vitamine B2 et en fer, nettement carencée en vitamine B12. Les protéines sont apportées par les céréales et les légumineuses qui toutes deux sont pauvres en acides aminés indispensables (car nécessaires à la croissance).

Le remède

Heureusement, on peut obtenir un apport protéique convenable *pour l'adulte* en associant les protéines de céréales pauvres en lysine avec les protéines de légumineuses pauvres en méthionine, c'est ce qu'on appelle la *complémentarité* (voir p. 582 et 583). Voici quelques exemples de complémentarité ou association :
— la semoule de blé avec les pois chiches,
— le riz avec les lentilles,
— le maïs avec les haricots secs.

Le nourrisson né de parents végétaliens

Nous évoquons ici le cas du nourrisson. Les cas de la femme enceinte et de la mère allaitante étroitement liés à celui du nourrisson sont traités pages 156 et 230 à 231.

Des études scientifiques comparatives ont été menées, en Grande-Bretagne, aux Pays-Bas et aux États-Unis sur de jeunes enfants de mères omnivores (groupe contrôle ou témoin) et sur d'autres enfants issus de familles indiennes végétaliennes ou des adventistes du Septième Jour. Le groupe des personnes mangeant de tout qui servaient de témoin avaient une consommation énergétique plus importante que celui des végétaliens.

L'alimentation habituelle des nourrissons de mère végétalienne est le lait de leur mère durant au moins un an, avec introduction vers quatre-cinq mois de bouillie tamisée de céréales complètes, suivie par des légumes, des algues, des graines de sésame et des légumineuses, des poudres de diverses noix ou amandes.

Ces nourrissons de famille végétalienne ont, entre six et dix-huit mois, un net retard de croissance en poids, en taille, en périmètre crânien, par rapport aux enfants mangeant normalement ; de plus, ils ne parviennent à marcher seuls que trois mois après les autres. Les examens médicaux révélaient des carences en vitamine B12 responsables de perturbations neurologiques et d'anémie, cette dernière étant aussi liée à un statut en fer déficient ; le fer est présent dans les céréales mais sous une forme difficilement absorbable au niveau intestinal. Ces nourrissons sont aussi relativement carencés en vitamine B2, en calcium et en vitamine D. Ils ont aussi, mais à un moindre degré, un retard dans la mise en place du langage.

L'introduction de produits laitiers et de poisson gras dans le régime des enfants nés de mères végétaliennes a été suivie d'une accélération de leur rythme de croissance.

À retenir

Chez l'enfant, le meilleur signe d'un état nutritionnel satisfaisant est le développement harmonieux du poids et de la taille (voir la courbe de poids et taille p. 612 et 613).

On conseille le maintien de l'allaitement au sein le plus longtemps possible. Si cela ne peut être réalisé, le lait de soja qui est classiquement utilisé chez les végétaliens doit être enrichi en méthionine, en calcium, en vitamine D, afin de répondre aux besoins spécifiques d'un organisme en période de croissance maximale. Ce lait doit être conforme à la législation des préparations pour nourrissons à base de soja (voir p. 237 et 610).

Il existe dans le commerce des « préparations pour nourrisson » à base de soja, et aussi des « préparations de suite » (voir p. 282), elles ont été mises au point pour les enfants intolérants aux protéines de lait de vache et conviennent également dans le cas qui nous intéresse ici.

On demande aussi que soit ajoutés à l'alimentation du bébé 20 à 25 g d'huile (soja par exemple) pour que l'apport énergétique soit suffisant et équilibré. Il semblerait que la meilleure solution, pour pallier l'insuffisance en vitamine B12, soit de faire accepter aux parents l'idée de donner à leur enfant, après l'âge de six mois, 15 à 20 g par jour de poisson gras et/ou de viande et de diminuer les quantités de poudre d'algues en raison des principes antivitamine B12 contenus dans les algues. L'introduction du poisson gras est aussi un moyen de fournir des acides gras très spécifiques. Accepter de donner un produit laitier par jour fournissant du calcium, des protéines et de la vitamine B2 serait très bénéfique au petit enfant.

Avant l'âge de deux ans, les apports en *fibres,* si celles-ci ne sont pas modifiées, sont nocifs : ils doivent être diminués en tamisant les bouillies de céréales et en remplaçant une partie des céréales complètes par des céréales raffinées, c'est-à-dire au blutage plus poussé. Les noix et les graines, à cause des risques de fausse route, ne doivent pas être données entières avant l'âge de trois à quatre ans.

À retenir

Le *régime végétalien n'est pas fait pour le petit de l'homme* au début de sa vie et durant toute sa croissance.

En revanche, le régime végétarien, qui a comme seuls interdits la viande et le poisson, mais permet l'utilisation des produits laitiers et des œufs, présente un intérêt nutritionnel certain.

Annexes

Annexe 1

APPORTS NUTRITIONNELS POUR LES ENFANTS DE MOINS DE 1 AN
d'après le Comité de nutrition, Société française de pédiatrie

Composants	Unités	0-6 mois	6-12 mois
Eau	ml/kg	150 à 125	125 à 110
Protéines	g/kg	2-1,8	1,5-1,4
Lipides [a]	g/kg	4-6	4
Acide linoléique Acide α-linoléique	% énergie totale % énergie totale	3,5-5 0,5-1	
Glucides [a]	g/kg	10-15	14-15
Énergie	kJ/kg kcal/kg	460-420 110-100	400-420 95-100
Fe	mg/j	8-10	
Ca	mg/j	400	600
Na	mmol/kg	1,7-2	
Vitamine C	mg/j	30-35	
Vitamine D [b]	UI/j	400-1 000	
Vitamine A [c]	ER/j	375-400	
Vitamine E [d]	α ET/j	3-4	
Fluor [e]	mg/j	0,25	
Mg	mg/j	40-60	
Zn	mg/j	5	

a. Par déduction.
b. Les besoins varient en fonction du climat, de la saison, des habitudes de vie et des caractéristiques individuelles.
c. L'équivalent rétinol (ER) = 1 μg de rétinol = 3,33 UI de vitamine A.
d. L'équivalent α tocophérol (ET) = 1 mg de α tocophérol.
e. Si la concentration de fluor dans l'eau de boisson est inférieure à 0,3 mg/l.

Annexe 2

INTÉRÊT NUTRITIONNEL DES DIFFÉRENTS GROUPES D'ALIMENTS
ET FRÉQUENCE DE CONSOMMATION SOUHAITABLE

	Intérêt nutritionnel	Fréquence de consommation souhaitable
Lait et produits laitiers	• protéines riches en acides aminés indispensables • principales sources de Ca dont l'absorption digestive est très bonne • lipides surtout saturés, dont la teneur varie avec l'écrémage • vitamine A, teneur variable avec l'écrémage • vitamines du groupe B • Fer, quand il est ajouté dans certains laits : laits spéciaux 1-3 ans, lait de grossesse	à chacun des 4 repas de la journée
Viande, poisson, œuf	• protéines riches en acides aminés indispensables • principale source de fer, dont l'absorption est très bonne • phosphore • lipides en quantité extrêmement variable	une fois par jour jusqu'à 6 ans, deux fois non indispensable
Légumineuses : lentilles, pois secs, haricots secs... noix et graines	• protéines déficientes en méthionine et en cystine, peuvent être complétées par des céréales et des produits laitiers • fibres • glucides, essentiellement amidon • vitamines du groupe B • oligo-éléments	peuvent être consommées comme un plat de féculent ou en équivalence du groupe viande, poisson, œuf sous forme de purée à partir de 18 mois
Fruits et légumes	• fibres : cellulose, hémicellulose, pectine • vitamines C et du groupe B (surtout s'ils sont consommés crus) • provitamine A • glucides, essentiellement oligosaccharides	au minimum, deux portions de légumes et/ou de fruits crus, légumes et fruits cuits en fonction de l'appétit
Produits amylacés : pain, céréales, pâtes, riz, pommes de terre, légumes secs	• glucides, essentiellement amidon • protéines végétales • vitamines du groupe B } quantité variable • minéraux } en fonction du taux • fibres } de blutage *principale source énergétique de l'alimentation humaine*	un plat de féculent par jour, pain ou céréales à chacun des repas

INTÉRÊT NUTRITIONNEL DES DIFFÉRENTS GROUPES D'ALIMENTS
ET FRÉQUENCE DE CONSOMMATION SOUHAITABLE (suite)

	Intérêt nutritionnel	Fréquence de consommation souhaitable
Matières grasses ajoutées : beurre, crème fraîche, margarines	• lipides : acides gras saturés • vitamine A	un peu à chaque repas en variant la source de matière grasse ajoutée
Huiles : maïs, soja, tournesol	• lipides : acides gras polyinsaturés • vitamine E	
Olive, colza, arachide, mélanges d'huiles	• lipides : acides gras mono-insaturés • vitamine E • équilibrés en acides gras poly- et mono-insaturés	
Boisson	L'eau est la seule boisson indispensable	La moitié du besoin hydrique quotidien est couverte par l'eau de constitution des aliments. Il reste nécessaire de boire entre 0,5 et 1,5 l/j suivant l'âge, la température et l'activité
Sucre Produits sucrés	*Attention :* les jus de fruits resucrés, ou non, et les sodas apportent du saccharose en quantités non négligeables (10 à 15 g pour 100 ml) Confiserie...	

Annexe 3

COMPOSITION DU LAIT DE FEMME, DES PRÉPARATIONS POUR NOURRISSON,
DES PRÉPARATIONS DE SUITE ET DU LAIT DE VACHE ENTIER (POUR 100 ml)

	Unités	Lait de femme (référence Salle-Putet)	Normes législation du 11/01/94		Lait de vache (référence CIQUAL)
			Préparations pour nourrisson	Préparation de suite	
Énergie	kJ kcal	258 62	250-315 60-75	250-335 60-80	64 269
Protides LV non modifiés LV modifiés LV adaptés Protéines de soja seules ou mélangées	g	0,8-1,2	1,52-2,02 1,21-2,02 < 1,69 1,52-2,02	1,57-3,15 1,57-3,15	3,2
Lipides Acide linoléique	g mg	3-4 Suivant alimentation de la mère	2,23-4,39 202-8 10	2,31-4,55 > 210 si matière grasse végétale	3,5
Glucides Lactose Maltose Maltodextrine Sirop glucose Saccharose Fructose miel	g	6-7 5,1-6,3	4,72-9,45 > 2,36 sauf protéines de soja Autorisés < 20 % glucides totaux interdits	4,9-9,8 > 1,26 sauf protéines de soja < 20 % glucides totaux interdits	4,8
Minéraux Calcium Sodium Fer Si enrichissement en fer	mg	 30 10-20 0,04	 > 33,75 13,5-40,5 0,33-1,01	proportionnel à la quantité de protéines de lait de vache 0,7-1,4	 118 45 0,1
Vitamines Vitamine D Vitamine C Vitamine E	 UI mg mg	 20-30 3,8 0,35	 26,8-67,2 > 5,4 > 0,33	 28-84 > 5,6 > 0,33	 3,2 1,0 0,13

VUE D'ENSEMBLE DES APPORTS NUTRITIONNELS CONSEILLÉS PAR JOUR (24 HEURES) d'après H. DUPIN, J. ABRAHAM, I. GIACHETTI

Annexe 4

| Catégories | Apports énergétiques au niveau d'un groupe (en Kcal) | Apports en protéines (en grammes) | | Minéraux | | | | Vitamines | | | | | | | | | |
| | | Conseillés | Acceptables | Calcium mg | Phosphore mg | Magnésium mg | Fer mg | Vitamines liposolubles | | | | | | | Vitamines hydrosolubles | | |
								A µg ER	D µg	D UI	E mg	E UI	K µg	B₁ mg	B₉ Acide folique µg	C mg
Enfants de 1 à 3 ans	1 270	30	16	600	500	120	10	400	10	400	5	7	15	0,7	100	35
Enfants de 4 à 9 ans	1 750	53	25	700	600	180	10	600	10	400	7	10	25	0,8	200	50
Garçons 10-12 ans	2 190	66	40	1 000	800	240	12	800	10	400	10	15	30	1,2	200	60
Filles 10-12 ans	1 950	58	42	1 000	800	240	12	800	10	400	10	15	30	1,2	200	60
Adolescents 13-19 ans	2 680	79	58	1 200	1 000	420	15	1 000	10	400	12	18	35	1,5	300	80
Adolescentes 13-19 ans	2 140	64	52	1 200	1 000	330	18	800	10	400	12	18	35	1,3	300	80
Femmes enceintes	2 150 à 2 250	70	–	1 200	1 000	480	X[a]	1 000	20	800	12	18	45	1,8	500	90
Femmes allaitantes	2 500	80	–	1 200	1 000	480	13	1 300	15	600	12	18	55	1,8	500	90

APPORTS EN PROTÉINES : Les *apports conseillés* tiennent compte des observations scientifiques mais aussi des habitudes alimentaires françaises et de la diversification précoce de l'alimentation.
Les *apports acceptables* sont nettement inférieurs aux apports conseillés mais ce sont eux que le Comité de nutrition de la Société française de pédiatrie a retenus.

a. Les quantités de fer nécessaires à la femme enceinte dépendent du stade de la grossesse et de ses réserves en fer avant la grossesse.

Annexe 5

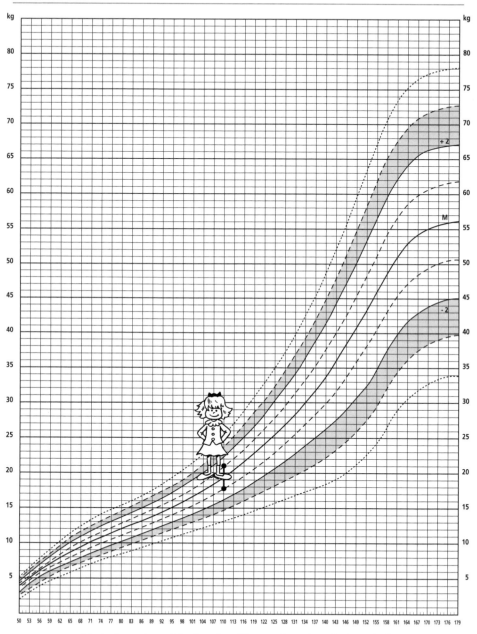

Variations du poids chez les filles en fonction de la taille[1]

Exemple d'utilisation de cette courbe : une fille qui mesure 110 cm devrait peser entre 17 et 19 kg.

1. (D'après M. Sempé, G. Pédron, M.P. Roy)

Annexe 6

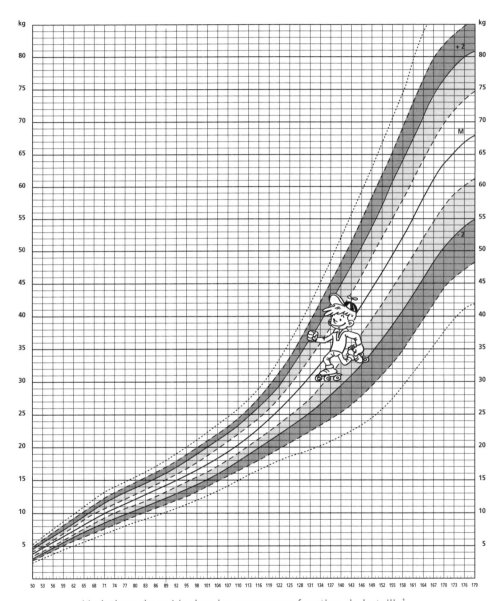

Variations du poids chez les garçons en fonction de la taille[1]

Exemple d'utilisation de cette courbe : la taille d'un garçon pesant 30 kg devrait se situer aux environs de 136 cm.

1. (D'après M. Sempé, G. Pédron, M.P. Roy)

Annexe 7

QUELQUES INFORMATIONS SUR LES VITAMINES

Vitamines	Rôles principaux	Meilleures sources
Hydrosolubles		
B1 ou Thiamine	Bonne utilisation des glucides, principale source d'énergie pour les cellules nerveuses. Indispensable au bon fonctionnement des systèmes nerveux et musculaire.	Levure de bière, céréales complètes et leurs dérivés, viande de porc, légumes secs, germe de blé, fruits secs, légumes verts, foie.
B2 ou Riboflavine	Transporteur d'hydrogène. Intervient dans le métabolisme des glucides, des protéines, ainsi que dans la production d'énergie.	Très répandue : levure de bière, foie, germe de blé, lait, fromages, œuf, légumes verts, fruits, viandes, poissons.
PP ou B3 Niacine	Participe aux réactions qui produisent de l'énergie, par transformation des glucides, lipides et protéines. Nécessaire à la croissance.	Levure de bière, foie, viandes, poissons, produits laitiers, légumes secs, céréales sauf maïs.
Vitamine B5	Production d'énergie à partir des lipides et des glucides. Synthèse des acides gras.	Viandes, abats, œufs Avocats, champignons Cacahuètes
B6 ou Pyridoxine	Essentielle au métabolisme des acides aminés et des protéines, intervient dans plus de 60 réactions chimiques de l'organisme, participe à la formation de l'hémoglobine (pigment des globules rouges).	Levure de bière, germe de blé, foie, viandes, poissons, légumes.
B8 ou H Biotine	Indispensable à une croissance normale, joue un rôle clé dans le métabolisme des glucides, des lipides, des protides. Elle réduit l'excrétion de sébum (produit de sécrétion gras élaboré par certaines glandes et dont l'un des rôles est la protection de la peau) qui est la principale cause de la chute des cheveux.	À l'état de traces dans la plupart des produits animaux et végétaux, les plus riches sont le foie, le rognon, le jaune d'œuf, légumes secs, fruits secs.
B9 ou Acide folique	Indispensable à la croissance et au bon fonctionnement du système nerveux et de la moelle osseuse ; participe à la formation des globules rouges.	Levure de bière, légumes à feuilles, fromages fermentés, foie, rognons, légumes secs, céréales complètes, autres légumes, kiwi, banane.

QUELQUES INFORMATIONS SUR LES VITAMINES *(suite)*

Vitamines	Rôles principaux	Meilleures sources
B12 ou Cobalamine	Nécessaire à la formation des globules rouges, participe au métabolisme des lipides et des glucides, est essentielle à la croissance.	Se trouve exclusivement dans les produits animaux, le foie en est particulièrement riche ; en contiennent aussi les viandes, les œufs, les laitages, le cœur, les poissons à chair foncée, les fromages fermentés, les huîtres.
C ou Acide ascorbique	Indispensable à tous les métabolismes, rôle de premier plan dans la formation et la réparation des os, des cartilages, des ligaments, des vaisseaux sanguins (cicatrisation), la résistance aux infections, l'absorption du fer, la santé des dents et des gencives. Elle empêche la formation de composés toxiques (nitrosamines). C'est une vitamine antioxydante.	Agrumes, fruits acides, fruits et légumes très colorés, pommes de terre nouvelles.
Liposolubles A ou rétinol Carotène ou provitamine A	Intervient dans le bon fonctionnement visuel, notamment en lumière atténuée, maintient en bon état la peau et les muqueuses ; indispensable à la croissance. Aide à se défendre contre certains composés toxiques. La vitamine A est toxique si consommée en excès.	— La vitamine A se trouve dans le jaune d'œuf, le beurre, la crème fraîche, le lait entier, les fromages gras, les poissons, le foie. — Le carotène se trouve dans les légumes et fruits violets, jaunes, orangés, rouges, verts.
D ou Calciférol	Métabolisme du calcium et du phosphore, en particulier régulation de l'absorption intestinale, donc croissance et bon état des os et des dents.	Avant tout soleil et lumière qui font naître la vitamine D dans la peau ; poisson gras, foie de poisson, jaune d'œuf, foie, lait entier d'été, beurre d'été, laits pour nourrisson et laits de suite. À compléter, selon les cas, par un apport médicamenteux prescrit par le médecin.
E ou Tocophérol	Protecteur de la vitamine A et des acides gras essentiels. C'est un antioxydant : elle protège contre les produits nocifs issus du métabolisme ou de l'environnement.	Germes de céréales, huiles végétales, margarines au tournesol et au maïs, fruits oléagineux, céréales complètes.
K	Indispensable à la coagulation du sang.	Légumes à feuilles vertes, foie, mais est surtout fabriquée par les bactéries intestinales.

Annexe 8

INFORMATIONS SUR QUELQUES MINÉRAUX (SELS MINÉRAUX ET OLIGO-ÉLÉMENTS)

Minéral	Rôles principaux	Sources alimentaires
Calcium	Formation des os et des dents, fonctionnement des cellules nerveuses, participe à la contraction des muscles, la régulation du rythme du cœur, la coagulation du sang.	*Sources principales :* lait entier, demi-écrémé, écrémé, pour nourrisson et lait de suite, fromages (notamment à pâte dure), autres produits laitiers (sauf le beurre et la crème). *Sources secondaires :* légumes secs, légumes verts, agrumes, certaines eaux du robinet et eaux embouteillées (notamment Vittel, Contrexéville, Hépar, mais ces dernières ne conviennent pas aux nourrissons).
Fer	Constituant essentiel de l'hémoglobine des globules rouges.	*Sources principales :* abats, boudin noir, viandes, œuf. *Sources secondaires :* légumes secs, légumes à feuilles vertes, fruits secs et oléagineux, chocolat.
Fluor	Formation des os et des dents, anticarie.	Eau, thé, produits de la mer, légumes secs, fruits oléagineux, légumes, fruits ; un apport médicamenteux peut être envisagé chez les enfants en fonction de la composition de l'eau et de l'utilisation du sel fluoré.
Magnésium	Assure l'équilibre du système nerveux, participe à la contraction des muscles, régularise le rythme cardiaque, agit avec le calcium dans le métabolisme osseux.	*Sources principales :* banane, céréales entières (pain complet, riz complet, flocons d'avoine), légumes secs (haricots, pois, lentilles). *Sources secondaires :* légumes, fruits, coquillages et crustacés, tous les fruits et légumes, notamment les fruits secs et oléagineux (amandes, noix, cacahuètes, abricots), viandes, poissons, chocolat.
Potassium	Participe à l'équilibre du système nerveux, à la contraction du cœur et des muscles, régularise avec le sodium la répartition de l'eau dans notre corps.	Tous les aliments excepté les matières grasses, le sucre, les pâtes, le riz, le tapioca.
Sélénium	Antioxydant, participe à la détoxication de l'organisme et probablement à la prévention de maladies.	Œuf, viandes, poissons.

INFORMATIONS SUR QUELQUES MINÉRAUX (SELS MINÉRAUX ET OLIGO-ÉLÉMENTS) *(suite)*

Minéral	Rôles principaux	Sources alimentaires
Sodium	Régularise avec le potassium la répartition de l'eau dans l'organisme.	Sel de table, d'assaisonnement, sel fluoré, sel marin, biscuits d'apéritif, charcuterie, sel de céleri, aliments fumés, pain, fromages, conserves, sauces, plats cuisinés, certaines céréales de petit déjeuner.
Zinc	Renforce les défenses de l'organisme, antioxydant : rôle protecteur vis-à-vis du vieillissement cellulaire nécessaire au fonctionnement du goût, de l'odorat, de la vue, du cerveau.	*Sources principales :* fruits de mer, poissons, viandes, abats, céréales, légumes secs, noix, noisettes. *Sources secondaires :* lait, fromages, légumes.

Annexe 9

LÉGISLATION DES PRÉPARATIONS POUR NOURRISSONS, DES PRÉPARATIONS DE SUITE ET DES LAITS POUR ENFANTS EN BAS ÂGE

Toutes les transformations subies par le lait de vache ont abouti à un aliment codifié par une législation. Celle-ci est la première à avoir existé en Europe, et est devenue la base de réflexion des Directives européennes qui ont donné naissance à la législation des préparations autorisées en alimentation infantile.

I. LES PRÉPARATIONS POUR NOURRISSONS

Elles sont spécifiques de l'alimentation particulière des nourrissons pendant les quatre à six premiers mois de la vie et apportent au bébé les éléments indispensables à son développement. Jusqu'en 1994, elles avaient l'appellation 1er âge, terme supprimé mais toujours en vigueur. Actuellement, la plupart des laits portent sur leur emballage le nom de la marque suivi de la mention 1 ou 1er âge.

L'arrêté ministériel définit les quantités et les qualités des différents composants et interdit l'emploi des termes « humanisés, maternisés » ou de mots similaires pouvant suggérer une équivalence totale avec le lait maternel. Ces préparations peuvent être données dès la naissance, si l'enfant n'est pas allaité, ou en relais du lait maternel.

La législation française qui date de 1976 a été modifiée plusieurs fois, l'arrêté du 11-1-1994 la rend conforme à la directive des Communautés européennes.

On distingue deux catégories de préparations pour nourrissons :

– *les préparations faites uniquement à base de protéines de lait de vache qui seules ont droit à l'appellation lait,*

– *les préparations pour nourrissons à base d'isolats de protéines de soja.*

1. *Les laits*

• Les laits pour nourrissons contiennent des *protéines de lait de vache* qui doivent répondre à diverses exigences.

– Si ces *protéines* ne sont pas *modifiées*, elles sont présentes dans la proportion de 1,5 g à 2 g pour 100 ml (soit 67 calories). Les pourcentages respectifs de caséine et de protéines solubles ne sont pas spécifiés par la législation. Ceux du lait de vache correspondent à 80 pour la caséine et 20 pour les protéines solubles.

– Si elles sont *modifiées*, elles doivent avoir une teneur en caséine inférieure ou égale à la teneur en protéines solubles de lactosérum. Les laits à protéines modifiées peuvent contenir de 1,2 à 2 g de protéines pour 100 ml (soit 67 calories). À valeur énergétique égale, la préparation doit contenir chaque acide aminé essentiel et semi-essentiel dans une quantité disponible au moins égale à celle contenue dans la protéine de référence qu'est le lait de mère.

– Si les protéines ont droit à l'appellation *adaptées* leur teneur est inférieure à 1,69 g pour 100 ml (soit 67 calories) et comme précédemment, la quantité de caséine peut être inférieure ou égale à celle des protéines solubles mais jamais supérieure.

Ainsi dans le commerce, on trouve des laits à protéines modifiées ou à protéines adaptées contenant de 40 à 50 % de caséine et de 50 à 60 % de protéines solubles.

• Les teneurs en *matières grasses* sont précisées, celle de l'acide linoléique aussi. L'utilisation des huiles de coton et de sésame est interdite. Actuellement, les graisses les plus souvent présentes sont d'origine végétale ; la législation ne donne aucune précision quant à la nature et les quantités de matières grasses entrant dans la fabrication des laits.

• Quant aux *glucides*, ils peuvent être, soit du lactose (un minimum est d'ailleurs exigé), soit du saccharose (une limite supérieure est imposée : pas plus de 30 % des glucides totaux), soit des maltodextrines ou du glucose.

• La législation indique les quantités de *minéraux* que doivent contenir les laits : elles sont adaptées à l'immaturité rénale et la quantité d'oligo-éléments permet de répondre aux besoins spécifiques du nouveau-né. L'enrichissement en *fer* n'est pas obligatoire. Si le lait est présenté comme étant enrichi en fer, il doit contenir 0,33 à 1 mg de fer pour 100 ml (soit 67 calories) ; s'il ne l'est pas, il doit être alors stipulé que pour un enfant de plus de quatre mois, ce lait ne satisfait pas les besoins en fer. En effet, le nouveau-né à terme a une réserve physiologique de fer et la supplémentation ne s'impose qu'après trois quatre mois lorsque cette réserve est épuisée. Les apports conseillés sont de 8 à 10 mg par jour.

• Les quantités de *vitamines* sont aussi précisées par la législation. L'enrichissement en *vitamine D* des laits pour nourrissons est obligatoire mais un apport supplémentaire s'avère parfois nécessaire.

2. Les *préparations pour nourrissons à base de protéines de soja* seul ou mélangé à des protéines de lait de vache doivent être enrichies en méthionine. Les autres constituants de ces préparations sont soumis à la législation ; le fer et le zinc sont ajoutés en quantités plus importantes que dans les laits cités plus haut. Ces préparations *peuvent ne pas contenir de lactose*, ce qui peut être intéressant dans certaines maladies ; ils sont bien sûr enrichis en calcium de manière à satisfaire le besoin du nourrisson, ils doivent aussi obligatoirement contenir de la L-carnitine.

II. LES PRÉPARATIONS DE SUITE

Elles peuvent s'appeler « lait de suite » si les protéines entrant dans la composition du produit proviennent uniquement du lait de vache. L'appellation lait 2e âge n'est plus légale. Si les protéines proviennent en totalité ou partiellement du soja, le terme préparation de suite est le seul devant être utilisé.

Toutes les préparations de suite doivent contenir de 1,5 g à 3,1 g de protéines pour 100 ml de lait apportant 60 à 80 kcalories et les protéines doivent avoir un indice chimique minimal de 80.

La législation limite le saccharose, le fructose et le miel à 20 % de l'apport glucidique global. L'ajout de vitamine D est obligatoire, à la dose de 40 à 102 unités internationales (1 à 3 microgrammes pour 100 kcalories). La teneur en vitamine E ne doit pas dépasser 300 mg pour 100 kcalories dans le cas où la préparation de suite contient des huiles végétales. La teneur en fer peut légalement varier de 1 à 2 mg pour 100 kcalories.

III. LES LAITS POUR ENFANTS EN BAS ÂGE

Ces laits faits à partir de protéines de lait de vache sont conformes à la législation des préparations de suite et s'adressent aux enfants âgés de 1 à 3 ans.

Lexique

Absorption intestinale : passage dans le sang ou dans la lymphe des nutriments issus de la digestion des aliments.

Acides aminés : précurseurs des protéines, voir aussi à *essentiel.*

Acide gras : constituant des lipides ou matières grasses. Il peut être saturé ou posséder une ou plusieurs doubles liaisons (acide gras monosaturé ou polyinsaturé).

Parmi les acides gras polyinsaturés, il existe des acides de la famille omega 6 présents dans toutes les huiles, et des acides de la famille omega 3 qu'on trouve dans les huiles de colza, de noix et de soja.

Acide oxalique : voir oxalates.

Acide phytique : voir phytates.

Additif : toute substance chimique, nutritive ou non, dont l'apport dans l'alimentation ne peut et ne doit être qu'exceptionnel et sous réserve d'une autorisation administrative.

Allergène : substance susceptible d'entraîner dans l'organisme une réaction allergique.

Allergie : réactivité d'un sujet vis-à-vis d'un antigène (voir à ce mot).

Amidon : grosse molécule, principal constituant des féculents.

Anticorps : globuline plasmatique ayant la propriété de réagir spécifiquement avec un antigène.

Antioxydants : ce sont des substances protectrices telles que les vitamines C et E, le carotène, les minéraux comme le sélénium, le zinc.

Antigène : substance ayant la propriété de provoquer l'élaboration par l'organisme d'un anticorps susceptible de réagir spécifiquement avec elle.

Appertisation : procédé de conservation des denrées alimentaires mis au point en 1812 par Nicolas Appert. Il consiste en un traitement par la chaleur dans des récipients hermétiquement clos.

Apports nutritionnels conseillés (ANC) ou apports quotidiens recommandés (AQR) : quantités de nutriments nécessaires chaque jour à chaque personne selon son âge, pour que soient couverts les besoins nutritionnels, garantie d'une bonne santé. Ces quantités sont définies par des groupes d'experts.

Biodisponibilité : capacité à être utilisé par l'organisme après l'absorption intestinale.

Bluter : enlever tout ou partie de l'enveloppe des céréales ; la farine blanche courante est une farine blutée à 75 %, cela signifie qu'à partir de 100 g de céréales on a obtenu 75 g de farine, on dit aussi que le taux d'extraction de cette farine est de 75 %. Les farines intégrales ou complètes correspondent à un taux d'extraction de 90 à 98 %.

Calcium : minéral constituant majeur de l'os et de la dent, il se fixe sur la trame protéique. Il a un rôle dans la coagulation sanguine, l'excitabilité nerveuse et musculaire.

Calories : plutôt kcal car en nutrition l'unité est la grande calorie ou kilocalorie (kcal) qui est une mesure d'énergie. 1 kcal = 4,18 joules, 1 g de protéines ≈ 4 kcal, 1 g de lipides ≈ 9 kcal, 1 g de glucides ≈ 4 kcal. Dans le langage courant, on parle de calorie.

Céréales : plantes généralement de la famille des graminées, dont les grains surtout réduits en farine servent à la nourriture de l'homme et des animaux domestiques.

Charge osmotique rénale : quantité d'éléments azotés et minéraux qui doivent être éliminés par le rein.

Complexé : minéral ou nutriment lié de façon irréversible à un autre élément et de ce fait non utilisable par l'organisme.

Corpulence : voir indice de masse corporelle.

Digestibilité/rendement digestif : capacité à être absorbé par la muqueuse intestinale.

Digestion : transformation des aliments en substances simples appelées « nutriments » ou « métabolites », capables d'être utilisées par l'organisme.

Eau : encore plus que les aliments, elle est essentielle à la vie. Elle forme 70 % du poids du corps, elle sert à réguler la température, à éliminer les déchets de l'organisme par le biais de l'urine et de la sueur, elle est essentielle à la survie de cellules. Elle est apportée à l'organisme par les aliments et les boissons, c'est *la seule boisson physiologiquement indispensable*.

Entéro-toxine : substance toxique élaborée par les bactéries intestinales.

Enzyme : c'est un produit élaboré par l'organisme, qui agit à concentration très faible ; dans un milieu favorable, il permet la dégradation des molécules.

Enrichissement : un aliment peut porter la mention « enrichi en » ou « riche en » si l'addition de vitamines à cet aliment est telle que pour 100 kcal du produit fini, tel qu'il est vendu, la teneur en vitamine ajoutée représente de 15 à 40 % de « l'apport nutritionnel conseillé » en cette vitamine (avis du 27.6.1989, *BOCC* n° 3 du 2.2.1990).

Des enrichissements en fer, en calcium, en fluor sont prévus par la loi.

Essentiel ou indispensable (acide gras, acide aminé) : acide qui n'est pas fabriqué par l'organisme mais qui lui est nécessaire. Il doit être apporté par l'alimentation. L'absence ou l'insuffisance d'apport d'un seul des acides aminés indispensables empêche la synthèse protéique, cet acide aminé manquant ou en quantité insuffisante est le facteur *limitant* de la protéine.

Extrait sec : matière sèche.

Familiarité : somme d'expériences.

Fer : métal du noyau central de la molécule d'hémoglobine constituant des globules rouges. L'hémoglobine transporte l'oxygène vers les cellules. On distingue dans les aliments le fer héminique provenant de la viande et du foie, et le fer non héminique provenant de plantes et moins disponible pour l'organisme. Les laits et céréales adaptés à l'enfance peuvent être enrichis en fer (les laits de suite le sont obligatoirement). Seuls 10 à 15 % du fer alimentaire sont absorbés dans l'intestin ; l'absorption est facilitée par la vitamine C.

Fibres : ce sont des constituants des végétaux, non digérés et non absorbés au niveau intestinal. Elles servent à régulariser le transit intestinal.

Flaveur : mot caractérisant la sensation créée par la combinaison de la saveur et l'odeur que procure un aliment au moment de sa consommation.

Flore intestinale : ensemble de bactéries, champignons, vivant au niveau de la muqueuse intestinale de l'homme et des animaux, et se nourrissant des débris de la digestion sans leur porter préjudice, voire en leur étant bénéfique.

Folates et acide folique : vitamines du groupe B ayant un rôle primordial dans la multiplication des cellules ; on les trouve dans la levure, le foie, les légumes verts (salades, épinards), les légumes secs, les fromages fermentés.

Fluor : oligo-élément jouant un rôle dans la protection contre la carie dentaire en participant au durcissement de l'émail des dents.

Garanti en : un aliment peut avoir un étiquetage comportant la mention « à teneur garantie en vitamines » ou « à teneur vitaminique restaurée » dans le cas où cet aliment a été additionné de vitamines de manière à obtenir une teneur identique à celle qu'il avait avant transformation, entreposage et manutention. La teneur globale obtenue représente un pourcentage compris entre 80 % et 200 % de la quantité de ce composé naturellement présent dans l'ensemble des matières avant la mise en œuvre de celles-ci (article 39 de l'arrêté du 20.7.1977 sur les produits diététiques et de régime ; avis du 27.6.1989 et *BOCC* n° 3 du 2.2.1990).

L'arrêté du 11.1.1994 spécifie que, lorsqu'on compense les pertes dues au stockage, l'ajout de vitamines D, B1, B2, B6, B12, folates, acide pantothénique, biotine, vitamines C, E, K doit être tel que les produits contiennent une quantité inférieure au triple de la quantité minimale présente lors de la mise en vente. Pour la vitamine A, ce maximum est limité au double (200 %).

Glucides (ancien terme : hydrate de carbone) : composés biochimiques se formant principalement dans les végétaux de saveur sucrée ou non. Ce sont des ensembles plus ou moins complexes de corps simples appelés « oses » ou encore couramment mais improprement « sucres ». Si l'ensemble est complexe, c'est de l'amidon. Un exemple de glucide particulièrement simple est le glucose, il sert de carburant énergétique rapidement utilisable par nos muscles et nos organes. Le saccharose connu sous la forme de sucre de canne ou de betterave est formé d'une molécule de glucose et d'une de fructose. Les glucides non digestibles sont les fibres alimentaires.

Gluten : complexe protéique présent dans le blé, l'orge, le seigle ou l'avoine dont une fraction appelée gliadine peut être dangereuse pour l'intestin.

Hémolyse : destruction des globules rouges.

IMC : indice de masse corporelle ou index de corpulence (indice de Quetelet) : poids (kg) divisé par le carré de la taille (m) ; voir p. 41 à 42, 444 à 447 et 570.

Indispensable : voir *essentiel.*

Lactose : « sucre » du lait des mammifères, formé de deux oses ; c'est un disaccharide constitué d'une molécule de glucose et d'une molécule de galactose.

Liaison chaude : en collectivité, système de distribution des repas partant chauds de la cuisine.

Limitant : voir *essentiel.*

Lipides : constituants essentiels des corps gras dont les molécules de base sont des acides gras. Riches en calories, ils servent de carburant pour satisfaire les besoins en énergie de nos cellules ; certains d'entre eux, les acides gras essentiels, participent avec les protéines à l'architecture et au contrôle de l'activité de nos organes. Les lipides sont aussi transporteurs des vitamines liposolubles (A, D, E, F, K).

Lysine : composant des protéines nécessaires à la vie et que l'organisme humain ne peut élaborer.

Magnésium : minéral qui intervient dans les phénomènes de conduction nerveuse parallèlement au calcium.

Malt : est obtenu à partir de l'orge, que l'on fait germer et dans laquelle apparaît, à un certain stade de cette germination, une enzyme transformant l'amidon en dextrines et en maltose.

Métabolisme : ensemble des transformations biochimiques qui ont lieu dans nos cellules.

Méthionine : acide aminé composant des protéines nécessaire à la vie et que l'organisme humain ne peut élaborer.

Néophobie : étymologie grecque : *neos* = nouveau et *phobia* = crainte.

Nutriments : substances élémentaires issues des aliments après leur digestion. Ils apportent aux cellules de l'organisme ce qui est nécessaire à leur structure, à leur maintien et à leur développement. Les nutriments comprennent les protides, les lipides, les glucides, l'eau, les minéraux et les vitamines.

Nutrition : ensemble des processus permettant l'utilisation des aliments pour la croissance, le maintien, l'activité d'un être vivant.

Objet transitionnel : objet choisi par l'enfant (nounours, morceau de tissu, etc.) qui lui apporte le secours affectif dont il a besoin, particulièrement quand il est séparé de ses parents ou qu'il est confronté à des difficultés ou à un chagrin.

Oligo-éléments : minéraux présents en quantités infinitésimales dans les aliments, indispensables à l'action des enzymes et donc indispensables à la vie ; leur maniement est délicat, l'excès de l'un freinant l'activité de l'autre. Les principaux (voir p. 617) sont le fer, le cuivre, le zinc, le fluor, le sélénium, le chrome, le brome. Certains sont toxiques comme le plomb, l'aluminium, le cadmium, le mercure, l'étain ; leur présence dans les aliments est contrôlée, elle fait l'objet de « dose maximale tolérable » fixée au niveau international.

Oligo-saccharides : glucides relativement simples.

Organoleptique : se dit de l'ensemble des caractères permettant de porter un jugement sur la valeur gustative d'un aliment : saveur, odeur et sensations qu'il donne dans la bouche.

Oxalates : composé chimique de certains végétaux qui, dans le tube digestif, en se liant au fer, au calcium, au magnésium, etc. empêche ces derniers de traverser la paroi intestinale et d'être utilisés par l'organisme. Ils sont éliminés dans les selles.

Pairs : égaux, compagnons.

Pasteurisation du lait : chauffage modéré du lait en vue de détruire tous les microbes pathogènes éventuellement présents et une proportion très importante des autres germes.

Pectine : fibres végétales qui retiennent l'eau.

Phytates : composé chimique de certains végétaux qui, dans le tube digestif, en se liant au fer, au calcium, au magnésium, etc. empêche ces derniers de traverser la paroi intestinale et d'être utilisés par l'organisme. Ils sont éliminés dans les selles.

Pourcentage de matières grasses dans les fromages : quantité de matières grasses contenue dans 100 g, non pas de fromage tel qu'on le mange, mais dans 100 g de produit sec, c'est-à-dire dont on a éliminé l'eau, c'est « l'extrait sec ».

Praxie : fonction permettant l'organisation spatiale et temporelle des gestes en fonction d'un but.

Prion : protéine qui, dans certaines conditions, est l'agent transmetteur de l'ESB (encéphalopathie spongiforme bovine ou maladie de la vache folle).

Protéine : substance azotée spécifique de la matière vivante du règne végétal et/ou animal, composée de longues chaînes d'acides aminés accrochés les uns aux autres. Parmi ces acides aminés ou « pierres de base », huit sont indispensables (voir à ce mot) et proviennent des produits animaux (lait, fromages, œuf, viande, poisson). Le rôle principal des protéines est de construire et de réparer les cellules de l'organisme. Ainsi, elles participent à de nombreux processus vitaux : élaboration des enzymes, des immunoglobulines...

Saccharose : terme scientifique pour le « sucre » de table traditionnel.

Sel : voir *sodium*.

Sodium : minéral apporté essentiellement par le sel ; son nom chimique est le chlorure de sodium dont le sodium forme 40 % de la masse totale. Le sodium joue un rôle primordial dans la répartition de l'eau du corps. Il est à rappeler que les « petits pots » de bébé, même s'ils vous paraissent fades, sont déjà salés et ne doivent pas être resalés.

Texture : consistance et homogénéité.

UHT : ultra haute température, chauffage à 140-150° pendant 2 à 5 secondes.

Valeur biologique d'une protéine : elle reflète l'équilibre des acides aminés indispensables.

Vitamines : substances organiques, indispensables à l'organisme humain. Elles entrent dans la composition des enzymes nécessaires aux réactions chimiques qui constituent notre métabolisme. Ne pouvant les synthétiser, l'être humain doit donc les trouver dans son alimentation ; seule la vitamine D est synthétisée par la peau sous l'action du soleil. Les vitamines (voir pages 614 et 615) sont classiquement séparées en deux groupes en fonction de leur solubilité dans l'eau (ce sont les vitamines hydrosolubles : vitamines du groupe B et vitamine C) ou dans les graisses (ce sont les vitamines liposolubles : vitamines A, D, E et K) ; le bêtacarotène, issu des végétaux, est un précurseur de la vitamine A.

Bibliographie

Grossesse

Berkowitz R., Wein R., « Nutrition during pregnancy and breastfeeding », *in Total Nutrition,* Herbert V. et Subak-Sharpe G.J. éds., St Martin's Griffin, New York, 1994, 179.

Garza C., « Pregnancy and lactation », *in Human Nutrition and Dietetics,* Garrow J.S. et James W.P.T. éds., Churchill Livingstone, Edinburgh, 1993, 376.

« Nutrition et grossesse », Colloque international, Paris, 1998, Livre des communications, CERIN, Paris, 1998.

Historique de l'alimentation du nourrisson

Alexandre-Bidon D., Closson M., « L'enfant à l'ombre des cathédrales », *in Cahier de la puériculture,* Paris, éd. CNRS, 1986, 4, p. 375-380.

Badinter E., *L'Amour en plus,* Paris, Flammarion, 1980.

Bonnet H., Jean R., « Alimentation au sein », *Encyclopédie médico-chirurgicale et pédiatrique,* 1978, tome 1, 4002 H.

Bressan A., *La Puériculture en dix leçons,* Chambéry, Maison éditions des Primaires, 1936.

Dayras J., *Problèmes quotidiens en puériculture,* Paris, Masson, 1950.

Delahaye M.-C., *Tétons et tétines. Histoire de l'allaitement,* Paris, Trame Way, 1990.

Delaisi de Parseval G., Lallemand S., *L'Art d'accommoder les bébés,* Paris, Seuil, 1980.

Franklin A., *Dictionnaire historique des arts, métiers et professions exercés dans Paris depuis le xiiiᵉ siècle,* Marseille, Nouvelle édition, 1977.

Huard P., Laplaine R., *Histoire illustrée de la puériculture,* Paris, Roger Dacosta, 1979.

Maire F., Sénéchal M.-P., « Biberons et tétines », *Journal de pédiatrie et de puériculture,* 1991, 3, p. 174-178.

Mozziconacci P., *L'Hygiène alimentaire de l'enfant,* Paris, Moret Le François, 1957.

Parrat-Dayan S., « L'enfant, la mère et ses vicissitudes », *Journal de pédiatrie et de puériculture,* 1989, 7, p. 4138-4443.

Roueche H., *Diététique de l'enfance,* Paris, J.-B. Baillière et fils, 1956.

Terrien E., *Précis d'alimentation des jeunes enfants,* Paris, Masson, 1922.

Allaitement

Actualités de la Recherche. *Les laits fermentés.* 1 vol., Paris, John Libbey, 1989.

Arnaud-Battandier F., « L'allaitement maternel protège vis-à-vis des infections et de la sensibilisation aux protéines étrangères », *Le Quotidien du médecin,* suppl. au n° 2603 du 14-1-1982, p. 15.

Blanc B., « Biochemical aspects of human milk-comparison with bovine milk », *World Review of Nutrition and Dietetics,* Basel, Karger, 1981, 36, 1.

Comité français d'éducation pour la santé : « Allaitons comme nous voulons », CFES, 1994, 2, rue Auguste-Comte, 92170 Vanves.

Larchet M., Boucomont C., Bonnet P., « L'allaitement au sein : avantages nutritionnels et psychologiques », *Information Diététique,* 1987, 4, p. 33-38.

Salle B.-L., « Le lait de femme », *in* Ricour C., Ghisolfi J., Putet G., Goulet O., *Traité de nutrition pédiatrique,* Paris, Maloine, 1993, p. 373.

Thirion M., *L'Allaitement,* Paris, Albin Michel, 1994.

Vermeil G., Dartois A.-M., du Fraysseix M., *Alimentation de l'enfant de la naissance à trois ans,* Paris, Doin, 3ᵉ éd., 1996.

Walter P., *Guide de l'allaitement et du sevrage,* Paris, Syros, 1995.

Alimentation lactée puis diversifiée

Billeaud C., Delfau C., Duciurneau E., Roturier M.-N., Sopiewack A., Sandler B., « Apports en acides gras polyinsaturés chez l'enfant et la femme enceinte », *Diététique et Médecine,* 1995, 2, 23.

Boggio V., Lestradet H., Astier-Dumas M., Machinot S., Suquet M., Klepping J., « Caractéristiques de la ration alimentaire des enfants français de 3 à 24 mois », *Archives Françaises de Pédiatrie,* 1984, 41, p. 499.

Comité de nutrition, Société française de pédiatrie, « Préparations diététiques hydrolysées pour l'allaitement du nourrisson et prévention de l'allergie », *Archives Françaises de Pédiatrie,* 1988, 45, p. 435. « Les nucléotides dans l'alimentation des nourrissons au cours des premiers mois de la vie », *Archives Françaises de Pédiatrie,* 1993, 50, p. 921. « Besoins en fluor et prévention de la carie dentaire chez l'enfant », *Archives Françaises de Pédiatrie,* 1983, 40, p. 509.

Comité de nutrition et Groupe français d'études du métabolisme du calcium en pédiatrie, « Laits pour nourrissons enrichis en vitamine D : nouvelles modalités de prescription médicamenteuse pour la prévention du rachitisme », *Archives Françaises de Pédiatrie,* 1993, 50, p. 543.

Comité français d'éducation pour la santé : – *Petits pas grands plats.* – *La santé dans l'assiette.* – *Le petit déjeuner, un vrai repas.* CFES, 1994, 2, rue Auguste-Comte, 92170 Vanves.

Committee on Medical Aspects of Food Policy, Report of the working group on the weaning diet « Weaning and The Weaning Diet », Report n° 45 on Health and Social subjects, HMSO, Londres, 1994.

Couly G., « Dentition, denture, alimentation et écosystème oral », in Ricour C., Ghisolfi J., Putet G., Goulet O., *Traité de nutrition pédiatrique*, Paris, Maloine, 1993, p. 1012.

Dartois A.-M., Casamitjana F., « L'eau », *Pédiatrie*, 1991, 46, p. 663.

Dartois A.-M., du Fraysseix M., « Alimentation du bien portant », in Ricour C., Ghisolfi J., Putet G., Goulet O., *Traité de nutrition pédiatrique*, op. cit., p. 1032.

Deheeger M., Rolland-Cachera M.-F., Labadie M.-D., Rossignol C., « Étude longitudinale de la croissance et de l'alimentation d'enfants examinés de l'âge de 10 mois à 8 ans », *Cahier de nutrition et de diététique*, 1994, 1, p. 16-22.

Dupin H., Cuq J.-L. et coll., « Alimentation et nutrition humaines », Paris, ESF, 1992.

Dupin H., Abraham J., Giachetti I., « Apports nutritionnels conseillés pour la population française », CNRS-CNERNA, *Technique et Documentation Lavoisier*, Paris, 1992.

ESPGAN Committee on Nutrition. Committee Report « Nutrition and feeding of preterm infants », *Acta Paediatrica Scandinavia*, 1987, suppl. 336, p. 1.

ESPGAN Committee on Nutrition. Committee Report « Comment on the Composition of Cow's Milk Based Follow-up Formulas », *Acta Paediatrica Scandinavia*, 1990, 79, p. 1.

ESPGAN Committee on Nutrition. Committee Report « Comment on the Content and Composition of Lipids in Infant Formulas », *Acta Paediatrica Scandinavia*, 1991, 80, p. 887.

Feinberg M., Favier J.-C., Ireland-Ripert J., « Répertoire général des aliments », CIQUAL, INRA, *Technique et Documentation Lavoisier*, Paris, 1991.

Frazer J.-G., *Tabou et les perles de l'âme*, Paris, Geuthner, 1927 (traduit de l'anglais).

Fomon S.-J., *Nutrition of Normal Infants*, Mosby-Year Book Inc., St. Louis, Miss., 1993.

Gaull G.-E., Rassin D.-K., « Taurine in infant nutrition », *in Nutrition and Metabolism of the Fœtus and Infant* (Visser H.K.A., éd.), Maertinus Nijhoff, La Haye, 1979.

Ghisolfi J., « Diversification précoce de l'alimentation chez le nourrisson, avantages et inconvénients », *Archives Françaises de Pédiatrie*, 1992, 49, p. 261.

Ghisolfi J., Farriaux J.-P., Navarro J. et al., Comité de nutrition, Société française de nutrition, « Apports nutritionnels recommandés chez l'enfant » in Dupin H., Abraham J., Giachetti I., *Apports nutritionnels conseillés pour la population française*, CNRS-CNERNA, Paris, 1992, p. 111.

Giovannini M., Agostoni C., Riva E., « Fat needs of term infants and fat content of milk formulae », *Acta Paediatrica*, 1994, suppl., 402, p. 59.

Huraux-Rende C., Pesnel G., « Allaitement maternel », *Soins (Gynécologie, obstétrique et pédiatrie)*, 1982, 11.

Institut Danone, *À la table des tout-petits*, Levallois-Perret, 1991.

Lestradet H., Robert J.-J., Dartois A.-M., « Équilibre nutritionnel du jeune enfant, le passage à une alimentation diversifiée », *Annales de Pédiatrie*, 1991, 38, 10, p. 661.

Lestradet H., Dartois A.-M., « L'alimentation spontanée de l'enfant », *Cahier de nutrition et de diététique*, 1992, XXVII, 1, 42.

Rey J., Dartois A.-M. du Fraysseix M., « Diététique du nourrisson. Formation continue des diététiciens », Département de nutrition et des maladies métaboliques, Faculté de médecine, université de Nancy 1, 1995, 6ᵉ éd.

Ribadeau-Dumas B., Brignon G., « Composition du lait humain », in B. Salle, G. Putet, « Alimentation du nouveau-né et du prématuré », *Progrès en pédiatrie* n° 2, Paris, Doin, 1986, p. 3.

Rolland-Cachera M.-F., Deheeger M., Akrout M., Bellisle F., « Influence of macronutrients on adiposity of nutrition and growth from 10 th months to 8 years of age », *International Journal of Obesity*, 1995, 19.

Royer P., « Bases métaboliques de l'utilisation des laits dits "humanisés" », *Pädiatrische Fortbild Praxis*, 1973, 37, p. 15.

Salle B., Putet G., « Alimentation du nouveau-né et du prématuré », *Progrès en pédiatrie*, n° 2, Paris, Doin, 1986.

Sempé M., Pédron G., Roy-Pernot M.-P., Rolland-Cachera M.-F., *Auxologie, méthode et séquences*, Lyon, Méditions, 1995.

Sénéchal M.-P., « Stérilisation des biberons en collectivité et à la maison », *Journal de pédiatrie et de puériculture*, 1991, 3, p. 174-178.

Vandenplas Y., Heymans H.-S., « Les laits hypoallergéniques », *Revue internationale de Pédiatrie*, 1994, 248, p. 22.

Vermeil G., « La préparation des biberons », *Concours Médical*, 1973, 95, p. 24.

Vermeil G., « Vraies erreurs et fausses vérités en matière d'alimentation de l'enfant », *Concours Médical*, 1980, 102, 36 ; 5239.

Vermeil G, Dartois A.-M., du Fraysseix M., *Alimentation de l'enfant de la naissance à trois ans*, Paris, Doin, 3ᵉ éd., 1996.

Vigi V., Chierici R., « Milk fomulae for the normal infant », *in* « General considerations and historical background », *Acta Paediatrica*, 1994, 402, p. 14-17.

Willem C., « La mouture du blé », *Information Diététique*, 1977 ; 28, p. 6.

Législation

Législation française

a) Arrêté du 13-02-1992 (*JO* du 4-03-1992) relatif à l'emploi de la vitamine D dans les préparations pour nourrissons.

b) Arrêté du 11-01-1994 (*JO* du 15-02-1994). Aliments destinés aux nourrissons et aux enfants en bas âge.

c) Décret n° 89-369 du 6-06-1989 (*JO* du 10-06-1989) relatif aux eaux minérales naturelles et aux eaux potables préemballées.

d) Décret n° 89-3 du 3-01-1989 (*JO* du 4-01-1989) relatif aux eaux destinées à la consommation humaine à l'exclusion des eaux minérales naturelles.

e) Arrêté du 1-07-1976 (*JO* du 13-09-1976) modifié par les arrêtés du 5-01-1981, du 4-08-1986, du 11-01-1994 et du 17-04-1998. Aliments destinés aux nourrissons et aux enfants en bas âge.

Législation de la communauté européenne

Directive 96/5/CE de la commission du 16-02-1996 concernant les préparations à base de céréales et les aliments pour bébés destinés aux nourrissons et aux enfants en bas âge (*JOCE* : n° L 49/17 CE du 28-02-1996).

Directive 96/4/CE de la commission du 16-02-1996 modifiant la directive 91/231/CEE concernant les préparations pour nourrissons et les préparations de suite (*JOCE* : n° L 49/12 du 28-02-1996).

Comportement alimentaire
et mise en place des goûts

Baudier F., Garnier A., Laroze M., Thiriet F., Abello A., Marchais M., « Enquêtes sur les habitudes alimentaires des enfants de 7 à 9 ans de Besançon », *Médecine et Nutrition*, 1986, XXII, 2, p. 98.

Bellisle F., « Acquisition des préférences alimentaires chez l'enfant », *Information Diététique*, 1991, 3, p. 25.

Birch L., « Young children's food acceptance patterns : the role of experience », *in Alimentation et Société*, proceeding of the Xth International Congress of Dietetics, Londres, Paris, éd. John Libbey-Eurotext, 1988, p. 99-103.

Bon N., Barthélémy L., Fournier B., « Approche de la représentation des aliments chez l'enfant », *Prévenir*, 1994, 26, p. 71-83.

Chiva M., *Le Doux et l'Amer*, Paris, PUF, 1985.

Fischler C., *La Formation des goûts alimentaires chez l'enfant et l'adolescent*, rapport de recherche, Paris, DGRST, 1985.

Fischler C., *L'Homnivore*, Paris, Odile Jacob, 1990.

Michaud C. et coll., « L'enfant et la nutrition » : Les comportements, les croyances et les connaissances de 997 enfants âgés de 9 à 11 ans, *Cahier de nutrition et de diététique*, 1997, 32-1.

Morgan J.B., Kimber A.C., Redfern A.M., Stordy B.J., « Healthy Eating for Infants-Mother Attitudes », *Acta Paediatrica*, 1995, 84, p. 512.

Puisais J., Pierre C., *Le Goût et l'enfant*, Paris, Flammarion, 1987.

Rozin P., « The nature and origin of food likes and dislikes in humans », *in Alimentation et Société*, proceeding of the Xth International Congress of Dietetics, Paris, éd. John Libbey-Eurotext, 1988, p. 95-97.

Schaal B., « Déterminants prénatals des préférences chimio-sensorielles du nouveau-né », *Cahier de nutrition et de diététique*, 1995, 30, p. 2.

Winnicott D.W., *L'Enfant et sa famille : les premières relations*, Paris, Petite Bibliothèque Payot, 1957, 1981.

Alimentation collective
et éducation nutritionnelle

Arcucci-Ponchet D., Lévèque F., Lallemand A., « Dis-moi et mange. Plaisir de la diététique à l'école. Activités pratiques à l'école maternelle », Paris, Hachette-écoles, 1989.

Baudier F., Barthélémy L., Michaud C., Legrand L., *Éducation nutritionnelle : équilibres à la carte*, éd. CFES, 1995, 2, rue Auguste-Comte, 92170 Vanves.

Baudier F., Henry Y., Abello A., Pierot G., Bedel A., Ferry B., Llaona P., « Programme coopératif d'éducation nutritionnelle dans le département du Doubs », *Médecine et Nutrition*, tome XXVI, n° 4, 1990, p. 239-250.

Cabanel-Pujos M., Ghisolfi J., « Diététique de l'enfant et de l'adolescent en milieu scolaire », *in* Ricour C., *Traité de nutrition pédiatrique*, 1993, p. 1054-1061.

Chachignon M., *Bon Appétit les enfants !*, Union des personnels des restaurants municipaux, 59780, Willems, 1993.

Leynaud-Rouaud C., Berthier A.-M., « La restauration à domicile et hors domicile », *in* Dupin H. et coll., *Alimentation et nutrition humaines*, Paris, ESF, 1992, p. 549-612.

Moutchouris A., « Les conduites alimentaires scolaires des jeunes collégiens », *in La Lettre scientifique de l'Institut français pour la nutrition*, Paris, 1997.

Michaud C., « L'enfant et la nutrition : croyances, connaissances et comportements », *Cahier nutrition et diététique*, 32,1997.

Législation française

Circulaire interministérielle du 6 mars 1968. Mesures prophylactiques à prendre en matière d'hygiène alimentaire dans les établissements universitaires et scolaires, *JO* du 5-05-1968.

Circulaire interministérielle du 9 juin 1971. Nutrition de l'écolier ; composition du déjeuner pour les enfants ne prenant que les repas de midi à l'école, *JO* du 4-09-1971.

Conseil national de l'alimentation, « Avis n° 15 sur la restauration scolaire du premier cycle », *Information Diététique*, 1995, 4, p. 13-15.

Sport

Creff A.-F., Bérard L., *Manuel pratique de l'alimentation du sportif*, Paris, Masson, 1980.

Mouton A., *L'Alimentation du sportif*, La Lettre scientifique de l'IFN, n° 25, novembre 1993.

Adolescence

Archambeaud M.-P. et Méjean L., « Nutrition et adolescence », *Ardix Médical*.

Children's research unit, London, « Children's views on food and nutrition : a pan-european survey », EUFIC, 1995.

Dwyer J.-T., « Childhood, youth and old age », *in Human Nutrition and Dietetics*, Garrow J.S. et James W.P.T., éds., Churchill Livingstone, Edinburgh, 1993, 394.

Fricker J., « Le Nouveau Guide du bien maigrir », Paris, Odile Jacob, 1996.

Le Leiko N., Rollinson D., « Adolescent nutrition », *in Total Nutrition*, Herbert V. et Subak-Sharpe G.J., éds., St Martin's Griffin, New York, 1994, 228.

Végétarisme/végétalisme

Augier R., Montagard J., *La Cuisine végétarienne en collectivités et restaurant d'entreprise*, Paris, J.-P. Taillandier, 1993.

André J. Dr., *L'Équilibre nutritionnel du végétarien. Précis de nutrition et diététique du végétarien avec menus et recettes*, Paris, Maloine, 1985.

Beaulieu A., « Le végétarisme, un nouveau style de vie au Québec depuis 1970 », *Information Diététique*, 1981, 4, p. 41-51.

Dagnelie P.-C., Staveren W.-A., « Macrobiotic nutrition and child health : results of a population-based, mixed-longitudinal cort study in the Netherlands », *American Journal of Clinical Nutrition*, 1994:59 (suppl.) : p.1187S-96S.

Lambert-Lagacé L., *Menus de santé*, Montréal, Les Éditions de l'homme, 1981.

Lecerf J.-M. Dr. : *Manger autrement*, éd. Institut Pasteur de Lille, 1991.

Ouédrago A.-P., « Le végétarisme, esquisse d'histoire sociale », document n° 9402 CORELAZ et HEDM, INRA, 65, bd de Brandebourg, 94205 Ivry s/Seine Cedex.

Rosnay de S. et J., *La Malbouffe : comment se nourrir pour mieux vivre*, Paris, Olivier Orban, 1979.

Sanders T. A. B., Reddy S., « Vegetarian diets and children », *American Journal of Clinical Nutrition*, 1994:59 (suppl.) : p.1176S-81S.

Specker B.-L. : « Nutritional concerns of lactating women consuming vegetarian diets », *American Journal of Clinical Nutrition*, 1994:59 (suppl.) : p.1182S-6S.

Éléments de thérapeutique

Chevallier B. et coll., *Diététique du nourrisson et du jeune enfant*, Paris, Masson/Nestlé, 1996.

Mozin M.-J., Robert M., Serceau F., « Diététique spécifique », *in* Ricour C., Ghisolfi J., Putet G., Goulet O., *Traité de nutrition pédiatrique, op. cit.*, p. 1062.

Navarro J., Schmitz J., « Allergies alimentaires », *Progrès en pédiatrie*, n° 10, Paris, Doin, 1993.

Olives J.-P., « Nutrition et pathologie gastro-intestinale », *in* Ricour C., Ghisolfi J., Putet G., Goulet O., *Traité de nutrition pédiatrique, op. cit.*, p. 559.

Rolland-Cachera M.-F., Akrout M., Bellisle F., « Influence of macronutrients on adiposity development : a follow-up study of nutrition and growth from 10th months to 8 years of age », *International Journal of Obesity*, 1995 ; 19: p. 573-578.

Composition des aliments

Favier J.-C., Ireland-Ripert J., Toque C., Feinberg M., « Répertoire général des aliments. Table de composition », Paris, *Technique et Documentation Lavoisier*, 1997.

Index

Fiches alimentaires pour la future maman et l'enfant

■

Nous avons réuni dans ce cahier les tableaux les plus synthétiques qui vous guideront dans la préparation de vos repas. Vous pouvez les détacher et les mettre en évidence dans votre cuisine, par exemple, afin d'avoir sous les yeux les grands principes de l'alimentation de votre enfant ou de vos enfants selon son (leurs) âge(s).

FAMILLE D'ALIMENTS	QUANTITÉS	OBSERVATIONS
Future maman : minimum à consommer en une journée dans chaque famille d'aliments [a]		
Produits laitiers	4	1 produit laitier = 30 g de fromage = 1 petit bol de lait = 1 yaourt = 100 g de fromage blanc
Féculents : (pesés cuits)	200 g	Pommes de terre, pâtes, riz, semoule, maïs, blé concassé (pilpil ou boulgour), légumes secs (lentilles, haricots blancs ou rouges, pois chiches, petits pois, flageolets)
Légumes	en fonction de votre appétit	(et si possible au moins 300 g par jour, que ce soit sous la forme de crudités, de potage, d'accompagnement du plat principal ou de salade verte) Aubergine, asperge, bette, betterave, brocoli, carotte, céleri, champignon, chou de Bruxelles, chou rouge, chou vert, chou-fleur, concombre, courgette, cresson, endive, épinard, fenouil, haricot vert, navet, oignon, poivron, potiron, radis, salade, tomate…
Viande, volaille, poisson	150 g	Vous pouvez en remplacer une partie par des œufs ou produits laitiers en sachant que 50 g de viande = 1 œuf = 1 produit laitier
Fruits	3 parts	— une pomme, une poire ou une orange — ou deux kiwis ou deux mandarines — ou un bol de fraises, de framboises, de cassis ou de groseilles — ou trois petits abricots ou trois petites prunes (deux si la taille de ces fruits est importante) — ou une petite banane (ou une demi-grosse) — ou une poignée de cerises ou de mirabelles — ou un demi-melon ou une belle tranche de pastèque — ou un demi-pamplemousse ou une demi-mangue — ou deux fines tranches (ou un quart) d'ananas — ou trois litchis — ou une petite grappe de raisin (qui tient dans la main)
Pain	80 g	Si, au petit déjeuner, vous préférez prendre des céréales, sachez que 40 g de pain = 30 g de céréales
Matières grasses	20-30 g	Parmi celles-ci, prenez au moins 15 g d'huile végétale, soit 3 cuillères à café et le reste à votre choix : beurre, crème fraîche, margarine ou huile

a. Vous pouvez manger plus, mais pas moins.

L'alimentation d'un nourrisson jusqu'à 3 mois [a]

Âge	Volume total par jour (ml)	Nombre de repas par jour
De la naissance à 8 jours	100-400	7-6
8 à 15 jours	450-500	7-6
15-30 jours	550-650	(7)-6
Deuxième mois	600-700	6-5
Troisième mois	720-800	6-5
Quatrième mois	780-850	5-4

a. D'un poids moyen pour l'âge.

L'alimentation d'un bébé
de plus de 3 mois

Composition d'un biberon :
— Eau 150 ml + poudre lait pour nourrisson :
5 mesurettes
   ou
Eau 180 ml + poudre lait pour nourrisson :
6 mesurettes
— *Si vous utilisez un lait prêt à l'emploi,*
faites des biberons de 170 à 200 ml suivant l'appétit de l'enfant

Premier repas	1 biberon de lait pour nourrisson + 3 à 4 cuillerées à café de céréales infantiles sans gluten [a]
Deuxième, troisième et éventuellement quatrième repas	1 biberon de lait pour nourrisson
Dernier repas	Comme le premier repas

a. La législation les conseille plutôt à partir de 4 mois.

L'alimentation d'un bébé de 4-5 mois

Composition d'un biberon :
— soit : eau 180 ml + 6 mesurettes de poudre de lait pour nourrisson (ou de lait de suite),
— soit : eau 210 ml + 7 mesurettes de poudre de lait pour nourrisson (ou de lait de suite).
Si vous utilisez un lait prêt à l'emploi, faites des biberons de 200 à 240 ml suivant l'appétit de l'enfant.

Premier repas	1 biberon de lait pour nourrisson ou d'un lait de suite + 4 à 5 cuillerées à café de céréales infantiles sans gluten.
2e repas si 5 repas par jour	Un biberon de lait pour nourrisson ou d'un lait de suite.
Repas de la mi-journée	Introduction de légumes et/ou de fruits : 2 à 3 cuillerées à café d'une purée de légumes ou de fruits crus mixés ou encore d'un petit pot de légumes ou de fruits (de préférence sans sucre ajouté), — soit vous donnez les 2 à 3 cuillerées à café à la petite cuillère avant un biberon de lait dont le nourrisson boira les quantités qui lui conviennent, — soit vous donnez les 2 à 3 cuillerées à café de purée de légumes dans le biberon avec le lait. Cette technique est valable quand il y a peu de légumes, et ne s'applique pas aux fruits. Augmentez tous les deux jours de 2 à 3 cuillerées à café suivant l'envie de l'enfant.
Repas de l'après-midi	Un biberon de lait pour nourrisson ou d'un lait de suite.
Dernier repas	Comme le premier repas.

L'alimentation d'un bébé de 5-7 mois

Premier repas	Un biberon de lait de suite + 1 à 2 cuillerées à soupe de céréales.
Repas de la mi-journée	— Une purée de légumes ou un petit pot de légumes. Si la quantité de légumes acceptée par l'enfant est telle qu'il prend peu de lait, on peut commencer à proposer de la viande, ou du poisson, ou de l'œuf (par exemple, une cuillerée à café de viande ou de poisson) ou proposer un petit pot de mélange légumes-viande ou légumes-poisson. — Finir le repas par des fruits crus ou cuits mixés et non sucrés, ou des fruits en petits pots, ou du jus de fruits frais. — Donner à boire de l'eau pendant le repas.
Goûter	Un biberon de lait de suite.
Dîner	Il est comme le repas de midi, mais sans viande-poisson-œuf. On peut utiliser des céréales aux légumes ajoutées au lait de suite. Ainsi, progressivement, le repas du soir deviendra vers six-sept mois un repas de légumes sur le modèle de celui du déjeuner en variant les légumes. Quand le dîner sera constitué de potage ou de purée de légumes plus ou moins épaissis, terminer le repas par un laitage tel que yaourt ou fromage blanc [a]. Si le lait de suite est la base d'un potage avec des céréales et des légumes, donner un dessert à base de fruits.

a. Si possible type « croissance » enrichis en fer et acides gras essentiels.

Structure des repas lorsque bébé se tient seul assis (8-12 mois)

Petit déjeuner	Biberon de lait de suite + céréales infantiles (farines)
Déjeuner	Initiation aux crudités Purée de légumes + lait de suite ajouter 1 cuillère à café de beurre ou d'huile Viande, poisson, œuf (2 cuillères à café) Fruits mixés
Goûter	Biberon de lait de suite Grignotage de croûtes de pain et/ou de biscuits
Dîner	Biberon de lait de suite + céréales infantiles aux légumes par exemple Fruits mixés OU Purée de légumes avec beurre ou huile Dessert lacté enrichi [a]
Boisson	Eau

a. Si possible type « croissance », enrichi en fer et acides gras essentiels.

Quantités journalières de viande et de poisson [a] conseillées au cours de l'enfance

Âge de l'enfant	Quantités en grammes par jour
5-6 mois	10 g [b]
7-8 mois	15-20 g
9-12 mois	20-25 g
1-2 ans	25-30 g
3-4 ans	30-50 g
5-6 ans	60-80 g
7-9 ans	100-120 g
10-12 ans	120-150 g

a. 50 g de viande = 50 g de poisson = 1 gros œuf entier.
b. Voir détails sur les équivalences pages 319 et 355.

Alimentation d'un enfant
à partir d'un an

Les *familles* (ou *groupes*) d'aliments au cours de la journée des un-trois ans se répartissent de la manière suivante :

Lait, fromage, yaourt	Trois à quatre fois par jour
Viande, poisson, œuf	Dans les quantités indiquées pour chaque âge : — de 4 à 6 ans : 60-80 g — de 7 à 9 ans : 100-120 g — de 10 à 12 ans : 120-150 g
Légumes ou/et fruits crus	Au moins deux fois par jour
Légumes et/ou fruits cuits	En fonction de l'appétit, en alternance avec les plats de féculents
Féculents (céréales, pain, pommes de terre, légumes secs)	Sous différentes formes à tous les repas, en fonction de l'appétit
Matières grasses ajoutées (huiles, beurre, crème, margarines)	En quantités raisonnables en variant leurs origines
Produits sucrés	En fonction d'une politique du minimum
Eau	Pure, eau du robinet ou embouteillée, à volonté

Adolescents : comment assurer des apports adéquats

Calcium	• Consommer quotidiennement au moins trois laitages, par exemple : — du lait avec le café, le chocolat ou les céréales du matin, — un morceau de fromage au déjeuner, — un yaourt au goûter ou au dîner. • Privilégier les fromages les plus riches en calcium (bleus, roquefort, saint-nectaire, reblochon, fromage à pâte dure). • Prendre plus souvent (deux ou trois fois par semaine) des légumes secs. • Boire moins de sodas (plus on en boit, moins on consomme de laitages). • Boire des eaux riches en calcium, minérales (Hépar, Contrexéville, Vittel, Badoit, San Pellegrino) ou du robinet (renseignez-vous sur sa composition auprès de votre mairie).
Fer	• Éviter les régimes végétariens. • Renoncer au régime végétalien. • Consommer au moins une fois par jour un morceau de viande, ou de poisson, ou deux œufs et, assez souvent, un plat de lentilles ou d'autres légumes secs. • Agrémenter ses légumes de quelques gouttes de citron ou terminer son repas par un agrume : la vitamine C améliore la digestion du fer.
Magnésium	• Privilégier les légumes secs, céréales complètes (flocons d'avoine, muesli), pain complet, fruits secs, bananes. • Ne pas hésiter à craquer de temps en temps pour du chocolat : lui aussi est riche en magnésium.
Vitamine B9	• Au petit déjeuner, préférer les pains complets, les céréales complètes. • Manger au moins une fois par jour des tomates ou des légumes verts (sous la forme de crudités ou de l'accompagnement du plat principal). • Remplacer une ou deux fois par mois la viande par des abats (foie d'agneau ou de génisse, rognons).

Alimentation lacto-végétarienne de 6 mois à 6 ans quantités d'aliments par jour

	6-12 mois	1-3 ans	4-6 ans
Nombre de portions[a] de produits laitiers	4 à 6[b]	4 à 6	6 à 7
Légumineuses		Introduction progressive sous forme de purée ou de tofu[c]	+
Fruits oléagineux (noix, amandes, etc.)	0	Broyés, en petites quantités	Broyés ou entiers sous surveillance
Céréales complètes[d]	0	peu	Plus ou moins
Pommes de terre, pain, pâtes, semoule, riz	En fonction de l'appétit		
Légumes, fruits crus et cuits	En fonction de l'appétit		
Matières grasses ajoutées	D'origine végétale principalement		
Produits sucrés	Comme pour toute alimentation, pas d'excès		

a. Une portion peut être remplacée par un œuf.
b. Produits laitiers enrichis en fer. Voir page 347 le tableau des portions références de produits laitiers.
c. 100 g de tofu = 1 œuf.
d. En fonction de la tolérance (risques de ballonnements et de douleurs abdominales).

Alimentation lacto-végétarienne de 7 à 18 ans quantités d'aliments par jour

	7-10 ans	11-15 ans	16-18 ans
Nombre de portions [a] de produits laitiers	7	7 à 8	8 à 9
Légumineuses	+	++	++
Fruits oléagineux (noix, amandes, etc.)	+	+	++
Céréales complètes	+	++	++
Pommes de terre, pain, pâtes, semoule, riz	En fonction de l'appétit		
Légumes, fruits crus et cuits	En fonction de l'appétit		
Matières grasses ajoutées	D'origine végétale principalement		
Produits sucrés	Comme pour toute alimentation, pas d'excès		

a. Une portion peut être remplacée par un œuf. Voir page 347 le tableau des portions références de produits laitiers.

CRÉDITS PHOTOGRAPHIQUES

Achevé d'imprimer
en août 1998
sur les presses de
l'imprimerie HÉRISSEY
à Évreux (Eure)

Maquette - Mise en pages - Photogravure
NORD COMPO (Villeneuve-d'Ascq)
Reliure : DIGUET DENIS
(Breteuil-sur-Iton)

N° d'édition : 7381-0617-X
N° d'impression : 80782
Dépôt légal : août 1998